BERNARD MINIER

Bernard Minier, né en 1960, originaire de Béziers, a grandi au pied des Pyrénées. Contrôleur principal des douanes, marié et père de deux enfants, il vit aujourd'hui en région parisienne. Son premier roman, *Glacé* (2011), a reçu le prix du meilleur roman français du Festival Polar de Cognac. Après *Le Cercle* (2012, prix 2013 des bibliothèques et médiathèques de Cognac) et *N'éteins pas la lumière* (2014), *Une putain d'histoire* (2015) est son dernier ouvrage.
Tous ses romans ont paru aux Éditions XO et sont repris chez Pocket.

Retrouvez toute l'actualité de l'auteur sur :
www.bernard-minier.com
www.facebook.com/bernard.minier

N'ÉTEINS PAS
LA LUMIÈRE

BERNARD MINIER

N'ÉTEINS PAS
LA LUMIÈRE

XO ÉDITIONS

Pocket, une marque d'Univers Poche,
est un éditeur qui s'engage pour la préservation
de son environnement et qui utilise du papier fabriqué
à partir de bois provenant de forêts
gérées de manière responsable.

© XO Éditions 2014
ISBN : 978-2-266-25510-3

OUVERTURE

Forêt de Bialowieza,
frontière de la Pologne et de la Biélorussie

Il marchait au cœur de la forêt. Dans la neige et le blizzard. Il avait tellement froid qu'il claquait des dents. Des cristaux de glace s'accrochaient à ses sourcils et à ses cils ; la neige adhérait par croûtes à sa veste de ski matelassée et à la laine humide de son bonnet – et Rex lui-même avait du mal à progresser dans l'épais manteau neigeux, dans lequel il enfonçait jusqu'au garrot à chaque saut. L'animal aboyait à intervalles réguliers, sans doute pour lui faire part de sa désapprobation, et ses aboiements étaient renvoyés par l'écho. De temps en temps, il s'arrêtait pour s'ébrouer comme s'il sortait de l'eau, envoyant valser autour de son pelage fauve et noir un nuage de poudreuse et d'aiguilles de glace. Ses pattes fines et musclées imprimaient de profondes traces dans le linceul blanc, son ventre laissait une empreinte incurvée à sa surface, comme celle d'une luge en plastique.

La nuit commençait à tomber. Le vent se levait. *Où était-elle ?* Où était la cabane ? Il s'arrêta et reprit sa respiration. Il ahanait, un souffle rauque jaillissant de ses poumons, le dos trempé de sueur sous sa veste de ski et son sweat. La forêt lui faisait l'effet d'un organisme vivant – froissements des branches alourdies par la neige qui bougeaient sous le vent, craquements secs quand l'écorce se fendait sous la morsure du froid, chuchotements de la bise qui, par moments, enflait démesurément à ses oreilles, babil cristallin d'un ruisseau proche, pas encore tout à fait gelé. Et puis le craquement soyeux de ses pas, scandant le rythme de sa progression, tandis qu'il levait haut les genoux et devait fournir de plus en plus d'efforts pour s'extraire de l'emprise de la neige. Et du froid. Bon Dieu ce qu'il faisait froid ! Il n'avait jamais eu aussi froid de toute sa vie.

Il aperçut quelque chose à travers la grisaille du crépuscule et les flocons qui lui piquaient les yeux, quelque chose dans la neige devant. Des reflets métalliques, deux cerceaux crénelés... *Un piège...* Une forme sombre était prise entre ses mâchoires d'acier.

Durant quelques secondes, il ressentit un malaise indéfinissable : ce qui s'était trouvé là ne ressemblait plus à aucune créature vivante. *Ça* avait été dévoré, déchiqueté, lacéré. Du sang visqueux mêlé de poils souillait la neige autour du piège. Il y avait aussi de petits os et des viscères rosés recouverts d'une fine couche de givre.

Il contemplait encore le piège quand le hurlement s'éleva, le transperçant comme une lame rouillée. Il ne se souvenait pas d'avoir jamais fait l'expérience d'un cri pareil – aussi rempli de terreur, de douleur, d'une souffrance quasi inhumaine. Aucun être humain, du reste, n'aurait pu émettre un tel son. Cela provenait du cœur de la forêt, droit devant lui. *Pas loin…* Son sang se figea quand le hurlement déchira de nouveau l'air du soir, et tous les poils de son corps se hérissèrent en même temps. Puis le cri mourut dans le crépuscule, emporté par le vent polaire.

Pendant un instant, le silence sembla s'installer de nouveau. Puis d'autres hurlements, plus modulés, plus lointains, firent écho au premier : à droite, à gauche, *partout* – provenant de la forêt envahie par l'obscurité. *Des loups…* Un long frisson courut sur sa peau, de sa nuque à ses orteils. Il se remit en marche, levant les genoux avec encore plus de vigueur, avec une énergie désespérée, dans la direction d'où s'était élevé le cri. Et il la vit. La cabane. Sa silhouette sombre et ramassée au bout d'une sorte d'allée naturelle dessinée par les arbres. Il franchit les derniers mètres verglacés presque en courant. Rex semblait avoir senti quelque chose, car il bondit en aboyant.

— Rex, attends ! Ici, Rex ! REX !

Mais le berger allemand s'était déjà glissé par la porte entrouverte qu'un haut monticule de neige avait bloquée dans cette position. Un calme insolite régnait dans la clairière. Un hululement plus puissant que les autres s'éleva soudain des profondeurs de la forêt, un concert de glapissements lui répondit : des échos gutturaux s'appelant les uns les autres. Se rapprochant. Il enjamba maladroitement la congère et pénétra dans la cabane. Fut accueilli par la lueur, chaude comme du beurre fondu, de la lampe-tempête qui illuminait l'intérieur.

Il tourna la tête. S'immobilisa. Une aiguille de glace lui traversa le cerveau.

Il ferma les yeux. Les rouvrit.

11

Impossible. Ça ne peut être réel. Je suis en train de rêver. Ça ne peut être qu'un rêve.

Ce qu'il voyait, c'était Marianne. Elle gisait nue sur une table, au centre de la cabane. Son corps était encore chaud, car il fumait littéralement dans l'air glacé. Il songea que Hirtmann ne devait pas être loin. Fut tenté un instant de se lancer à sa poursuite. Il s'aperçut que tous ses membres s'étaient mis à trembler, qu'il était au bord d'un gouffre noir, de l'évanouissement ou de la démence. Proche de la syncope. Il fit un pas. Un autre. Se força à regarder. Le torse de Marianne avait été fendu et ouvert depuis la petite dépression à la base du cou jusqu'à l'aine – de toute évidence, il l'avait été *à vif*, car elle avait beaucoup saigné. Son torse était laqué de rouge sur les côtes, la table de bois sur laquelle elle reposait et les planches grossières du sol étaient presque entièrement imprégnées d'un sang épais lui aussi encore fumant. Son bourreau avait ensuite écarté la peau et la cage thoracique en tirant dessus. Les organes semblaient intacts, il n'en manquait qu'un… *Le cœur*… Hirtmann l'avait délicatement déposé sur le pubis de Marianne avant de s'en aller. Le cœur était encore plus chaud que tout le reste, Servaz voyait de la vapeur blanche s'en élever dans l'atmosphère glacée de la cabane. Il s'étonna de ne ressentir aucune nausée, aucun dégoût. Quelque chose clochait. Il aurait dû vomir tripes et boyaux devant ce tableau. Il aurait dû chialer. Hurler. Il était en proie à une étrange hébétude. C'est alors que Rex gronda et montra les crocs. Il se tourna vers l'animal. Le berger allemand avait le poil tout hérissé et il regardait par la porte entrebâillée. Menaçant et *effrayé.*

Il sentit un grand froid descendre en lui.

S'approcha de la porte. Coula un regard dehors.

Ils étaient là. Dans la clairière. Ils entouraient la cabane. Il en compta huit. *Huit loups.* Maigres et affamés.

Marianne…

Il devait la ramener jusqu'à la voiture. Il pensa à son arme oubliée dans la boîte à gants. Rex continuait de gronder. Il devina la peur, le stress de l'animal, lui caressa le sommet du crâne. Perçut les tremblements des muscles sous le pelage.

— Bon chien, dit-il, la gorge nouée, en s'accroupissant et en entourant Rex de ses bras.

L'animal tourna vers lui des yeux d'or si doux, si affectueux qu'il sentit les larmes affluer. Le flanc chaud du berger allemand se soulevait rapidement contre le sien. Servaz savait qu'il n'avait qu'une chance de s'en tirer. Et c'était la chose la plus triste, la plus difficile qu'il ait jamais eu à faire.

Se retournant vers la table, il prit le cœur et le replaça dans la poitrine de Marianne. Il déglutit, ferma les yeux en soulevant le corps nu et sanglant dans ses bras. Moins lourd que prévu.

— On y va, Rex ! dit-il fermement en se dirigeant vers la porte.

L'animal émit un aboiement rauque de protestation, mais il suivit son maître, non sans se remettre à gronder, l'arrière-train abaissé, la queue entre les jambes, les oreilles basses.

Les loups attendaient. En demi-cercle.

Leurs yeux jaunes paraissaient incandescents. Le poil de Rex se hérissa de plus belle. De nouveau, il montra les crocs. Les loups répondirent par des grondements encore plus puissants – gueules béantes, babines retroussées sur des canines terrifiantes. Rex aboya dans leur direction. Un contre huit. Un animal domestique contre des fauves. Il n'avait pas la moindre chance.

— Vas-y, Rex ! lança-t-il pourtant. Vas-y ! ATTAQUE !

Les larmes inondaient ses joues, sa lèvre inférieure tremblait, son esprit hurlait : *Non ! N'y va pas ! Ne fais pas ça, ne m'écoute pas !* Le chien aboya à plusieurs reprises, sans bouger d'un pouce. Il avait été dressé à obéir aux ordres, mais celui-ci heurtait par trop son instinct de survie.

— Attaque, Rex ! Attaque !

L'ordre venait de son maître cependant, son maître adoré, pour qui aucun être humain n'éprouverait jamais autant d'amour, de fidélité et de respect qu'il en éprouvait.

— ATTAQUE, BON DIEU !

L'animal percevait la colère à présent dans la voix de son maître. Et autre chose en dessous. Il voulait l'aider. Lui prouver son attachement et sa loyauté. Malgré sa peur.

Il attaqua.

Au début, il sembla presque avoir le dessus, quand un des loups – sans doute le chef du clan – se précipita vers lui et que Rex l'esquiva habilement et le prit à la gorge. Le loup hurla de douleur. Les autres reculèrent prudemment d'un pas dans la neige. Les deux animaux s'enroulèrent l'un autour de l'autre. Rex lui-même était redevenu une bête féroce, sauvage, sanguinaire.

Il ne pouvait attendre plus longtemps.

Il se détourna et se mit en marche. Les loups ne faisaient plus attention à lui. Pour le moment. Il remonta l'allée naturelle entre les arbres, Marianne dans les bras, sa veste matelassée inondée de sang, son visage inondé de larmes. Derrière lui, il entendit les premiers hurlements de douleur de son chien, les grondements redoublés de la meute. Son sang se figea. Rex hurla de nouveau. Un cri suraigu. Plein de douleur et de terreur. *Rex l'appelait au secours.* Il serra les dents, accéléra. Encore trois cents mètres…

Un dernier cri dans la nuit venteuse.

Rex était mort – il le comprit au silence qui suivit. Il se demanda si les loups allaient se contenter de cette victoire ou se lancer à sa poursuite. Il eut très vite la réponse. Des jappements dans son sillage. Au milieu de la tempête. Une partie des loups au moins avaient repris la chasse. Et, cette fois, il était la proie.

La voiture…

Elle était garée sur le chemin, à moins de cent mètres. Une couche de neige avait commencé de recouvrir la carrosserie. Il accéléra encore, les poumons brûlants, cinglé par la peur. Les grondements : juste dans son dos. Il fit volte-face. Les loups l'avaient rejoint. *Quatre sur huit…* Leurs yeux jaunes et délavés comme de l'ambre le fixaient, le jaugeaient. Il n'atteindrait jamais la voiture. Trop loin. Le corps de Marianne de plus en plus lourd dans ses bras.

Elle est morte. Tu ne peux plus rien pour elle. Mais tu peux encore t'en tirer…

Non ! Son cerveau refusait cette idée. Il avait déjà sacrifié son chien. Elle était encore tiède contre son torse. Il sentait son sang chaud imprégner sa veste. Il leva les yeux vers le ciel. Les flocons tombaient vers lui comme des étoiles, comme si le ciel se décrochait, comme si l'univers tout entier se précipitait pour l'engloutir. Il hurla de rage, de désespoir. Mais cela ne sembla pas impressionner les fauves. Les loups étiques en avaient assez d'attendre, ils sentaient qu'ils n'avaient pas grand-chose à craindre de cette proie solitaire. Ils pouvaient renifler sa peur – et surtout le sang qui s'écoulait de cette deuxième proie. Deux festins en un. Ils étaient trop affamés. Trop excités. Ils avancèrent.

Barrez-vous ! Foutez le camp ! SALOPERIES, BARREZ-VOUS *!* Il se demanda s'il avait véritablement hurlé – ou si c'était juste son esprit qui hurlait.

Tire-toi ! Maintenant ! Tu ne peux plus rien pour elle. Tire-toi !

Il écouta la voix intérieure, cette fois. Il lâcha les jambes de Marianne dont les pieds atterrirent dans la neige, plongea une main dans sa poitrine. Ses doigts gantés étreignirent le cœur encore chaud, ferme et élastique. Le tirèrent hors de la plaie béante. Le glissèrent sous sa veste matelassée, tout contre sa poitrine, tout contre son propre cœur. Il sentit le sang imprégner son sweat-shirt. Puis il la laissa tomber dans la neige. Le corps pâle et nu s'enfonça dans le linceul blanc avec un chuintement étouffé. Il fit trois pas en arrière. Lentement. Aussitôt, les loups se jetèrent sur elle. Il tourna les talons et s'enfuit. Atteignit la voiture. Elle était déverrouillée, mais il crut un instant que le froid avait bloqué la portière. Il tira sur la poignée de toute la force de ses doigts ensanglantés. Manqua tomber à la renverse quand elle s'ouvrit d'un coup en grinçant. Se laissa choir sur le siège conducteur. Sa main tremblait violemment dans le gant écarlate et poisseux lorsqu'il sortit la clé, il faillit la laisser tomber entre les sièges. Il jeta un coup d'œil au rétroviseur. Se rendit soudain compte qu'il y avait quelqu'un assis à l'arrière. Et sut qu'il était en train de devenir fou. *Non, ce n'était pas possible !* Elle ouvrit pourtant la bouche.

— Martin, supplia-t-elle.

— MARTIN ! MARTIN !

Il tressaillit. Ouvrit les yeux.

Il était avachi dans le vieux fauteuil en cuir cabossé, Rex léchait sa paume droite qui pendait le long de l'accoudoir.

— Fiche-moi le camp, dit la voix au chien. Va embêter quelqu'un d'autre ! Martin, ça va ?

Rex s'éloigna en remuant la queue. À la recherche d'un autre compagnon de jeu. Il n'en manquait pas ici. Rex appartenait à tout le monde et à personne, il était le véritable hôte de ces lieux. Servaz s'ébroua, comme l'avait fait le chien dans son rêve. Il fixa la télé devant lui. Sur l'écran défilait un reportage sur l'aventure spatiale française. Il reconnut l'énorme mappemonde de la Cité de l'espace, à l'est de Toulouse, qui, la nuit, dessinait d'un trait de lumière bleue le pourtour des continents. Puis les bâtiments de l'Institut supérieur de l'aéronautique et de l'espace, du côté de Jolimont, sur l'autre versant de la colline qui surplombait le cœur de la cité.

Servaz était seul dans le salon, à part Élise. Il se rendit compte qu'il s'était endormi devant la télé, vaincu par la chaleur régnant dans le bâtiment en ce léthargique après-midi d'hiver qui s'étirait interminablement. Il tourna son regard vers la baie vitrée, où le soleil avait brillé toute la matinée sur le paysage blanc. Pendant ces quelques heures idéales, entre l'odeur du café flottant dans les couloirs, les rires

17

des employées, le grand sapin décoré et la blancheur éblouissante à l'extérieur, il avait retrouvé un peu de son âme d'enfant.

Puis, peu après le déjeuner pris dans la salle commune, le soleil s'était retiré derrière les nuages, un vent froid s'était levé, les branches nues avaient commencé de s'agiter derrière la vitre et le thermomètre extérieur avait brutalement chuté de 5 à –1°C. Le flic s'était alors avachi – morose – dans un fauteuil, devant la télé au son coupé, avant de sombrer dans un sommeil plein de cauchemars.

— Vous avez fait un mauvais rêve, dit Élise. Vous avez crié.

Il la regarda. Encore hébété. Un frisson. Il revit la grande forêt enneigée, la cabane, les loups... *Et Marianne*... Le cauchemar qui n'en était pas un... Quel espoir lui restait-il ? Réponse : aucun.

— Vous êtes sûr que ça va ?

La quarantaine, des rondeurs et des yeux rieurs même quand elle essayait de prendre un air préoccupé, Élise était la seule employée du centre qu'il appréciât. Et sans doute la seule qui le supportât *lui*. Les autres étaient d'anciens flics venus en cure avant de devenir les tauliers du lieu ; on appelait ça des PAMS : des policiers assistants médicaux sociaux. Ils traitaient les autres pensionnaires avec un mélange d'écoute, de fraternité et de compassion qui évoquait à Servaz une substance gélatineuse. Et ils ne l'aimaient guère. Il refusait de jouer le jeu. De fraterniser. De s'apitoyer sur son sort. De *collaborer*...

Contrairement à eux, Élise n'attendait rien de lui.

Et elle n'avait jamais travaillé dans la police. Elle s'était un jour décidée à divorcer après que son mari, qui l'humiliait, la menaçait et la « bousculait » depuis des années, eut commis l'erreur de l'abandonner, elle et son fils, en rase campagne suite à un désaccord mineur. Et de repartir seul dans sa voiture au beau milieu de la nuit. Après leur divorce, il avait continué de la harceler de coups de fil jour et nuit, l'avait attendue à la sortie de son travail ou au supermarché pour la supplier de le reprendre ou la menacer de kidnapper leur fils, voire de les tuer tous les deux et de se suicider ensuite, et – une fois – il l'avait poussée si fort sur le parking que le crâne d'Élise avait heurté le pare-chocs de sa voiture et qu'elle avait perdu connaissance. Sous les yeux de leur fils. Suite à quoi le juge avait délivré une ordonnance de protection et interdit à son ex-mari de les approcher. Cela ne l'avait pas découragé. Le mari avait déjà eu maille à partir avec la justice et il savait que ce genre d'ordonnance était rarement suivi d'effet. Puis Élise avait trouvé ce job dans cette maison de repos pour policiers au bout du rouleau, où tous s'étaient rapidement mis à l'adorer. Elle avait fini par s'ouvrir de ses problèmes à quelques-uns des pensionnaires et, du jour au lendemain, l'ex-mari s'était retrouvé avec des flics qui lui rendaient régulièrement visite pour des motifs futiles, qui l'appelaient matin, midi et soir à son boulot, passaient le saluer *amicalement*, garaient leur voiture devant chez lui au moins deux fois par semaine et l'abordaient dans la rue, devant ses voisins, pour un oui ou pour un non, en le tutoyant, et parfois aussi en le bousculant un peu – bien moins toutefois qu'il n'avait bousculé Élise. Il les avait menacés de porter plainte pour harcèlement mais n'en avait rien fait ; il avait cessé en revanche de harceler Élise et leur enfant. L'ex-mari sorti de sa vie, elle était très vite redevenue ce qu'elle était avant de le connaître : une femme énergique, au rire contagieux, pleine de joie de vivre.

— Votre fille a appelé.

Servaz la regarda, un sourcil levé.

— Comme vous dormiez, elle n'a pas voulu vous déranger, ajouta-t-elle. Mais elle a dit qu'elle passerait bientôt.

Il éteignit la télévision avec la télécommande. Se leva. Regarda son pull-over élimé qui commençait de pelucher aux coudes et aux poignets. Se souvint que demain, c'était Noël.

— Vous pourriez peut-être en profiter pour vous raser, suggéra-t-elle d'un ton frondeur.

Il demeura un instant silencieux.

— Et si je ne le fais pas ?

— Alors vous confirmerez ce que presque tout le monde ici pense de vous.

Son sourcil se hissa de nouveau au milieu du front.

— Et qu'est-ce qu'ils pensent ?

— Que vous êtes un ours mal léché, un type infréquentable.

— Et c'est ce que vous pensez aussi ?

Elle haussa les épaules.

— Ça dépend des jours…

Il rit et elle fit écho à son rire en s'éloignant. Mais dès qu'elle eut disparu, le rire de Servaz s'étrangla dans sa gorge. Non pas qu'il se souciât de ce que les autres pensaient – mais il ne voulait pas que Margot le voie dans cet état. La dernière fois qu'elle lui avait rendu visite ici, c'était plus de trois mois auparavant : il n'avait pas oublié la gêne et la tristesse dans les yeux de sa fille.

Il traversa le hall d'entrée et emprunta l'escalier. Sa chambre se trouvait tout là-haut, sous les toits. À peine plus de neuf mètres carrés, un lit aussi étroit que la couche d'Ulysse revenu secrètement à Ithaque, un placard, un bureau, quelques étagères avec des livres : Plaute, Cicéron, Tite-Live, Ovide, Sénèque… Un décor spartiate. Mais la vue sur les champs et les bois était belle, même en hiver.

Il retira son vieux pull et le tee-shirt en dessous, passa une chemise et un pull propres, sa veste de ski matelassée, une écharpe et des gants, puis redescendit l'escalier jusqu'au hall d'entrée et se dirigea vers la porte à l'arrière – celle qui donnait sur l'étendue immaculée.

Il marcha en silence à travers la plaine blanche, jusqu'au petit bois. Huma l'air humide et froid. Pas la moindre trace dans la neige. Personne n'était passé par ici.

Un banc de pierre sous les arbres aux troncs poudrés. Il en balaya la neige de sa main gantée. S'assit. Sentit l'humidité et le froid sous ses fesses.

Des corbeaux montaient la garde dans le ciel. Qui était presque de la même couleur que le reste du paysage.

Ses pensées, elles, avaient le même plumage sombre que les corbeaux. Il renversa la tête en arrière et respira profondément, tandis que *son* sourire s'inscrivait une fois de plus dans sa mémoire. Comme une persistance rétinienne. Il avait arrêté les antidépresseurs le mois précédent, sans demander l'avis du médecin, et il eut soudain peur que les ténèbres ne l'engloutissent à nouveau.

Peut-être qu'il allait trop vite…

Il savait que le trouble dont il souffrait pouvait le tuer, qu'il luttait pour simplement survivre. Il se débattait dans les affres d'une grave dépression et plus il se débattait, plus il sentait ses liens maléfiques se resserrer autour de lui, tel un nœud coulant. Il se demandait avec angoisse combien de temps encore il aurait la force d'endurer une souffrance aussi dévastatrice.

Aussi radicale.

Six mois plus tôt, il avait reçu à son domicile un paquet expédié par UPS. L'expéditeur était un certain M. Osoba, domicilié à Przewloka, un lieu-dit à l'est de la Pologne, en pleine forêt, près de la frontière biélorusse. La boîte en carton contenait un deuxième conditionnement – isotherme celui-là – et Servaz avait senti son pouls s'accélérer en faisant sauter le sceau de cire à l'aide d'un couteau de cuisine. Il ne se souvenait plus à quoi il s'était attendu, sans doute à découvrir un doigt coupé, voire une main, étant donné la taille du colis. Mais ce qu'il avait trouvé était bien pire… C'était rouge, d'un bel incarnat luisant de viande fraîche, en forme de grosse poire. *Un cœur…* De toute évidence humain. Le mot qui l'accompagnait n'était pas en polonais mais en français :

Elle a brisé le tien, Martin. Je me suis dit que tu te sentirais libéré après ça. Bien sûr, tu vas souffrir, au début. Mais tu n'auras plus à la chercher, à espérer. Penses-y.

Amitiés.

J.H.

Un dernier espoir. Ténu, vacillant.

Celui qu'il s'agît d'une mauvaise, d'une épouvantable

blague : du cœur de quelqu'un d'autre. L'unité bio du laboratoire de police scientifique avait effectué une recherche en parentèle à partir de l'ADN de Hugo, le fils de Marianne. La science avait rendu son verdict – et Servaz avait senti sa raison vaciller. L'adresse correspondait à une maison isolée au cœur de la vaste forêt de Bialowieza. L'une des dernières forêts primaires d'Europe, ultime vestige de l'immense forêt hercynienne qui couvrait tout le nord du continent européen au début de l'ère chrétienne. Des prélèvements ADN avaient confirmé que Hirtmann avait séjourné là. De même que plusieurs femmes disparues dans divers pays d'Europe au cours des dernières années. Dont Marianne… Servaz avait également appris que le nom *Osoba* voulait dire « personne » en polonais : Hirtmann aussi avait lu son Homère.

Bien sûr, la piste s'arrêtait là…

Servaz avait été mis en arrêt maladie un mois plus tard – et envoyé dans ce centre pour flics dépressifs où on l'obligeait à faire deux heures de sport par jour et à se livrer à des tâches quotidiennes telles que balayer les feuilles mortes. Il se pliait aux corvées sans broncher ; il avait refusé en revanche les séances de déballage. Tout comme il évitait la fréquentation des autres pensionnaires : que cela tînt à ce qu'ils avaient vécu ou à un penchant atavique, c'étaient presque tous des alcooliques en arrivant ici. Des flics qui, après des années passées à côtoyer les rivages de l'immonde, avaient fini par dévisser. Qui n'en pouvaient plus d'être traités de schmitts, de condés, de keufs, de salauds, d'ordures à longueur de journée, de voir leurs enfants agressés dans la cour de l'école parce que leurs pères étaient policiers, leurs femmes partir parce qu'elles en avaient marre, de passer leur vie entière à être détestés pendant que les vraies ordures se prélassaient aux terrasses des cafés ou dans leurs lits... La plupart de ceux qui étaient ici avaient déjà mis au moins une fois le canon de leur arme de service dans leur bouche.

Entre autres effets, la dépression vous rend inapte à remplir quelque tâche que ce soit. Stehlin, son patron, avait rapidement jugé qu'il n'était plus en état d'exercer correctement son métier. Ce qu'il aurait pu lui-même confirmer si on le lui avait demandé : il se moquait désormais comme d'une guigne des assassins, des violeurs et des salauds de tous poils. Il se moquait de ça comme du reste : du goût des aliments, des infos à la télé, de l'état du monde – et même de ses chers auteurs latins.

Et de la musique de Mahler...

Ce dernier symptôme lui avait paru le plus préoccupant. Avait-il remonté la pente ? Pas sûr. Depuis quelque temps pourtant, comme un lent dégel, les petites pousses commençaient à reverdir à travers le paysage morne et désolé qu'était devenue sa vie – et le sang recommençait d'affluer dans ses artères. Depuis quelque temps également, il éprouvait une démangeaison à la pensée d'un certain dossier en souffrance sur son bureau. Il avait même posé la question à Espérandieu, son adjoint et seul véritable ami. Le visage du jeune homme s'était éclairé : « Tiens donc ! » Et Servaz avait souri à son tour. Vincent avait beau écouter du rock indé, lire des mangas et se passionner pour des choses aussi profondes que les jeux vidéo, les fringues et les gadgets high-tech, il était quelqu'un que Servaz écoutait et respectait. Il avait expliqué à Martin les derniers développements de deux affaires particulièrement sensibles sur lesquelles ils avaient travaillé ensemble et qui n'étaient toujours pas résolues – et son sourire s'était agrandi comme celui d'un gamin qui vient de faire une bonne blague quand il avait découvert la petite étincelle du manque dans l'œil de son patron.

— « *Au milieu du chemin de notre vie*
Je me retrouvais dans une forêt obscure
Car la voie droite était perdue. »

— Hein ? dit Espérandieu en fronçant les sourcils.

— Dante, commenta Servaz.

— Mmm… Au fait, Asselin est parti.

Le commissaire Asselin. Il dirigeait la Division des affaires criminelles.

— Comment est son remplaçant ?

Espérandieu grimaça. Servaz vit une forêt éclairée par un soleil printanier. Le sol en était encore gelé. Il était perdu au cœur des bois et il avait froid jusque dans ses os malgré les tièdes rayons du soleil entre les feuillages. Il chassa cette vision. Un simple rêve. Un jour très prochain, il sortirait de cette forêt. Et pas seulement en rêve.

Acte 1

Que ton âme soit vouée
Au supplice imminent.

Madame Butterfly

1

Lever de rideau

J'écris ces mots. Les derniers. Et, en les écrivant, je sais que c'est terminé : il n'y aura pas de retour en arrière possible, cette fois.

Tu vas m'en vouloir de te faire ça un soir de Noël. Je sais que ça heurte au plus haut point ton fichu sens des convenances. Toi et tes foutues manières. Dire que j'ai cru à tes mensonges, à tes promesses. De plus en plus de paroles et de moins en moins de vérité : c'est ça, le monde, aujourd'hui.

Je vais vraiment le faire, tu sais. Ça, au moins, ce n'est pas du baratin. Est-ce que ta main tremble un peu à présent ? Est-ce que tu transpires ?

Ou peut-être qu'au contraire tu souris en lisant ces mots. Est-ce que c'est toi qui es derrière tout ça ? Ou bien ta pétasse ? C'est vous qui m'avez envoyé tous ces opéras ? Et le reste : vous aussi ? Peu importe. Il y a eu un moment où j'aurais donné n'importe quoi pour savoir qui pouvait me haïr à ce point, un moment où je cherchais désespérément comment j'avais pu susciter tant de haine. Parce que forcément ça venait de moi, c'est ce que je me disais. Mais plus maintenant.

Je crois que je deviens folle. Folle à lier. À moins que ça ne soient les médocs. De toute façon, cette fois, je n'ai plus la force. Cette fois, c'est terminé. J'arrête. Stop. Qui que ce soit, il a gagné. Je n'y arrive plus. Je ne dors plus. Stop.

Je ne me marierai jamais, je n'aurai jamais d'enfants : j'ai lu cette phrase dans un roman. Merde. Maintenant, je comprends ce qu'elle voulait dire. Il y a des choses que je vais regretter, bien sûr. La vie peut être drôlement chouette parfois, sans doute pour mieux nous blesser ensuite... Toi et moi, cela aurait peut-être fini par coller, avec le temps. Ou peut-être pas... Pas grave. Je sais que tu auras vite fait de m'oublier, de me reléguer dans le magasin des souvenirs désagréables, ceux qu'on n'aime pas évoquer. Tu diras à ta pétasse, en prenant un air repentant : « Elle était folle, dépressive ; je n'ai pas compris à quel point. » Et puis, vous passerez bien vite à autre chose. Vous rirez et vous baiserez. Mais je m'en fous : tu peux crever. En attendant, c'est moi qui vais le faire.

JOYEUX NOËL QUAND MÊME.

Christine regarda le dos de l'enveloppe : pas d'expéditeur. Pas de timbre non plus. *Pas même son nom à elle, Christine Steinmeyer.* Quelqu'un l'avait déposée directement dans sa boîte aux lettres. Il devait y avoir une erreur… C'était forcément une erreur : cette lettre ne la concernait pas. Elle considéra les rangées de boîtes alignées contre le mur, les noms écrits à la main sur les étiquettes ; la personne qui avait glissé l'enveloppe dans la fente s'était trompée de boîte, voilà tout.

Cette lettre est destinée à quelqu'un d'autre... à quelqu'un d'autre dans cet immeuble.

L'idée qui lui traversa ensuite l'esprit lui coupa presque le souffle : *est-ce que c'est bien ce que ça a l'air d'être ?...* Oh, bon Dieu. La seule sensation tangible qu'elle éprouva fut celle d'une perte momentanée d'équilibre. Elle posa de nouveau les yeux sur le double feuillet dactylographié : *si c'est le cas, il faut absolument prévenir quelqu'un...* Oui, mais qui ? Elle pensa à la personne qui l'avait rédigée – à l'état dans lequel elle devait se trouver ou à ce qu'elle devait être en train de faire en ce moment même – et des doigts glacés se refermèrent sur son estomac. Elle relut les dernières lignes, lentement, en analysant chaque mot : « *Tu peux crever. En attendant, c'est moi qui vais le faire.* » Pas de doute : c'était bien la lettre de quelqu'un qui va mettre fin à ses jours.

Et merde...

Le soir de Noël, une personne dans cette ville ou pas loin s'apprêtait à en finir avec la vie – ou l'avait peut-être déjà fait... Et Christine était la seule à savoir. Et elle n'avait aucun moyen de l'éviter, car la personne qui était censée lire cette lettre ce soir (cette lettre qui était aussi, selon toute évidence, un appel au secours) ne la lirait pas.

Un canular. C'est forcément un canular...

Encore une fois, elle relut les premières lignes. Cherchant les indices d'une mystification. Mais qui prendrait la peine de faire un canular pareil le soir de Noël ? Quelle sorte de malade ? Elle savait qu'il existait un grand nombre de gens seuls qui détestaient cette période de l'année parce qu'elle les renvoyait à leur solitude, mais de là à se livrer à une telle mascarade ;

par ailleurs, il y avait quelque chose dans le ton, la teneur de cette lettre qui sonnait sinistrement vrai – par son contenu, elle supposait que la personne qui la lirait connaissait déjà certains détails.

Si seulement il y avait eu un prénom, quelque chose, elle aurait pu frapper à chaque porte et demander : « Vous connaissez Untel ou Unetelle ? »

La minuterie s'éteignit, plongeant le hall dans l'obscurité, une obscurité seulement percée par la clarté de la rue qui traversait la double porte vitrée en fer forgé. Elle sursauta. Regarda en direction de la porte, comme si celui ou celle qui avait glissé l'enveloppe dans sa boîte allait réapparaître d'un instant à l'autre. Sur le trottoir d'en face, la boulangerie artisanale avait décoré sa vitrine et elle aperçut le traîneau d'un père Noël à travers les flocons. Dans les ténèbres du hall, elle frissonna – pas seulement à cause de la lettre : pour elle, le noir était un danger aussi effrayant qu'une lame de rasoir.

Ce fut le moment que choisit son portable pour vibrer dans sa poche.

— Qu'est-ce que tu fous ?

Elle claqua la lourde porte vitrée derrière elle. Sur le trottoir, un vent froid souleva son cache-nez. Des flocons mouillèrent ses joues. Il s'était remis à neiger. Une fine pellicule recouvrait déjà la chaussée. Elle parcourut la rue des yeux, jusqu'au moment où Gérald lui fit des appels de phares.

Une bouffée de Nick Cave chantant *Jubilee Street,* un agréable parfum de cuir, de plastique neuf et d'eau de toilette pour homme lorsqu'elle ouvrit la portière du côté passager. Elle se laissa tomber sur le siège de l'encombrant *crossover* blanc, mais laissa la portière entrouverte. Gérald se tourna vers elle – son sourire spécial Noël aux lèvres – et, lorsqu'il se pencha pour l'embrasser, la douce écharpe en soie grise la chatouilla au menton en même temps qu'elle perçut la chaleur qui irradiait de son manteau de laine et le parfum agréable qui imprégnait ses vêtements. Comme un shoot d'héroïne, elle sentit la morsure de l'addiction, la piqûre de rappel du besoin au creux de son ventre.

— Prête à affronter monsieur-c'était-mieux-avant et madame-vous-ne-mangez-rien-ma-chère ? demanda-t-il en tournant vers elle son téléphone.

Il appuya sur le déclencheur de l'appli photo.

— Qu'est-ce que tu fais ?

— Tu vois, je te prends en photo.

Sa voix la réchauffa comme une gorgée onctueuse d'irish-coffee, mais elle eut du mal à sourire franchement.

— Regarde ça d'abord.

Elle alluma le plafonnier, lui tendit la feuille et l'enveloppe.

— Christine, on est déjà en retard...

Voix caressante mais ferme : douceur et autorité mêlées – c'était ce qui l'avait le plus frappée chez lui lors de leur première rencontre, bien plus que son physique.

— Regarde quand même.

— Où as-tu trouvé ça ?

Son ton était presque désapprobateur – comme s'il la tenait pour responsable d'avoir trouvé ce message dans sa...

— … dans ma boîte aux lettres.

Malgré la pénombre, elle lut une intense surprise derrière ses lunettes. Et de l'agacement : Gérald n'aimait pas l'imprévu.

— Alors ? voulut-elle savoir. Tu en penses quoi ?

Il haussa les épaules.

— C'est sans doute un canular. Que veux-tu que ce soit ?

— Je ne crois pas, non. Ça sonne plutôt vrai.

Il soupira, remonta ses lunettes sur son nez et posa de nouveau les yeux sur la feuille tenue entre ses doigts gantés, dans la faible lueur du plafonnier. Des flocons légers traversaient par dizaines le faisceau des phares ; une voiture passa près d'eux dans un chuintement assourdi – Christine eut l'impression d'être à bord d'un bathyscaphe dans cet habitacle obscur et froid cerné par la neige. Elle relut la lettre par-dessus l'épaule de Gérald. Les mots se déposaient dans son esprit comme des flocons.

— Dans ce cas, c'est une erreur, conclut-il. Cette lettre était destinée à quelqu'un d'autre.

— Exactement.

Il la regarda de nouveau.

— Bon, écoute, on résoudra ce mystère plus tard. Mes parents doivent déjà être en train de nous attendre.

Oui, oui, oui, bien sûr : tes parents… Noël… – qu'est-ce que ça peut faire si une femme tente de se suicider ce soir ?

— Gérald, tu te rends compte de ce que cette lettre signifie ?…

Il écarta ses mains gantées du volant, les posa sur ses cuisses.

34

— Je crois, oui, dit-il très sérieusement mais comme à regret. Que… que veux-tu qu'on fasse ?

— Je ne sais pas. Tu n'as pas une idée ? On ne peut quand même pas rester là sans rien faire…

— Écoute. (De nouveau, ce ton réprobateur, qui semblait dire : *Il n'y a que toi pour te fourrer dans des guêpiers pareils, Christine.*) On a rendez-vous chez mes parents, chérie : c'est la première fois que tu vas les rencontrer et on a déjà presque une heure de retard. Cette lettre est peut-être authentique – ou peut-être pas… On s'occupera de cette histoire une fois là-bas, je te le promets, mais là, il faut qu'on y aille.

Il avait parlé calmement, d'une voix raisonnable. Trop raisonnable : le ton qu'il employait quand elle le contrariait, ce qui arrivait de plus en plus souvent ces derniers temps. Celui qui disait : *Note bien que je fais preuve d'une surnaturelle patience.* Elle secoua la tête.

— Il n'y a que deux possibilités : soit c'est un appel au secours qui ne sera pas entendu puisque la personne censée le lire ne le lira pas, soit quelqu'un va *vraiment* se suicider ce soir – et, dans les deux cas, je suis la seule à le savoir.

— Quoi ?

— Tu m'as bien entendue : *on doit prévenir la police.*

Il leva les yeux au plafond.

— Mais cette lettre n'est même pas signée ! Et il n'y a aucune adresse ! Même si on va à la police, qu'est-ce que tu veux qu'ils fassent ? Et tu imagines le temps que ça va prendre ? Ça va foutre notre réveillon en l'air !

— Notre *réveillon* ? Je te parle d'une question de vie ou de mort, là !

Elle le sentit se raidir d'exaspération. Il émit un soupir de pneu percé.

— Mais, bordel, QUE VEUX-TU QU'ON Y FASSE ? s'écria-t-il. On n'a aucun moyen de savoir de qui il s'agit, Christine ! AUCUN ! Et d'ailleurs, il y a de fortes chances pour que cette personne bluffe : on ne glisse pas une lettre dans une boîte quand on est au bout du rouleau, on laisse un mot chez soi ou sur soi ! C'est probablement juste une mytho qui est seule le soir de Noël et qui n'a trouvé que ce moyen-là pour attirer l'attention ! Elle appelle au secours, mais ça ne veut pas dire qu'elle va passer à l'acte !

— Alors, tu veux qu'on réveillonne comme si de rien n'était, c'est ça ? Qu'on fasse la fête comme si je n'avais jamais trouvé cette lettre ?

Elle vit les yeux de Gérald étinceler derrière les lunettes. Puis il regarda à travers le pare-brise – sur lequel les flocons commençaient à déposer une couche translucide –, comme s'il espérait que quelqu'un allait venir à son secours.

— Mais, bon Dieu, Christine, j'en sais rien, moi ! C'est ta première rencontre avec mes parents ! Tu imagines l'effet que ça va faire si on se pointe avec trois heures de retard !

— Tu me fais penser à ces connards qui disent : « Il ne pouvait pas aller se suicider ailleurs » quand leur train est bloqué.

— *Tu me traites de connard ?*

Sa voix avait baissé d'une octave. Elle lui jeta un regard à la dérobée. Il était blême : même ses lèvres avaient perdu toute couleur.

Merde, elle était allée trop loin... Elle leva une main en signe d'armistice.

— Non, non. Bien sûr que non. Excuse-moi. Écoute, je suis… je suis désolée. Mais on ne peut quand même pas faire comme s'il ne s'était rien passé, si ?

Il soupira, excédé. Réfléchit. Ses mains gantées de cuir étreignaient le volant. Elle se fit la réflexion étrange qu'il y avait beaucoup trop de cuir dans cette bagnole.

Il soupira une fois de plus.

— Il y a combien d'appartements dans ton immeuble ?

— Dix. Deux par étage.

— Voilà ce que je te propose. On frappe à chaque porte, on montre ta lettre et on demande aux locataires s'ils n'auraient pas une petite idée de la personne qui l'a écrite.

Elle le scruta.

— Tu es sûr ?

— Oui. De toute façon, il y a fort à parier que la moitié au moins sont partis fêter Noël ailleurs, ça réduira les recherches.

— Et tes parents ?

— Je vais les appeler pour leur expliquer ce qui se passe et qu'on sera en retard. Ils comprendront. Et on peut même restreindre encore plus le champ des recherches : cette lettre est adressée de toute évidence à un homme. Ils sont combien vivant seuls dans l'immeuble, tu le sais ?

Oui, elle le savait. L'immeuble était ancien, il avait été divisé en petits appartements – des studios et des deux-pièces – par son précédent propriétaire, soucieux de rentabiliser au maximum l'investissement. Il n'y avait que deux grands appartements pour des familles, aux étages en dessous du sien.

— Deux, répondit-elle.

— Dans ce cas, il ne nous faudra que quelques minutes. À supposer qu'ils soient là et pas partis réveillonner ailleurs.

Elle se rendit compte qu'il avait raison. Elle aurait dû y penser plus tôt.

— On sonnera aux autres portes aussi, au cas où, ajouta-t-il. Ça ne devrait pas prendre bien longtemps. Et après, on file.

— Et si ça ne donne rien ? voulut-elle savoir.

Il lui lança un regard qui signifiait : *Fais bien attention à ne pas pousser le bouchon trop loin.*

— J'appellerai les flics de chez mes parents, je leur demanderai ce qu'il faut faire. Christine, on ne peut pas faire plus. Et je ne vais pas bousiller le réveillon pour un probable canular.

— Merci, dit-elle.

Il haussa les épaules, jeta un coup d'œil au rétroviseur avant d'ouvrir sa portière et de sortir dans la nuit froide, laissant derrière lui un fantôme de chaleur et d'odeur masculines.

21 h 21, ce 24 décembre. Pour une fois, la neige tombait dru sur Toulouse. Le ciel nocturne était encombré de nuages, la foule se pressait dans un tourbillon de silhouettes et de lueurs et les décorations de Noël luisaient sur les trottoirs de plus en plus blancs. Elle avait changé de fréquence. Ses collègues de Radio 5 semblaient aussi excités que s'ils avaient annoncé la fin du monde ou la Troisième Guerre mondiale. Entre les roues des véhicules, la neige se changeait en gadoue irisée par les gaz d'échappement ; celles

du SUV avaient un peu patiné dans la mélasse en bas de la côte de Jolimont, après avoir franchi le pont Pompidou et contourné la grande arche de la médiathèque. Autour d'eux, ça klaxonnait, ça gueulait et ça vrombissait. Dans un mélange électrique d'impatience et de surexcitation générales. Gérald lui-même fulminait – mais en silence : ils avaient plus de deux heures de retard.

Elle repensa à la lettre. À la personne qui l'avait écrite.

Cela n'avait rien donné, bien sûr ; les trois célibataires étaient sortis pour le réveillon. De même que les couples. Il ne restait que deux familles dans l'immeuble, dont une avec quatre gosses : des marmots tout aussi surexcités que le reste de la population, qui braillaient si fort que Gérald avait dû élever la voix en brandissant la lettre devant le nez de leurs parents. Au début, le mari comme la femme avaient paru ne rien comprendre à ce qu'il leur racontait. Puis, quand un vague éclair de compréhension s'était frayé un chemin dans leurs esprits accaparés par les préparatifs de Noël, Christine avait surpris une lueur soupçonneuse dans les yeux de la femme lorsqu'elle avait regardé son mari. Mais l'ignorance et la stupéfaction du mari semblaient sincères. La deuxième famille était un jeune couple avec un enfant. Ils paraissaient très unis et complices et, pendant un instant, elle s'était demandé si c'était à ça qu'ils ressembleraient un jour, Gérald et elle. Ils avaient paru sincèrement choqués par la teneur de la lettre : « Mon Dieu, quelle histoire affreuse ! » s'était écriée la jeune femme très visiblement enceinte – et Christine avait cru l'espace d'un instant qu'elle allait se mettre à pleurer. Après ça, Gérald et elle étaient redescendus en silence.

Elle le regarda à la dérobée. Il conduisait les dents serrées. Il n'avait pas prononcé un mot depuis qu'ils avaient démarré. Et il avait sur le front ce pli presque douloureux qu'elle y surprenait parfois.

— On a fait ce qu'on devait faire, déclara-t-elle.

Il ne répondit pas. Ne hocha même pas la tête. Pendant un instant, elle lui en voulut de chercher à la culpabiliser. Parce que c'était ce qu'il cherchait à faire, non ? Est-ce qu'ils n'auraient pas plutôt dû culpabiliser pour cette personne qu'ils ne parviendraient pas à sauver ? Elle se demanda si c'était elle ou bien si, plus les choses devenaient sérieuses entre eux, plus il la reprenait et la contredisait. Ensuite, il effaçait tout d'un sourire et d'un bon mot, mais il n'empêche : depuis quelque temps, son comportement avait changé. Elle savait depuis quand. Depuis que le mot *mariage* avait été prononcé.

Noël. Merde. Notre premier réveillon. Ses parents ce soir et les miens demain. Est-ce qu'ils vont l'aimer ? Est-ce qu'il va les aimer ? Tu ne devrais pas te mettre dans des états pareils : tout le monde aime Gérald. Ses collègues, ses étudiants, ses amis, son garagiste, même ton chien... C'est bien ce que tu t'es dit, la première fois, à cette réception au Capitole, non ? Tu t'en souviens ? Il y en avait de plus jolies, de mieux foutues, de plus minces et même, sûrement, de plus brillantes – mais c'est toi qu'il a abordée et, même quand tu l'as rembarré, il est revenu à la charge. C'est pour toi qu'il a levé le nez de son verre plein de glaçons, de rhum et de gros quartiers de citron vert – caïpirinha –, comme s'il se réveillait d'un long sommeil. Et ensuite il a dit : « *Votre voix me dit quelque chose... Où est-ce que je l'ai déjà entendue ?* » Même quand tu as parlé de ton boulot à Radio 5 un peu trop longtemps, il t'a écoutée. Vraiment écoutée... Tu aurais voulu être drôle, spirituelle, mais tu ne l'étais pas tant que ça, en fin de compte. Sauf pour lui : il semblait trouver tout ce que tu disais terriblement amusant et distrayant.

Tout le monde aimait peut-être Gérald – mais ses parents n'étaient pas tout le monde. Ses parents étaient Guy et Claire Dorian. *Les Dorian de la télé...* Allez donc vous faire aimer par des gens qui ont interviewé Arthur Rubinstein, Chagall, Sartre, Tino Rossi, Gainsbourg et Birkin, entre autres...

Tout juste, renchérit la petite voix qu'au fil des ans elle avait appris à abhorrer et à écouter en même temps. *Papa ne va ni l'adorer ni le détester : il va s'en foutre. Tout simplement. Mon père est un homme qui ne s'intéresse qu'à une seule chose : lui-même. Pas facile d'avoir été l'un des pionniers de la télévision – un type qui passait tout le temps sur le petit écran – et d'être retombé dans l'anonymat. Mon père est un homme qui macère en permanence dans un jus de nostalgie et de souvenirs, qui noie son spleen dans l'alcool et qui ne fait même pas l'effort de s'en cacher. Bon – et après ? Libre à lui de bousiller la dernière ligne droite de son existence si ça lui chante : je ne vais pas le laisser bousiller la mienne.*

— Ça va ? demanda Gérald.
Il y avait dans sa voix une très légère nuance de contrition. Elle fit oui de la tête.

— Tu sais, je comprends que tu te sois sentie mal à cause de cette lettre…

Elle le regarda. Fit OK de la tête. Songea : *Bien sûr que non, tu ne comprends pas.* Ils avaient ralenti, elle avisa une grande affiche placardée sur un Abribus. Une publicité pour Dolce & Gabbana. Elle l'avait déjà vue ailleurs dans la ville. Cinq hommes jeunes et forts entourant une femme allongée sur le sol. Corps musclés, huilés, luisants. Beaux. Hypersexués. Une tension sexuelle évidente. Les hommes étaient torse nu et l'un d'eux maintenait la femme au sol, en lui bloquant les poignets. Elle se cabrait. En vain. Dans un geste *ambigu* de refus. Malgré sa tenue ultra-provocante, toute l'astuce de la mise en scène consistait – si on pouvait parler d'astuce – en ce qu'il était difficile de dire si elle était consentante ou pas. En revanche, l'image ne laissait planer aucun doute sur ce qu'elle allait subir. *De la provoc à deux balles pour consommateurs-zombies*, pensa-t-elle. Christine avait lu quelque part que deux Français sur trois étaient incapables de reconnaître une publicité véhiculant des stéréotypes sexistes. Femmes-affiches, femmes-potiches : l'espace public était saturé de corps de femmes… Christine avait invité la directrice d'une association pour femmes en détresse dans son émission. Sept jours par semaine, elle recevait des appels d'épouses battues, d'épouses qui n'avaient pas le droit d'adresser la parole à leurs voisins et encore moins à d'autres hommes que leurs maris, d'épouses terrorisées que le dîner soit trop cuit ou trop salé, d'épouses dont les os portaient les stigmates de fractures et de coups, d'épouses qui n'avaient accès ni à un compte en banque ni à un médecin, des épouses qui – quand elles trouvaient le courage de se présenter à l'association – avaient le regard vide, vacant et aux abois.

Un jour, alors qu'elle n'était encore qu'une enfant, elle avait elle-même été témoin d'une scène… C'est pour cela qu'elle éprouvait le besoin d'inviter des femmes fortes, des femmes exemplaires dans son émission : des femmes patrons, des femmes militantes, des femmes artistes, des femmes politiques – pour cela aussi qu'elle ne laisserait jamais un homme lui dicter sa conduite.

En es-tu bien sûre ?

Gérald ne faisait plus attention à elle. Le regard fixé droit devant lui, il était plongé dans des pensées dont elle ignorait la teneur. Qui était l'auteure de la lettre ? Il fallait qu'elle sache.

2

Partition

Elle rêva d'une femme. Ce n'était pas un rêve agréable. La femme était debout dans le clair de lune au milieu d'une allée bordée d'ifs sombres qui ressemblait à l'entrée d'un cimetière : il y avait plus loin un portail encadré de deux hauts piliers de pierre. Il avait neigé et c'était une nuit très froide, mais la femme était vêtue d'une chemise de nuit légère retenue par deux bretelles sur ses épaules nues. Christine voulait se diriger vers le cimetière, mais la femme lui barrait le passage. « *Vous n'avez rien fait*, disait-elle, *vous m'avez laissée tomber.* »

— J'ai essayé, gémissait-elle dans son rêve. Je vous jure que j'ai essayé. Laissez-moi passer maintenant.

Mais, au moment où elle contournait la femme, la tête de celle-ci pivotait sur son axe selon un angle impossible pour la suivre du regard et ses yeux s'emplissaient d'encre. Un immense vol d'oiseaux noirs se mettait à tourbillonner dans le ciel et ils piaillaient, piaillaient d'une manière horrible, tandis que la femme se mettait à rire – un rire hystérique et laid qui la réveilla. Son cœur galopait comme un cheval dans la nuit.

La lettre…

Elle regrettait de l'avoir laissée dans le *crossover* : elle aurait voulu la relire encore une fois. La soupeser. Essayer de deviner qui l'avait écrite. Et dans quel but. Une veilleuse bleue brillait sur la table de nuit, éclairant vaguement le plafond. Par la porte ouverte, le plafonnier du couloir brillait pareillement, et sa lueur s'étirait sur le sol de la chambre. Il en allait de même dans toutes les pièces. Elle risqua une jambe hors de la couette, sentit l'air glacial sur son pied nu. Il faisait un froid de canard dans la chambre. La nuit était encore plaquée derrière les stores, mais la rumeur de la circulation montait déjà sous sa fenêtre – un tissu sonore fait de voitures, de scooters et de camions de livraison. Elle regarda le radioréveil. 7 : 41… *Merde ! elle ne s'était pas réveillée !* Elle repoussa la couette, contempla la pièce vide, qui aurait pu aussi bien être une chambre d'hôtel. Un endroit pour dormir, rien d'autre. Pourtant, dès sa première visite, un an plus tôt, elle était tombée sous le charme de cet appartement. De ses hauts plafonds, de la cheminée en marbre dans le séjour. De ce quartier à la fois secret et branché qu'elle affectionnait, avec ses ruelles médiévales, ses restaurants, ses bistrots, son magasin bio, sa laverie, son caviste et son épicerie italienne. Le prix était élevé, bien sûr. Elle s'était endettée pour trente ans. Mais aucun regret. Chaque fois qu'elle se réveillait dans cette chambre, elle se disait que c'était la meilleure décision qu'elle eût prise depuis des années.

Les petites griffes d'Iggy cliquetèrent sur les lames du parquet et il bondit sur la couette, traversa le lit pour venir passer une langue rose sur sa joue. Iggy était un bâtard au poil caramel et blanc, aux oreilles pointues et aux grands yeux marron, attentifs et ronds qui faisaient penser à ceux d'une rock star célèbre – d'où son nom. Il inclina la tête sur le côté pour la contempler ; elle l'ébouriffa en souriant et se leva.

Passa un vieux col roulé en cachemire et une paire de grosses chaussettes en laine et le suivit dans le salon-cuisine.

— Attendez un peu, monsieur Poilu, lui intima-t-elle alors qu'il fourrait déjà une truffe impérieuse dans la gamelle pendant qu'elle vidait la boîte.

La pièce était nue à l'exception d'un vieux canapé en cuir, d'une table basse Ikea et d'un écran plasma posé sur un meuble télé, à côté de la cheminée. Seul le coin-cuisine était aménagé. Un rameur solitaire trônait au centre, des haltères posés à côté. Christine aimait faire de l'exercice en regardant la télé, le soir. Sur l'écran, son coupé, une émission matinale. La télé était restée allumée toute la nuit – comme toutes les autres nuits d'ailleurs. Il y avait des piles de livres, de journaux et de revues sur le sol devant la cheminée : Christine était animatrice vedette à Radio 5, une radio privée ; elle assurait la tranche 9 heures/11 heures, tous les jours sauf le samedi – où l'émission était enregistrée – et le dimanche. *Les Matins de Christine* étaient un cocktail d'information, de musique, de jeux et d'humour – avec de moins en moins d'infos et de plus en plus d'humour au fil du temps. Dans moins d'une heure, elle serait au studio pour celle de Noël. Il y aurait des musiques appropriées – John et Yoko chantant *Happy Xmas (War is Over)* et *I Wish It was Christmas Today* de Julian Casablancas ; des fous rires plus ou moins spontanés, puis elle recevrait le psy de l'émission, qui évoquerait la solitude et la difficulté d'être pendant cette période pour les personnes seules. Un peu de compassion au menu, mais pas trop : c'était Noël, il fallait rester festif.

Elle se demanda si ce n'était pas l'occasion de parler de la lettre à quelqu'un. Elle avait noué un lien amical avec Bercowitz. Il intervenait dans l'émission une fois par semaine, en général le mercredi, sauf cette semaine, où on avait avancé sa chronique de 24 heures pour la coller le jour de Noël. Parce qu'il était bon. Parce qu'il passait bien sur les ondes.

Oui, Bercowitz lui donnerait son avis sur l'authenticité de la lettre. Peut-être même saurait-il quoi faire…

Mais peut-être aussi lui reprocherait-il de n'avoir rien fait justement – d'avoir trop attendu. En fin de compte, ni Gérald ni elle n'avaient prévenu la police. Elle n'avait pas eu le courage de gâcher davantage la soirée. Les parents de Gérald avaient fait de visibles efforts pour que tout soit parfait. Ils n'avaient pas paru se formaliser des deux heures de retard. Le père de Gérald était une version plus ancienne de son fils, un modèle qui s'était encore amélioré avec la génération suivante, mais dont les principales caractéristiques intemporelles étaient déjà présentes dans le *concept* initial : élégance, robustesse, self-control, des yeux d'un marron chaud, un regard direct, enveloppant, un tempérament discrètement séducteur. Un esprit brillant mais rigide aussi. Peu porté aux subtilités, à la légèreté. Avec une fâcheuse tendance à considérer que le rôle des femmes était de seconder les hommes.

Les gènes maternels avaient visiblement eu plus de mal à se frayer un chemin dans l'ADN du fiston – mais Christine se demandait si le fait que sa mère n'osât jamais contredire son père, cette façon qu'elle avait de toujours abonder dans le sens de son mari, n'expliquait pas les difficultés qu'avait Gérald à admettre la contradiction – surtout venant de sa future femme.

Ils l'avaient couverte de cadeaux. Une tablette tactile, un « dock » permettant de relier son téléphone à des enceintes sans passer par son ordinateur (elle soupçonnait que ces cadeaux-là étaient une idée de son futur beau-père, tout aussi porté que son fils sur la technologie et les sciences), un pull-over (la mère de Gérald). Et ils avaient semblé s'enthousiasmer pour tout ce qu'elle leur racontait. Seul l'œil de Gérald (qu'elle avait surpris à plusieurs reprises posé sur elle pendant qu'elle parlait) lui avait paru un chouïa plus critique.

Sans doute à cause de leur échange dans la voiture... Tu aurais dû y aller mollo...

Une fois Iggy occupé à fourrager bruyamment dans sa gamelle, elle passa derrière la cuisine américaine, se servit un bol de café, un verre de jus de fruits mangue/passion et étala du beurre allégé sur deux pains suédois. Elle les trempait dans le café, perchée sur une des chaises de bar en inox, quand la petite voix se fit entendre à nouveau : *Si tu crois vraiment que tes parents vont te faciliter les choses, tu te fourres le doigt dans l'œil jusqu'au coude. Tu ne seras jamais Madeleine, Chris. Jamais...*

Une brusque acidité – une crampe à l'estomac...

L'enfance : elle ne dure pas longtemps mais on n'en guérit jamais, continua la voix. *Il est toujours là, l'enfant blessé en nous, pas vrai, Christine ?*

Celui qui a peur quand la nuit tombe... Celui qui voit ce qu'il n'aurait pas dû voir...

Le verre de jus de fruits explosa sur le carrelage à

ses pieds, au bas du tabouret, et elle fit un bond sur son siège.

Elle descendit de son perchoir pour ramasser les bouts de verre. Une douleur fulgurante quand une minuscule écharde aussi étincelante qu'un diamant se planta dans son index. *Merde !* Son doigt se mit aussitôt à pisser le sang. Lequel se mélangea à la flaque de jus de fruits comme un nuage de grenadine dans un cocktail. Elle sentit instantanément son rythme cardiaque s'accélérer. Sa bouche s'assécher. Une microsueur inonder son front… *Respire...* Elle ne supportait pas la vue du sang… *Respire...* Bercowitz lui avait enseigné un exercice de respiration abdominale. Elle ferma les yeux, laissa son diaphragme s'abaisser et sa cage thoracique s'ouvrir au maximum, puis elle expira sans forcer, en rentrant le ventre. Elle se redressa et détacha un bout de Sopalin du rouleau d'une main tremblante, puis se confectionna une poupée grossière en évitant de regarder son doigt. Après quoi, elle attrapa l'éponge et essuya la tache sur le sol à l'aveugle.

Elle risqua un œil. Le regretta aussitôt.

Le gros pansement improvisé se teintait déjà de rouge et elle déglutit. *Heureusement que tu fais de la radio, pas de la télé.*

La pendule au mur.

8 h 03. *Magne-toi !*

Elle fila dans la salle de bains, ôta son pull et ses chaussettes. Le globe lumineux clignotait au plafond : l'ampoule n'allait pas tarder à rendre l'âme. Chaque minuscule instant d'obscurité était comme un infime coup de rasoir sur sa peau, chaque vacillement de la lumière une écharde dans sa chair. *Phobies*, dit la petite voix exaspérante au fond d'elle. *Non seulement celle du sang – mais aussi celle du noir, de l'obscurité, des aiguilles, des injections, de la douleur... Kénophobie. Nyctophobie. Algophobie... Un mot pour chacune. Et la peur ultime : celle de devenir folle. À cause de toutes ces peurs. Celle-là aussi avait un nom : psychophobie – la peur des maladies mentales...* Elle avait réussi à les dompter, à les contenir dans des limites raisonnables à coups d'anxiolytiques et de thérapies, mais elle n'avait jamais réussi à les faire disparaître tout à fait. Elles étaient là, quelque part, toujours prêtes à resurgir. Elle serra les dents. Ce qu'elle vit dans la glace, haché par l'effet stroboscopique, ne lui plut qu'à moitié : une femme dans la trentaine. Cheveux châtains, mèche blonde tombant sur le côté du visage, courts derrière les oreilles. Yeux verts. Jolie, certes. Mais des traits qui s'étaient durcis avec le temps. Et des petites rides, encore discrètes, au coin des yeux. Son corps, en revanche, était exactement le même que dix ans auparavant : hanches étroites et poitrine plate. Elle se souvint de cette actrice aperçue dans un film suédois : son visage était sillonné de rides, si bien que – quand elle s'était déshabillée et était apparue nue devant la caméra – son corps beaucoup plus jeune, galbé et ferme, paraissait appartenir à quelqu'un d'autre.

Elle se glissa sous la douche en prenant soin de garder le pansement hors du jet. L'eau chaude détendit ses muscles noués par la tension. Elle repensa à la lettre. À la femme qui l'avait écrite. Où était-elle ? Que faisait-elle en ce moment ? L'appréhension creusait un gouffre dans son ventre. Dix minutes plus tard, après avoir gratifié Iggy d'une dernière caresse, les cheveux encore mouillés après la douche, elle verrouillait sa porte.

— Bonjour, Christine, dit Michèle, sa voisine de palier.

Elle se tourna vers la petite femme exceptionnellement fluette – moins de cinquante kilos – qui se tenait dans l'ombre et arborait des cheveux gris bien trop longs pour son âge. Christine savait qu'elle était retraitée d'une administration et quelque chose dans son maintien, sa diction et sa vision du monde lui faisait penser qu'il s'agissait peut-être de l'Éducation nationale. Depuis sa retraite, Michèle occupait ses journées à militer dans des associations de défense des sans-papiers ou pour le droit au logement et participait à toutes les manifs qui dénonçaient la politique insuffisamment à gauche de la municipalité. Christine était sûre que, dans son dos, ses amis et elle critiquaient ses émissions où elle donnait la parole aussi bien à des syndicalistes qu'à des chefs d'entreprise, à des représentants de la municipalité et même de la droite locale et où (elle-même le déplorait) les sujets sérieux se faisaient de plus en plus rares.

— C'est quoi le sujet de l'émission d'aujourd'hui ? voulut savoir sa voisine d'une voix étonnamment forte.

— Noël, répondit Christine. Et aussi la solitude de certaines personnes, celles qui appréhendent cette période. Joyeux Noël, à propos.

Elle regretta aussitôt cette tentative d'auto-justification. Sa voisine lui adressa un regard peu amène.

— Dans ce cas, vous auriez dû la faire depuis le squat de la rue du Professeur-Jammes. Là, vous auriez vu ce que c'est que Noël pour des familles qui n'ont ni toit ni avenir dans ce pays...

Va te faire foutre, pensa-t-elle. Elle songea que sa pygmée de voisine avait une toute petite bouche mais qu'il en sortait beaucoup trop de choses.

— Un jour, je vous inviterai, ne vous en faites pas, lança-t-elle en dévalant l'escalier sans attendre l'ascenseur. Et vous aurez tout loisir de vous exprimer, promis.

L'air froid du dehors lui fit du bien. Le thermomètre était tombé aux alentours de − 5 °C et elle faillit s'étaler sur le trottoir glissant. Le fond de l'air était chargé d'une odeur de gaz d'échappement et de pollution. Il y avait de la neige sur les toits des voitures en stationnement, sur les rebords des fenêtres et sur les couvercles des poubelles et, malgré cela, il était là, fidèle au poste, sur le trottoir d'en face. Au milieu de ses cartons. Même par un temps pareil, il préférait dormir dans la rue plutôt que dans un foyer. Elle distingua ses yeux clairs et perçants qui la fixaient, comme deux fenêtres pâles au centre d'un visage qui ressemblait à une carte routière : la vie dans la rue laissait des signes lisibles par tous – yeux injectés, cicatrices, tics nerveux, tremblements éthyliques, dents absentes, joues creusées par la consomption, la dope ou la faim, peau tatouée par le soleil, les intempéries, les particules de polluants primaires et secondaires. Il émergeait de plusieurs couvertures enroulées autour de lui. Sa barbe blanche sur les côtés et noire au milieu, comme le pelage d'un vieil animal. Quel âge avait-il ? Difficile à dire. Entre quarante-cinq et soixante... Il dormait sous le porche de l'immeuble d'en face depuis plusieurs mois. Elle croyait se souvenir qu'il était apparu avec le printemps. Quand elle avait le temps, elle lui descendait un café chaud. Ou une soupe. Mais pas ce matin. Elle n'en traversa pas moins la chaussée, les cheveux encore humides, une pièce à la main.

— Bonjour, dit-il. Fait pas chaud aujourd'hui. Prenez garde à ne pas glisser.

Il tendit une main dont les doigts et les ongles courts étaient presque de la même couleur que la mitaine noire d'où ils émergeaient. À moins de vingt centimètres de ses cartons et de l'empilement bulbeux de ses sacs plastique, la neige blanchissait le trottoir.

— Allez boire quelque chose de chaud, dit-elle.

Il acquiesça. Une lueur sagace passa dans ses yeux gris, sous ses sourcils noirs et épais, qu'il fronça un peu. Ce qui eut pour résultat de dessiner tout un réseau de plis charbonneux autour de ses tempes.

— Vous êtes sûre que ça va ? Vous m'avez l'air préoccupé. C'est le poids de tous ces soucis, hein ? Toutes ces responsabilités…

Elle ne put s'empêcher de sourire. Il dormait dehors par – 5 °C, il n'avait rien hormis quelques maigres possessions fourrées dans des sacs-poubelles noirs qu'il trimbalait partout, comme un escargot sa maison, aucune famille, pas de toit, encore moins d'avenir pour autant qu'elle sût – et il s'inquiétait pour elle… C'était ce qui l'avait surprise, la première fois qu'elle s'était approchée pour lui donner la pièce. Il avait spontanément engagé la conversation, et elle avait été presque clouée sur place par sa voix posée, claire et tranquillement assurée. Le genre de voix qu'on a tendance à écouter au milieu du brouhaha d'une conversation. Le genre de voix qui dénote une éducation et une culture supérieures. Il ne se plaignait jamais. Il souriait souvent. Il parlait du temps qu'il faisait et de l'actualité comme s'ils étaient de vieux voisins. Jusqu'ici, elle n'avait jamais osé lui demander d'où il venait, comment il était arrivé là et quelle était son histoire. Mais elle s'était promis de le faire un jour – s'il restait dans le coin...

— Vous êtes sûr de vouloir rester là ? Il n'y a pas un centre d'hébergement d'urgence quelque part ?

Il lui sourit avec indulgence.

— Les centres d'hébergement, je suppose que vous n'y avez jamais mis les pieds... Oh, ne le prenez pas mal, c'est juste que... ce ne sont pas des endroits très... vous voyez ce que je veux dire. Ne vous en faites pas pour moi. Je suis aussi coriace qu'un vieux coyote. Et les beaux jours reviendront, c'est juste un mauvais moment à passer, ma jolie dame.

— À ce soir alors, lança-t-elle en s'éloignant.

— Bonne journée à vous !

Elle rejoignit sa voiture, garée dans une rue adjacente, en marchant avec précaution (*assez d'émotions comme ça*), ouvrit la portière côté passager et attrapa l'aérosol de dégivrant dans la boîte à gants. Il n'avait pas beaucoup neigé pendant la nuit : la couche sur la carrosserie de la vieille Saab 9-3 était inchangée. Elle contourna le capot de la voiture. S'immobilisa. Pendant une demi-seconde, elle resta les bras ballants, son souffle s'évacuant en petits nuages blancs. Dans la pellicule qui recouvrait le pare-brise, un doigt avait gravé :

« JOYEUX NOËL, SALE PUTE »

Christine frissonna. Regarda autour d'elle. Prise d'un léger vertige. Elle sentit la panique revenir : le doigt malveillant qui avait gravé ces mots appartenait forcément à quelqu'un qui *savait* que le propriétaire du véhicule était une femme.

Elle lâcha un jet de dégivrant dessus. Rangea la bombe dans la boîte à gants. Verrouilla la Saab. Elle n'avait pas le temps de faire le trajet en voiture, de toute façon. Pas avec cette neige. Elle fonça vers la bouche de métro la plus proche en prenant soin de ne pas glisser.

Elle était en retard... En sept ans, cela ne lui était jamais arrivé.

Pas une seule fois.

3

Chœur

8 h 37. Elle franchit les portes de Radio 5 en courant presque. Le bâtiment qui abritait les locaux de la radio, en haut des allées Jean-Jaurès, était nettement plus modeste que ses voisins, géants ombrageux qui se penchaient avec irritation sur ce minus les provoquant avec son slogan :

PRENEZ LE POUVOIR,
PRENEZ LA PAROLE

À l'entrée, devant les ascenseurs, des placards proclamaient que Radio 5 était la deuxième radio en nombre d'auditeurs de la région Midi-Pyrénées, laquelle était elle-même la plus grande région de France métropolitaine, avec une superficie supérieure à celle de la Belgique et égale à celle du Danemark (carte de l'Europe à l'appui). Avant même d'être parvenus à l'étage de la rédaction et des studios, les visiteurs étaient déjà pénétrés de l'importance de la mission qui s'accomplissait ici. *Si sa mission était si importante, comment se faisait-il qu'elle fût si mal payée ?* Au rez-de-chaussée, elle fit un signe de tête à l'employée de la réception puis, quand elle eut émergé des ascenseurs au deuxième étage, elle se précipita dans la petite pièce entièrement vitrée qui abritait les machines à café et les fontaines à eau pour se servir un espresso macchiato « 100 % Arabica et commerce équitable ».

— On est en retard, susurra une voix dans son oreille. Et on ferait bien de se dépêcher. Le patron va péter un câble.

Un parfum familier, *La Petite Robe noire,* et une présence tout près – trop près – dans son dos.

— Panne d'oreiller, répondit-elle en trempant les lèvres dans la crème.

— Mmm. On a fait des folies de son corps, c'est ça ?

— Cordélia…

— On ne veut pas en parler ?

— Non.

— On sait qu'on est très secrète ? Jamais vu quelqu'un d'aussi secret. Tu peux tout me dire, tu sais, Christine.

— Je ne crois pas, non.

— Ça fait dix mois qu'on bosse ensemble et je ne sais toujours rien de toi. Mis à part que tu es une nana pro, bosseuse, rigoureuse, intelligente, ambitieuse. Prête à tout pour grimper. Comme moi, en somme. Sauf que moi, c'est toi que j'ai envie de…

Elle fit volte-face, se retrouva face à une grande perche d'un mètre quatre-vingts qui devait peser dans les soixante kilos.

— Tu sais que je pourrais te faire virer pour ça ?

— Pour quoi ?

— Pour dire des trucs de ce genre : ça s'appelle du harcèlement.

— Du *harcèlement* ? Oh, mon Dieu !

La jeune stagiaire prit un air profondément choqué, ses lèvres comiquement arrondies en O et ponctuées par les deux petites perles d'acier plantées dans sa lèvre inférieure.

— Oh, Seigneur ! J'ai dix-neuf ans ! Je suis stagiaire ! Je gagne une misère ! Tu ne ferais quand même pas ça ?

— Tu n'es pas ma copine, tu es mon assistante. Et, à ton âge, je ne me mêlais pas de la vie des adultes.

Elle avait insisté sur le mot *adultes*.

— Les temps changent, bébé.

En se penchant, Cordélia passa un bras autour de Christine pour glisser une pièce dans le distributeur derrière elle. Elle appuya sur la touche *cappuccino*. Leurs visages se touchaient presque. Son haleine sentait le café et le tabac.

— Qu'est-ce que tu as fait à tes cheveux ? voulut savoir Christine en se dépêchant de finir le café qui lui brûlait la langue.

— Une couleur. La même que toi. Ça te plaît ?

Jusqu'ici, Cordélia avait les cheveux blond platine et noir. Elle avait aussi une cigarette glissée en permanence derrière l'oreille, tel un vieux routier, beaucoup trop de mascara autour des yeux et ses tee-shirts manches longues clamaient des choses comme *Even the Paranoid have Enemies*.

— C'est important que ça me plaise ?

— T'as pas idée, répondit la jeune femme en repoussant la porte vitrée, son gobelet à la main.

— T'as vu l'heure ?

Guillaumot, le directeur des programmes. Guillaumot ne travaillait pas pour la radio : il avait épousé la radio. C'est-à-dire qu'il avait épousé la propriétaire de Radio 5 avant d'en devenir directeur de la programmation. Sa hiérarchie et la personne qui lui versait son salaire étant aussi sa femme, il avait contracté un ulcère qu'il soignait avec du Sucralfate. Il avait aussi perdu ses cheveux et les avait remplacés par un postiche digne des Beatles version 1963. Vu de son camp à elle, la ligue des femmes non mariées entre vingt et soixante ans, il était tout sauf attirant. Un peu repoussant même. Comme une pièce dont on n'a pas ouvert les volets depuis longtemps. Et il paraissait perpétuellement accablé par quelque fardeau secret ; peut-être celui de maintenir en vie une radio qui proposait autre chose que de la musique en tube pour adolescents, celui de rendre compte à une direction qui se fichait de plus en plus du contenu et de moins en moins de l'audience.

— Joyeux Noël à toi aussi, répondit-elle en fonçant vers le dédale bruyant de la salle de rédaction. On en est où pour la revue de presse ? lança-t-elle à Ilan. Joyeux Noël, à propos.

— Joyeux quoi ?

Ilan était assis à son bureau, voisin de celui de Christine. Il lui décocha un sourire. Puis il désigna les articles découpés et étalés ainsi que l'horloge au mur, où les secondes défilaient sous forme de points lumineux.

— C'est prêt, répondit-il. On n'attendait plus que toi.

Elle attrapa un marqueur et un stylo et lut rapidement. Comme d'habitude, Ilan avait fait un super boulot. « C'est bon ça », dit-elle en parcourant l'article du Parisien qui parlait d'une maternité de Bethléem, située à quelques jets de pierre de la basilique de la Nativité et gérée par un ordre catholique, qui accueillait 90 % de femmes palestiniennes musulmanes. Elle parcourut les autres articles. Le foie gras banni par les lords anglais (*God Save the Queen* des Sex Pistols en fond sonore). Un *speed dating* géant pour Noël en Corée du Sud (« une idée de ce que tous ces célibataires ont demandé au père Noël ? »). Une vingtaine de vols annulés en raison des intempéries à l'aéroport de Blagnac (« appelez vos compagnies aériennes avant de vous déplacer »).

— Une antenne du Secours populaire menacée de fermeture, ça ne t'intéresse pas ? aboya quelqu'un derrière elle.

Elle fit pivoter son siège. Becker, le directeur de l'info. Il la toisait du haut de son mètre soixante. Trapu, des muscles et aussi de la graisse sous son pull-over marron. Il perdait ses cheveux, lui aussi ; mais pas de moumoute. Comme tous les journalistes radio, Becker considérait qu'il incarnait la véritable noblesse de la profession, qu'il remplissait une mission – les animateurs n'étant à ses yeux que des saltimbanques, des amuseurs publics. En outre, il n'y avait aucune femme dans son équipe.

— Salut Becker, joyeux Noël à toi aussi.

— Les mots « solidarité », « exclusion », « générosité » ne font pas partie de ton vocabulaire, Steinmeyer ? Ou bien est-ce que tu préfères parler de la course aux cadeaux et de la plus belle crèche ?

— Cette antenne est à Concarneau, pas à Toulouse.

— Ah oui ? Alors comment ça se fait que même le journal télévisé d'une chaîne nationale en a parlé ? Sans doute pas assez *fun* pour ton auditoire… J'ai rien entendu non plus sur l'autorisation de la vente de médicaments sur Internet… ni sur l'interdiction totale de l'alcool pour les moins de 25 ans…

— Ravie d'apprendre que tu écoutes ma revue de presse.

— T'appelles ça une revue de presse ? Moi, j'appelle ça une blague. Cette revue de presse devrait être faite par de vrais journalistes, dit-il et son regard se déplaça de Christine à Ilan, puis s'éleva jusqu'à Cordélia – sur laquelle il s'attarda. C'est le problème dans cette foutue radio : on oublie que la radio, c'est d'abord de l'info…

Elle le regarda s'éloigner sans la moindre émotion. Il en allait de Radio 5 comme de presque toutes les radios et télés du monde : les relations entre le pôle Infos, les responsables de la programmation et les présentateurs vedettes étaient souvent tendues, voire détestables. On se dénigrait, on se méprisait, on s'insultait. Et plus Internet taillait des croupières à tout le monde, plus les conflits se multipliaient.

Elle soupira, se rejeta contre son siège et le fit pivoter vers ses assistants.

— OK, on y va. Prêts ?

— On met quoi en titre ? voulut savoir Ilan.

Il lui tournait le dos. Elle avait vue sur sa kippa. Christine sourit. Il avait coiffé une kippa « de fête » avec des smileys par solidarité avec ses collègues.

— « Il n'y a pas que Jésus qui est né à Bethléem », répondit-elle.

Il hocha vigoureusement la tête en signe d'enthousiasme.

— Au fait, dit-il, ceci est arrivé pour toi.

Elle suivit son regard. Une enveloppe matelassée. Sur le coin de son bureau. Christine l'ouvrit. Un CD à l'intérieur : un vieux CD d'opéra. *Le Trouvère* de Verdi. Elle détestait l'opéra…

— Ça doit être pour Bruno, dit-elle.

Bruno était le programmateur musical.

— Avec nous le Dr Bercowitz, neurologue, psychiatre, éthologue et psychanalyste, auteur de nombreux ouvrages de référence. Bonjour, docteur. Aujourd'hui, vous allez nous parler de ces personnes pour qui Noël est une épreuve.

9 h 01, ce 25 décembre. Dans le studio, le psychiatre attendit la question de Christine avant de parler ; Bercowitz était un professionnel rodé à l'exercice radiophonique. Un spécialiste de la communication. Il aimait ce qu'il faisait ici et ça s'entendait. Sa voix suggérait une personnalité chaleureuse, une autorité incontestable, son vocabulaire n'était ni trop professoral ni exagérément familier. Mais surtout il savait créer avec l'auditeur un lien – comme s'il se trouvait dans sa cuisine ou son salon et non derrière un micro. Bercowitz était le client parfait pour une radio et elle savait qu'il avait reçu récemment une proposition de la part d'une antenne nationale.

— Docteur, commença-t-elle, voici revenu le temps des fêtes. Des lumières, de la joie qui brille dans les yeux des enfants… Mais il n'y a pas que les yeux des enfants qui brillent, ceux des adultes aussi : pourquoi cette période nous rend-elle aussi émotifs ?

Elle écouta à peine la réponse. Son entrée en matière suffisamment lente pour permettre à l'auditeur de s'habituer à sa voix. Capta seulement des bribes : « Noël nous renvoie à notre propre enfance » ; « le fait que, presque partout sur la planète, des milliards de personnes célèbrent la même chose en même temps procure la sensation exaltante, rassurante d'être reliés les uns aux autres » ; « ce même sentiment de communion que procurent les grandes manifestations sportives, voire parfois des événements aussi terribles que des guerres ». Son ton était juste un tout petit peu trop autosatisfait, comme d'habitude, nota-t-elle, mais pas de problème : elle se concentrait déjà sur la question suivante :

— Pouvez-vous nous expliquer pourquoi cette période qui est source de réjouissances pour la plupart d'entre nous est une source d'angoisse et de tourments pour d'autres ?

Pas mal non plus, ça.

— C'est paradoxalement parce que les gens se sentent reliés les uns aux autres que le sentiment d'exclusion est aussi fort pour ceux qui sont seuls, répondit-il avec un filet de compassion soigneusement dosé. Aujourd'hui, les liens familiaux n'occupent plus la même place qu'avant : de nombreuses familles sont éclatées, non seulement géographiquement mais aussi par des systèmes de valeurs qui les séparent. J'ai à mon cabinet des patients qui commencent à manifester des signes de nervosité un mois avant Noël, et plus Noël approche, plus ils sont nerveux. Il ne faut pas oublier que nos sens sont fortement sollicités pendant cette période, avec les vitrines des magasins, les décorations dans les rues, la publicité… Notre subconscient est bombardé de stimuli. Pour une personne qui n'aime pas Noël parce qu'elle sait qu'elle sera seule, qu'elle a vécu une séparation ou un deuil ou qu'elle est sans ressources, ces stimuli sont une source permanente de conflit entre l'injonction sociétale d'être gai et sa situation réelle. Et puis, Noël ramène à la surface toutes les joies mais aussi toutes les ombres de l'enfance.

Une petite secousse sismique dans son ventre en entendant ces mots.

— On ne peut évidemment pas s'endormir le 23 décembre pour se réveiller le 2 janvier, souligna-t-elle. Que peuvent faire malgré tout ces personnes pour passer cette période sans trop déprimer ?

— Avant tout essayer de ne pas être seules ce soir-là. On peut se créer une famille de substitution. Fêter Noël avec des amis plutôt qu'avec sa famille, voire avec des voisins avec qui on s'entend bien. Si vos proches vous apprécient, ils ne demandent sans doute pas mieux que de vous inviter. Encore faut-il qu'ils sachent que vous êtes seul : n'ayez pas honte de le dire. Vous pouvez aussi pratiquer l'altruisme, la solidarité : cela vous procurera sans doute une grande satisfaction de vous sentir utile, de faire quelque chose qui compte un tel soir. Les associations, les banques alimentaires, les centres d'aide aux sans-abri ont toujours besoin de bénévoles. Sinon, vous pouvez toujours essayer de changer d'air. Partez si vous le pouvez. Cela amènera votre attention à se recentrer sur des choses nouvelles.

Partir… Partir plutôt que d'affronter ses parents, Noël, le repas… Les mots du psy tombaient dans son esprit telles des pièces dans un tronc d'église.

— Et pour ceux qui n'ont ni les moyens de partir ni des amis pour les accueillir, ceux qui n'ont plus la force ou la santé pour faire du bénévolat, y a-t-il quelque chose que nous puissions faire *nous* ? demanda-t-elle, la gorge soudain serrée.

Merde, que lui arrivait-il ? Elle revit la femme dans son rêve : *Vous n'avez rien fait.*

— Bien sûr, répondit Bercowitz en la regardant droit dans les yeux, comme s'il avait perçu son trouble. *Il y a toujours quelque chose à faire...*

Derrière la vitre qui séparait le studio de la cabine technique, Igor, le réalisateur, un trentenaire barbu, avec des cheveux longs et gras, se pencha vers son micro.

— Un peu plus vite, doc, dit-il dans le casque.

Le psychiatre acquiesça. Il pivota vers Christine.

— Plus que jamais nous devons être attentifs aux signes de détresse… Un voisin solitaire… Des paroles ambiguës qui peuvent être un appel au secours…

Vous m'avez laissée tomber, répétait la femme de son rêve. La pièce – une cage de quatre mètres sur quatre avec une paroi vitrée la séparant de la cabine technique et une autre, aveuglée par des stores, de la rédaction, sans autre aération que la clim – lui parut tout à coup un box oppressant. Elle eut la sensation que la température du studio s'élevait.

Bercowitz parlait…

La fixait…

Ses petites lèvres bougeaient. Mais elle ne l'entendait pas.

Elle entendait une autre voix…

Vous n'avez rien fait.

— Dix secondes, annonça Igor dans le casque.

Elle faillit ne pas s'apercevoir que le psy avait conclu. Une demi-seconde de blanc. Rien du tout à l'échelle d'une journée, d'une vie. Mais une éternité pour les auditeurs. Derrière la vitre, Igor la fixait. Tout comme Bercowitz – qui, en cet instant précis, ressemblait à un joueur de rugby attendant désespérément que son partenaire se mette enfin en position de recevoir le ballon.

— Euh, merci, dit-elle. Nous allons maintenant… euh… passer aux questions des auditeurs.

9 h 21. Elle rougit, fixa son Mac, tandis qu'Igor lançait le jingle, désarçonné. Trois auditeurs s'affichaient sur son écran qui clignotait d'impatience : ligne 1, ligne 2, ligne 3. Il y avait aussi des SMS. Les auditeurs pouvaient poser leurs questions par ce canal, laisser un message ou bien demander à passer en direct. Auquel cas la coordinatrice les prenait d'abord en ligne, jugeait de la qualité de la communication, de la pertinence des questions, de leur facilité à s'exprimer et mettait de brefs commentaires à l'intention de Christine.

Celle-ci repéra tout de suite le numéro 1 sur la liste. Trente-cinq ans. Architecte. Célibataire. La coordinatrice l'avait annoté avec enthousiasme : « Intelligent, question pertinente, voix agréable, facilité d'élocution, léger accent : parfait. » Comme d'habitude, elle décida de le garder pour la fin. Elle fit signe à Igor d'ouvrir la ligne 2.

— Première question, dit-elle. Nous accueillons Reine. Bonjour, Reine. Vous habitez Verniolle, vous avez quarante-deux ans et vous êtes institutrice.

L'auditrice de la ligne 2 fournit quelques sommaires données biographiques, comme on lui avait demandé de le faire, puis elle posa sa question. Le psychiatre se jeta dessus avec gourmandise. Sa voix ronronnait. Christine allait le regretter quand il serait parti pour un destin national.

Elle invita ensuite le psy à répondre à un SMS. Puis elle donna la parole à Samia, ligne 3.

— Merci, dit Christine quand le psy eut une nouvelle fois répondu. Une dernière question ? Mathias, c'est à vous.

Le numéro 1.

9 h 30.

Elle fit signe d'ouvrir la ligne.

— *Ça ne te gêne pas d'avoir laissé quelqu'un mourir ?*

Pendant une fraction de seconde, la stupeur la cloua sur place. La voix était puissante et insinuante. Un timbre bas, chaud et profond à la fois, des inflexions vaguement sifflantes. Elle évoquait une bouche prompte à murmurer des confidences ou des menaces dans le creux de l'oreille – et une personnalité capable de les mettre à exécution... *Quelque chose de rampant et de glissant...* Sans savoir pourquoi, elle eut l'impression que le type qui parlait était dans le noir, dans l'obscurité. Un long frisson la parcourut et elle se demanda si son cerveau n'était pas tout simplement en train de déformer des paroles beaucoup plus anodines. Mais non, puisque la voix reprenait :

— *Tu parles de solidarité, mais tu as laissé quelqu'un se suicider le soir de Noël. Quelqu'un qui t'a pourtant appelée à l'aide.*

Elle croisa le regard du psy. Il ouvrit la bouche et la referma sans rien dire.

— Quelle... est... votre... question ?

Sa propre voix lui parut désincarnée. Sans timbre.

Rien à voir avec cet instrument souple et docile, quasi érotique, dont elle jouait d'ordinaire.

— *Quel genre de personne es-tu donc ?*

Elle sentit la sueur sur ses paumes moites. Vit les yeux exorbités d'Igor derrière la vitre de la cabine technique et son propre reflet ébahi dedans. Leva enfin la main pour lui faire signe de couper la ligne.

— Euh… merci… merci aussi au Dr Bercowitz pour nous avoir éclairés… Joyeux Noël à toutes et à tous.

Le générique monta : *Notion*, des Kings of Leon. Elle se rejeta contre son siège, étourdie, comme si son sang refusait de circuler dans ses artères. Elle manquait d'air. L'espace confiné du studio l'oppressait, les mots de l'homme y résonnaient encore.

Elle vit Igor se pencher sur son micro. Sa voix jaillit dans le casque :

— QUELQU'UN PEUT ME DIRE À QUOI RIME CE BORDEL ? CHRISTINE, BON DIEU, TU RÊVAIS OU QUOI ?

— Tu aurais dû le couper tout de suite, dit le directeur des programmes d'un ton réprobateur. Dès le départ. Quand il t'a tutoyée. Tu n'aurais pas dû le garder à l'antenne.

Guillaumot la considérait d'un œil noir. Sa voix lui parvenait à travers un filtre, une épaisse couche d'hébétude. Comme si son cerveau était tapissé du même revêtement aux propriétés acoustiques spéciales que les murs du studio. Il y avait des touches sur son microphone pour l'ouvrir et le fermer – et plein de touches sur le pupitre de la cabine technique pour mélanger les sons, lancer une musique, une publicité enregistrée, ajouter des effets sonores –, mais il n'y en avait aucune pour stopper le bruit dans sa tête.

— Christine, qu'est-ce que t'as aujourd'hui ? demanda Salomé, la coordinatrice. C'était un vrai bazar.

— Comment ça ?

— Ton comportement n'était pas... Tu as laissé un sacré blanc, merde !... Tu avais l'air complètement *absente* ! (Les yeux de Salomé brillaient de réprobation derrière ses lunettes.) N'oublie pas que tu es l'image de cette station, chérie. Ou plutôt sa voix. Les auditeurs doivent imaginer une personnalité enjouée, positive... professionnelle – *pas quelqu'un qui s'en fout et qui a les mêmes problèmes qu'eux !*

L'injustice de cette remarque la réveilla.

— Merci, mais ça fait sept ans que je fais ce boulot. Pour une fois que je me plante... Et puis, qui a lâché ce malade à l'antenne ?...

Elle vit la fureur briller dans les yeux de Salomé. Il y avait eu dérapage. Il y aurait un rapport...

— Est-ce que je pourrais... le réécouter ? demanda-t-elle.

Toutes les émissions étaient enregistrées. Les enregistrements conservés pendant un mois. Et envoyés au CSA. Et tous les incidents faisaient l'objet d'un débriefing comme celui-ci.

— Quoi ? s'exclama Igor avec un mouvement de la tête pour repousser ses longs cheveux bouclés qui tombaient sur son visage et sur sa barbe. Pour quoi faire, sacré bon Dieu ?

Le directeur des programmes lança à Christine un regard soupçonneux.

— Tu connais cette personne ? Tu as une idée de ce qu'il voulait dire avec cette histoire de suicide ?

Elle secoua la tête. Sentit leurs regards peser sur elle.

— On a son numéro de téléphone dans le fichier. On va prévenir les flics, dit Salomé.

— Et après ? Ils vont faire quoi ? L'arrêter pour *voie de fait radiophonique* ? ironisa Igor. Laissez tomber… C'est juste un givré de plus. C'était quoi la phrase d'Audiard déjà ? « Heureux les fêlés car ils laisseront passer la lumière. »

— Je prends ça très au sérieux, répliqua le directeur des programmes. C'était l'émission de Noël, nom de Dieu ! Et on a un type qui nous a accusés de laisser les gens se suicider en direct à l'antenne ! Devant cinq cent mille auditeurs !

— Gérald ?

— Chris ? Qu'est-ce qui se passe ? Tu as une drôle de voix.

Elle se tenait devant la machine à café, hors de portée des oreilles de la rédaction. Elle n'avait pas allumé la lumière, si bien que le local était plongé dans la pénombre. Seule la luminosité des jours de neige franchissait la fenêtre et se reflétait sur la vitre de la machine. Elle venait de croiser Becker, qui lui avait décoché un petit sourire mielleux – à croire qu'il écoutait vraiment son émission.

— La lettre ? Tu l'as toujours ? demanda-t-elle dans le téléphone.

— *Quoi ?*

Elle perçut à la fois sa surprise et son agacement à l'autre bout.

— Oui… enfin, je crois, dit-il.

— Où ça ?

— Eh bien, elle a dû rester dans la boîte à gants, j'imagine. Bon Dieu, Chris, ne me dis pas que…

— Tu es chez toi, là ?

Elle le sentit hésiter.

— Non, non, je suis au bureau.

Une fraction de seconde d'hésitation et un ton bizarre. Comme s'il avait été sur le point de mentir et y avait finalement renoncé. Elle sentit son système d'alarme se mettre en route. Elle avait appris à reconnaître les petits mensonges de Gérald – comme la fois où, en voulant télécharger un film, elle avait découvert qu'il avait téléchargé un porno la veille. Il avait prétendu que c'était une erreur, qu'il avait cru télécharger autre chose. Mais elle savait que ce n'était pas vrai.

— Au bureau ? Le jour de Noël ?

— Je… j'avais un truc urgent à régler… Chris, tu es sûre que ça va ?

— Tu n'as pas oublié qu'on a rendez-vous chez mes parents dans deux heures ?

Il y eut dans le téléphone un ricanement qui ressemblait à un éternuement.

— Chris, ce n'est pas le genre de truc qu'on peut oublier.

4

Baryton

Clic. Elle n'est pas sûre. De ce qu'elle a vu. Mirage. Autosuggestion. Fait ? Clic. Son esprit passe en revue chaque détail. Comme un appareil photo. Clic. Clic. Balaye l'ensemble de la scène. Clic. Et revient chaque fois au même endroit – tel un de ces mouvements de caméra dans un vieux film muet des années 1920, quand l'image tremblée, sautillante, pleine de striures et de scintillements, se referme en un rond de plus en plus serré sur...

... *leurs mains*.

Ensuite, les lignes de dialogue envahissent l'écran noir de son esprit : *leurs mains, tu les as vues, oui ou non ? Elles étaient posées l'une à côté de l'autre. Proches, très proches même, au moment où tu as poussé la porte... Mais proches comment ?* Elle fredonnait *Driving Home for Christmas*, une chanson de Chris Rea que plus personne ne chantait, après avoir remonté les couloirs déserts de l'Institut supérieur de l'aéronautique et de l'espace, quand elle avait poussé la porte. Elle avait encore des flocons sur son anorak blanc. Et le feu aux joues à cause du froid.

— Salut, avait-elle dit en les voyant, assez stupidement.

Si elle avait été surprise de voir Denise, elle avait
lu le même étonnement dans ses yeux à elle. Et dans
ceux de Gérald. Puis elle avait capté le mouvement.
Plus bas. Leurs mains... Refermées autour du rebord
du bureau, sa main gauche à lui, bronzée et forte, très
près de sa main droite à elle, fine, élégante, ongles
parfaits... Lequel des deux avait écarté la sienne, elle
n'aurait su le dire : elle avait juste capté le mouvement. *Est-ce qu'ils se tenaient par la main quand elle
était entrée dans la pièce ?* Pas sûr. Elle était sûre
en revanche de leur embarras. Cela ne voulait rien
dire, bien entendu, s'empressa d'objecter la voix la
plus raisonnable en elle. Si elle s'était trouvée dans
une pièce avec un autre homme, proche à le toucher,
et que Gérald était entré à ce moment-là sans prévenir, elle se serait sûrement sentie gênée, elle aussi.
Oui. Sauf que cela n'était encore jamais arrivé. Sauf
que ce n'était pas la première fois que ces deux-là se
tenaient l'un près de l'autre, dans une soirée ou un
barbecue. Sauf qu'ils se trouvaient seuls tous les deux
dans un bâtiment pour ainsi dire désert. Le jour de
Noël. Et qu'ils n'étaient pas censés être là. Christine
avait décidé de faire une surprise à Gérald et, pour le
coup, question surprise, c'en était une – oh, ça, oui :
pour tout le monde...

— Salut, dit-elle – et rien d'autre.

Coite, muette.

Elle sentit la chaleur lui monter aux joues. Comme
si c'était elle qui avait été prise sur le fait. Mais sur
le fait de quoi ? Ou peut-être était-ce dû au contraste
entre le froid du dehors – y compris celui qui régnait

dans sa Saab au chauffage défaillant – et la température dans les couloirs.

Elle avait frappé pourtant. Elle enregistra mentalement l'heure sur la pendule accrochée au mur. 12 h 21.

— Bonjour, Christine, dit Denise. Comment ça va ?

Denise avait peut-être un prénom vieillot, mais c'était la seule chose démodée chez elle. Denise avait vingt-cinq ans. Elle était plutôt petite, mais elle avait pour elle la beauté, un sourire à ruiner un dentiste et un cerveau fort bien fait de doctorante. Et aussi des yeux de la même couleur profonde et trouble que la boisson préférée de Gérald. Des yeux *caïpirinha*. Sans les glaçons… Gérald était son directeur de thèse à l'ISAE. Christine avait l'habitude de ranger les amies de Gérald dans trois catégories : inoffensives, intéressées, dangereuses. Denise aurait nécessité une catégorie à elle toute seule : suprêmement intéressée/absolument pas inoffensive/*très* dangereuse… *Comment tu crois que ça va ? Je te trouve seule avec mon futur mari le jour de Noël dans un bâtiment désert alors que lui comme toi êtes censés être ailleurs, si près que s'il était assis tu serais probablement déjà sur ses genoux, toujours à faire preuve d'un zèle de doctorante si poussé qu'il confine à la dévotion pure et simple : alors, comment c'est censé aller ?*

Son bon sens cependant lui disait d'y aller mollo.

Gérald ne voyait probablement pas les choses de cette façon – les hommes ne voient jamais les choses de cette façon. Elle lui lança un coup d'œil à la dérobée. Il lui décocha en retour ce sourire qu'elle ne pouvait définir que par un mot : *relax*, et qui avait le don de la réchauffer, de l'apaiser, mais pas cette fois. Oh, non. Cette fois, elle nota à quel point le sourire était moins relax qu'automatique – un simple réflexe des zygomatiques. Avec une pointe de nervosité ; ou d'agacement ?

— On ne devait pas se retrouver chez tes parents ? dit-il.

Comme s'il s'agissait d'un signal, Denise s'écarta du bureau en poussant sur ses jolis bras.

— Bon, moi, je vais y aller. Il y a une vie après le boulot, après tout… Et puis, ça peut attendre mercredi. Joyeux Noël, Christine. Joyeux Noël, Gérald.

Même sa voix était parfaite. Rauque et voilée juste ce qu'il faut. Elle s'entendit répondre la même chose, même si au fond d'elle-même elle ne le lui souhaitait pas si joyeux que cela. Elle la regarda passer, vit son postérieur parfait frotter contre son jean serré. Parfait aussi. À travers la porte refermée, elle entendit les talons qui s'éloignaient le long des couloirs de l'ISAE parfaitement silencieux.

— Qu'est-ce qui se passe ? dit-il. C'est encore au sujet de cette lettre ?

Il semblait contrarié. Parce qu'il avait eu d'autres projets pour l'heure à venir ? *Arrête…*

— Tu l'as ?

Il fit un geste évasif.

— Je te l'ai dit, elle a dû rester dans la voiture. Je n'ai pas vérifié. Bon sang, Christine, on ne va pas recommencer !

— Je n'en ai pas pour longtemps. J'apporte la lettre au commissariat et ensuite on se retrouve chez mes parents, comme prévu.

Il s'écarta à son tour du bureau, l'air résigné, attrapa son manteau de laine et son écharpe.

— Tu n'as pas l'impression que ça va un peu loin ? demanda-t-il tandis qu'ils remontaient le couloir.

— Qu'est-ce que tu fais ici le jour de Noël ? ne put-elle s'empêcher de demander.

— Quoi ? Un détail à régler...

— Et Denise, elle était là à cause du même détail ? Cela lui avait échappé, elle le regrettait déjà.

— Qu'est-ce que tu veux dire ?

Si sa voix avait été un thermomètre, il aurait accusé une chute vertigineuse du mercure.

— Rien...

Il repoussa la porte vitrée qui donnait sur le parking ; le vent vif, de nouveau chargé de neige, les empoigna.

— Si, va au bout de ta pensée. Qu'est-ce que tu insinues ?

Il était un tout petit peu trop en colère. Gérald se mettait en colère chaque fois qu'il se sentait pris en faute.

— Je n'insinue rien. Je n'aime pas sa façon de te tourner autour, c'est tout.

— Denise ne me tourne pas autour. Je suis son directeur de thèse. Et Denise est une passionnée. *Tout comme moi*. C'est quelque chose que tu devrais comprendre : toi aussi, tu aimes ton boulot, non ? Tu as bien cet assistant : cet... Ilan, qui te mange dans la main. Et tu travaillais bien le jour de Noël, il me semble ?

Les arguments s'enchaînaient avec logique, mais c'était une logique un brin biaisée, elle en avait conscience, et le ton lui-même était un tout petit peu trop forcé. Il déverrouilla le *crossover*, se pencha à l'intérieur puis se redressa, l'enveloppe à la main ; les rafales faisaient danser sa frange devant ses lunettes.

— À tout à l'heure, dit-il sèchement.

Il s'éloigna vers les bâtiments. Elle déverrouilla la

Saab et s'assit sur le siège conducteur. Il faisait froid dans l'habitacle. Elle sentit le cuir glacé du siège à travers son jean. Elle mit le contact et la radio s'alluma en même temps que la soufflerie poussive du chauffage. Lou Reed chantait que c'était un jour parfait, tu parles. Elle alluma les phares, fit aller et venir les essuie-glaces pour balayer la fine pellicule de neige qui s'était déposée sur le pare-brise, jeta un coup d'œil à la banquette arrière où s'empilaient les paquets-cadeaux. La veille, après la radio, elle s'était rendue dans plusieurs boutiques et grandes surfaces. Elle avait acheté un manteau d'hiver chaud et élégant pour sa mère, un coffret de l'intégrale des films de Kubrick avec en bonus le livre *The Stanley Kubrick Archives* pour Gérald, et aussi un ensemble coquin pour elle (elle avait imaginé l'effet qu'il ferait sur Gérald en se contemplant dans le miroir de la cabine, et l'idée de l'accueillir ainsi l'avait fait sourire et émoustillée en même temps, mais elle la trouvait beaucoup moins judicieuse depuis qu'elle avait vu Denise). Pour son père, elle avait cherché plus longtemps. Se souvenant *in extremis* que, deux années de suite, elle lui avait offert un stylo, elle avait finalement opté pour une tablette numérique : la moins chère du marché.

Elle s'était aussi procuré, à la demande de sa mère, des huîtres, des figues, du parmesan, des petits pains de Noël truffés de fruits confits, un vin blanc liquoreux pour le foie gras et du « café pour repas de fête ». Elle visualisa les guirlandes, les bougies, le feu de pommier et de chêne dans la cheminée et, comme chaque fois qu'elle rendait visite à ses parents, de moins en moins souvent au fil des ans, elle se sentit au bord de la nausée. Puis elle avisa la voiture de Denise, une

Mini rouge et blanc, toujours garée sur le parking…
Un léger vertige s'empara d'elle sans crier gare.

Elle tourna le regard vers les bâtiments.

Une voix en elle lui disait d'attendre qu'ils sortent
– mais une autre plus puissante lui intimait de n'en rien
faire et de ficher le camp d'ici. Elle décida d'écouter la
seconde. Démarra lentement sur la fine couche de neige
qui recouvrait le parking comme du talc. La deuxième
voix en elle lui reprocha son manque de confiance :
de la parano, voilà ce que c'était. Elle n'avait aucune
raison d'être jalouse. Denise n'était ni la première ni
la dernière à tourner autour de son mec, après tout.

*Il fallait qu'elle apprenne à faire confiance aux
autres. Et en particulier à lui.*

Elle ne savait que trop bien d'où venait ce manque
de confiance : comment faire confiance à qui que ce
soit quand on avait été trahie par la seule personne
au monde qui n'aurait pas dû le faire ? Oui. Tout
venait de là. De ce trou noir qui, pendant si longtemps,
avait absorbé la lumière. La présence de Denise dans
le bureau de Gérald ne signifiait rien. Bien sûr que
non. Elle était juste venue lui rappeler au pire moment
son manque de confiance en elle ; ils étaient sur leur
lieu de travail, pas dans une chambre d'hôtel ou dans
une voiture garée au fond des bois : *ils travaillent
ensemble, bon Dieu ! Ce n'est quand même pas la
faute de ton homme si sa meilleure chercheuse est
canon. Et brillante. Et sympa… Et* dangereuse…

Mensonge, répondit l'autre voix, celle qu'elle avait
héritée des années noires : *Ne te raconte pas d'histoires, ma belle. Tu as vu leurs mains, oui ou non ?
Tu es bien consciente, au fond de toi, que ce n'est
pas qu'une question de confiance, pas vrai, Christine ?*

Non, c'est autre chose : une fois de plus, tu as peur de regarder la vérité en face.

— Pourquoi avoir attendu ?

Le flic la regardait. Visage impassible. Indéchiffrable. Seuls ses doigts s'agitaient et trituraient sa cravate. Moche. Elle hésita.

— C'était le réveillon. Je… je devais rencontrer les parents de mon fiancé pour la première fois… Je ne voulais pas arriver en retard.

— D'accord. (Il regarda sa montre.) Mais il est 13 h 15. Vous auriez pu venir avant.

— Je travaille à la radio. J'avais une émission ce matin. Et cela fait quarante minutes que j'attends mon tour.

Son intérêt parut se réveiller.

— Vous y faites quoi, dans cette émission ?

— Animatrice.

Il esquissa un sourire.

— Je me disais bien que j'avais déjà entendu votre voix quelque part… J'ai une réunion dans une demi-heure, je n'ai malheureusement pas beaucoup de temps à vous consacrer.

Il reporta son attention sur la lettre étalée devant lui avec une attention accrue. Comme si le fait qu'elle fût une personne publique changeait la donne.

— Vous en pensez quoi ? demanda-t-elle comme le silence s'éternisait.

Il haussa les épaules.

— J'en sais rien. Je ne suis pas psy. En tout cas, aucun cas de suicide ne nous a été signalé hier soir. Ni ce matin. Si ça peut vous rassurer…

Il avait prononcé ces mots comme s'il avait parlé d'un simple cambriolage, ou d'un vol de sac à main.

— Je la trouve bizarre, cette lettre, ajouta-t-il finalement. Il y a quelque chose de pas net là-dessous.

— Comment ça ?

— Je ne sais pas... C'est dans le ton... Ça n'a pas l'air vrai. Qui s'exprime comme ça ? Qui appelle au secours de cette façon ? Personne...

Elle se dit qu'il avait raison. Elle-même ressentit la même chose en la lisant pour la neuvième ou la dixième fois. L'étrange sentiment d'une bizarrerie contenue dans le texte, d'une anomalie, voire d'une menace autre que celle du suicide lui-même.

Il la fixait intensément, à présent.

— Et si cette lettre n'avait pas été mise dans votre boîte aux lettres par erreur ?

— Que voulez-vous dire ?

— Et si la personne qui l'a rédigée voulait que vous la lisiez ?

Elle sentit un frisson la traverser.

— C'est absurde... Je ne sais absolument pas de quoi elle parle.

Il la dévisageait toujours. De petits yeux fureteurs de flic.

— Vous en êtes sûre ?

— Oui !

— D'accord.

Il la replia.

— Il y a d'autres empreintes que les vôtres là-dessus ?

— Celles de mon fiancé. Alors, c'est vrai ? Vous allez vous en occuper ?

Il regarda ses mains, la fixa de nouveau.

— Je vais voir ce que je peux faire. C'est quoi le nom de votre émission ?

Était-il en train de flirter ? Elle chercha une alliance. Il n'en portait pas.

— *Les Matins de Christine*. Sur Radio 5.

Il hocha la tête.

— Ah, oui. J'aime bien cette radio.

5

Concertato

— Expliquez-nous en quoi consiste votre travail, Gérald.

Les iris bleus de sa mère. Pleins de curiosité. Comme à l'époque où elle animait cette émission sur la 1re chaîne, dans laquelle elle recevait tout ce que ce pays comptait de sommités – acteurs, hommes politiques, chanteurs à texte, penseurs : moins de comiques en ce temps-là. Et la téléréalité – cet équivalent télévisuel de l'égout à ciel ouvert – n'existait pas.

Christine les regarda. Ses parents si parfaits. Assis l'un à côté de l'autre sur le canapé, se tenant par la main comme au premier jour après quarante ans de mariage. Chez les Steinmeyer, on cultivait l'image parfaite. Le détail parfait. Même leurs vêtements étaient assortis : pantalons et chemises de couleurs quasi identiques, pli impeccable, harmonie des goûts vestimentaires, culinaires, artistiques… Christine enregistra la légère hésitation de Gérald quand il se lança dans des explications qui se voulaient simples et didactiques – mais qui ne parvinrent qu'à être ennuyeuses.

Tu ne t'attendais certainement pas à te retrouver

sur l'équivalent familial d'un plateau télé : c'est ma faute, j'aurais dû te prévenir. Mince – et moi qui voulais te faire une surprise...

— Mais tout ça doit vous paraître, eh bien, ennuyeux, conclut-il en rougissant. Même si, je dois l'avouer, c'est un métier... mais oui, passionnant – à mes yeux, euh, en tout cas, crut-il bon d'ajouter.

Oh, pour l'amour du ciel, Gérald ! Où est donc passé ton foutu sens de l'humour ?

Il jeta un regard dans sa direction, en quête de soutien. Sourire plein d'indulgence de sa mère. Christine connaissait ce sourire. Elle reconnut pareillement le coup d'œil que sa mère lui lança. C'était là, dans ses yeux – le regard qu'elle aurait adressé à un invité manquant par trop de charisme vingt ans plus tôt, sur le plateau de son émission : *Dimanche à la Une*. Elle débutait à 17 heures, chaque dimanche. Après quoi elle avait connu un passage à vide, puis dirigé un magazine hebdomadaire déjà sur le déclin – un déclin relatif qui s'était transformé en mort lente avec l'avènement d'Internet, quand trop de gens s'étaient mis à penser que les journalistes papier étaient ringards ou achetés et qu'une info de trois lignes dans un gratuit ou un tweet de 140 caractères maxi était tout ce dont leur cerveau avait besoin comme nourriture intellectuelle.

— Non, non, non, mentit effrontément sa mère. Je trouve ça vraiment passionnant, franchement (toujours se méfier des gens qui employaient *vraiment*, *franchement*, *honnêtement* à tour de bras : c'était pourtant elle qui le lui avait appris). Même si je dois bien reconnaître que je n'ai pas tout compris. Qu'est-ce que tu attends pour l'inviter dans ton émission, ma chérie ?

Éclats de rire complices des deux côtés. *Pour*

endormir mes auditeurs ? pensa Christine. *Non, ça, c'était cruel…*

Et son père pendant ce temps ? Il souriait. Hochait la tête. Les laissait faire les frais de la conversation. Le regard absent.

— Je… ce vin est excellent, dit Gérald.

— Oui, fit sa mère en écho. Honnêtement, mon chéri, Gérald a raison, ton vin est une pure merveille.

— Grand-Puy-Lacoste 2005, répondit son père laconiquement.

Il se pencha pour les resservir. Christine se demanda à quel moment il mettrait Madeleine sur le tapis. Et comment il amènerait le sujet. Car, tôt ou tard, il en parlerait. Même en passant, même de manière allusive – avec un bref trémolo dans la voix. C'était aussi inévitable que la dinde à Noël. Madeleine était morte dix-neuf ans plus tôt. Depuis cette date, son père portait le deuil. Un deuil constant, permanent – quasi professionnel. *C'est quoi votre profession ? J'ai été journaliste, écrivain, homme de radio et de télévision, vous avez sûrement entendu parler de cette émission,* Le Grand Chambard… – *Et aujourd'hui ? – Deuil, mettez deuil…* Son entrée Wikipédia indiquait que Guy Dorian, de son vrai nom Guy Steinmeyer, était un journaliste et écrivain français né le 3 juillet 1948 à Sarrance (Pyrénées-Atlantiques), qu'il avait vingt années durant animé l'émission radiophonique quotidienne la plus célèbre de France, créée le 6 janvier 1972, 6 246 émissions au compteur, au cours desquelles il s'était entretenu avec tout ce que la France comptait d'artistes, de politiques, de sportifs, d'écrivains, de scientifiques – et même avec trois présidents, dont deux en exercice. (Christine se souvenait de quelques noms parmi des centaines d'autres : Brigitte Bardot, Arthur Rubinstein, Chagall, Sartre…) Puis il était passé à la télévision. Avec le même succès. Du moins avant que les agences de publicité achetant du temps d'antenne ne se mettent en tête de décider de la programmation et qu'une émission occupant toute la soirée autour d'un seul invité – qui plus est une émission où on disait des choses valables, des choses intelligentes et même des choses *intimes* – ne devienne inenvisageable à une heure de grande écoute.

— On est tellement contents de vous rencontrer enfin, dit sa mère. Christine nous a beaucoup parlé de vous.

Ah bon, quand ça ?

Regard embarrassé de Gérald dans sa direction.

— Oui… Elle m'a aussi beaucoup parlé de vous.

Un bon gros mensonge qui sonnait comme tel.

— Et on est tellement contents qu'elle ait enfin trouvé chaussure à son pied.

Oh non, par pitié, pas ça.

— Christine est quelqu'un qui sait ce qu'elle veut, déclara enfin son père.

Le couple parfait tournait la tête vers elle, comme une paire de robots parfaitement synchronisés.

— C'est pourquoi nous sommes si fiers de notre fille, fit sa mère en écho.

Nouveau coup d'œil de son côté. On y lisait moins la fierté que le fait qu'elle essayait de s'en convaincre, cependant.

— Elle a voulu suivre nos traces. Et elle travaille dur pour cela.

— Nous sommes très fiers d'elle, renchérit son père. Nous avons toujours été fiers de *nos* filles.

— Christine a une sœur ? (Gérald.)

Et voilà, on y était... Une remontée de bile dans sa gorge.

— Madeleine était la sœur aînée de Christine, s'empressa d'expliquer son père et, l'espace d'un instant, sa voix mua comme celle d'un adolescent. Elle est morte dans un... *accident*. Maddie avait tous les dons, tous les talents... Ce n'était pas facile pour Christine de vivre dans son ombre. Mais elle s'en est sortie. Et elle montre de quel bois elle est faite...

Un souvenir – comme un flash brutal de la mémoire. Été 91. La maison de Bonnieux. Les amis au bord de la piscine. Si nombreux et aux visages si familiers à force de les voir dans la lucarne qu'on aurait dit un plateau télé en chair et en os. Et Madeleine au milieu. Madeleine – treize ans mais en paraissant seize avec ses nichons de femme sous son tee-shirt, ses hanches de femme et ses petites fesses rondelettes de femme dans son short serré –, qui faisait le service, captant le regard des hommes, jouant avec une inconscience joyeuse de ses charmes, testant ses pouvoirs précoces sur les libidos masculines (l'avait-elle réellement *vue* ainsi ? à dix ans ? ou sa mémoire reconstruisait-elle la scène après coup ?), nymphette ingénue, singeant et éclipsant les femelles adultes – ce qu'elle ne deviendrait jamais : une Baby Doll à jamais coincée dans un corps de femme-enfant. Toute référence à Madeleine la troublait au point que le visage de sa sœur finissait toujours par flotter devant elle. Elle la revoyait posant le plateau sur une table en fer, retirant lentement sa jupe en jean et son débardeur pour en extraire, d'un geste candidement mais infiniment provocateur, son corps mince, ses jambes bronzées et son petit deux-pièces bleu étonnamment rempli pour son âge. Et Christine avait vu (croyait avoir vu, se représentait, imaginait) les hommes alentour caressant du regard la perfection dérangeante de ce jeune corps prénubile (*sauf en Iran*, fit observer la féministe en elle) tout en s'efforçant de nier leur propre concupiscence – on eût dit que leurs regards se faisaient brumeux et absents – avant que l'affolante Lolita ne fasse trois pas légers comme un souffle vers le bord de la piscine et ne crève la surface caressée par la lumière du soir dans un plongeon parfait. Salve d'applaudissements. Explosion de joie. Soulagement. Et toute la tension brusquement libérée dans un jaillissement salvateur... Mesdames et messieurs : la reine de la soirée. Et pas seulement de celle-là. Madeleine était la reine vingt-quatre heures sur vingt-quatre – quand Christine était condamnée au rôle de dame de compagnie.

Elle croisa le regard de Gérald. Lut sa perplexité. *Tu ne m'as jamais parlé de ta sœur... tu ne m'avais pas dit non plus que tes parents étaient... grand Dieu... célèbres...*

Elle lui sut gré de se taire.

— Quand elle était petite, dit sa mère en souriant, Christine cherchait désespérément à égaler sa sœur.

Oh, non, par pitié, pas toi, maman.

— Comme quand son père lui a appris à nager...

Elle rit. Mais son père ne rit pas. Ne la regarda pas. Il regardait ses longues mains.

— Cela a été très laborieux. Mais elle s'est accrochée. Elle ne voulait pas renoncer. Jamais. C'est Christine. Elle s'accroche. Elle a eu un modèle tellement difficile à égaler devant les yeux pendant toute son enfance...

Oui, c'était son père qui lui avait appris à nager, c'était lui qui lui avait fait découvrir *L'Appel de la forêt*, *Vingt mille lieues sous les mers* et *Le Livre de la jungle*, lui encore qui l'avait accompagnée à ses premières séances de cinéma. Et pourtant, si tendre et indulgent et taquin qu'il ait toujours été avec elle (*Ben, quoi ? moi aussi j'ai droit à un bisou, non, pas seulement ta mère, petit ouistiti ?*), il l'avait toujours été *un peu moins* qu'avec sa sœur. Avec Madeleine, il se passait quelque chose d'autre. Un lien qu'elle ne pouvait qualifier que de… supérieur. (*Arrête ça immédiatement*, dit la voix en elle.) Mais c'était la vérité, non ? « Tu m'aimes ? » avait-elle un jour demandé à son père – c'était le jour de son dixième anniversaire, elle s'en souvenait. *Bien sûr que je t'aime, petit ouistiti…* Elle adorait qu'il l'appelle ainsi, avec son large sourire d'homme de télévision et sa voix profonde, reconnaissable entre toutes. Cela la faisait pouffer et glousser et lui donnait la chair de poule en même temps. Mais il n'avait pas dit « mon »… Avec Madeleine, c'était toujours *ma* chérie, *mon* colibri, *mon* rayon de soleil. Madeleine n'avait jamais demandé à son père s'il l'aimait. Parce qu'elle n'en avait pas besoin. Elle *savait*…

Son père, même s'il s'en défendait, même s'il le dissimulait et s'il était persuadé d'avoir équitablement réparti les démonstrations de son amour paternel (*Bon Dieu, ma vieille, comment tu t'exprimes, des fois !*), avait continûment préféré Maddie. À dix ans déjà, avec son petit cerveau immature, Christine l'avait instinctivement compris.

D'autant plus ironique que, physiquement, c'était elle qui lui ressemblait le plus. Combien de fois on le lui avait fait remarquer : *tu as le même visage que ton père, tu as sa façon de parler, tu as ses yeux, tu as…*

— Bon sang, tu aurais pu me prévenir ! (Gérald, dans la voiture.)

— Te prévenir de quoi ?

Ses yeux ronds comme des billes.

— Que tes parents étaient célèbres !

— Célèbres ? Combien de gens se souviennent d'eux ?

Plein, répondit la voix. Quinze ans après la diffusion de leurs dernières émissions, ses parents continuaient de recevoir des kilos de courrier chaque année. La célébrité était comme certains cancers : elle laissait des métastases partout.

— Moi, je m'en souviens ! Je me souviens de ma mère collée à sa radio quand je rentrais de l'école, écoutant religieusement la voix de ton père en train de s'entretenir avec un politique, un artiste ou un intellectuel. Et ce fameux générique…

— George Delerue, précisa-t-elle à contrecœur.

— Oui. (Il fredonna quelques mesures : du clavecin, de l'orgue Hammond et de la flûte, se souvint Christine. Une musique intemporelle – une clé vers l'enfance, une madeleine musicale.) Tu te rends compte que ses émissions ont changé notre façon de voir le monde ? Qu'elles ont formé une génération entière ? Et ta mère ! Combien de fois en allumant le poste je suis tombé sur elle quand j'étais ado ! Pourquoi tu n'as pas pris leur nom ?

— Mais c'est mon nom ! se rebella-t-elle. Je ne vois aucune raison d'en changer !

— Quand même, tu aurais pu me prévenir…

— Désolée, je voulais te faire la surprise.

— Eh bien, c'est réussi. Tes parents sont incroyables.

Incroyables… Quel couple parfait ils forment. Cela fait combien de mois qu'on est ensemble ? Et tu ne m'avais jamais parlé d'eux. Pourquoi ?

Bonne question.

— Ce n'est pas mon sujet préféré.

Et merde… Elle verrouilla la Saab et traversa la rue enneigée en direction de l'immeuble. Un paysage plein de bosses, de reliefs nouveaux et de pièges, aussi étrange que de marcher sur la Lune. Elle était en proie à un début de nausée, son estomac plein à exploser. Elle se dit qu'il y avait quelque chose d'indécent dans ce gaspillage annuel de nourriture.

D'obscène…

Aussi obscène que le chagrin de son père. Il arrivait à Christine de lui en vouloir à mort pour cette espèce de deuil sans fin dans lequel il s'était enfermé. D'avoir envie de lui hurler à la figure : *Nous aussi, on l'a perdue ! Nous aussi, on l'aimait ! Tu n'as pas le monopole du chagrin !* Il avait déjà été opéré une fois d'un cancer des glandes salivaires. À quand le prochain ? Pendant un instant, Christine se demanda si on pouvait se suicider par cancer interposé.

Elle était si agitée qu'elle dut s'y reprendre à deux fois pour pianoter le code de l'entrée. Le hall, sombre et froid, l'accueillit comme un sépulcre. Elle frissonna. Le traversa en direction des boîtes aux lettres. Elle eut un mouvement d'appréhension en déverrouillant la sienne. *Pas de courrier.* Christine respira. Découvrit l'écriteau « *En panne* » accroché à la grille de l'ascenseur et jura. Elle haussa les épaules. La conclusion logique d'une journée catastrophique.

Elle emprunta l'escalier qui, comme le reste de l'immeuble, était parfaitement silencieux. S'attarda quelques secondes au deuxième, quand la minuterie s'arrêta – captant quelques bribes étouffées de télévision et des cris d'enfants à travers les portes. Puis elle se remit à grimper. Sans allumer la lumière : la clarté grise qui traversait la lucarne à mi-hauteur lui suffisait.

Elle se sentait fatiguée, démoralisée. Cette journée n'avait été qu'un immense gâchis du début à la fin.

« Tes parents sont incroyables. Incroyables... Quel couple parfait ils forment ! »

Mon petit Gérald, tu as toujours le mot pour rire.

Aucun bruit ne descendait de son palier mais c'était normal, sa voisine n'en faisant pas plus qu'une souris – sauf lorsqu'elle ouvrait sa méchante bouche. Il lui restait deux marches à grimper lorsqu'elle sentit l'odeur pour la première fois.

Elle pinça les narines.

Quelle odeur bizarre ! Elle flottait dans l'air. Une odeur qui n'était pas celle – désagréable mais habituelle – du tapis d'escalier poussiéreux et élimé.

Une odeur forte.

Ammoniaquée...

Christine déglutit. Ça empestait l'urine. *Pouah, quelle horreur.* Elle s'avança en direction de sa porte. L'odeur venait de là. *Beurk, dégueulasse, vraiment dégueulasse...*

Elle appuya sur le bouton de la minuterie et se baissa en essayant de respirer par la bouche plutôt que par le nez, réprima un haut-le-cœur : le bas de sa porte et son paillasson étaient mouillés... Une flaque s'étirait en dessous. Un animal avait pissé sur sa porte peu de temps auparavant. *Merde.* Sauf que sa voisine de palier n'avait pas d'animal. Elle vomissait même « ces gens qui se préoccupaient plus des animaux que du reste de l'humanité », comme elle le lui avait expliqué un jour en voyant passer la voisine du dessus avec son caniche. Le caniche du dernier étage, justement ? Il n'aurait pas attendu d'arriver dans la rue ? C'était la première fois, mais sa propriétaire aurait quand même pu essuyer... Christine se promit de lui en faire la remarque la prochaine fois qu'elle la verrait. Le téléphone fixe choisit ce moment pour sonner de l'autre côté du battant.

Elle farfouilla dans son sac à main à la recherche de ses clés. Qui, comme de juste, se trouvaient tout au fond. Sous un chaos de Kleenex, d'écouteurs, de chewing-gums à la menthe, de stylos et de rouges à lèvres... La sonnerie continuait de retentir – impérieuse, impatiente – à l'intérieur de l'appartement.

Elle déverrouilla la porte. Enjamba la tache sombre sur le paillasson. Jeta son sac à main ouvert sur le canapé et se rua sur le poste fixe.

— Allô ?

Une respiration lente dans le combiné.

— Allô ? répéta-t-elle.

— *Tu aurais pu sauver cette pauvre femme, Christine... Mais tu ne l'as pas fait... C'est trop tard, maintenant.*

Elle sursauta. Une voix d'homme. Son cœur se mit à cogner.

— Qui est à l'appareil ?

Pas de réponse. Rien que la respiration, mais elle

avait reconnu la voix : chaude, profonde, vaguement sifflante, avec un accent – et cette impression que l'homme était dans le noir, qu'il parlait du fond de l'obscurité.

— Qui êtes-vous ? demanda-t-elle.

— *Et toi, Christine, est-ce que tu sais qui tu es ? Qui tu es* vraiment *? T'es-tu déjà posé la question ?*

Ce type l'appelait Christine. Il la connaissait ! Elle se remémora les paroles du flic : « Et si cette lettre n'avait pas été mise dans votre boîte aux lettres par erreur ? »

Elle entendit l'écho de sa propre peur dans sa voix quand elle dit :

— Qui est à l'appareil ? Je vais appeler la police.

— *Et tu vas leur dire quoi ?*

Le type au bout du fil ne semblait pas du tout inquiet. Son assurance tranquille décupla la panique de Christine.

— J'ai fait ce que j'ai pu : j'ai donné cette lettre à la police, se justifia-t-elle, les tempes bourdonnantes, comme s'il était normal qu'elle se justifiât auprès d'un inconnu. Et vous, qu'est-ce que vous...

Ça ne te gêne pas d'avoir laissé quelqu'un mourir ?

— ... avez fait ? Et comment avez-vous eu mon numéro de téléphone ?

— Tss-tss... Je crains que ça ne soit pas suffisant. Pas suffisant du tout. Je pense que tu aurais pu faire bien plus – mais tu n'avais pas envie de gâcher Noël, pas vrai ?

— Dites-moi qui vous êtes ou...

Tu parles de solidarité, mais tu as laissé quelqu'un se suicider le soir de Noël.

— ... je raccroche. Que me voulez-vous ?

Un essaim de guêpes dans son crâne.

— Tu aimes ce jeu, Christine ?

Elle ne répondit pas. De quel jeu parlait-il ?

— *Christine, est-ce que tu m'entends ?*

Oh, oui, elle l'entendait. Mais elle n'avait plus la force de prononcer un mot.

— *Tu l'aimes ? Parce que ce n'est pas fini. Oh, non. Ça ne fait que commencer.*

6

Soliste

Servaz regardait le paquet, la gorge sèche. Il avait l'impression que des doigts griffus lui caressaient la nuque, qu'ils s'enfonçaient dans sa poitrine. Le paquet, cependant, était beaucoup plus petit que la dernière fois. Le cachet indiquait qu'il avait été posté à Toulouse, mais cela ne voulait rien dire, bien sûr. En tout cas, il ne pouvait s'agir d'une boîte isotherme, cette fois-ci, compte tenu de sa taille. Environ onze centimètres par neuf.

Pas non plus de nom d'expéditeur bidon, tel que M. Osoba...

Il hésita, puis déchira le papier-cadeau avec un bruit sec. Il savait qu'il n'aurait pas dû faire ça ; il aurait dû appeler la police scientifique pour qu'elle l'examine sous toutes les coutures, le recouvre de poudre révélatrice, le mette dans un sachet à scellés et l'emporte au labo. Mais ils n'avaient rien trouvé sur l'envoi précédent – et il était persuadé qu'il n'y avait rien à trouver sur celui-ci non plus.

La boîte était en carton rigide gris perle, le couvercle s'emboîtait étroitement. Il regarda le paysage enneigé par la fenêtre, prit une profonde inspiration – puis il le souleva lentement de ses doigts tremblants. Son regard plongea au fond de la boîte. Ses poumons se remplirent d'air à mesure que le soulagement l'envahissait : ce n'était pas ce à quoi il s'était attendu. *Un doigt, voilà ce qu'il avait craint. Ou une mèche de cheveux. Une oreille…* Au lieu de cela, il contemplait un petit rectangle de plastique blanc portant un logo rouge qui représentait une couronne, une clé et les lettres « T » et « W ».

Grand Hôtel Thomas Wilson : c'était écrit juste en dessous, en petits caractères.

Une clé d'hôtel électronique… Il y avait aussi le numéro de la chambre. 117. Et un bout de papier plié en dessous, sur l'écrin de satin rouge. Il le déplia.

Rendez-vous demain chambre 117

Une écriture ronde, souple, liée. Encre bleue… *Féminine ?*

Il se demanda quelle femme pourrait bien avoir envie d'un rendez-vous dans un hôtel de luxe avec un flic dépressif. Et de quel genre de rendez-vous il s'agissait. Un rendez-vous galant ? Quoi d'autre – dans une chambre d'hôtel ? *Charlène ?* Elle était venue le voir à deux reprises au cours de sa « convalescence ». Charlène Espérandieu était non seulement la plus belle femme qu'il eût jamais rencontrée, mais encore l'épouse de son adjoint. Quatre hivers plus tôt, ils s'étaient rapprochés au point qu'ils avaient été à deux doigts de commettre l'irréparable. Car Charlène était aussi une femme très attachante. À ce détail près qu'elle était enceinte de sept mois quand ils s'étaient sentis irrésistiblement attirés l'un vers l'autre, et que Vincent était son meilleur ami... Du reste, il était le parrain du garçon.

Et puis, Marianne était revenue dans sa vie et Charlène Espérandieu s'était enfoncée dans la brume d'une existence qui aurait pu être, mais qui était demeurée à l'état embryonnaire. Pourtant, les deux fois où elle lui avait rendu visite ici, elle avait tourné non seulement la tête des pensionnaires qui avaient croisé son chemin, mais la sienne aussi, d'une certaine façon. Il savait à quoi c'était dû : vulnérabilité, dépression, solitude. Il était une proie facile. Et Charlène était toujours aussi belle, aussi sexy, aussi désarmante.

Aussi *perdue*...

Était-ce elle qui lui proposait un rendez-vous ? Dans ce cas, pourquoi tout à coup ? Pourquoi maintenant ?

Ou cette clé avait-elle une autre signification ?

Il la regarda de nouveau. Un frisson le parcourut. Servaz était déjà entré dans cet hôtel de la place Wilson, un des plus chic de Toulouse, pour une enquête. Il y avait un numéro de téléphone en dessous du nom. Il sortit son portable.

— Grand Hôtel Thomas Wilson.

— Je voudrais réserver une chambre.

— Oui, monsieur. Standard, supérieure ou suite ?

— La 117.

Un blanc à l'autre bout du fil.

— Pour quand vous la faut-il ?

— Demain.

Il entendit qu'on pianotait sur un clavier.

— Je regrette, cette chambre est déjà réservée. Mais je peux vous en proposer une autre équivalente...

— Non, merci. C'est celle-là que je veux.

— Est-ce que je peux savoir pourquoi vous voulez cette chambre-là en particulier ? (Le ton était des plus méfiant, à présent.) C'est une très belle chambre. Mais nous en avons d'autres tout aussi…

— Je vous ai dit que c'était celle-là que je voulais.

Un nouveau silence.

— Eh bien, dans ce cas, je ne vois qu'une possibilité : j'ai votre numéro de téléphone ; si jamais il y a un désistement, je vous préviendrai immédiatement, monsieur… ?

Il hésita. Pourquoi pas, après tout ?

— Servaz, dit-il.

— Vous avez bien dit « Servaz » : S-E-R-V-A-Z ?

— Oui, pourquoi ?

— Eh bien, je ne comprends vraiment pas : c'est à ce nom-là que la chambre a été réservée.

7

Vibrato

Elle rêva qu'elle courait dans une forêt, poursuivie par quelque chose de terrible et de monstrueux. Elle ne savait pas ce que c'était, mais la monstruosité de la chose derrière elle ne faisait pourtant pas de doute. Elle apercevait une vieille ferme et ses dépendances au milieu des arbres. À bout de forces, elle s'écroulait à quelques mètres seulement de la porte, dans la neige. Quand elle releva la tête, son père se tenait sur le seuil, en maillot de corps, pantalon haut à bretelles et croquenots de fermier. « Il y a une lettre pour toi », dit-il. Il la jeta sur le sol devant elle et claqua la porte. C'est à ce moment-là qu'elle se réveilla.

Peur. Sueur. Rythme cardiaque. *Bang-bang-bang…*

Elle se redressa d'un coup, ouvrit grand les yeux et la bouche : la tachycardie se déchaînait dans sa poitrine. Ses aisselles, son front, son dos ; trempés. Sa sueur avait mouillé les draps. Un pâle soleil d'hiver s'insinuait comme une fièvre entre les lames des stores. Combien de temps avait-elle dormi ?

8 : 01.

Oh, non, pas encore ! Sa bouche pâteuse : elle se

99

rappela qu'elle avait pris un somnifère la veille au soir. Le premier depuis longtemps. Un somnifère et un gin tonic. Non : *deux* gin tonics… Elle se redressa, les yeux archibouffis de sommeil ; dès qu'elle bougea, Iggy se précipita sur le lit pour lui lécher la joue et récolter sa ration de câlins matinaux. Elle le caressa. Machinalement. Des souvenirs épars flottaient comme des lambeaux dans son cerveau : *le repas de Noël, l'appel pendant l'émission, la tache d'urine sur son paillasson et, pour finir, ce type au téléphone…*

Elle s'obligea à respirer plus lentement. Écouta le silence de l'appartement. Comme s'il avait pu y avoir quelqu'un. Écouta encore…

Rien. Hormis Iggy qui s'impatientait. Ses petits yeux tendres et ronds la fixaient sans comprendre. Sa petite langue rose pointait sous sa truffe noire. Elle se leva. Sortit de la chambre et se faufila dans la salle de bains parmi les montagnes de tee-shirts, de draps roulés en boule, de petites culottes et de serviettes humides, jusqu'au lavabo où elle fit couler de l'eau dans le verre à dents. Le but d'un trait. Le plafonnier clignotait toujours. La rendant nerveuse. Elle fila dans le salon-cuisine se verser du café dans un bol. Au moment d'ouvrir le frigo, elle se rendit compte qu'elle n'avait pas d'appétit.

Elle repensa à la tache d'urine…

La veille, elle n'avait pas eu le courage de la nettoyer. Elle s'était contentée de fermer la porte à double tour. Elle se dirigea vers l'entrée, déverrouilla, ouvrit. L'odeur était toujours là, réduite néanmoins à un vague relent en arrière-plan, qui vous faisait un peu pincer le nez. Sans plus.

Elle n'avait pas le temps de s'en occuper maintenant.

Elle décida qu'il serait plus simple de jeter le paillasson et de le remplacer par un neuf. Ce soir, elle le descendrait directement dans le local à poubelles : pas question de faire entrer *ça* – quoi que ce fût – dans son appartement.

Soudain, une idée lui vint – déplaisante, malsaine, perturbante… *Et si ce n'était PAS de l'urine animale ?* Son téléphone avait sonné très exactement quand elle s'était retrouvée devant cette porte. *Ça ne pouvait être une coïncidence…* Quelqu'un l'avait attendue, espionnée… Cet homme qui l'avait aussi appelée à la radio ? Était-il possible qu'il eût *pissé* sur sa porte ? Elle eut un hoquet à cette idée et elle fit un pas en arrière en considérant avec répugnance le paillasson souillé. La peur vint. Comme un effet secondaire, quand elle songea qu'il avait peut-être été là, assis sur les marches, juste au-dessus, à guetter son arrivée. Elle regarda avec appréhension du côté de la cage d'escalier. Avant de tourner le regard vers l'ascenseur. Le cœur battant. À tout hasard, elle tendit la main et appuya sur le bouton. Aussitôt, le ronronnement du moteur et les grincements de la cabine s'ébrouant au fond du puits se firent entendre…

Était-ce lui aussi qui avait mis l'ascenseur en panne ? Ou est-ce qu'elle devenait parano ?

La radio…

L'heure tournait. Elle n'avait jamais été en retard – jamais en sept ans – et elle allait l'être deux matins de suite ! Elle se dépêcha de rentrer dans l'appartement et verrouilla la porte.

Sous la douche, elle se fit soudain la réflexion que la seule chose qui la séparait de cet inconnu était une serrure vieillotte et sans doute inefficace. Elle devait la faire changer et ajouter un verrou intérieur. De toute urgence… Elle se sécha et fila jusqu'à son ordinateur, une serviette enroulée autour d'elle, pianota sur le clavier pour ouvrir les pages jaunes en ligne. Les trois premiers serruriers qu'elle parvint à joindre lui répondirent qu'ils ne pourraient pas venir avant plusieurs jours. Elle regarda la pendule. 8 h 25… *Dépêche !*

— Ce soir, 17 heures, ça vous va ? répondit le quatrième.

— Parfait.

Elle lui donna l'adresse et raccrocha. S'habilla en quatrième vitesse. Pas de maquillage aujourd'hui, pas le temps. Iggy était assis devant la porte. Il remuait joyeusement la queue. Christine sentit son cœur se serrer. La veille déjà, elle avait dû renoncer à le sortir et il avait bien sagement uriné dans la caisse remplie de papier journal prévue pour les cas d'urgence. Le soir, elle s'était sentie paniquée à l'idée de sortir dans la rue après ce qui s'était passé, et le bâtard avait attendu en vain sa promenade, effectuant des allers et retours de plus en plus mortifiés et incrédules entre la porte et elle.

Cela faisait plus de vingt-quatre heures que ce chien n'avait pas mis le museau dehors…

— Je suis désolée, lui dit-elle en grattant son crâne étroit, la gorge nouée. Vraiment désolée, Iggy. Je te promets que ce soir on fera une longue balade, d'accord ?

Le chien leva vers elle un regard en forme de question. Sans comprendre pourquoi il était une nouvelle fois privé de sortie.

— Tu as ma parole. Une longue longue balade…

Mais, en vérité, l'idée de devoir affronter de nuit les rues désertes avec ce malade dehors la terrorisait.

— Christine, bon Dieu, qu'est-ce que tu foutais ?
— Désolée, ça n'arrivera plus !

Elle voulut passer en trombe devant Guillaumot, le directeur des programmes, mais celui-ci posa une main sur son poignet.

— Viens dans mon bureau.
— Quoi ? Mais on est déjà à la bourre : l'émission commence dans moins de vingt minutes !
— On s'en fiche. J'ai un truc à te montrer.

Le ton lui mit la puce à l'oreille. Il s'effaça pour la laisser passer et referma la porte de son bureau derrière elle. Des affiches sur les murs, vantant les mérites de la radio, un percolateur à dosettes et un ordinateur qui diffusait en continu les émissions. Il se pencha sur la machine à café.

— Tu en veux un ?
— On a le temps ?
— Espresso ou long ?
— Court, avec un sucre.

Il déposa la tasse devant elle et retourna s'asseoir à sa place. Croisa les doigts. Plongea son regard dans celui de Christine.

— Je... je suis désolée pour le retard, commença-t-elle.

Il balaya ses excuses d'un geste, un sourire bienveillant sur les lèvres.

— Tu n'as pas à t'inquiéter pour ça ; tu as toujours été à l'heure, Christine. Ça fait combien de temps qu'on bosse ensemble ? Six-sept ans ? Et je ne t'ai jamais vue en retard. Est-ce que je peux faire quelque chose ? Tu n'es pas en train de nous couver une grippe, au moins ? Il y en a beaucoup ces temps-ci…

— Non, non, pas du tout.

Il hocha la tête d'un air rassuré.

— Tant mieux, tant mieux… Et comment va l'ambiance, en ce moment ?

Un bref instant, elle se demanda où il voulait en venir.

— Eh bien… ce n'est pas à toi que je vais apprendre ce qu'est une radio, dit-elle. Ça va… pourquoi ?

— Et avec Becker, ça se passe comment ?

Elle esquissa un sourire.

— Tu connais Becker – son caractère. Ça ne m'a jamais perturbée. Pourquoi ça devrait commencer aujourd'hui ? Écoute, merci pour le café, mais il faut que…

Il l'interrompit d'un geste, ouvrit un tiroir et en sortit deux tubes de médicaments, qu'il lui tendit.

— Qu'est-ce que c'est ? demanda-t-elle.

Il la sonda du regard.

— À toi de me le dire.

Elle regarda les étiquettes. Xanax. Un anxiolytique puissant. Floxyfral. Un antidépresseur utilisé dans les cas de dépression sévère et contre les troubles obsessionnels compulsifs. De la chimie lourde pour troubles majeurs. Elle fixa une nouvelle fois les deux tubes, puis le directeur des programmes, sans comprendre.

— Je ne comprends pas, dit-elle en fronçant les sourcils.

— Tu es sûre que tout va bien, Christine ? Tu es bizarre ces jours-ci… Tu n'as rien à me dire ?

Elle repensa à ce qui s'était passé la veille, au

coup de fil de l'homme. Elle avait envie d'en parler à quelqu'un. Mais certainement pas à lui. Elle n'avait aucune confiance. Gérald ; il fallait qu'elle parle à Gérald de ce qui s'était passé.

— Pardonne-moi, poursuivit-il, je n'aurais pas dû fouiller dans tes tiroirs… mais je cherchais la liste des prochains invités, et je suis tombé là-dessus… Tu es sûre que tu ne veux pas m'en parler ?

— *Tu dis que tu as trouvé ça dans mon tiroir ?*

Il la regarda avec cet air qu'ont les flics dans les séries télé devant un coupable qui nie l'évidence.

— Allons, Christine… Je suis ton ami… Tu peux…

Elle sentit son visage s'empourprer.

— J'ignore comment ces trucs se sont retrouvés dans mon tiroir ! Quelqu'un a dû se tromper de bureau… Ce n'est pas à moi !

Il ne put retenir un soupir.

— Écoute. On a tous des hauts et des bas…

— Ce n'est pas à moi, MERDE ! Il faut te le dire comment ?

Elle avait haussé le ton. Il la considéra les sourcils levés. Avant qu'il ait pu ajouter quoi que ce soit, elle avait claqué la porte et se dirigeait vers son bureau sous le feu concentré de tous les regards de l'*open space*.

— Putain, Chris, t'étais où ? s'exclama Ilan. Tu as vu l'h…

Il s'interrompit en découvrant son regard.

— La ferme, d'accord ?

— Débriefing dans cinq minutes, Christine.

Il ne prit même pas la peine de la regarder, cette fois. Il disparut dans son bureau. Elle serra les dents et contempla ses mails sur l'écran de son Mac. Elle avait merdé, encore une fois. Mais comment se concentrer avec ce malade dont les paroles lui mangeaient littéralement le cerveau ? Et comment ces drogues avaient-elles atterri dans son tiroir ? Elle soupira, ferma un instant les yeux, les rouvrit. Jeta un coup d'œil alentour.

Assis au bureau voisin, Ilan était tellement rouge qu'il semblait prêt à exploser. Lui non plus n'osait pas la regarder. Il faisait semblant d'être plongé dans les revues et les journaux étalés devant lui pour la prochaine revue de presse – mais son stylo tremblait de fureur dans sa main.

— Putain, t'as vu ça ? dit-il soudain.

Christine le regarda, inquiète. Son stylo tremblait toujours, tout comme sa voix.

— Une mère de famille a appelé son fils né un 11 septembre *Jihad* ! Et elle l'a envoyé à l'école avec un tee-shirt sur lequel était inscrit : « Je suis né un 11 septembre, je suis une bombe » ! Il paraît que ce genre de tee-shirt est en vente libre et rencontre un franc succès... Un gosse de trois ans, merde... Le tee-shirt lui a été offert par son oncle ! Et tu sais quelle a été la défense de leur avocate ? *Si ma cliente avait voulu utiliser son fils de trois ans pour faire l'apologie du crime, elle ne lui aurait pas mis ce tee-shirt pour aller à l'école, entouré d'enfants qui ne savent pas lire, mais elle aurait fait le tour de la ville...* Tu le crois, ça ? Tu le crois ? Et les profs, les parents d'élèves, ils savent pas lire non plus, peut-être ?

Il secoua la tête d'un air écœuré. Le téléphone vibra dans la poche de Christine au même moment et elle sentit un frisson la parcourir. L'écran affichait : numéro inconnu.

— Oui ?

— Christine Steinmeyer ?

Une voix d'homme – mais pas celle de la veille : une voix sans accent, moins grave, moins insinuante.

— C'est moi, dit-elle prudemment.

— Ici l'hôtel de police. Je vous appelle au sujet de la lettre que vous nous avez apportée hier.

Son admirateur : il n'avait pas traîné.

— Est-ce que vous pourriez passer nous voir ?

— C'est-à-dire que… je travaille.

— Eh bien, passez dès que vous aurez terminé. Demandez le lieutenant Beaulieu à l'accueil.

Elle le remercia et raccrocha. Nota qu'un nouveau mail était arrivé dans sa boîte aux lettres. Elle cliqua dessus. Il était intitulé : JEU. L'adresse de l'expéditeur, malebolge@hell.com, lui était inconnue, et elle faillit l'envoyer directement dans la corbeille, mais le message qu'il contenait attira son attention *in extremis* :

Jette un coup d'œil à ça
Gérald

Elle fronça les sourcils. Pourquoi Gérald lui écrivait-il à partir d'une adresse e-mail inconnue ? Une blague ? Si c'était le cas, elle tombait mal.

Elle cliqua sur le lien.

Des images au format jpeg.

Elle lança le téléchargement et le lecteur multimédia s'ouvrit aussitôt. La première photo représentait une terrasse de café. Des clients assis derrière des tables rondes, sur le trottoir, tournant le dos à la vitrine : un couple d'étudiants, une vieille dame avec son chihuahua dont la laisse était attachée au pied de la table, un monsieur en gabardine lisant son journal – aucun visage qui lui fût familier. Le diaporama s'était mis en route et une deuxième photo remplaça la première au bout de deux secondes. Christine avala sa salive. Une sirène se mit à hurler dans son cerveau comme s'il était un sous-marin qui a un contact sonar. *Branle-bas de combat, tout le monde à son poste !* La deuxième photo montrait Gérald et Denise attablés derrière la vitrine du même café, face à face. *Torpille en approche !* hurlait l'opérateur sonar dans son crâne, hystérique. Le photographe avait zoomé sur eux, par-dessus l'épaule du monsieur au journal. Ils se penchaient l'un vers l'autre, et ils riaient en se regardant dans les yeux. L'alarme retentissant toujours dans son esprit, Christine eut à peine le temps de laisser l'impact de l'image se répandre que le diaporama envoyait la torpille suivante. Leur position n'avait guère changé, ils étaient toujours aussi près l'un de l'autre, quoique à une distance qui pouvait encore laisser planer le doute – et donc l'espoir – sur leur attitude et leurs intentions. *Sauf que la main gantée de Denise caressait à présent la joue de Gérald…*

Pas vraiment le genre de geste qu'on attend d'une doctorante à l'égard de son directeur de thèse… Sur la quatrième, Denise regardait la rue à travers la vitre – comme si elle craignait que quelqu'un n'eût surpris son geste.

Une onde de haine pure traversa Christine. Même à cette distance et au téléobjectif, la beauté et la jeunesse de Denise étaient éclatantes. Et Gérald paraissait totalement sous son emprise. Il la buvait littéralement des yeux.

Son cher fiancé... son futur mari...

Elle se frotta le visage, refréna les larmes qui lui montaient aux yeux. *Qui ?* Qui avait pris ces photos et pourquoi ? Qui les lui avait envoyées ? Dans quel but ?

— Christine... *Christine...*

Elle se rendit compte qu'Ilan était penché vers elle, les yeux écarquillés, et qu'il l'appelait depuis un moment.

— Ils t'attendent ! Pour le débriefing !

Heureusement, de là où il se tenait, il ne pouvait voir son écran. Sur la dernière photo, Denise et Gérald ressortaient du café. Denise tenait Gérald par le bras, comme s'il était le fiancé de cette garce et non le sien ! Et elle riait en lui soufflant quelque chose à l'oreille. Gérald souriait de l'air satisfait et fat du type qui a la plus jolie fille à son bras.

Sale con...

Elle écarta sa chaise d'un bond et fonça en direction des toilettes, sous l'œil ahuri de son assistant. Repoussa la porte commune, puis celle des femmes – si violemment qu'elle alla rebondir contre le sèche-mains fixé à la cloison. Personne à l'intérieur. Elle se précipita vers un des cabinets aux murs rouge et beige. Se pencha sur la cuvette en toussant et hoquetant. Elle crut un instant qu'elle allait vomir, mais rien ne vint. Juste un hoquet et un spasme. Elle avait envie de chialer mais quelque chose en elle s'y refusait. *Elle était terrifiée aussi...* Que se passait-il ? Qui lui envoyait ces photos, l'appelait au téléphone ? Elle n'y comprenait rien.

Une vibration dans son jean... Un texto : elle tira l'appareil hors de sa poche et vit la petite enveloppe s'afficher en haut de l'écran. Fit glisser son doigt dessus.

Toujours envie de jouer, Christine ?

Elle faillit fracasser son smartphone contre la cloison.

— VA TE FAIRE FOUTRE, ESPÈCE DE TARÉ !

Elle avait hurlé. Sa voix rebondit dans l'espace vide.

À tous les coups, il y avait un accusé de réception dans le mail. C'était encore lui. Le type au téléphone. Celui qui avait pissé sur sa porte. Elle repensa au message sur son pare-brise. « *Joyeux Noël, sale pute.* » Lui aussi ? Que voulait-il ? Pourquoi s'acharnait-il sur elle ? Parce qu'elle n'avait pas réagi assez vite après la lettre ? Mais comment le savait-il, ça aussi ?

— Christine... Christine... qu'est-ce qui t'arrive ?

La voix de Cordélia. Elle sursauta, se retourna. La grande stagiaire se tenait devant elle, ses yeux noyés dans deux flaques noires de fard à paupières la scrutaient d'un air inquiet. Christine ne l'avait pas entendue entrer. Cordélia posa une main sur son bras, l'autre effleura sa joue. Son regard était curieux, tendre, préoccupé.

— Qu'est-ce qui ne va pas ? Qu'est-ce qui se passe ?

La jeune femme l'attira à elle. Christine hésita une fraction de seconde, avant de s'abandonner à l'étreinte.

— Qu'est-ce qui t'arrive, Christine ?

La voix douce, apaisante... Un sanglot la secoua et les larmes roulèrent enfin sur ses joues.

— Dis-moi ce qui se passe...

Le parfum de Cordélia dans ses narines, ses cheveux qui sentaient le tabac contre sa tempe.

— Tu sais que tu peux me faire confiance...

Le pouvait-elle ? Elle hésita. Elle aurait tellement aimé s'abandonner, se confier à quelqu'un. Les bras de Cordélia l'entouraient, la berçaient. Cela lui faisait du bien, malgré tout, de se laisser aller. Puis la jeune femme se pencha pour déposer un baiser sur sa joue.

— Je suis là... je suis là...

Un autre – plus tendre – au coin de ses lèvres... La stagiaire inclina ensuite la tête sur le côté, sa bouche cherchant celle de Christine. La trouvant... Celle-ci se raidit comme si elle venait de mettre les doigts dans une prise.

— LÂCHE-MOI !

Elle avait violemment repoussé sa haute silhouette anguleuse. Le dos de la jeune stagiaire alla heurter la cloison du cabinet. Un sourire prédateur se peignit sur son visage dans la clarté jaunâtre des toilettes. Toute trace de tendresse en avait disparu.

Était-ce elle qui... ?

Mais, dans ce cas, qui était l'homme ? Christine jaillit de la cabine et se rua vers la porte. Au moment où celle-ci se refermait, elle capta l'écho du rire de Cordélia derrière elle.

En franchissant les portes de l'hôtel de police, elle eut l'impression de se heurter à un mur. Un mur de colère et de frustration. Un mur de tristesse. Un mur de résignation. Elle pensa à un film qu'elle avait vu il y a longtemps : *Les Ailes du désir,* dans lequel des anges invisibles recueillaient les monologues intérieurs des humains, y cherchant des traces de beauté et de sens. Quel sens et quelle beauté auraient-ils trouvés ici ? Quelle autre image que celle de l'absence d'espoir ?

La file d'attente s'étirait du sas jusqu'au comptoir ; tous les sièges à proximité étaient occupés, il y avait plus de gens que dans un hall de gare. Elle croisa des regards durs comme la pierre, d'autres perdus, hagards, d'autres encore plus fatigués que des Kleenex usagés. À l'accueil, l'adjointe de sécurité tentait de faire face. Un type maigre qui sortait probablement de garde à vue était en train de remettre ses lacets devant les ascenseurs. Lorsqu'il leva son regard pâle et croisa celui de Christine dans la foule, elle devint toute froide à l'intérieur. Elle nota la présence du même chat que la dernière fois sur le comptoir – un chat de gouttière noir et gris roulé en boule, qui roupillait dans un panier en plastique.

— J'ai rendez-vous avec le lieutenant Beaulieu, dit-elle quand ce fut à son tour.

L'adjointe de sécurité décrocha son téléphone sans la regarder. Elle parla brièvement dans l'appareil. Donna un coup de menton vers la gauche. À aucun moment, leurs regards ne se croisèrent. Christine eut l'impression d'être un insecte.

Elle franchit les tourniquets, rejoignant le type efflanqué qui avait fini de remettre ses lacets devant les ascenseurs. Il tira son jean sur ses Doc Martens, se déplia et tourna vers elle ses yeux tout aussi délavés que son jean. Des yeux gros comme des boutons de chemise et brillants comme des pièces de monnaie. Ils clignèrent plusieurs fois tandis qu'il la détaillait de la tête aux pieds. Lui au moins lui prêtait attention – mais une attention dont elle se serait volontiers passée. Un sourire effilé et dangereux s'étira sur ses lèvres. Il avait des coupures au menton et près des oreilles, comme s'il s'était rasé trop vite ou avec une lame émoussée. Puis il s'inclina vers elle.

— Hé, chérie, *tes yeux on voit dans ta boîte,* chuchota-t-il près de son oreille.

L'odeur de son eau de Cologne et de sa transpiration la fit presque chanceler.

— Hein ? balbutia-t-elle sans comprendre. Qu'est-ce que vous dites ?

— Tu veux mon doigt dans ta chatte ? répéta-t-il.

Elle frissonna tout du long.

— Ma voiture est dehors, insista la voix visqueuse au creux de son oreille. J'ai cent euros et la plus grosse que t'aies jamais vue.

Au moins, il maîtrisait le subjonctif. Le vertige de Christine s'accentua. Elle vérifia que son chemisier était boutonné jusqu'en haut, posa une main à plat sur le mur. Une bouffée de chaleur montait de son col vers son visage, comme de l'air chaud d'une bouche d'aération.

— Foutez-moi la paix.

Ses yeux pâles la léchaient telle une langue obscène.

— Allons, poupée... Ne me dis pas que t'aimes pas faire des trucs dégueulasses. Des trucs bien vicieux.

— Laissez-moi tranquille...

Elle n'en croyait pas ses oreilles : ce type avait sûrement été mis en garde à vue pour une agression sexuelle et, à peine relâché, il s'en prenait déjà à une nouvelle victime, dans le hall même de l'hôtel de police, à quelques mètres des flics – sans la moindre hésitation ! Les portes de l'ascenseur s'ouvrirent et un homme en civil en jaillit.

— Hector, laisse la dame tranquille, t'entends ? Christine Steinmeyer ?

La trentaine, des yeux marron, d'épais cheveux bouclés et le bas du visage un peu mou : ce n'était pas le même que la dernière fois. Leur seul point commun était la laideur de leurs cravates.

— Lieutenant Beaulieu, dit-il. Veuillez me suivre.

Il se retourna, sortit son badge magnétique et ils entrèrent dans l'ascenseur. Elle s'enfonça aussi loin qu'elle pouvait à l'intérieur de la cabine. Elle sentit son regard posé sur elle pendant l'ascension et finit par le soutenir. Il ne cessa pas pour autant de la fixer. Il semblait considérer que cela faisait partie de ses prérogatives de dévisager les gens. Il avait des poches sous les yeux. Et l'air de quelqu'un qui n'est plus aussi excité par son métier qu'à ses débuts – ils montèrent au deuxième étage.

Dans son bureau encombré de dossiers, le lieutenant Beaulieu retira une pile de documents d'une chaise et l'invita à s'asseoir. Le téléphone sonna. Il répondit par monosyllabes avant de raccrocher violemment.

— Excusez-moi, dit-il.

Mais son ton était tout sauf contrit. Il la fixa de nouveau sans ciller, de ses gros yeux ronds et saillants.

— Avez-vous eu des problèmes personnels ces derniers temps ? demanda-t-il de but en blanc.

La question la prit au dépourvu.

— Comment ça ?

— Eh bien… est-ce que vous avez des soucis en ce moment, mademoiselle Steinmeyer ?

— C'est quoi, cette question ?

— Je vous demande si tout va bien.

— J'avais compris… Une minute : je suis bien ici pour la lettre que je vous ai remise, n'est-ce pas ?

— Exact.

— Dans ce cas, qu'est-ce que cette question a à voir avec elle ?

Il la considéra d'un air maussade et suspicieux.

— Qu'est-ce que vous avez fait le jour de Noël ? demanda-t-il. Vous étiez seule – ou en famille ?

— Hein ? J'étais avec mon fiancé…

Comme il ne disait rien, elle jugea bon d'ajouter :

— On a passé le repas de Noël chez mes parents.

Elle se tortilla sur sa chaise en se demandant si elle devait lui parler du type au téléphone. Et de l'urine sur sa porte. Mais sa petite voix lui dit que ça ne serait pas une très bonne idée dans l'immédiat. Le lieutenant Beaulieu ne semblait pas très réceptif. Elle se demanda si son collègue lui avait parlé du métier qu'elle exerçait mais, de toute façon, elle doutait que cela l'eût mieux disposé à son égard.

— Très bien, dit-il. Parlons de cette lettre… Vous l'avez trouvée le 24 décembre, avant le réveillon, dans votre boîte aux lettres. C'est bien ça ?

— Oui. On devait le passer chez les parents de Gérald. On était en retard. C'était un peu… tendu.

— La lettre était dans une enveloppe ?

— Oui. Je l'ai d'ailleurs remise à votre…

— Je sais. Et vous n'avez pas la moindre idée de la personne qui a pu l'écrire ?

— Non. C'est pour cette raison qu'on a demandé au voisinage, expliqua-t-elle. Parce qu'on s'est dit que la personne s'était sûrement trompée de boîte… Et que la lettre était peut-être adressée à quelqu'un d'autre dans l'immeuble.

— Oui, oui. Et votre fiancé, il en pense quoi ?

Elle hésita.

— Il n'était pas très emballé à l'idée d'interroger les habitants de l'immeuble un soir de réveillon.

Le lieutenant Beaulieu leva les sourcils.

— Il ne voulait pas être davantage en retard, précisa-t-elle.

— Ah. Et… à part ça, ça se passe bien entre vous ?

— Oui, pourquoi ?

— Pas de… tensions ? De grosses disputes ?

— Quel rapport avec la lettre ?

— Répondez, s'il vous plaît.

— Je viens de vous le dire : tout va bien. On doit se marier bientôt.

— Oh ! (Il esquissa un sourire, sans grande conviction.) Mes félicitations – quand ça ?

Elle hésita – elle avait de plus en plus le désagréable sentiment qu'il essayait de la piéger, mais pour quelle raison ?

— On n'est pas encore tout à fait, euh, d'accord sur la date, reconnut-elle.

Les yeux de Beaulieu s'ouvrirent légèrement. Il hocha la tête d'un air absent, comme si deux personnes ayant des opinions diamétralement opposées débattaient dans sa tête. Elle regretta aussitôt cette confession à un inconnu qui, visiblement, risquait de mal l'interpréter.

— Écoutez, dit-il en massant ses paupières entre son pouce et son index. Ne le prenez pas mal mais… nous n'avons pas eu le moindre suicide ni le 24, ni le lendemain, ni même – croisons les doigts – aujourd'hui. Ce dont on ne peut que se réjouir, évidemment. Et qui en soi est un exploit, croyez-moi. C'est une période où les gens dépressifs ont tendance à broyer du noir encore plus que d'habitude, vous comprenez ? Où les désespérés passent souvent à l'acte. Ce n'est pas une période facile pour les personnes seules... (Elle eut envie de lui dire qu'elle était au courant, qu'elle venait même de faire une émission là-dessus – mais ça non plus, ça ne serait pas une très bonne idée. Autant le laisser aller au bout de ce qu'il avait à lui dire.) Mais, cette année, alléluia : rien, *niente*, conclut-il. Et, croyez-moi, les suicides, ça n'est pas une partie de plaisir.

Elle ressentit un profond soulagement. Pas de suicide... Un poids de moins sur sa poitrine. Puisque rien ne s'était passé, elle n'était en rien coupable, en fin de compte. Et l'homme qui la harcelait n'avait plus aucune raison de la culpabiliser.

— Mais vous avez bien un moyen de remonter jusqu'à cette personne ? insista-t-elle néanmoins. Ce n'est pas parce qu'elle n'est pas encore passée à l'acte que... enfin, la menace me paraît quand même sérieuse, non ?

— Mmm. C'est ce que vous pensez ?

— Oui. Pas vous ? Enfin, je ne sais pas, je ne suis pas psychologue, rectifia-t-elle en rougissant devant l'intensité de son regard. Mais... la façon dont cette lettre est rédigée, je ne crois pas que ce soit l'œuvre d'un affabulateur.

Le regard du flic s'aiguisa brusquement. Il parut sortir de son apathie.

— Vraiment ? Qu'est-ce qui vous fait dire ça ?

— Comment ça ?

— Qu'est-ce qui vous a fait penser que ça pourrait être un affabulateur ?... Le fait que vous ayez pu l'envisager, c'est plutôt révélateur, non ? Comment cette hypothèse vous est-elle venue à l'esprit ?

Elle toucha le col de son chemisier, se rembrunit.

— Eh bien... je ne sais pas, on ne sait jamais.

— Vous pensez que quelqu'un aurait pu écrire une lettre bidon et la mettre ensuite dans votre boîte aux lettres, c'est ça ? (Il écarta les mains.) Pour quelle raison quelqu'un ferait-il ça, d'après vous ? N'est-ce pas une idée un peu... *étrange* ?

Elle fronça imperceptiblement les sourcils. Elle venait de déceler dans sa voix quelque chose qui n'y était pas auparavant.

— Oui... peut-être... je... je ne sais pas. J'ai essayé d'envisager toutes les hypothèses possibles.

— Dans ce cas, n'est-ce pas beaucoup plus logique d'envisager que cette lettre ait été écrite par quelqu'un qui cherche à attirer l'attention ?

— Oui, bien sûr... Mais ces deux hypothèses ne sont pas incompatibles.

— Quelqu'un qui cherche inconsciemment ou non à faire parler de lui... ou d'*elle*... à tirer la sonnette d'alarme sur sa situation... sur sa détresse...

La perplexité de Christine s'accrut. Ce flic ne parlait pas du tout au hasard, elle s'en rendait compte à présent. Il décrivait des cercles concentriques de plus en plus serrés autour du véritable but de cette conversation – celui qu'il avait lui-même fixé dès le départ.

— Je suis désolé, dit-il en se penchant en avant, appuyé sur ses avant-bras, et en la regardant par en dessous, mais il n'y a aucune trace sur cette lettre ou cette enveloppe à part les vôtres. Qu'est-ce que vous avez comme imprimante ?

— Quoi ?! Comment ça ? Vous ne pensez quand même pas que…

— Est-ce que c'est votre fiancé qui veut retarder la date de votre mariage, mademoiselle Steinmeyer ? Est-ce qu'il a fait état de son envie de faire une pause ? De ses doutes ? Est-ce qu'il a déjà parlé de… rompre ?

Elle n'en crut pas ses oreilles.

— Mais pas du tout !

Il éleva la voix.

— Est-ce que vous avez déjà été soignée pour des problèmes psychiatriques ? Ne mentez pas. Vous savez : il m'est très facile de vérifier.

Elle eut l'impression que le sol se dérobait sous ses pieds. Depuis le début, c'était là qu'il voulait en venir. Ce crétin croyait qu'elle était l'auteur de la lettre ! Il la prenait pour une mythomane, une cinglée !

— Est-ce que vous insinuez que j'aurais écrit cette lettre moi-même avant de vous l'apporter ? demanda-t-elle, incrédule.

— Est-ce que j'ai dit ça ?

Il se pencha, les yeux brillants.

— Parce que c'est ce que vous avez fait ? Vous avez quelque chose à me dire à ce sujet ?

— Allez vous faire foutre, répondit-elle en repoussant sa chaise et en se levant.

— Quoi ? Qu'est-ce que vous avez dit ? (Elle le vit se redresser, devenir écarlate.) Je pourrais vous poursuivre pour outrage et rébell…

— Raccompagnez-moi, l'interrompit-elle. Nous n'avons plus rien à nous dire.

— Comme vous voudrez.

8

Mélodrame

Servaz franchit les portes blasonnées du Grand Hôtel Thomas Wilson à 13 heures. Il traversa le hall en direction de la réception, passant d'un tapis à l'autre – du cuir, des boiseries, des boiseries, du cuir… –, et déposa la clé électronique sur le comptoir. Puis il sortit son écusson.

— C'est une clé électronique provenant de chez vous.

Pas vraiment une question. La jeune réceptionniste examina à la fois la clé et son propriétaire. Il nota le décolleté de son chemisier blanc et la dentelle du soutien-gorge. Puis elle consulta l'ordinateur devant elle.

— Oui. Mais cette clé a dû être désactivée, je vois que la chambre 117 a été occupée ce matin. Où l'avez-vous trouvée ?

— Elles disparaissent souvent ?

Une grimace et une moue.

— Ça arrive. Elles sont perdues, volées. Ou bien le client oublie de rendre sa clé avant de prendre son avion pour la Chine.

— La chambre 117, elle est réservée aujourd'hui ?

De nouveau, elle consulta son écran.

— Oui.

— À quel nom ?

— Je ne sais pas si je peux…

— Servaz, c'est bien ça ?

Elle hocha la tête. Fort jolie, au demeurant.

— Quand a été effectuée la réservation ?

— Il y a trois jours. Sur le site Internet de l'hôtel.

Il la regarda comme un junkie regarde un dealer.

— Vous avez une adresse e-mail ? Un numéro de carte bancaire ?

— Les deux. Et aussi un numéro de téléphone.

— Vous pouvez me faire une impression ? Là, tout de suite ?

— Euh… je devrais peut-être en parler au directeur avant.

Il la regarda décrocher son téléphone et ils attendirent. Le directeur de l'hôtel apparut deux minutes plus tard. Grand, des lunettes rondes dont les verres reflétaient les lampes du hall. Il se teignait les cheveux – une couleur bizarre, entre le châtain et l'auburn –, sauf les tempes, qui grisonnaient. Il serra cérémonieusement la main du policier.

— De quoi s'agit-il ?

Servaz réfléchit. Il était en congé maladie. Il n'avait aucun droit d'être ici et de poser des questions. Et encore moins de commission rogatoire.

— D'une enquête de police judiciaire, mentit-il. Usurpation d'identité. Quelqu'un a réservé une chambre dans cet hôtel au nom d'une autre personne sans l'en informer. Et commis plusieurs actes délictueux en son nom et avec sa carte… J'ai demandé à votre employée de me faire une copie de la réservation.

— Mmm. Je vois. Pas de problème. Nous allons vous donner ça…

Il se tourna vers l'employée.

— Marjorie…

Marjorie mit en route la petite imprimante sous le comptoir, se pencha pour récupérer la feuille et la leur tendit. Le directeur y jeta un bref coup d'œil avant de la présenter à Servaz. Non sans un imperceptible froncement de sourcils que ce dernier enregistra…

— Euh… voilà.

— Merci. Cette chambre 117, dit soudain Servaz, elle a quelque chose de particulier ?

La jeune réceptionniste et le directeur échangèrent un regard. Cet échange muet déclencha son alarme intérieure.

— Eh bien, c'est-à-dire, commença le directeur après s'être éclairci la voix, il s'est… hum… effectivement passé quelque chose dans cette chambre il y a un an…

Il se passa une main sur le visage, puis sur sa permanente.

— *Une femme s'y est suicidée…*

Sa voix était bizarrement montée dans les aigus. Un trémolo enrhumé. Suivi d'un murmure semblable à un bruissement de feuilles :

— C'était horrible… effroyable… Elle s'est… elle s'est… enfin, disons qu'elle a d'abord… hum… hum, brisé tous les miroirs de la salle de bains… et de la chambre… Et puis… et puis, elle s'est ouvert les veines et elle a… hum… hum – essayé en vain d'… de se… (sa voix se fit si fluette que Servaz dut tendre

122

l'oreille) *de s'ouvrir l'abdomen avec un morceau de miroir puis, comme ça ne venait pas assez vite, elle s'est égorgée.*

Il regarda autour de lui pour s'assurer que les hommes d'affaires assis dans les fauteuils un peu plus loin n'avaient pas entendu cette abomination. Servaz avait l'impression que deux grosses veines battaient sous ses tempes. Il revit son rêve : Marianne nue et éventrée dans cette cabane. Un vertige… C'était la peur qui cognait sous la peau de son front : la voix glacée et familière de la terreur.

— Je peux voir la chambre ?

Il eut l'impression que sa propre voix n'était guère plus ferme et assurée. Le directeur hocha la tête. Il tendit une main dans laquelle la réceptionniste déposa une carte plastifiée identique à celle reçue par Servaz.

— Suivez-moi.

Dans l'ascenseur, leurs reflets les guettèrent dans les miroirs comme des clones inquiétants. Servaz distingua un peu d'humidité à la racine des cheveux auburn, sous le plafonnier de la cabine. On n'entendait que la respiration oppressée du directeur. Les portes s'ouvrirent sur un couloir moquetté.

— Il s'agit d'une chambre *platinium*, dit le directeur en avançant le long du couloir silencieux. Trente deux mètres carrés, lit de 180, écran LCD, 50 chaînes, mini-bar, coffre-fort, machine à café, peignoir, chaussons, ADSL et Wifi gratuits, baignoire deux places.

Servaz se dit qu'il faisait l'article pour se raccrocher à quelque chose de rassurant, de familier. Il ne devait pas revenir souvent dans la chambre 117. Il devait laisser cela aux femmes de ménage et aux garçons d'étage. Était-ce lui qui avait trouvé le corps ?

— Vous vous souvenez de son nom ?

— Pas le genre de choses qu'on oublie, hélas. Célia Jablonka. Une artiste…

Un nom que Servaz avait déjà entendu. Ou lu. Des bribes de souvenirs. D'articles de journaux, un an plus tôt. Les suicides n'étaient pas du ressort de la PJ mais de la Sécurité publique. Cependant, la façon dont la jeune femme s'était suicidée et son métier avaient fait parler d'elle, à l'époque.

Le directeur s'immobilisa.

Un déclic à l'intérieur de la porte 117 quand il passa la carte magnétique devant la grosse serrure dorée. Dans la chambre régnait la même odeur de parfum floral, de nettoyant et de linge propre que dans tous les hôtels de luxe. Un petit couloir avec un porte-bagages et deux peignoirs blancs pendus à des cintres. La porte de la salle de bains était entrouverte. *La chambre…* Une tête de lit formée de grands losanges matelassés couleur argent qui montaient jusqu'au plafond, des oreillers rouge vif, plancher en stratifié gris, murs ébène, les petites lampes chromées trouaient la pénombre.

Très kitch…

… l'impression d'être à l'intérieur d'une boîte de chocolats avec une double couche de pralinés séparée par du papier argenté.

Le silence. Hormis la respiration oppressée du directeur dans son dos. Le double vitrage étouffait les bruits en provenance de la place circulaire en contrebas, les murs étaient épais – en proportion sans doute du prix des chambres. Servaz regarda la danse blanche des flocons à travers les stores, entre les rideaux sombres. Il n'avait jamais vu autant de neige tomber sur Toulouse.

— Montrez-moi. Quels miroirs elle a brisés. Comment on l'a trouvée. Comment elle s'y est prise. Qu'est-ce qu'elle a fait...

La respiration sifflante du directeur.

— Oui.

Sa voix réduite à un souffle. Servaz sentit ses nerfs se tendre. La nervosité du directeur était contagieuse. Les petites lampes se reflétaient dans les verres de ses lunettes et le policier avait du mal à distinguer ses yeux derrière. Il fit deux pas vers l'entrée, appuya sur un interrupteur et la salle de bains s'illumina. Servaz se glissa à l'intérieur. Une bulle de lumière. Une double vasque, des robinets à cascade, un panier plein de savonnettes et de shampoings, des serviettes propres soigneusement pliées, un grand miroir – dans lequel ils parurent éblouis, ébahis, stupides dans la douche de lumière.

— Celui-ci, dit le directeur. Il y avait des morceaux de verre partout... et du sang... C'était... affreux... Les vasques, le sol, les murs : tout était aspergé de sang. Un spectacle insoutenable. Mais ce n'est pas là qu'on l'a trouvée...

Il ressortit et marcha vers la chambre.

— Et aussi celui-là.

Le miroir face au lit, au-dessus du bureau, sur lequel était posé un plateau avec une bouilloire, une lampe et du papier à lettres. Un minibar en dessous.

— On l'a trouvée étendue sur le lit, les bras en croix...

Le directeur respirait comme un plongeur qui se prépare à plonger en apnée.

— Nue, précisa-t-il.

Servaz ne dit rien. Un vent venu de Pologne soufflait

dans son cerveau. Hurlements de loups. Sang sur la neige. Une cabane dans la nuit. Il déglutit. Sentit ses genoux tressauter dans son pantalon. *Il n'était pas prêt…* c'était trop tôt.

— Qui l'a trouvée ? Vous ?

Le directeur dut sentir le trouble dans sa voix. Il lui lança un regard étonné. Étonné sans doute qu'un flic de la PJ pût être aussi émotif. L'espace d'un instant, leurs regards se croisèrent et un klaxon retentit à l'extérieur.

— Non. Le garçon d'étage. La porte de la chambre était entrouverte et la musique à fond. On l'entendait jusque dans le couloir… Il a trouvé ça bizarre ; alors, il a poussé la porte, appelé. Pas de réponse… Et cette musique à tue-tête… de… de *l'opéra*…

Il avait prononcé le mot comme s'il s'agissait d'une insanité.

— De l'opéra ?

— Oui. On a trouvé le CD sur le lit à côté d'elle. Vous savez ce que c'était ? *Le Vaisseau fantôme*, de Richard Wagner. Cet opéra dans lequel Senta, une jeune femme, se jette du haut d'une falaise… Un *suicide*, précisa-t-il au cas où le flic n'aurait pas pigé. (Dans son esprit, les flics devaient tous être obtus, comme dans les films.)

Une pensée traversa celui de Servaz. De la musique ici. De la musique dans cet Institut psychiatrique, là-haut dans la montagne, quatre ans plus tôt. Il sentit l'étau se resserrer autour de son cœur oppressé. Il était lourd et gonflé dans sa poitrine. Il battait fort.

— Le pauvre garçon, il s'est avancé… il a d'abord vu ses pieds…

La diction du directeur était de plus en plus pénible.

On aurait dit qu'elle épousait la démarche du garçon d'étage.

— Puis les jambes, le bassin… C'est d'abord la plaie au ventre qui a attiré son attention… Elle se l'était labouré, tailladé à de multiples reprises : une vraie bouillie – mais sans réussir à atteindre un organe vital. Puis, à mesure qu'il s'avançait, il a vu les poignets ouverts – et, enfin, la gorge… Un morceau de verre pointu était resté planté dedans… Le sang avait giclé partout, sur le lit, les murs, le plancher. Il a fallu changer la tête de lit ; elle était irrécupérable. D'après eux, elle a d'abord essayé de se faire hara-kiri en se plantant le triangle de verre dans l'abdomen et, comme elle n'y arrivait pas, elle s'est finalement tranché la gorge.

Servaz fixait le lit vide. Essayant de reconstituer la scène, la vision du garçon d'étage. Les vilaines plaies au ventre, aux poignets, à la gorge. Le morceau de miroir pointu fiché dedans. L'opéra à fond la caisse dans les tympans. Le regard mort, la bouche ouverte. Est-ce que le garçon d'étage faisait encore des cauchemars ? Bien sûr qu'il en faisait…

— Ce garçon, il est toujours employé chez vous ?

— Non, il a démissionné. En fait, il n'est pas revenu le lendemain. On ne l'a jamais revu. Mais, bien sûr, on n'allait pas le licencier… compte tenu des circonstances. On a reçu sa démission par mail quelques semaines plus tard.

— Et vous, vous l'avez vue ?

Une hésitation.

— Oui… oui ; je l'ai vue. C'est moi que le garçon d'étage a appelé.

Il n'avait pas envie d'en dire plus. Servaz comprenait. De toute façon, il pourrait obtenir les détails ailleurs.

— Je ne vois aucun lecteur de CD ou MP3, dit-il.

— Elle l'avait apporté avec elle. Il y a des chaînes musicales et radio sur la télé, mais pas de lecteur.

— Vous voulez dire qu'elle est venue avec le sien ? Juste pour qu'il y ait cette musique-là qui passe au moment où elle mettait fin à ses jours ?

— Je suppose qu'elle tenait à mourir sur cet air-là, dit le directeur du ton qu'aurait employé un flic. Et elle savait qu'elle ne trouverait pas ce genre de choses dans un hôtel. Qui sait ce qui s'est passé dans sa tête à ce moment-là…

— Dans ce cas, pourquoi ne pas se suicider chez soi ?

Le directeur le regarda, l'air de dire : *C'est vous la police, pas moi.*

— Aucune idée…

— Vous vous souvenez depuis combien de temps elle était là ?

— Elle était arrivée le jour même.

Un choix délibéré. Cet hôtel avait une signification. Dans la mise en scène de Célia Jablonka, il était important. Tout comme l'opéra… Est-ce que les gens de la Sécurité publique s'étaient préoccupés de ces détails ? Ou est-ce qu'ils avaient classé l'affaire en un tour de main ? Et qui s'était chargé de l'autopsie ? Servaz espéra que c'était Delmas : caractère irascible mais très professionnel. *Comme lui avant…*

Enfin, les deux questions les plus importantes : qui lui avait envoyé cette clé un an après ? Et pourquoi ?

9

Entracte

La feuille se détacha de l'arbre, plana un instant
devant lui en décrivant d'invisibles arabesques et
tomba finalement devant la pointe de ses chaussures,
dans la neige sale du trottoir. Comment avait-elle fait
pour tenir jusque-là, toute seule sur l'arbre nu alors que
toutes les autres étaient tombées depuis longtemps ?
La cigarette tremblant pareillement entre ses lèvres,
il eut soudain la vision bouleversante de sa propre
fragilité, de son propre combat. Son âme connaîtrait-
elle le printemps ?

Il extirpa la cigarette non consommée de ses lèvres
et l'écrasa du talon, près de la feuille cramoisie, en
haussant les épaules. Un petit rituel de fumeur repenti.
Huit mois... Avant de retraverser les pavés et de se
réfugier dans la chaleur du hall, il sortit son portable
et appela Delmas.

— Une artiste nommée Célia Jablonka qui s'est suicidée l'an dernier dans une chambre du Grand Hôtel
Thomas Wilson, ça te dit quelque chose ?

— Mmm.

— Ça veut dire oui ou ça veut dire non ?

— Ça veut dire oui. C'est moi qui ai fait l'autopsie.
Servaz sourit.

— Et ?

— Et quoi ?

— Suicide *or not* suicide ?

— Suicide.

— Tu en es sûr ?

— Est-ce que j'ai pour habitude de parler à tort et à travers ? se cabra le légiste.

Le sourire de Servaz s'agrandit.

— Non, admit-il.

— Il n'y avait pas le moindre doute.

— Pourtant, insista-t-il, tu m'avoueras que cette histoire d'opéra et cette façon de s'égorger avec un bout de miroir...

— Écoute. Cette fille s'est fait ça elle-même, si incroyable que cela paraisse. Et personne ne l'a aidée. Point. Tu n'as pas idée de ce que les gens peuvent s'infliger. Le type de blessure, l'absence de marques sur ses poignets : si quelqu'un avait voulu la forcer à s'égorger, elle se serait débattue, crois-moi ; les examens toxicologiques, les projections et les éclaboussures, les blessures *ante mortem* de la main droite... Je ne me rappelle plus les détails mais tout était cohérent, aucune zone d'ombre. Clair, net et précis.

— Il y avait quoi dans l'analyse toxicologique, tu t'en souviens ?

— Ouaip. Elle avait pris un somnifère environ quinze heures plus tôt, il y avait aussi assez d'antidépresseurs et de calmants dans son sang pour assommer un éléphant... Mais pas de drogue : je m'en souviens parce que, compte tenu de son acharnement contre elle-même, j'ai d'abord pensé qu'elle avait pris

130

un hallucinogène, puis à une décompensation due aux benzodiazépines… Sans doute avec des pensées suicidaires préalables. Tu as repris le boulot ?

— Euh…

— Ça veut dire non, j'imagine… Je tiens à te faire respectueusement observer que 1°) cette affaire est classée depuis un bail, 2°) tu es en arrêt maladie et, à ce titre, je ne suis pas censé te communiquer des détails comme ceux-là. Pourquoi tu t'intéresses à cette pauvre fille ? Tu la connaissais ?

— Pas avant il y a une heure.

— Bon, d'accord. Si t'as pas envie d'en parler, t'en parles pas. Mais, le moment venu, j'aimerais assez savoir pourquoi tu t'intéresses à elle tout à coup. Et ce que tu fous, exactement, Martin.

— Plus tard. Merci.

— Prends soin de toi. Tu crois vraiment que tu es prêt ?

Prêt ? Prêt pour quoi ? songea-t-il. Il ne faisait que glaner quelques renseignements.

— Écoute, dit-il, nous n'avons jamais eu cette conversation.

Un silence.

— Quelle conversation ?

Il raccrocha. La fille s'était bien suicidée… Aucun petit malin n'aurait pu tromper Delmas. Dans ce cas, pourquoi lui avoir envoyé cette clé à lui : un flic de la criminelle ? Les suicides n'étaient pas de son ressort. Et pourquoi l'avoir choisi *lui*, qui n'était plus en fonction, qui soignait son mal-être dans une maison de repos, qui avait été mis au placard ? Aussi inefficace qu'un boxeur qui ne s'est pas entraîné depuis des mois. Il ressortit la clé rectangulaire de sa poche et la

131

regarda, avec son logo et ses lettres « T » et « W »,
puis le papier sur lequel était inscrit à l'encre bleue :

Rendez-vous demain chambre 117.

Cela n'avait pas plus de sens que la feuille qui était
restée accrochée à l'arbre bien après que toutes les
autres furent tombées, pour finalement faire la même
chose ; pas plus de sens qu'un rêve de neige et de
loups ; pas plus de sens que la minuscule tragédie d'un
homme écrasé par des forces qui le dépassent. Comme
des milliards d'autres. Et pourtant, quelqu'un s'était
adressé à lui. Avant toute chose, il devait trouver qui.

10

Soprano

Christine regarda le jeune homme s'activer sur sa porte, sa boîte à outils ouverte à côté de lui. Il avait déjà remplacé la vieille serrure à barillet par une serrure trois points, installé une chaîne de sécurité et il attaquait à présent le battant à la perceuse pour y fixer un judas optique. Il lui avait fait comprendre que l'idéal aurait été de remplacer sa vieille porte par une porte blindée en acier avec joints intégrés dans l'huisserie et protège-gonds soudés, mais elle n'avait pas non plus l'intention de rejouer Fort Alamo. Pourquoi pas une *panic room* tant qu'on y était ?

Son serrurier était jeune, mais son visage rondouillard et son volumineux derrière sous la salopette bleue trahissaient une hygiène alimentaire à base de frites grasses, de hamburgers et de *sundaes*. Une longue mèche de cheveux bruns et huileux lui tombait sur le nez et il avait encore des boutons d'acné dans le cou et sur les joues.

— Soixante pour cent des cambrioleurs abandonnent au bout de deux minutes s'ils ne sont pas parvenus à entrer et quatre-vingt-quinze pour cent au bout de

133

trois minutes. Soixante-trois pour cent entrent par la porte. Et vous savez que soixante-cinq pour cent des viols ont lieu au domicile de la victime ?

Elle sursauta.

— Des *viols* ? Pourquoi est-ce que vous me parlez de viols ?

Il repoussa sa mèche de cheveux de travers pour la regarder de ses yeux marron gentiment condescendants.

— Les cambrioleurs sont parfois des violeurs. En fait, ça arrive plus souvent qu'on croit.

Pourquoi éprouve-t-il le besoin de me baratiner ? Il m'a déjà vendu sa camelote, non ? Il veut me vendre autre chose…

— Vous avez autre chose à vendre ? demanda-t-elle.

Il interrompit sa tâche, plongea une main dans la poche ventrale de sa salopette et lui tendit un prospectus.

— Avec ça, vous serez en sécurité.

Elle l'ouvrit. Un système d'alarme complet. Cinq détecteurs de mouvement, trois détecteurs magnétiques, une sirène de 120 décibels avec flashes, le tout relié à un centre de télésurveillance. En cas de déclenchement de l'alarme, le prospectus assurait que la police – avec qui la société collaborait étroitement – serait là dans les quinze minutes ; les détecteurs de mouvement prendraient même l'intrus en photo, et enverraient celle-ci sur son mobile et au central. C'était un très beau prospectus sur papier glacé, qui inspirait confiance avec ses photos couleurs de qualité et ses schémas explicites. Le signe, assurément, d'une société respectable, prospère, ayant pignon sur rue.

— Merci, dit-elle en le lui rendant, mais je ne suis

pas encore prête à transformer mon appartement en forteresse.

— À vous de voir. Vous pouvez le garder. Au cas où vous changeriez d'avis… Vous avez déjà vu *Orange mécanique* ?

Elle se demanda s'il plaisantait. Apparemment pas.

— Levée de doute, répliqua-t-elle.

— Hein ?

— Avant de pouvoir prévenir les forces de l'ordre, votre société doit passer par une étape légale qu'on appelle la *levée de doute*. C'est obligatoire. Elle doit d'abord appeler au domicile, demander le mot de passe si quelqu'un répond ou bien constater l'intrusion par photos numériques ou vidéosurveillance, à condition qu'il n'y ait pas de coupure de ligne, que les images soient exploitables, que l'intrus ne soit pas un membre de la famille et qu'en gros il ait fait coucou à la caméra, donc la plupart du temps elle envoie un employé – qui peut se trouver plus ou moins loin puisque je vois que le périmètre de votre société s'étend à toute la région – car elle n'est en aucun cas autorisée à faire déplacer les forces de l'ordre sans effraction ou anomalie dûment constatée. Dans le meilleur des cas, il se sera passé une bonne demi-heure, plus vraisemblablement entre une et deux heures, selon la disponibilité des policiers ou des gendarmes. Les publicités qui vous assurent la présence de la police dans les quinze minutes sont mensongères. Et ça aussi, c'est puni par la loi. En outre, il suffit de se procurer un brouilleur à cent euros pour mettre hors d'usage tout votre bazar puisque je vois qu'il fonctionne sans fil. (Elle lui fit un clin d'œil.) J'ai fait une émission là-dessus.

Elle le vit lui jeter un regard méchant et sournois.

Elle sut ce qu'il pensait : *Espèce de salope, tu fais bien de te protéger*, ou quelque chose d'approchant... Le téléphone sonna derrière elle et elle se raidit instantanément. Elle sentit la chair de poule courir sur sa peau et toute pensée cohérente déserta son cerveau. Le jeune serrurier la fixait. Il avait sans doute surpris quelque chose dans son regard. Elle se dirigea à contrecœur vers l'appareil sur le comptoir de la cuisine – sans se presser. La sonnerie insistait, lacérant le silence. Elle tendit la main vers le combiné avec le même enthousiasme que si elle avait dû se saisir d'un serpent venimeux.

— Allô ?

— Christine ?

Une voix de femme, familière.

— C'est Denise.

Un intense soulagement dans sa poitrine. Puis, aussitôt après, une interrogation : pourquoi Denise l'appelait-elle ici ? Brusquement, elle revit les photos sur son ordinateur : le tête-à-tête derrière la vitre du café – et une onde de colère et d'inquiétude mêlées lui tordit l'estomac.

— Denise ? Qu'est-ce qui se passe ?

— Christine, il faut qu'on se voie.

La voix lui fit penser à cet élastique qu'elle s'amusait à étirer entre ses doigts jusqu'au bord de la rupture quand elle était enfant.

— À quel sujet ? C'est vraiment urgent ?

— Oui... je crois que oui.

Il y avait une nuance d'autorité dans la voix de Denise. Et aussi d'*hostilité*... Aussitôt, Christine se sentit sur ses gardes. Quelque chose s'était passé... Un courant électrique se propagea à travers ses nerfs.

— Qu'est-ce qu'il y a ? Tu ne peux pas m'en dire plus ?

— *Tu sais très bien de quoi il s'agit.*

Cette fois, c'était plus que de l'autorité. Une accusation. De la colère, du défi. Voulait-elle lui parler de Gérald et elle ?

— Je veux te voir, *maintenant*.

Elle se sentit devenir toute dure à l'intérieur : pour qui se prenait cette garce ?

— Écoute, je ne sais vraiment pas de quoi tu parles. Mais je n'aime pas du tout le ton que tu prends. Alors, laisse-moi te le dire comme ça : j'ai eu une journée difficile et je… j'ai l'intention de parler à Gérald – de toi, de lui et de moi…

C'était dit. Elle attendit la réaction.

— Dans une demi-heure, au Wallace, place Saint-Georges. Je te conseille d'y être.

Nom de Dieu ! Non seulement cette gourde lui donnait des ordres, mais elle lui avait raccroché au nez !

Le café Wallace était bondé et bruyant quand elle y pénétra. Décor lounge : murs de fausse pierre en relief éclairés par en dessous, petits fauteuils carrés, bar à la lumière bleue comme celle d'un aquarium. Clientèle à quatre-vingts pour cent étudiante. Musique digne d'une compil des Inrocks : Asaf Avidan, Local Natives, Wave Machines… C'était un endroit qui aurait pu aussi bien se trouver à Sydney, à Hong Kong ou à Helsinki, et c'était sans doute ce qui faisait son charme auprès de jeunes gens qui passaient leur vie devant des écrans.

— Salut, dit-elle en plissant les yeux et en s'asseyant.

Le nez dans son verre, Denise paraissait plus nerveuse qu'au téléphone. Elle fit mine de touiller son cocktail avec le mélangeur fluo avant de relever lentement ses beaux yeux verts. *Caïpirinha*... Un peu tôt pour l'alcool, se dit Christine. Peut-être la jeune doctorante avait-elle besoin de se donner du courage. Mais du courage pour quoi faire ?

— Tu vois, dit-elle, je suis là, comme tu me l'as demandé. Alors, c'est quoi ce rendez-vous ? Pourquoi ce ton au téléphone ? Et pourquoi tous ces mystères ?

Le regard de Denise parcourut la salle avant de se poser sur elle, comme à regret.

— Hier, tu nous as... euh... *trouvés* à l'Institut, Gérald et moi, dans son bureau...

Christine sentit son estomac s'évider un peu plus.

— Tu as failli dire *surpris*, fit-elle observer froidement.

— Surpris, trouvés : peu importe... (De nouveau, le ton hostile.) Ce n'était pas ce que tu crois. Pas du tout. Nous étions là pour le travail. Lui comme moi. Il se trouve qu'il est mon directeur de thèse et...

— Merci, je suis au courant.

— ... et il ne s'agit pas seulement de ma thèse. Cela va plus loin que ça. Il faut que tu comprennes que nous travaillons sur un projet très ambitieux : nous allons proposer une nouvelle approche pour l'acquisition des signaux GNSS, c'est-à-dire dans le domaine de la navigation par satellite. (Elle jeta un coup d'œil à Christine pour s'assurer que celle-ci suivait.) Euh... comme ton GPS, par exemple, qui est américain. Jusqu'à présent, il y avait le GPS américain, le GLONASS russe et le

Beidou chinois. Depuis 2005, l'Union européenne a lancé quatre satellites et son système, Galileo, devrait être opérationnel bientôt. La méthode que nous utilisons permet de... *d'augmenter la résolution fréquentielle de la transformée de Fourier sans accroissement excessif de la charge de calcul au sein du récepteur de positionnement.* (Elle eut un geste d'excuse.) Je sais, je sais... ça ressemble à du charabia, et je n'essaie pas de te noyer avec du jargon scientifique, mais nous sommes sur le point de pondre un article très important, tellement important qu'il pourrait nous valoir le prix de la conférence ION GNSS, la plus grande et la plus prestigieuse conférence internationale dans le domaine de la navigation par satellite.

Sa voix commençait à trahir une certaine nervosité.

— Je sais que, vu de l'extérieur, ça a l'air terriblement ennuyeux. Mais, en réalité, c'est un domaine passionnant – et Gérald comme moi nous adorons ce que nous faisons, les recherches que nous menons. C'est Gérald qui a eu l'idée de cette étude, et c'est un formidable directeur de thèse... (Une pause.) C'est pour ça qu'on se fout que ce soit le jour de Noël ou pas... J'ai eu une idée, tout à coup, et quand je lui en ai parlé au téléphone, il était très excité, il m'a aussitôt dit de le rejoindre à l'Institut.

— Hmm-mm.

Christine comprenait le sens caché de cette logorrhée. *Arrête de te faire des films, ma jolie : tu ne peux pas comprendre, parce que tu n'es pas assez intelligente, pas assez futée, tu n'as pas fait d'assez longues études... C'est un domaine que nous partageons, ton futur mari et moi, et auquel tu n'auras jamais accès. Autant te faire une raison tout de suite, ma belle...*

Elle regarda autour d'elle : combien des étudiants présents l'étaient dans des domaines scientifiques ? Elle savait que l'industrie de l'aéronautique et de l'espace employait des dizaines de milliers de personnes dans la région et que le campus de Rangueil, tout comme les laboratoires de recherche alentour accueillaient des milliers d'étudiants se spécialisant dans les mathématiques, l'informatique, les sciences de l'univers ou de l'espace et l'aéronautique au plus haut niveau. Le regard de Denise revint sur elle, il n'avait plus rien d'inquiet ou de nerveux : il était simplement accusateur.

— Mais toi, tu te fais des idées, Christine. Parce que je suis jolie, parce que Gérald m'apprécie, et parce que le courant passe bien entre nous... Alors, je ne sais pas ce que tu t'es mis dans la tête mais...

Elle n'aima pas du tout la façon dont Denise avait prononcé cette dernière phrase. Cette allusion à la connivence intellectuelle et à la complicité qui pouvaient exister entre son futur mari et Denise. Elle se demanda s'il arrivait à Gérald de faire la comparaison entre elles.

Il y avait autre chose... Mais quoi ? Et, tout à coup, elle sut : *Denise lui rappelait Madeleine*... Il y avait, incontestablement, une ressemblance. Une Madeleine qui aurait grandi. Qui serait devenue adulte. Dont les traits auraient perdu leur côté poupin. Se seraient affinés...

Cette pensée l'emplit d'un trouble indéfinissable...

En même temps, elle se sentait soulagée. Elle avait craint autre chose en venant ici. Quoi, au juste ? Une mauvaise surprise comme celle des médicaments trouvés dans le tiroir de son bureau ? La révélation que

Gérald et Denise avaient une liaison ? Elle n'en savait rien – elle avait juste eu un terrible pressentiment en entendant la voix de Denise au téléphone.

— Denise, répondit-elle. Tout va bien. Je ne me fais pas des idées, je t'assure. Je sais combien Gérald aime son métier – et combien il t'apprécie. Ce n'est vraiment pas un problème.

Vraiment ? Tu en es bien sûre ?

— Alors, explique-moi ça, dit une voix polaire en provenance de l'autre côté de la table.

Christine se raidit. Les doigts émergeant de la mitaine avaient poussé une feuille imprimée devant elle.

— Bonjour, dit le serveur avec un enthousiasme professionnel. Vous désirez boire quelque chose ?

— Qu'est-ce que c'est ? demanda-t-elle.

— Tu ne vois vraiment pas ? siffla Denise de la même voix vibrante de colère.

Le serveur battit précipitamment en retraite. Christine se pencha. Un mail. Elle glissa sur l'en-tête pour s'intéresser au texte :

Chère Denise, si tu crois que je n'ai pas deviné ton manège... Reste loin de mon mec. C'est un conseil que je te donne.
Signé : Chris sort ses griffes

Elle eut l'impression que la table et la salle tout entière se mettaient à tourner. *Ça n'est pas possible... Ça ne peut pas arriver...*

Elle relut le texte une deuxième fois. Ferma les yeux. Les rouvrit. Une pensée la foudroya : rien ne tout cela n'était réel.

— Ce n'est pas moi qui ai écrit ça...

— Oh, allons, Christine, s'il te plaît ! Qui à part toi et moi aurait pu savoir que Gérald te surnomme comme ça quand tu es en colère ?

— Quoi ? (Elle secoua la tête.) Tu dis que c'est le surnom que Gérald me donne ?

Denise la regardait : l'impatience et le mépris se disputaient ses traits.

— Comme si tu ne le savais pas.

— Je... je ne comprends rien à ce qui se passe...

La jeune femme lui opposa un silence hostile.

— Denise, je ne comprends rien, je t'assure ! Ce n'est pas moi qui t'ai envoyé ça ! Quand est-ce que tu l'as reçu ?

Un silence.

— Hier soir.

C'était *lui*. Qui d'autre ? Mais comment pouvait-il savoir tout ça sur son compte ?

— Christine, articula Denise du ton d'un professeur s'adressant à un élève particulièrement obtus, il y a ton adresse e-mail dans l'en-tête. Ce mail a été envoyé de *ton* ordinateur. Et cette signature... Ça fait quand même beaucoup, non ?

— Tu en as parlé à Gérald ?

Un regard prudent en provenance du camp d'en face.

— Pas encore.

— S'il te plaît, ne lui dis rien.

— Tu admets que c'est bien toi qui as écrit ce mail, alors ?

Elle hésita. Elle pouvait nier. Elle *devait* nier. Elle pouvait raconter le coup de l'urine sur le paillasson, l'incident à la radio, sa visite à la police, le message sur son pare-brise... Et après ? Elle savait exactement l'impression que cela donnerait : celle d'une psychose paranoïde galopante. Elle imagina Denise bavant auprès de ses copines : *La pauvre fille est complètement givrée, bonne à enfermer, si vous voulez mon avis... Je ne comprends pas ce que Gérald lui trouve...*

— Oui, admit-elle.

Denise la regarda, avec sur le visage tous les symptômes de la consternation. Christine se sentit déshabillée, jugée et condamnée – le tout en un clin d'œil. La jeune doctorante hocha la tête, incrédule. Visage fermé.

Puis elle se secoua et Christine devina ce qu'elle était en train de penser : *C'est bien ma veine, putain, je suis tombée sur une malade...*

— J'aime bien Gérald, commença-t-elle doucement.

Il y avait dans cette déclaration une telle conviction que Christine se demanda s'il ne fallait pas en retirer le « bien ».

— Non, en vérité, je l'aime beaucoup. (Elle planta ses yeux verts dans ceux de Christine en un geste de défi.) C'est vrai, quoi, c'est quelqu'un de bien – et un patron formidable. J'insiste : il n'y a rien entre Gérald et moi. Mais je l'aime beaucoup, oui, c'est vrai... (*C'est bon, tu l'as déjà dit ça, j'ai compris, passons à autre chose...*) Et je me demande si...

— Si quoi ?

— Si tu es la personne qu'il lui faut...

Christine eut l'impression d'avoir reçu une gifle.

— Tu peux répéter ?

— De toute façon, poursuivit Denise sur sa lancée, sans noter le changement de ton, même s'il y avait eu quelque chose, ce ne sont pas des manières. Tu devrais voir un psy.

Christine fixait à présent Denise sans bouger un cil,

comme si quelqu'un avait fait « arrêt sur image ». Plusieurs secondes s'écoulèrent avant qu'elle ne reprenne la parole :

— COMMENT OSES-TU ?

Elle avait parlé fort. Les étudiants mâles de la table d'à côté se retournèrent, conscients qu'il se passait un truc intéressant entre les deux jolies pépées derrière.

— COMMENT OSES-TU ME PARLER COMME ÇA ?

Sa voix : une vibration de basse intensité frappant directement au niveau du plexus et traversant la salle – distincte, terriblement audible et méchamment agressive. Des têtes se tournèrent. Denise battit en retraite :

— Désolée, ça ne me regarde pas, après tout. Tu as raison, ce ne sont pas mes affaires.

La jeune femme leva les mains en signe de reddition.

— Gérald est assez grand pour savoir ce qu'il veut faire de sa vie…

Trop tard, ma belle. Christine sentit que sa bonne vieille colère était de retour. Et il n'était plus question de la faire taire. Oh, non…

— En effet, ça ne te regarde *foutrement pas*. Et c'est vrai, puisque le moment est venu de mettre cartes sur table, que je te trouve un tout petit trop zélée pour une *doctorante*. (Elle insista sur ce mot.) Un tout petit peu trop – comment dire ? – *collante*, tu vois ?

Elle resta un moment à la dévisager. Denise semblait trop tétanisée pour répondre.

— Alors, oui, je vais te donner un conseil : celui de t'occuper de tes oignons à l'avenir… et de te consacrer à ta thèse. Rien qu'à ta PUTAIN DE THÈSE. Avant que je ne lui demande de renoncer à en être le directeur…

Elle se leva.

— TIENS-TOI À DISTANCE DE MON MEC !

Christine passa à moins d'un mètre du petit homme assis à la table de derrière en sortant. Celui-ci referma son journal et porta sa mousse à ses lèvres. Il la regarda s'éloigner. Ses yeux aussi dénués d'expression que deux cailloux noirs.

Il était petit, étonnamment petit, ridiculement petit même. Un mètre soixante-cinq. Pour un homme, une taille susceptible de vous attirer bon nombre de quolibets, de sourires en coin et de regards condescendants. Il était toutefois bien proportionné, avec un corps musclé, une taille mince, mais sa tête n'aidait pas. Elle était presque *féminine*. Nez délicat, lèvres épaisses, pommettes hautes et dessin efféminé du reste du visage. En outre, il n'avait quasiment pas de sourcils et, à l'inverse, de longs cils blond-blanc. Même son crâne – qu'il avait intégralement rasé – évoquait celui, parfait, d'une jeune femme. La seule chose qui ne fût pas féminine chez lui était son regard : de grands yeux plats et vides, noirs, comme deux fenêtres ouvertes sur le néant. Ni particulièrement hostiles ni spécialement perçants : *vides*...

Il portait une parka kaki sur un sweat à capuche noir et un tee-shirt gris et – n'étaient sa petite taille et son visage efféminé – il ne se serait distingué en rien des étudiants autour de lui, à part peut-être son âge : il était de quelques années leur aîné.

Il suivit Christine du regard jusqu'à la porte – examinant de ses yeux plats ses hanches, son dos, ses fesses, chaque courbe et chaque creux de son corps de femme. Satisfait de son examen, il plongea les lèvres

145

dans sa bière fraîche en notant qu'aucun des hommes présents dans le café n'avait fait de même : ils s'efforçaient tous de ne pas s'immiscer dans les affaires des autres. Il songea que la plupart des gens de ce pays étaient d'une naïveté confondante, comme des anges ou des eunuques : ils ignoraient tout des individus qu'ils côtoyaient chaque jour, ils ne savaient rien de la véritable souffrance, de la torture, de l'agonie, des enfers grands et petits qui existent dans ce monde – des pleurs aussi impossibles à étancher que la sève coulant sur l'écorce des arbres, pensa-t-il, et un sourire s'élargit sur sa bouche féminine. Du moment où le cerveau se déchire et tombe en morceaux sous l'effet de la douleur... Rien non plus du temps qui goutte au fond d'une cave sentant la pisse, la merde et la sueur... Rien de ceux qui, la chemise souillée de vomissures et de sang, comprennent soudain – trop tard – que l'enfer existe – ici-bas –, qu'on en frôle les portes chaque jour, qu'on croise ses servants dans la rue ou le métro sans les voir.

Il se remémora les vers d'un poète de son pays :

Et l'eau glacée se fait plus noire,
Plus pure la mort, plus salé le malheur,
Et la terre plus vraie et redoutable.

Reporta son attention sur la deuxième jeune femme.

Celle qui était diablement jolie et, pour l'heure, terriblement pâle. Elle se mordait la lèvre inférieure, les yeux dans le vague.

Elle venait de se lever. Elle avait l'air très en colère.

Parfait ; tout s'était passé comme prévu. Presque trop prévisible à son goût. Il la laissa partir – ce n'était pas sa cible.

Sa cible était la première à être ressortie. Celle qui avait élevé la voix, attirant l'attention de la clientèle. *Christine Steinmeyer.* Le nom qu'on lui avait fourni. Avec l'adresse et moult détails. Sa main pinça furtivement son membre dur à travers son pantalon de velours. Penser à Christine Steinmeyer – à ce qu'il allait lui faire subir dans les jours à venir – lui mettait les nerfs à vif. Elle n'avait pas idée de ce qui l'attendait.

Et dire qu'il était payé pour ça : à toutes les époques, sous tous les régimes, il y avait eu du travail pour des gens comme lui. Des praticiens doués et zélés. Des experts en confession. Il était capable d'arracher des aveux à n'importe qui, avec n'importe quoi, dans n'importe quelles circonstances. Une fois, il y a longtemps, il avait torturé un type dans la cuisine de son minuscule appartement moderne d'Amsterdam, sans aucun des instruments usuels de son art : il était venu les mains vides. Lorsque le grand Néerlandais blond – qui mesurait pas loin du mètre quatre-vingt-dix – lui avait ouvert, il avait vu l'habituel sourire condescendant apparaître sur ses lèvres. Vingt secondes plus tard, le géant était à terre, les ligaments croisés des deux genoux pétés. Deux minutes plus tard, il était assis sur une chaise, les chevilles tordues de manière à provoquer de douloureuses crampes, la bouche bâillonnée par du ruban adhésif ultra-résistant. Son visiteur avait alors monté le son de la chaîne hi-fi et Ian Gillan s'était mis à miauler encore plus fort sur *Child in Time*. D'abord, il s'était emparé de la cafetière pleine – c'était l'heure du petit déjeuner – et il avait versé le café brûlant sur le crâne, les cheveux et le visage du grand blond. Le temps que les plaques électriques soient chaudes… puis il avait posé ses deux mains dessus, l'une après l'autre.

Ensuite, il avait déniché une bombe aérosol de décapant pour four (en gros, de la soude), écarté les paupières et aspergé généreusement la cornée. Il y avait longtemps que le sourire condescendant avait disparu des lèvres du géant blond, à ce moment-là. Il tentait de hurler à travers le bâillon, les yeux révulsés et remplis de larmes. Le type s'était évanoui à une demi-douzaine de reprises, et il l'avait réveillé en l'aspergeant de grands seaux d'eau glacée. Mais c'était un dur, un coriace. Un receleur hollandais qui travaillait pour les *kanonieri kurdi* : ces enculés de Géorgiens. C'était aussi un bon père de famille, affectueux et aimant, qui avait laissé sa famille à Delft. À la fin, il y avait une grosse flaque de sueur, de sang et d'urine sous le type suspendu par les pieds à la barre d'exercice fixée au-dessus de la porte de la salle de bains. Et il aurait sacrifié sa femme et ses gosses pour que ça cesse. Ian Gillan chantait *Speed King* à ce moment-là – probable que le cœur du blond battait au même rythme rapide que la musique...

Le petit homme au visage si féminin et au crâne lisse termina sa bière. Personne ne faisait attention à lui. Dans ce pays, les gens n'étaient pas curieux. À force de fixer les écrans de leurs tablettes et de leurs smartphones et d'éviter le regard des autres, ils se comportaient comme des zombies. Il y avait pourtant quelques détails qui auraient pu éveiller l'attention. D'abord, la cicatrice qui traçait un sillon pâle sous son menton. Ensuite, les tatouages. Le premier – qui émergeait du côté droit de son col – n'était qu'en partie visible, mais on devinait un visage de Madone triste comme on en voit sur les icônes russes. Se fût-il déshabillé qu'il aurait révélé, du cou au pectoral, là où le téton absent était remplacé par une cicatrice, une

Vierge à l'enfant – et une quantité d'autres motifs : coupoles orthodoxes, étoiles, crânes… Chacun avec une signification précise. La Vierge à l'enfant, par exemple : l'enfant signifiait qu'il avait connu la prison très jeune, la Madonne symbolisait la loyauté envers son clan, les pointes des étoiles le nombre de séjours effectués en prison, celles sur ses genoux le fait qu'il ne s'agenouillerait jamais devant quiconque…

Il se souvenait de son passage dans la marine marchande : il avait dix-huit ans. Son bateau, l'*Alexandre Loujine*, un transporteur maritime qui assurait la liaison entre Mourmansk et Doudinka, sur l'embouchure de l'Ienisseï, s'était retrouvé pris dans les glaces à cause d'un brusque changement des conditions météo. Le mauvais temps avait retardé leur sauvetage par les brise-glace et ils avaient passé trois jours – et trois nuits – de plus à bord. Il se souvenait des histoires de fantômes colportées par les marins pendant les repas, tandis que la nuit arctique et le chaos de neige et de glace emprisonnaient leur bâtiment – des fantômes qui, selon eux, rôdaient sur la banquise et rendaient fous les matelots en les visitant dans leur sommeil quand leurs bateaux étaient bloqués par la glace. Leurs histoires racontaient qu'on retrouvait parfois des lits vides au matin : ceux des marins qui avaient écouté les voix des fantômes – comme s'il s'agissait de sirènes – et les avaient suivis sur la banquise où ils s'étaient perdus. Bien sûr, il savait que les vieux marins cherchaient à l'effrayer, lui qui avait l'air si petit, si jeune, si fragile. Il se souvenait du gros mécano barbu avec des bras énormes qui l'avait coincé en bas, dans la salle des machines où les autres l'avaient envoyé – de son sourire fielleux, du vacarme heurté et trépidant autour d'eux, de la montagne de chair lui ordonnant de se déshabiller et de se mettre à genoux et de sa surprise quand elle avait découvert les tatouages sur son corps mince qui racontaient une tout autre histoire : elle disait que non seulement il avait connu la prison dès son plus jeune âge, mais aussi qu'il avait déjà tué – à dix-huit ans. « Ils sont vrais ? » avait demandé le balèze avec une pointe d'inquiétude. Il n'avait pas répondu. Il s'était contenté de sourire. « C'est bon, remonte », avait alors dit le colosse. C'était les derniers mots qu'il avait prononcés. Le poignard à lame triangulaire courte était entré au niveau de sa pomme d'Adam, ouvrant le larynx et sectionnant les cordes vocales. L'homme avait survécu mais, interrogé par la police du port de Doudinka, il n'avait évidemment rien pu dire. S'était aussi refusé à écrire le nom de son agresseur. Il lui suffisait de revoir les yeux plats, noirs et luisants posés sur lui dans l'ombre de la salle des machines pour que toute envie de parler le quittât.

Le dos des mains du petit jeune homme, ses métacarpes et ses deux premières phalanges étaient pareillement couverts de tatouages. Sa main enluminée saisit le stylo à bille doré posé près du journal et il ouvrit ce dernier. Il choisit un espace libre et dessina rapidement. Un portrait assez ressemblant. Un portrait de femme dans la trentaine. Puis il dessina une couronne de barbelés autour du front de la femme – et inscrivit en dessous :

Christine sort ses griffes

Il referma le journal sur le dessin et l'abandonna sur la table en sortant.

11

Crescendo

Le lendemain, Servaz se leva avant tout le monde. Ça roupillait ferme quand il descendit au réfectoire et il trouva la salle du rez-de-chaussée déserte. 7 heures du mat. La plupart des pensionnaires souffraient de troubles du sommeil et ils rattrapaient leur déficit le matin.

Servaz se remplit un bol de café, prit une dosette de crème et alla s'asseoir à l'une des tables. Il appréciait d'être seul. Il appréciait le silence, il en avait assez des jérémiades. Tous ces flics abîmés, cabossés par des parcours de vie chaotiques, des expériences traumatiques : tous ou presque se complaisaient dans l'évocation du passé. Depuis qu'il était ici, Servaz avait l'impression d'être plongé en permanence dans un bain tiède de nostalgie.

— Un croissant chaud, ça vous dit ?

Il tourna la tête. Élise se tenait à l'entrée des cuisines. Servaz lui sourit. Il y avait des moments où il lui semblait qu'Élise était la seule personne normale ici. Un petit garçon brun vint ouvrir son cartable près de lui. Il en sortit un cahier et des feutres qu'il étala sur la table. Puis Élise les rejoignit et Servaz se mit à saliver en reniflant l'odeur du croissant chaud qu'elle déposa devant lui. Elle s'assit de l'autre côté de la table.

— Déjà debout ?

— J'ai quelque chose à faire en ville, répondit-il en mordant à pleines dents dans le croissant au bon goût de beurre.

Elle le considéra, perplexe.

— Redites-moi ça. J'ai dû mal entendre.

Il gratta le pare-brise, versa de l'eau chaude dessus, poussa le chauffage à fond. Puis, une fois au volant, il quitta prudemment le parking. Aucune saleuse n'était passée par ici et le vent violent poussait la neige des champs sur la route, où elle tourbillonnait. Il roula à travers la plaine blanche, rejoignit l'A66 puis l'A61 avant d'entrer dans Toulouse par l'est.

Tout en conduisant, il pensa à Hirtmann. Le procureur de Genève. L'homme qui hantait ses rêves. Celui qui lui avait enlevé Marianne. Dans ses moments de lucidité, il se disait qu'il n'entendrait plus jamais parler de lui, que Hirtmann était sans doute mort dans quelque rue mal famée d'Amérique latine ou d'Asie... Que la seule chose à faire était de l'oublier. Ou, à tout le moins, de faire semblant. C'était un défi qu'il parvenait à relever tant qu'il faisait jour, mais, dès que le soir approchait, que la lumière baissait dans les pièces les plus reculées de son crâne, il se sentait pris dans l'étau lugubre de ses pensées et son âme gémissait d'effroi. Jadis, après avoir enquêté sur un crime particulièrement horrible, il mettait son cher

Malher en rentrant chez lui, seul antidote contre les ombres, et les choses retrouvaient leur place. Mais Hirtmann lui avait volé même ce sanctuaire : le Suisse était comme lui un admirateur du génie autrichien. Étrange similitude qui, d'emblée, avait souligné leur dangereuse proximité spirituelle dans cette cellule de l'Institut Wargnier, quand la musique s'était élevée. Il revoyait le Suisse : grand, amaigri dans sa combinaison au col ouvert, la peau translucide, et surtout le choc de ce regard électrique qui ne cillait jamais – comme s'il avait reçu une décharge de Taser. Et aussi la façon dont, en une seconde, Julian Hirtmann avait lu en lui. L'avait déchiffré. Deviné. Servaz s'était rarement senti aussi nu en face d'une autre personne.

Il avait reçu une carte d'Irène Ziegler envoyée de New Delhi, où elle avait été détachée. La gendarme était en effet devenue attachée de sécurité intérieure au sein de la Direction de la coopération internationale – un réseau de deux cent cinquante policiers et gendarmes déployés dans quatre-vingt-treize ambassades, chargés d'enquêter en amont sur les diverses menaces – terrorisme, cybercriminalité, trafic de drogue – prenant naissance hors des frontières. La carte ne comportait que deux phrases :

Est-ce que tu penses encore à lui ? Moi oui.

Il se demandait parfois si Ziegler n'avait pas postulé pour cette place avec le secret espoir de repérer un jour la trace du Suisse. Il ne doutait pas qu'elle détournât les moyens informatiques et logistiques mis à sa disposition à cette fin – comme elle l'avait fait quand elle avait été mutée disciplinairement dans cette brigade de campagne. Autant vouloir vider l'océan avec une cuillère...

Une fois en ville, il prit la direction du Grand-Rond, puis celle du Capitole. Les rues étaient farcies de neige : on distinguait à peine les trottoirs de la chaussée et les toits des véhicules étaient coiffés d'épais édredons blancs. Il se gara dans le parking souterrain et traversa la place du Capitole, il avait besoin d'un autre café. Il en but deux en attendant l'heure dans une brasserie face à l'hôtel de ville, récupérant un journal sur une table voisine. Quelqu'un avait entouré un article au stylo. Il le parcourut machinalement : le satellite Pléiades-1B avait envoyé avec succès ses premières images vers le Centre spatial de Toulouse. L'article expliquait que le satellite avait été lancé de Kourou en Guyane par un Soyouz le 2 décembre à 2 h 02 UTC. Les premières images prises par le satellite avaient été Paris, l'île de Bora-Bora, la base de Tucson en Arizona et les pyramides de Gizeh. Servaz se dit que le type qui avait entouré l'article au stylo devait être un de ces milliers de cadres et d'employés qui travaillaient pour l'aéronautique et l'espace dans la région.

Il se mit en marche à 9 h 30, pataugeant dans la mélasse de glace et de boue qui transformait la place du Capitole en patinoire. Le vent d'autan arrachait des nuages de poudreuse aux monticules qui s'entassaient au pied des façades, les précipitant sur la brique rose. Il n'avait jamais vu pareille atmosphère de sports d'hiver à Toulouse. Il y avait, dans la façon dont la neige tourbillonnait dans les rues, dans leur silence, quelque chose qui le ramenait délicieusement à l'enfance. On se serait cru au Québec. Heureusement, la galerie d'art de Charlène Espérandieu se trouvait à deux pas, à l'angle des rues de la Pomme et Saint-Pantaléon. Les portes vitrées s'ouvrirent en chuintant devant lui et ses semelles laissèrent des traces humides sur le parquet blond. Il n'y avait personne. Les murs, éclairés par des spots, étaient nus et de grands cartons contenant sans doute les œuvres de la prochaine expo jonchaient le sol.

Servaz se dirigea vers le fond, là où un étroit escalier métallique grimpait en colimaçon vers l'entresol.

Un bruit de talons à l'étage.

Les marches de métal vibrèrent sous son poids. Sa tête émergea la première au niveau du plancher – et il vit d'abord une paire de hautes bottes bordeaux à talons, des jambes minces dans un jean, puis la parka grise qu'elle n'avait pas encore retirée – et enfin la cascade de cheveux roux ramenée de façon asymétrique sur un côté du visage.

— Martin ?

Elle approchait de la quarantaine, mais en paraissait dix de moins.

— Qu'est-ce que tu fais ici ?

— Tu vois, je me mets à l'art contemporain.

Elle sourit.

— Tu as l'air bien, dit-elle, tandis qu'il terminait son ascension et émergeait du trou. Bien mieux que la dernière fois où je t'ai vu... Dans cet endroit sinistre... Tu avais l'air d'un *zombie*.

— De retour d'entre les morts, confirma-t-il.

— Vraiment bien, répéta-t-elle, comme si elle essayait de s'en convaincre.

— *Non venit ad duros pallida Cura toros*, « le pâle Souci n'approche pas des lits durs ».

— Toi et tes Latins. C'est...

155

Charlène l'embrassa et ses doigts exercèrent une pression fervente sur son bras.

— ... une très bonne nouvelle.

Sa joue encore fraîche s'attarda un peu trop contre la sienne. Une odeur de parfum léger et de cheveux l'enveloppa. Puis elle s'écarta. Le froid avait rougi ses joues et lustré son regard. Elle était toujours aussi fichtrement belle.

— Tu es rentré chez toi ou tu es toujours là-bas ? voulut-elle savoir.

— Nourri, logé, blanchi – pas si mal, répondit-il.

— Je suis contente. Contente de te voir, Martin. Contente de te voir comme ça. Mais tu n'es pas venu rien que pour me rendre visite, pas vrai ?

— Exact.

Elle accrocha sa parka à un portemanteau, tourna les talons et s'éloigna vers son bureau, à l'autre bout de la longue pièce, devant la partie supérieure de l'ouverture en plein cintre qui servait aussi d'entrée à la galerie à l'étage en dessous.

— Célia Jablonka, ça te dit quelque chose ?

Elle tourna la tête sans cesser de lui montrer son dos, lui offrant par la même occasion la vision de son profil et de sa nuque gracile dégagée par la masse bouclée de ses cheveux roux.

— L'artiste qui s'est suicidée l'an dernier ? Oui. Je l'avais exposée peu de temps auparavant.

Cette fois, elle pivota vers lui et s'appuya au bureau. Elle lui lança un regard perçant.

— Tu n'en as pas marre de ne t'intéresser qu'à des personnes mortes ?

Il choisit de penser que le double sens n'était pas intentionnel. Qu'elle avait voulu parler de son métier

– et de rien d'autre. Néanmoins, l'espace d'un instant, la douleur se réveilla.

Il n'était pas prêt...

Il avait cru qu'en quittant la maison de repos, il laisserait ses angoisses là-bas – mais la fatigue, le doute, la lassitude lui mordaient les talons.

— Parle-moi d'elle, dit-il. Quel genre de personne c'était ? Elle avait l'air... dépressive ?

Elle lui décocha un regard curieux.

— C'était une femme drôle, impertinente... Et elle avait beaucoup de talent.

Charlène se tourna vers une petite bibliothèque – pratiquement le seul meuble de cette immense pièce en dehors du petit coin-salon et de son bureau – et elle attrapa un volumineux et luxueux catalogue.

— Tiens, regarde.

Il s'approcha. Lut : « Célia Jablonka ou l'art absent. » Elle souleva la couverture et commença de tourner les pages en papier glacé. Des photos de sans-abri. De familles africaines vivant à cinq dans dix mètres carrés. Un type mort de froid emporté par le SAMU. Un chien errant. Un enfant crasseux fouillant dans une décharge. Un autre faisant la manche dans le métro... Et, en alternance, des rayons de supermarchés surchargés de victuailles, d'objets high-tech, de jouets, de fringues en soldes, des voitures flambant neuves, des queues dans les cinémas, des chaînes de restauration rapide bondées, des piles de jeux vidéo en vitrine, des rangées de pompes à essence, des poubelles qui débordent, des décharges, des incinérateurs... Le message était clair, immédiat, primaire – nul besoin de réfléchir.

— Elle refusait toute forme de sophistication, de

subtilité. Elle refusait catégoriquement que son art ait une fonction esthétique ou cathartique. C'était l'inverse qu'elle recherchait. Le message. Sans filtre.

Servaz fit la moue. Il n'était pas venu pour entendre des considérations artistiques. Et son style préféré était le gothique international.

— Ces photos, où ont-elles été prises ?

— Dans la rue. Et dans un squat. Une partie de l'expo avait lieu là-bas. Célia voulait que les visiteurs ne se contentent pas de regarder, elle voulait les faire *entrer* dans les photos, comme elle disait. Un dispositif sonore les invitait donc à poursuivre leur visite dans le squat, où ils trouveraient la fin de l'expo. Célia avait collé des petites affichettes tout le long du parcours pour leur faciliter la tâche.

— Et ça marchait ?

Ce fut au tour de Charlène de faire la moue.

— Pas vraiment… Quelques audacieux ont été jusqu'au bout, mais le public de ma galerie n'est pas – eh bien – forcément de ceux qui donnent dans la soupe populaire…

Servaz hocha la tête. Il savait Charlène des plus lucides sur les personnes qui fréquentaient sa galerie comme sur le monde de l'art contemporain en général. Elle lui avait plus d'une fois parlé de l'opacité qui y régnait, de la bulle spéculative entretenue à coups de millions de dollars et d'euros, de ventes aux enchères arrangées, de l'argent du contribuable dilapidé dans l'achat à prix d'or par les musées et les collections publiques d'artistes aux cotes artificiellement gonflées grâce à l'entente entre marchands, galeristes et salles des ventes : des pratiques illégales qui, dans tout autre domaine, auraient expédié leurs auteurs en prison.

— Je ne sais pas si je suis la personne la mieux placée pour en parler…, s'excusa-t-elle. Je ne la connaissais pas très bien. Mais, pendant le temps qu'a duré l'expo, on s'est pas mal parlé, et… il m'a semblé que son humeur devenait plus sombre au fur et à mesure, que toute la joie et tout l'enthousiasme des débuts disparaissaient progressivement. Les derniers temps, elle avait même perdu toute joie de vivre – c'est pour ça… eh bien, que son suicide ne m'a pas vraiment surprise.

Servaz se sentit tout à coup aux aguets. En elle-même, cette information aurait dû ajouter du crédit à la thèse du suicide. Pourtant, il entendait comme un son dissonant. Ou bien est-ce qu'il se faisait des idées ? Qu'il cherchait à tout prix quelque chose à quoi se raccrocher – et quelle meilleure occasion pour un enquêteur qu'une enquête qui serait passée à côté de l'essentiel ? Il n'avait aucun élément pour étayer cette hypothèse. À part cette clé d'hôtel…

— Tu dis que tu as perçu un changement en elle tout au long de votre relation ?

— Oui.

— Combien de temps ça a duré ?

— On s'est rencontrées pour la première fois environ neuf mois avant son suicide, quand elle a voulu exposer dans la galerie…

— Et, à ce moment-là, elle était comment ?

Un pli sur le front de Charlène.

— Pas du tout dans le même état d'esprit… Elle était pleine d'énergie, d'enthousiasme, elle avait des tas de projets – et dix idées à la minute ! À la fin, tout lui était égal. Elle se traînait. Il fallait sans arrêt lui répéter les choses… On aurait dit un fantôme.

Que s'était-il passé entre les deux ? se demanda-t-il. Célia Jablonka avait sombré dans la dépression en l'espace de quelques mois. Était-ce la première fois ? Ou s'agissait-il d'une rechute ?

— Tu as l'adresse de ce squat ? demanda-t-il.

— Pourquoi tu veux savoir tout ça ?

Une question qu'il aurait dû se poser lui-même. Que cherchait-il au juste ? Le suicide de Célia Jablonka n'était pas de son ressort. Et l'affaire était classée depuis longtemps.

— J'ai reçu ça avant-hier dans ma boîte aux lettres, dit-il en sortant le carré de plastique de sa poche.

— Qu'est-ce que c'est ?

— La clé de la chambre d'hôtel où Célia Jablonka a mis fin à ses jours.

Charlène le regarda sans comprendre.

— Et tu sais d'où elle provient ?

— Pas la moindre idée.

Il lut dans les yeux de la femme de son adjoint une perplexité croissante.

— Tu ne trouves pas ça *flippant* ?

Il s'immobilisa devant la porte cochère. Une banderole était suspendue juste au-dessus : « Centre social autogéré. Réquisition, entraide, autogestion. » Les fenêtres du rez-de-chaussée étaient murées. La façade, qui avait connu des jours plus fastes, était taguée d'une fresque murale multicolore qui, elle, au moins, racontait une histoire : un bateau surchargé de migrants traversant la mer et pris dans la tempête, des grillages surmontés de barbelés, des projecteurs aveuglants et des gardes accompagnés de chiens, des juges en robe

160

armés de revolvers, des CRS la matraque levée, des enfants jouant au football au milieu des ruines...

Servaz entra dans la cour où les mauvaises herbes soulevaient le pavé. Se dirigea vers le perron dans le fond. Des vélos et des voitures garés à côté. Dès qu'il eut franchi la porte vitrée, il se rendit compte que cet endroit était plein de vie : des cris d'enfants, de mères les réprimandant, des dessins naïfs et des affiches sur les murs, des manteaux accrochés à des patères, des voix, des rires, des pas un peu partout. Sur les murs jaunes, des affiches proclamaient : « La police contrôle, la justice enferme », « Contre toutes les expulsions, autodéfense sociale, offensive populaire – la lutte s'organise », « Ils ne nous feront pas taire ! », « Nique ton maire ! » Une atmosphère pré-insurrectionnelle régnait dans ce pays, des courants souterrains le travaillaient, contrebalançant la résignation d'une partie de la population.

Dans son dos, une jeune femme l'interpella :

— Vous désirez ?

Il fit volte-face. Il s'était attendu à voir une gamine en dreadlocks avec un bonnet rasta et un joint, mais il avait devant lui une femme en jean et pull-over chaussant des lunettes d'intello et coiffée d'un chignon sévère.

— Je voudrais voir le directeur du centre.

— Le... *directeur* ? Et vous êtes ?

Servaz sortit sa plaque et la jeune femme donna nettement l'impression d'avoir senti une mauvaise odeur.

— Qu'est-ce que vous voulez ? Ça ne vous suffit pas de...

— J'enquête sur la mort de Célia Jablonka, l'artiste qui a fait une expo ici. Rien à voir avec votre squat.

— Ce n'est pas un squat, c'est un lieu de vie...

— D'accord.

— Un centre social autogéré où nous pallions les carences de l'administration et de l'État...

— D'accord.

— Nous accueillons vingt-cinq familles sans logement ici. Nous leur apportons un toit, une aide financière, des contacts avec des avocats ; elles reçoivent des cours de français et d'alphabétisation, il y a aussi un espace multimédia, des ateliers, une cantine, une crèche autogérée...

— D'accord.

— Nous rompons leur isolement, nous leur apprenons à affronter cet environnement hostile qu'est la justice française, à faire taire la peur du flic (elle insista sur ce mot), du maton et du juge... Ceci n'est pas un squat...

— Ce n'est pas un squat, j'ai pigé.

— Veuillez rester là.

Elle disparut dans l'escalier. Un petit enfant noir surgit sur un tricycle, s'arrêta pour le regarder. « Bonjour », dit Servaz sans obtenir de réponse. L'enfant traversa le vestibule en pédalant et disparut. Au bout de cinq minutes d'attente, il entendit des pas dans l'escalier. Il leva les yeux. L'homme qui apparut mesurait plus d'un mètre quatre-vingt-dix, il était incroyablement maigre. Ce qui frappa Servaz avant tout, ce fut ce visage creusé, ridé, mais où brûlait la flamme d'une jeunesse toujours présente. Elle était dans les immenses yeux clairs, d'une pureté fiévreuse, enfoncés dans les orbites, dans le sourire entouré de rides. Un nez en forme de bec, une beauté teintée de mélancolie...

— Vous voulez jeter un œil ?

Une étincelle amusée dans le regard. Le bonhomme était fier de ce qu'il faisait ici. Et Servaz ressentit un élan de sympathie spontanée pour ce grand gaillard sûr d'avoir choisi le bon combat.

Quelqu'un qui n'était ni résigné, ni cynique, ni apathique.

— D'accord, dit-il.

Une heure plus tard, ils avaient fait le tour des ateliers – dont un où on réparait des vélos et un autre de sérigraphie. Servaz s'était attendu à rencontrer des familles africaines sans papiers, mais il avait aussi trouvé des Géorgiens, des Irakiens, des travailleurs pauvres, des chômeurs, des étudiants et un couple d'élégants jeunes Sri-Lankais parlant un anglais fluide – ainsi que des enfants bien habillés de chauds vêtements d'hiver, prêts à partir pour l'école.

— Voilà, tout ce que vous venez de voir peut s'arrêter d'un jour à l'autre, dit finalement le directeur du centre en se laissant tomber dans un vieux fauteuil au cuir défoncé, près d'une fenêtre donnant sur la cour.

Servaz prit place dans le fauteuil restant. Il savait qu'il n'y avait pas de trêve hivernale pour les expulsions d'occupations illégales.

— Alors, comme ça, vous êtes venu pour Célia ?

Le grand bonhomme à l'air adolescent le jaugeait sans hostilité particulière, mais avec une fixité qui mettait Servaz mal à l'aise. Une acuité extraordinaire.

— Oui.

— Qu'est-ce que vous voulez savoir ? Je croyais que cette histoire était classée ?

— Elle l'est.

Le type lui décocha un regard chargé d'incompréhension.

— Je cherche à comprendre dans quelles circonstances Célia Jablonka en est venue à vouloir attenter à ses jours.

— Pourquoi ? Depuis quand la police se pose ce genre de questions ?

Pas si bête.

— Disons qu'il y a des zones d'ombre...

Il n'allait certainement pas expliquer à cet inconnu qu'il s'intéressait à cette histoire uniquement parce qu'il avait reçu une clé électronique par la poste – et parce qu'il n'avait rien d'autre à faire.

— Qu'entendez-vous par *zones d'ombre* ?

— Parlez-moi d'elle, dit-il pour couper court aux questions. Est-ce qu'elle avait changé les derniers temps ?

Les yeux gris le sondèrent une nouvelle fois, puis le grand échalas rassembla ses souvenirs.

— Maintenant que vous en parlez... (Il sortit de la poche de son pantalon une boîte de cigarillos et en coinça un entre ses lèvres.) Vous en voulez ? Non ? Vous avez bien raison. Moi, j'adore ces cochonneries...

Il gratta une allumette, inclina le cigarillo et approcha la flamme sans le toucher. Puis ses longs doigts noueux firent tourner le cigarillo sur lui-même pour répartir la combustion ; il tira quelques bouffées, s'assura qu'il brûlait correctement et le replaça entre ses lèvres.

— Mmm...

Il ouvrit la fenêtre et un courant d'air glacial ainsi que quelques flocons s'engouffrèrent dans la pièce. Servaz frissonna. Son vis-à-vis ne semblait guère incommodé par la chute de la température. Servaz l'était à la fois par le froid et par l'odeur.

— Célia, les derniers temps, avait perdu la tête.

Son vis-à-vis rejeta la fumée du cigarillo sans l'avaler et sans cesser de fixer le policier en face de lui.

Servaz oublia le froid.

— *Elle était devenue folle*, précisa le géant en plongeant son regard dans le sien.

Ses yeux : deux bulles concentrées.

— Elle se croyait persécutée, elle avait un comportement de plus en plus paranoïaque. Elle était persuadée que quelqu'un la suivait, qu'on l'espionnait, qu'on lui en voulait. Même ici, elle avait commencé à se méfier des gens. Moi compris, ajouta-t-il avec une véritable tristesse dans la voix. Au début, je n'ai pas trop prêté attention à ces troubles du comportement. J'avais bien remarqué qu'elle était parfois étrange, nerveuse, inquiète – mais je mettais ça sur le compte de l'angoisse que lui causait sa nouvelle expo. Elle voulait tellement que ce soit un succès. Mais plus les semaines passaient, plus les symptômes s'aggravaient. Elle se montrait de plus en plus hostile, méfiante ; elle mettait en doute ma loyauté et m'accusait de comploter contre elle, la moindre chose sortant de l'ordinaire la faisait totalement flipper. Comme si le monde entier en avait après elle.

Servaz était à présent suspendu aux lèvres du bonhomme. Il avait oublié le froid, mais un autre genre de frisson courut dans son dos.

— Un jour, il y a eu un incident. Elle avait passé l'après-midi ici dans un atelier de dessin et de peinture avec les enfants, elle avait pris des photos. Elle paraissait satisfaite du résultat et détendue quand, tout à coup, elle a aperçu une silhouette à l'entrée de la cour. Sous la porte cochère. Un type armé d'un appareil photo, lui aussi. Son comportement a alors changé du tout au tout. Elle s'est mise à tenir des propos sans suite, elle était au bord des larmes. Comme le type avait l'air de prendre la cour en photo à son tour, elle a appelé deux bénévoles à la rescousse et ils l'ont traversée en direction du visiteur. Quand ils ont été assez près, elle s'est littéralement jetée sur lui, elle l'a insulté, frappé et a essayé de lui arracher son appareil.

De la musique descendit des étages, un pizzicato de violon tzigane.

— Il s'est avéré que c'était un journaliste local qui faisait un reportage sur notre maison-refuge. On a eu le plus grand mal à réparer les pots cassés après ça... C'est déjà assez compliqué de faire en sorte que les médias parlent de ce que nous faisons vraiment ici, avec ces familles – alors je lui ai demandé de partir, et de ne plus remettre les pieds ici. Avec le recul, bien sûr, j'ai souvent regretté ce geste – et de ne pas avoir noué le dialogue.

— Et vous savez de quoi elle avait peur ? demanda Servaz.

De nouveau, les deux billes de plomb braquées sur lui. Un klaxon dans la rue.

— Pas de quoi, de *qui*. Peu de temps avant son suicide, elle prétendait que quelqu'un lui voulait du mal, quelqu'un qui voulait détruire sa vie...

Son vis-à-vis resta un moment silencieux.

— Monsieur... comment vous m'avez dit que vous vous appeliez, déjà ? Servaz. Monsieur Servaz, je voudrais vous poser à mon tour une question.

Servaz vit un éclat nouveau dans les yeux gris.

— Allez-y, dit-il.

Les yeux de l'homme s'étrécirent.

— Comment se fait-il que vous veniez un an après me poser des questions sur Célia ? Vous avez rouvert le dossier ? Parce que je trouve votre démarche un peu… *étrange*, pour tout dire.

Il secoua la cendre de son cigarillo par la fenêtre ouverte.

— J'ai comme le sentiment que cette démarche est comme qui dirait un chouïa non officielle, je me trompe ?

— Non.

— Alors, en quoi le cas de Célia Jablonka vous concerne-t-il ? Vous la connaissiez ?

— Pas du tout.

— Vous étiez ami de ses amis ? De sa famille ? *Qui* vous a demandé de venir ici, monsieur Servaz ?

— Désolé, mais je ne peux pas répondre à cette question.

— Vous appartenez à quel service, déjà ? Je ne me souviens pas de vous avoir vu parmi les enquêteurs, l'an dernier.

— Direction des affaires criminelles.

L'homme fronça les sourcils.

— Vous comprendrez ma perplexité : depuis quand la brigade criminelle s'intéresse-t-elle à des suicides ? Sauf si, bien entendu, ce suicide n'en est pas vraiment un…

— Célia Jablonka s'est bien suicidée. Il n'y a pas le moindre doute là-dessus.

Un nuage de fumée monta de la bouche vers le plafond.

— D'accord, d'accord. Admettons… C'est une histoire bien étrange alors, commenta le grand homme maigre. Et vous ne m'avez pas l'air très en forme vous-même, si vous me permettez.

167

Le soir tombait déjà, glacial et sombre, quand Servaz retourna au centre. Il était à peine 17 heures. Fichu mois de décembre. Derrière les fenêtres, de la lumière brillait et le bâtiment dégageait une impression de chaleur et de sérénité – l'une et l'autre pourtant absentes de bon nombre de ses occupants.

Servaz coupa le contact et regarda sa main tremblante. L'autre l'avait rendu terriblement nerveux avec son cigarillo. Il descendit et le gravier crissa sous la neige tandis qu'il marchait vers l'entrée, où des échos de voix en provenance du grand salon l'accueillirent. Ici aussi, il y avait des ateliers : atelier théâtre, atelier belotte, atelier cancans, atelier jérémiades, atelier souvenirs…

Il grimpa deux par deux les marches jusqu'à sa chambre sous les toits. La petite pièce était saturée d'ombre et froide, et il alluma la lampe sur le bureau plutôt que le plafonnier qui ne dispensait qu'une clarté chiche infiniment triste.

Il alluma ensuite l'ordinateur, cliqua sur l'icône représentant le portrait de Gustav Mahler dans un coin de l'écran. Aussitôt, les notes s'élevèrent – fluides, pures, limpides –, retombant dans le silence comme des gouttes d'eau glacées. La paix qui s'en dégageait était contagieuse. Un lied. *Ich Ging Mit Lust.* Interprété au piano par Mahler lui-même. La musique avait été enregistrée sur rouleau aux alentours de 1890 ; bien plus tard, la machine lisant les rouleaux avait été couplée avec un Steinway et, plus récemment encore, les notes avaient été numérisées. Aussi fragiles et éphémères que des papillons au moment où les doigts du grand homme les avaient libérées de l'instrument, elles avaient pourtant traversé les âges pour parvenir jusqu'à lui.

La technologie pouvait être miraculeuse parfois,

songea-t-il, même si elle était souvent diabolique. Au fond, elle était parfaitement agnostique. Il regarda l'heure. 17 h 16. Sortit son téléphone.

— Salut, Martin, répondit la voix au bout du fil.

Desgranges, un flic de la Sécurité publique avec qui il avait fait équipe autrefois, avant d'atterrir à la Crim. Desgranges était un policier carré et méthodique, doté d'un flair digne d'un chien de Saint-Hubert. C'était aussi quelqu'un de discret, en qui Servaz avait toute confiance.

— Ça fait un bail, dit-il dans le téléphone.

Il était forcément au courant de ce qui était arrivé à Servaz. L'histoire de la boîte expédiée de Pologne avait fait le tour des services. Mais il avait trop de tact pour en faire directement état.

— Je suis en congé maladie, répondit Servaz.

Pas de commentaire au bout du fil. Par pure politesse, Servaz prit des nouvelles de ses filles. Desgranges en avait deux, plus belles l'une que l'autre. Poussées si vite qu'elles pourraient bientôt lui manger la soupe sur le crâne, elles faisaient l'admiration de tous ceux qui les croisaient.

— Tu ne m'appelles pas rien que pour me parler de mes filles, pas vrai, Martin ? dit Desgranges quand ils en eurent terminé.

Servaz se lança.

— Célia Jablonka, ça te dit quelque chose ?

— La fille qui s'est égorgée à l'hôtel Thomas Wilson ? Bien sûr.

— J'aimerais jeter un coup d'œil au dossier...

— Pourquoi ?

Direct et sans détour. Servaz savait que son ancien collègue attendait une réponse qui le fût tout autant. Il choisit de dire la vérité.

— Quelqu'un m'a envoyé une clé correspondant à la chambre où elle s'est tuée.

Un silence au bout du fil.

— Et tu as une idée de qui ça peut être ?

— Pas la moindre.

Nouveau silence.

— Une clé, tu dis ?

— Oui.

— Tu en as parlé à la hiérarchie ?

— Non.

— Putain, Martin ! Tu ne peux pas garder ça pour toi ! Tu ne comptes quand même pas refaire l'enquête à cause de ça ?

— Je veux juste éclaircir certains points. Si ça le mérite, je ferai remonter l'info à Vincent et à Samira. En attendant, j'ai juste besoin de vérifier quelques faits.

— Lesquels ?

— Quoi ?

— Quels faits ?

Servaz hésita.

— En fait, je veux surtout retrouver celui ou celle qui m'a envoyé cette clé. Et je me dis que la réponse est peut-être dans le dossier.

Desgranges ne dit rien et Servaz comprit qu'il était en train de réfléchir.

— Hmm. Logique. Jusqu'à un certain point... Et tu ne t'es pas posé l'autre question ?

— Quelle question ?

— Pourquoi toi ? Je veux dire : tu n'étais pas sur cette enquête... Ce n'est pas le genre d'affaires habituellement de ton ressort et cette... cette personne savait très exactement où te trouver, apparemment, non ? La dépression

170

d'un flic, ce n'est pas le genre d'info qu'on trouve dans les journaux. Tu ne trouves pas ça… *bizarre* ?

Desgranges était donc au courant pour sa dépression. Comme, très vraisemblablement, la quasi-totalité de la police toulousaine… Il savait que c'était cela qui lui rendrait le retour difficile : le regard des autres. Bien sûr que c'était bizarre.

— C'est précisément pourquoi je veux voir le dossier, dit-il. La personne qui m'a envoyé ce truc semble en savoir autant sur moi que sur cette affaire.

— En même temps, tu as fait la une de la presse plus d'une fois ces dernières années, entre l'affaire de Saint-Martin et celle de Marsac[1]. Si j'étais un habitant de cette ville à la recherche d'un flic compétent, il est probable que tu serais l'un des premiers noms sur ma liste. Je vais voir ce que je peux faire… Tu n'as qu'à passer demain. On ira déjeuner. Et on évoquera le bon vieux temps… Tu te souviens ? Quand tu as débarqué, jeune lieutenant, avec toutes tes affaires dans ta bagnole ? Tu as garé ta tire dans un parking pour aller manger un morceau et, quand tu es revenu, on te l'avait vidée ! On t'avait tout fauché, même tes slips ! Ta première affectation et la première chose que tu as faite en débarquant, c'est de porter plainte !

Un sourire mince comme une ride se dessina sur le visage de Servaz.

1. Voir *Glacé*, Éditions XO, 2011 (Pocket n° 14900), et *Le Cercle*, Éditions XO, 2012 (Pocket n° 15696).

Il était presque 18 heures quand Christine pianota sur le digicode de son immeuble, repoussa la lourde porte vitrée et s'empressa d'allumer la lumière du hall plein d'ombres. Ses talons résonnèrent sur le sol carrelé quand elle s'approcha des rangées de boîtes aux lettres.

Comme la veille, elle retint son souffle en ouvrant la sienne. *Vide,* constata-t-elle, soulagée. Elle la referma. Se dirigea vers l'ascenseur. La cabine minuscule descendit jusqu'à elle en grinçant et en bringuebalant dans sa cage grillagée, les câbles se déployant sous le plancher comme des serpents suspendus à des branches. Elle tira sur la grille d'un coup sec, pénétra dans l'espace exigu et appuya sur le bouton du troisième. La cabine repartit. Elle regarda défiler les tranches d'ombre qui découpaient la cage d'escalier enroulée autour du puits de l'ascenseur – un maillage clair-obscur qui, pendant une seconde, lui évoqua les entrailles d'une prison. Son cœur, déjà oppressé, se mit à battre plus vite. Pourtant, la journée avait été calme. Enfin. Depuis la veille, depuis l'incident avec Denise, la vie semblait avoir repris un cours normal. Elle avait envie de croire que le type avait obtenu ce qu'il voulait – il l'avait terrorisée – et que c'était tout ce qu'il cherchait. Bien sûr, elle savait qu'elle se racontait des histoires, qu'il connaissait des choses sur elle qu'un inconnu ne pouvait pas savoir, que son raisonnement relevait de la pensée magique, mais elle n'aspirait qu'à une chose : que cela s'arrête. Et – très égoïstement – que son harceleur s'en prenne à quelqu'un d'autre.

La cabine s'immobilisa après un ultime soubresaut et elle repoussa la grille. En émergeant sur le palier, elle prêta l'oreille. Rien, sinon un vague morceau de musique classique qui montait des entrailles de l'immeuble. Elle fouilla dans son sac à main à la recherche de ses nouvelles clés, celles que lui avait remises le jeune serrurier. Puis elle s'avança jusqu'à sa porte.

S'immobilisa, la main sur la serrure.

De l'opéra...

Cela provenait de chez elle...

La voix montait à travers sa porte. L'espace d'un instant, elle faillit faire demi-tour. Elle introduisit la nouvelle clé, déverrouilla le battant et se planta sur le seuil : la musique montait du séjour, de *sa* chaîne stéréo... La voix de la femme vibrait, forte, dans l'appartement, accompagnée de violons. *Soprano...*

Elle alluma, s'avança d'un pas hésitant, laissant la porte d'entrée ouverte. Prête à battre en retraite. Le séjour était vide, mais elle le vit tout de suite. Sur la table basse : un CD. Il n'y était pas ce matin, elle en était sûre. Elle l'aurait rangé avant de partir. Et puis, elle détestait l'opéra. Il n'y en avait pas un seul dans sa discothèque.

Elle respira lentement. Fit un pas, s'arrêta. *Tosca*, Puccini. Elle pensa au CD reçu à la radio. Ce n'était donc pas une erreur...

Cela faisait partie du plan.

Le cauchemar – de nouveau...

Sa première pensée, en se ruant vers le coin-cuisine, fut qu'il était encore dans l'appartement ; l'accélération brutale de son rythme cardiaque la rendit presque malade. Elle ouvrit le tiroir du haut à la volée et s'empara du couteau le plus grand qu'elle trouva, en produisant un grand tintamarre parmi les couverts.

— Montre-toi, connard, s'écria-t-elle. Vas-y ! Montre-toi !

Elle avait hurlé à la fois pour se donner du courage et pour effrayer un éventuel visiteur. Mais seule la soprano lui répondit. Sa voix grimpait dans les aigus, elle se précipita vers la chaîne pour lui couper le sifflet. Le silence revenu, elle se rendit compte à quel point c'était le ramdam dans sa poitrine, à croire qu'un orchestre de percussions y avait élu domicile. Elle passa d'une pièce à l'autre, la lame tenue devant elle, tremblante comme une baguette de sourcier au bout de son bras.

La pénombre des jours d'hiver noyait les pièces, à peine combattue par la clarté de la neige à l'extérieur, et, chaque fois qu'elle actionnait un interrupteur, elle se figeait en s'attendant à voir une silhouette jaillir et se jeter sur elle.

Qui es-tu, putain ? Qui es-tu ?

D'où est-ce que tu sors pour me pourrir la vie comme ça ?

Et d'où tu sais tous ces trucs sur moi ?

Il semblait parfaitement la connaître. Plus inquiétant encore, il était parvenu à entrer chez elle malgré les nouvelles serrures. Elle repensa au jeune serrurier. Était-il dans le coup ?

Tu deviens parano, ma vieille !

Puis elle se souvint qu'elle était partie retrouver Denise et qu'elle avait dit au jeune homme de laisser les nouvelles clés dans la boîte aux lettres quand il aurait fini. Quelle imbécile ! Elle retourna à la porte, considéra le verrou intérieur et le tira – ce qu'elle n'avait évidemment pas pu faire en partant. Elle se remémora le baratin du jeune serrurier : « Vous pouvez mettre toutes les serrures que vous voulez : avec du temps, un bon cambrioleur en viendra toujours à bout. La seule solution, c'est un *verrou*. Quand vous êtes à l'intérieur, ça va sans dire... »

Elle finit par ouvrir d'un coup de pied la porte des W-C. Un ultime tressaillement de dégoût et d'horreur quand elle vit que quelqu'un avait uriné dans la cuvette sans tirer la chasse d'eau – ce qu'elle n'oubliait jamais de faire : un mégot solitaire et provocateur flottait encore au milieu de la flaque jaune. Elle tira furieusement sur la chaîne. Se pencha tandis que la cataracte grondait en dessous d'elle. Hoqueta et hoqueta encore. Mais, pas plus que dans les toilettes de la radio, elle ne parvint à vomir.

Elle se redressa, le visage mouillé de sueur.

Vide. L'appartement était vide…

Puis une pensée la frappa comme un coup de poing à l'estomac : *Iggy… Il n'était plus là…*

— IGGY ? IGGY ! Iggy ! S'il te plaît, réponds ! IGG-GYYYYYY !!!

Le silence encore vibrant de son cri lui renvoya comme une balle de squash l'écho de sa propre peur. Elle continua d'ouvrir à la volée portes de placard et tiroirs, les jetant à terre, comme si son tourmenteur avait pu coincer Iggy dans l'un d'entre eux !

Espèce de salopard de merde, je vais te tuer si tu as fait du mal à mon chien.

Les vannes s'ouvrirent et elle goûta le sel de ses larmes sur ses lèvres.

— Saloperie, gémit-elle. Va te faire foutre. Si tu as touché à mon chien, je vais te crever, ordure…

Elle donna un coup de poing dans une porte. Tourna sur elle-même. Désorientée. Elle avait tout fouillé. Elle avait même ouvert les boîtes à chaussures au fond de la penderie. Regardé sous l'évier. Ouvert la poubelle à emballages. Elle avait regardé partout. Ou *presque*

175

partout… *Le frigo*. Elle contempla pensivement le grand réfrigérateur/congélateur métallisé dont les chiffres bleus affichaient la température sur la porte. 2 °C/ – 20 °C.

Oh non, non, non, tout mais pas ça… Mon Dieu, je te promets de sortir Iggy tous les soirs à l'avenir, de plus jamais le laisser faire ses besoins dans sa caisse. Mais, s'il te plaît, pas ça… Pas le frigo, s'il te plaît ! Elle prit une profonde inspiration. Contourna le comptoir de la cuisine américaine, s'arma de courage et tendit la main en direction de la poignée. Lorsqu'elle tira sur la porte, les aimants lui opposèrent une brève résistance. Elle ferma les yeux.

Les rouvrit.

Ses poumons s'emplirent d'air et de soulagement. Rien d'autre que des packs de yaourts, des desserts aux fruits sans sucre ajouté, deux bouteilles de lait demi-écrémé, du beurre allégé, des fromages de chez Xavier, une bouteille de vin blanc et une autre de Coca Zéro, du risotto aux cèpes acheté à l'épicerie italienne, des plats pour micro-ondes – et puis tomates, radis, pommes, mangues, kiwis dans le bac à légumes.

Son regard glissa en dessous : la porte du congélateur. Elle la tira doucement…

Les tiroirs étaient pleins de victuailles, celles qu'elle s'était fait livrer récemment par un supermarché en ligne.

Rien d'autre.

Iggy avait disparu. Elle devait se rendre à l'évidence. *Son chien n'était plus dans cet appartement.* Christine fonça vers la porte d'entrée, l'ouvrit, appela Iggy à plusieurs reprises, mais seul le son lointain et indifférent d'une télé lui répondit. Elle claqua la porte. Revint dans le séjour. Son regard tomba sur la litière pleine de papier journal intact. Quelque chose en elle se rompit, comme un ressort qui lâche, et elle se laissa glisser sans force contre le mur, jusqu'à s'asseoir par terre.

Son visage se déforma et elle ne parvint pas à retenir les larmes qui débordèrent comme elles ne l'avaient plus fait depuis ce jour où elle était rentrée du collège de La Teste, peu après les vacances de Pâques. Christine avait treize ans, ils habitaient alors au bord de la mer, la maison près des dunes, et son père montait encore à Paris trois fois par semaine pour enregistrer sa dernière émission digne de ce nom (après quoi, il ne donnerait plus que des conférences dans des facultés enseignant les métiers de l'audiovisuel). La maison se dressait au milieu des pins – un royaume fragile de sable et de vent, où les dunes gagnaient sans arrêt sur la forêt et les jardins, où la forêt gagnait sur les pistes cyclables bosselées, où l'océan remodelait la plage et les bancs de sable et où rien ne paraissait permanent mais tout, au contraire, éphémère, changeant, provisoire. Le tonnerre grondait au-dessus de la mer, cet après-midi-là, l'orage menaçait, et elle s'était dépêchée de rentrer sur son vélo en pédalant comme une dératée parce qu'on lui avait appris à ne pas rester sous les arbres pendant l'orage, mais aussi parce qu'elle avait eu la meilleure note en dissertation. Aussi n'avait-elle pas compris pourquoi son père et sa mère, qui l'attendaient dans la cuisine, avaient l'air si tristes, pourquoi son père la serrait si fort contre lui qu'il l'étouffait presque, pourquoi sa mère avait ce visage dévasté, méconnaissable, un visage que, bien des années plus tard, dans sa mémoire, elle associerait à un de ces masques du théâtre Nô. Jusqu'à ce que son père lui annonce, en retenant ses larmes, qu'un terrible accident était arrivé à Madeleine. Elle avait surpris une étrange lueur de folie dans son regard et elle avait instinctivement compris qu'elle ne reverrait jamais sa sœur. Elle avait eu l'impression qu'elle ne se remettrait jamais d'un tel chagrin. Un chagrin à vous briser en deux, un chagrin à vous donner envie de mourir.

Ou cette fois où...

Mais non, elle ne voulait pas penser à ça maintenant...

Elle pleura. Le menton sur la poitrine, les bras autour des genoux, elle pleura.

Son esprit battait la campagne. Quarante minutes après avoir avalé une double ration de somnifère, celui-ci commençait à faire effet : les molécules se répandaient dans son sang, voyageaient vers son cerveau et elle sentait ses paupières s'alourdir, sa tête dodeliner et l'angoisse lâcher lentement prise. Peut-être aussi parce qu'elle était à bout de nerfs, épuisée – que le chagrin et la terreur avaient récuré son esprit de fond en comble et qu'il n'y restait plus que stupeur et apathie.

Dans la grisaille chimique séparant la veille du sommeil, d'étranges images surnageaient comme des poissons multicolores. Tout un tas de pensées miroitantes et de visions vaguement hallucinogènes, psychédéliques, venaient caresser les rivages de son esprit. À un moment donné, alors qu'elle avait perdu toute notion du temps et de l'espace, elle vit même Iggy devant elle, lui léchant le visage, son tendre regard posé sur elle, son museau si proche qu'il envahissait tout son champ de vision, aussi gros que celui d'une vache… Avant d'en être définitivement incapable, elle appuya une dernière fois sur la touche du téléphone.

Celle qui correspondait à Gérald…

Le répondeur, encore.

Un court instant, la frayeur dissipa l'effet du somnifère. Pourquoi ne répondait-il pas ? *Parce qu'il est avec Denise*, répondit la méchante petite voix en elle, de plus en plus lointaine cependant à mesure que l'hypnose chimique exerçait sur ses neurones son massage apaisant. *Parce qu'il est en train de baiser cette salope. Et que, par conséquent, il ne peut pas te répondre, ma chérie…* Un nœud dans son ventre. Mais le Stilnox n'avait pas dit son dernier mot – et elle sentit le nœud se défaire irrésistiblement sous les doigts cotonneux du sommeil.

La police.

Elle devait prévenir la police. Elle était en danger. Mais pour leur dire quoi ? Que son chien avait disparu ? Après l'incident de la lettre, elle savait ce qu'ils penseraient. *Que tu es folle… bonne à enfermer…* Un dernier sanglot qui ressembla à un spasme… Une immense paix descendait sur elle. Une putain de paix pharmaceutique – mais une paix quand même…

Une ultime pensée.

Est-ce qu'elle avait verrouillé sa porte ? Elle fronça les sourcils, la tête de plus en plus lourde. Oui. Oui – elle l'avait sûrement fait… Elle croyait même se souvenir qu'elle avait poussé un meuble devant. L'avait-elle vraiment fait ou avait-elle seulement eu l'intention de le faire ? Elle n'en était plus très sûre. L'indifférence la gagnait. Elle reposa le téléphone sur la table de nuit. Bâilla. Posa la nuque sur l'oreiller.

Fermer les yeux.

Enfin.

12

Leçon de ténèbres

Du fond de la nuit et du sommeil montent des voix que nous aimerions ne jamais percevoir. Elles sont comme des rappels des peurs de l'enfance – quand, une fois la lumière éteinte et la porte refermée, chaque objet dans la chambre, chaque forme pouvait se changer en monstre ; quand, du fond de notre lit – ce canot de sauvetage sur les flots inquiétants de la nuit –, nous étions affreusement conscients de notre vulnérabilité et de notre petitesse. Ces voix nous rappellent que la mort fait partie de la vie, et que le néant n'est jamais très loin. Que tous les murs que nous élevons autour de nous ne sont guère plus solides que la maison de paille et la maison de bois dans le conte des *Trois Petits Cochons*.

Cette nuit-là, Christine fit des cauchemars dans lesquels elle entendit les voix. Elle se tourna et se retourna dans les draps moites de sueur nocturne, gémit et supplia dans son sommeil. Puis elle ouvrit grands les yeux. D'un coup. *Quelque chose l'avait réveillée.* Elle regarda le plafond, où flottait la lueur de la veilleuse et où son radioréveil projetait des chiffres lumineux.

3 : 05. L'air était frais dans la chambre, elle le sentait comme une main froide sur son visage.

Qu'est-ce qui l'avait arrachée au sommeil ?

Un bruit. Elle avait cru entendre un bruit traverser comme une aiguille les différentes couches de son esprit endormi. Étendue, parfaitement immobile, les yeux au plafond, elle tendit l'oreille, tous les sens en alerte. Mais l'immeuble demeurait silencieux. Est-ce qu'elle avait rêvé ? Puis elle se souvint d'Iggy et elle fut de nouveau bouleversée, les larmes rejaillirent. *Iggy... Oh, mon Dieu, où es-tu, mon chien ?* Elle les laissa mouiller l'oreiller puis son cœur sauta dans sa poitrine. Elle venait de l'entendre une nouvelle fois : le son qui l'avait tirée du sommeil. Et elle savait ce que c'était... *Un jappement !* Christine repoussa la couette. Elle se concentra de toutes ses forces et, de nouveau, elle le perçut – lointain mais distinct, indiscutable. Un petit aboiement clair et suppliant. Pas de doute : c'était lui. *Iggy !* Elle bondit hors du lit.

— Iggy ! cria-t-elle. Iggy, je suis là !

Elle courut de la chambre vers le séjour, d'où semblait provenir le bruit, alluma toutes les lumières.

— Iggy ! Où es-tu ?

Elle tourna sur elle-même, telle une toupie, tentant de repérer la provenance des aboiements, mais ils s'étaient tus.

— Iggyyyy !

Merde, c'était à devenir dingue !

Elle savait qu'elle n'avait pas rêvé ; d'ailleurs, le voilà qui jappait de nouveau. Le son était étouffé, lointain – mais bien réel. On eût dit qu'il passait à travers les murs. Oui, c'était ça. Elle tenta de s'orienter. *La cuisine...* Iggy continuait de l'appeler. *Oui, ça venait de par là...* Elle se glissa derrière le comptoir, cela provenait de... *de derrière le mur !* Sa voisine : Iggy l'appelait de chez sa voisine ! Sa voisine qui détestait les animaux… Christine se sentit prise de panique à cette idée.

— Iggy ! lança-t-elle, le visage tout contre le mur, les lèvres à quelques centimètres. Je suis là ! Je suis là, mon beau !

Elle se rendit néanmoins compte à quel point la situation pouvait paraître absurde : il était plus de 3 heures du matin et Iggy aboyait dans l'appartement d'à côté. Sans que personne semblât s'en inquiéter à part elle. Ses occupants n'auraient-ils pas dû être réveillés depuis longtemps ? Une pensé fugitive traversa l'esprit de Christine : étaient-ils tout simplement partis en vacances ? Ou même… *morts ?* Cette idée la fit ricaner malgré elle. Il était 3 heures du mat et elle était en train de perdre les pédales ! Ça n'avait tout simplement pas de sens. Comment Iggy aurait-il pu passer de son appartement à celui de sa voisine ? Et pourtant… Elle colla derechef son oreille au mur et elle l'entendit très distinctement. Il n'y avait pas le moindre doute. C'était bien Iggy – là : derrière le mur. *Il fallait qu'elle le sorte de là... tout de suite !* Elle ne supporterait pas d'attendre jusqu'au lendemain. Elle savait qu'elle allait causer un scandale, mais il n'était pas question de laisser Iggy chez sa voisine une minute de plus. *Qui savait de quoi cette vieille bique était capable ?* Elle retourna dans la chambre, enfila un pull et un jean et se dirigea vers l'entrée, pieds nus. Une fois sur le palier, elle eut quand même un instant de doute : les jappements venaient de cesser.

Elle s'avança jusqu'à la porte de ses voisins, respira

un bon coup et pressa résolument la sonnette. Une fois. Deux fois. Son pouce écrasait le bouton pour la troisième fois, et elle percevait l'écho grêle de la sonnerie dans l'appartement silencieux, quand des bruits montèrent à l'intérieur. Un échange de voix furtives. Des pas qui se rapprochaient en catimini de la porte. Puis le silence : quelqu'un l'observait par le judas.

— C'est votre voisine ! lança-t-elle, le visage tout contre le battant.

Une chaîne de sécurité qu'on retire, le claquement du pêne dans la serrure, le battant qui s'écarte de quelques centimètres – et une tranche de visage dans l'entrebâillement, ensommeillée et inquiète, encadrée d'une ronce de cheveux gris.

— Christine ? C'est vous ? Qu'est-ce qui se passe ?

Putain, ça c'est une bonne question, se dit-elle : *qu'est-ce qui se passe ? Tu peux peut-être me le dire ?*

— Je... je suis désolée de vous réveiller à une heure pareille. (Elle se rendit compte à quel point sa bouche était pâteuse, son élocution rendue approximative par le somnifère et ce qu'elle allait dire – fou, saugrenu, aberrant.) Mais, eh bien... *mon chien est chez vous...*

— Quoi ?

La porte s'ouvrit en grand. Elle lut la stupeur et l'incompréhension dans les yeux de sa voisine.

— Iggy... Il n'est plus dans l'appartement... Je l'entends appeler au secours. Ça vient de chez vous, j'en suis sûre...

Les yeux de Michèle s'étrécirent dangereusement.

— Christine, vous divaguez... Vous n'êtes pas dans votre état normal... je me trompe ? Vous avez *bu* ? Vous vous... *droguez* ?

— Mais non ! Je… j'ai pris un somnifère, c'est tout… Iggy est chez vous, je l'entends.

— Allons, ma chère, c'est absurde !

La vieille était de plus en plus réveillée et de moins en moins inquiète ; elle avait retrouvé son mordant diurne.

— Je l'ai entendu, je vous dis.

— Et moi je vous dis qu'il n'y est pas. Rentrez chez vous.

— ÉCOUTEZ !

Elle avait mis un doigt sur sa bouche. *Iggy jappait de nouveau.*

— Cela vient de chez vous ! Je ne sais pas comment il a fait… Il a dû… il a dû entrer à votre insu !

— Il n'y a pas de chien ici, c'est ridicule !

— Laissez-moi entrer…

Elle repoussa le battant et la petite bonne femme par la même occasion

— … je suis sûre qu'il est ici.

Avant que sa voisine ait eu le temps de réagir, elle était à l'intérieur, se dirigeant vers la provenance du bruit.

— ARRÊTEZ ! jappa la petite bonne femme derrière elle. Vous n'avez pas le droit d'entrer chez les gens comme ça !

— Je veux juste récupérer mon chien !

— Qu'est-ce qui se passe ici ? demanda le mari de Michèle, un homme rondouillard au crâne dégarni, en clignant des yeux comme un chat-huant.

Dérangée par le sommeil, la mèche de cheveux blancs qui masquait d'ordinaire sa calvitie flottait comme une algue au-dessus de son crâne. Sa veste de pyjama était ouverte. Il avait une tache lie-de-vin qui évoquait la carte d'un continent juste en dessous du nombril.

— Elle est totalement dingue ! glapit Michèle dans le dos de Christine. Elle prétend que son chien est ici. Charles, soit tu la mets dehors, soit j'appelle la police !

Les jappements... elle les entendait de nouveau.

— Écoutez ! Vous n'entendez donc pas ?

Tout le monde fit silence.

— Ça vient de chez vous, dit le petit homme d'un ton sévère. Il est chez vous, ce maudit clébard : vous êtes complètement folle, ma petite !

— Non, il est ici !

Elle fonça dans la direction du bruit, les jambes en coton.

La chambre conjugale. Le lit défait. Les pantoufles sur la descente de lit, les meubles vieillots et les vêtements jetés en vrac sur des chaises. Il flottait une odeur de vieilles personnes. Le mobilier, comme tout le reste de l'appartement, évoquait un musée des années 1960, quand il n'y avait que deux chaînes de télévision et un téléphone par maison et que les enfants mettaient du Banania dans leur lait au petit déjeuner.

— Je vais appeler la police ! s'écria Michèle. FOUTEZ-MOI LE CAMP D'ICI !

Christine se fit la réflexion que c'était quand même un comble d'entendre Michèle parler d'appeler la police, elle qui passait le reste du temps à cracher sur les forces de l'ordre et sur tout ce qui incarnait l'État. L'abattement la tenaillait de nouveau, balayant l'espoir : *Iggy n'était nulle part.*

— Vous voyez bien, dit sa voisine quand elle eut fait le tour de la pièce.

Elle hocha la tête – elle se sentait perdue, nauséeuse.

— Rentrez chez vous, dit Michèle sans animosité, d'une voix presque compatissante – et cette compassion l'horrifia encore plus que tout le reste.

La tête lui tournait. Elle avait l'impression qu'elle allait perdre connaissance.

Elle battit en retraite vers l'entrée, en apnée. Les jappements avaient cessé. Elle devenait folle... Elle franchit le seuil, voulut s'excuser mais n'en trouva pas la force. Elle tourna les talons.

— Allez voir un psychiatre, dit Michèle doucement. Il faut vous faire soigner. Vous voulez que j'appelle un médecin ?

Elle fit signe que non. La porte se referma derrière elle. Elle entendit le verrou claquer, s'appuya des deux mains à la rampe, dans le noir, la poitrine oppressée. Son cœur battait si vite qu'elle avait l'impression d'être sur le point de faire une crise cardiaque. Le front appuyé contre le grillage de l'ascenseur, elle fondit en larmes. Elle devenait folle... La porte de son appartement était restée ouverte et une tranche de lumière s'étirait depuis le vestibule sur le palier. Elle se traîna à l'intérieur, guidée par la lumière, tira à son tour le verrou.

Silence.

Ici aussi, les jappements s'étaient tus.

Christine marcha jusqu'au séjour, se laissa choir dans le canapé. Une force invisible, invincible était en train de la broyer. À quel moment l'avait-elle déclenchée ? Pourquoi ? *Qui lui en voulait à ce point ?*

Comme une marée, la rage et la détermination qu'elle avait éprouvées en découvrant qu'on s'en était pris à Iggy s'étaient retirées, ne laissant sur le rivage qu'une laisse de désespoir. Elle se sentait vidée, terrifiée et perdue. Elle savait qu'elle ne trouverait plus le sommeil. Malgré son immense fatigue. Elle n'avait qu'une envie : se blottir dans un coin et attendre le matin, tel un animal blessé dans sa tanière.

Elle se roula en boule sur le canapé, un coussin serré entre ses genoux repliés contre son ventre. Une seule lampe était allumée dans un coin et une étrange apathie la gagnait. Il était presque 4 heures du matin. Dans moins de trois heures, elle devrait se préparer pour la radio. À cet instant précis, elle se moquait éperdument de savoir si elle en serait capable.

Soudain, elle se redressa.

Un jappement…

Puis un autre.

Iggy…

Il était toujours là ! Quelque part. Vivant ! Et il l'appelait au secours. Elle se secoua. Cela provenait toujours du même endroit. *La cuisine…* Le mur mitoyen avec les voisins. Un instant, elle fut tentée d'y retourner. *Ou bien…* Elle se rua derrière le comptoir, dépassa le plan de travail, les éviers et tira d'un coup sec sur le volet métallique du vide-ordures. La voix d'Iggy jaillit : claire, aiguë, déchirante.

Portée par l'écho du conduit.

Iggy était en bas,
dans le local à poubelles,
au sous-sol…

Elle faillit éclater de rire, remercier le ciel. Pourquoi n'y avait-elle pas pensé plus tôt ? Vite, le sortir de là ! Comme il devait avoir peur, seul dans le noir, enfermé dans un endroit qu'il ne connaissait pas ! L'urgence lui fouettait les sangs. Mais ses pensées s'interrompirent, tranchées net par une voix discordante. Cette petite voix lui disait qu'il n'y était pas arrivé tout seul, dans ce local, qu'il n'avait pas ouvert le vide-ordures avec ses petites pattes avant de plonger dedans comme le joyeux inconscient qu'il était – et que descendre dans les caves à cette heure avec ce qui s'était déjà passé, c'était un peu comme longer d'un peu trop près la rive d'une rivière remplie de crocodiles. Elle n'était pas folle. Elle en avait la preuve. Si elle n'était pas folle, si elle acceptait ce postulat de départ, il en découlait la conclusion suivante : *elle était en danger*. Et, en bas, personne ne l'entendrait crier...

Est-ce que tu veux vraiment faire ça ?

Puis la petite voix pathétique d'Iggy jaillit de nouveau du conduit, l'appelant au secours – et elle sut qu'il n'était pas question de le laisser passer le reste de la nuit seul là en bas. Elle se pencha vers l'ouverture.

— Iggy, Iggy ! Tu m'entends ? C'est moi, mon chéri ! Ne bouge pas, j'arrive !

Sa voix amplifiée par l'écho. Le bâtard s'interrompit une seconde, puis se mit à aboyer de plus belle – des aboiements rauques qui rebondirent sur la paroi, suivis de gémissements plaintifs qui lui serrèrent le cœur.

Elle ouvrit le tiroir du haut. Choisit le couteau le plus long et le plus solide. Puis elle retourna dans l'entrée et ouvrit la boîte où se trouvaient suspendus les trousseaux de clés. Elle attrapa un anneau qui en comportait deux – dont l'une était celle du sous-sol et l'autre celle de rechange pour la boîte aux lettres. Enfila une paire de baskets fluo sortie du meuble à chaussures. Sa main trembla un peu quand elle déverrouilla sa porte pour la deuxième fois cette nuit-là. Les ténèbres sur le palier réveillèrent sa crainte du noir, qui se déploya dans son cerveau comme un nuage d'encre, ses pulsations soudain prises d'une dangereuse arythmie.

Tu n'y arriveras jamais, c'est au-dessus de tes forces.

Sa main trouva le minuteur et elle reprit très lentement son souffle.

Cinq minutes… Dans cinq minutes, tu seras de retour, ma grande… Bouge-toi. Sauf, évidemment, si quelqu'un t'attend en bas… Tu l'aimes à ce point, ton chien, dis-moi ?

Elle avait appuyé sur le bouton de l'ascenseur sans s'en rendre compte ; il était déjà là. Elle hésita une fraction de seconde, tira sur la grille et pénétra à l'intérieur. Le tintamarre de la cabine en train de descendre la rassura quelque peu mais, quand elle eut émergé au rez-de-chaussée et qu'elle se retrouva devant la porte basse du sous-sol, sous les marches, elle fut à un cheveu de renoncer. Elle se tenait au pied de la cage d'escalier, une partie commune séparée du hall proprement dit par une double porte vitrée en bois, et la clarté grisâtre dispensée par le globe de verre poussiéreux était si ténue qu'elle gommait tous les détails et donnait l'impression de contempler les lieux à travers des lunettes spéciales éclipse. Plusieurs habitants de l'immeuble s'en étaient ouverts au syndic au cours des réunions de copropriété : « Quand je rentre tard, j'ai l'impression d'entrer dans un salon funéraire », « N'importe qui pourrait s'y planquer », « Un jour il y aura une agression et vous en serez responsable ». Mais, en dépit d'honoraires scandaleusement élevés, le syndic n'avait rien fait.

Le silence était retombé et la peur la heurta comme un mur. Elle n'était descendue dans les caves qu'une seule fois : lors de la visite. Elle croyait se souvenir que le local à poubelles était sur la droite en bas des marches. Sa vessie se rappela soudain à elle et elle regretta de ne pas avoir fait pipi avant de se lancer dans cette expédition. Elle tourna la clé dans la serrure, le battant s'ouvrit en gémissant lorsqu'elle tira dessus et un parfum piquant de moisi et de cave monta des profondeurs obscures.

Deux volées de marches, se souvint-elle. Elle tourna l'interrupteur et une clarté jaunâtre éclaira les murs lépreux.

Je suis seule, et tout le monde dort.

Ou bien je ne suis pas seule, et tout le monde dort
— *SAUF UN...*

Respire... respire... respire...

Elle était à deux doigts de crier, d'appeler au secours, de réveiller tout l'immeuble... Puis elle se souvint de sa voisine. Si quelqu'un la découvrait à 4 heures du matin se baladant un couteau à la main dans les parties communes et si on trouvait Iggy dans le local à poubelles après l'incident de la lettre, les antidépresseurs à son travail et le scandale chez les voisins, pas de doute : elle aurait droit illico à un internement d'office par la maison « nous-réparons-votre-cerveau-ou-nous-l'envoyons-gratuitement-à-la-casse-et-en-attendant-vous-n'êtes-pas-près-de-sortir-d'ici ». *Courage, ma vieille, c'est rien qu'un mauvais moment à passer...* Elle descendit les premières marches, s'arrêta, tendit l'oreille. Rien. Les murs étaient si noirs de suie et de moisissures que, par endroits, ils semblaient recouverts de fourrure. Mais, au moins, la lumière jaune de l'ampoule était-elle suffisamment vive, contrairement à celle du hall. Elle atteignit le premier palier. Jeta un coup d'œil au-delà et sentit tout courage l'abandonner : en bas des marches, le couloir des caves n'était qu'un puits de ténèbres, une galerie noire et opaque. De nouveau, la panique se répandit dans sa poitrine comme un bouquet de fleurs vénéneuses. *Iggy, pardonne-moi, je n'ai pas la force. C'est trop difficile... Pardonne-moi...* Elle allait remonter, le dos déjà tourné à l'obscurité, quand un bruit faible lui parvint.

— Iggy ?

Pas de réponse.

— *Iggy !*

Cette fois, elle l'entendit distinctement aboyer. Tout près... Elle descendit les dernières marches à toute vitesse, sans réfléchir. Ses semelles touchèrent le sol de terre battue. Il faisait froid ici. Mais elle savait que ce n'était pas seulement le froid qui la glaçait ainsi. Elle avait cinq étages vieux de plus de cent ans au-dessus de la tête et ils étaient remplis de gens – mais il n'y avait pas la moindre chance pour qu'ils l'entendent crier. Elle étudia les lieux : les portes grillagées des caves sur sa gauche – des trous noirs pleins de vieilles choses inutiles, de toiles d'araignées, de souvenirs et de rats –, le local à poubelles à droite, derrière une porte métallique peinte en vert.

La main sur la poignée, elle tira le lourd battant à elle.

— Iggy, je suis là !

Le chien jappa dans le noir. Où était ce fichu interrupteur ? Les ténèbres au-delà de la porte étaient aussi terrifiantes que si elle avait découvert une crevasse en marchant sur un glacier. Elle eut l'impression de plonger la main dans la gueule d'un squale. Ses doigts tâtonnèrent sur les moellons et les joints de ciment jusqu'au moment où ils rencontrèrent le boîtier en plastique. La lumière jaillit, fuligineuse comme un crépuscule d'hiver, l'ampoule au plafond produisait plus d'ombres qu'elle n'en chassait et Christine découvrit plusieurs grandes formes trapues et sombres alignées contre le mur de droite. Les poubelles... Les aboiements d'Iggy venaient de la dernière, non pas celle – débordante de sacs noirs – qui se trouvait sous la bouche du vide-ordures, mais une autre, dont le couvercle était également rabattu. Elle s'avança. Le claquement de la porte qui se referma derrière elle la fit tressaillir violemment. Deux pas de plus... Elle apercevait une partie de l'intérieur de la haute poubelle à présent – mais pas encore son chien. Elle l'entendait en revanche, le profond container faisait chambre d'écho. Entre les autres, les ombres étaient denses et elle pensa fugitivement que quelqu'un aurait pu s'y cacher.

N'y pense pas. Tu y es presque.

Elle fit encore un pas...

Le museau d'Iggy apparut, levé vers elle, son doux regard brillant d'espoir au fond de la pénombre, et elle se retint de pleurer encore une fois. Il jappa, remua la queue. Puis gémit plaintivement dès qu'il bougea et enfin émit une sorte de sifflement nasal. Ses griffes cliquetèrent sur le plastique du container mais, quand il voulut se redresser, il émit de nouveau un gémissement à fendre l'âme. *Seigneur, qu'est-ce que cette ordure t'a fait ?* Elle réfléchissait déjà au moyen de le sortir de là : le grand container arrivait à hauteur de sa poitrine, son bras était bien trop court pour atteindre Iggy, et elle ne pouvait tout de même pas plonger dedans la tête la première. Un seul moyen : coucher d'abord le container sur le sol et se glisser à quatre pattes à l'intérieur. Elle déposa le couteau par terre et empoigna la poubelle.

Les roues arrière rendirent la manœuvre beaucoup moins aisée qu'elle ne l'avait escompté – et Christine dut se démener pour parvenir finalement à incliner le container, puis à le faire descendre lentement vers le sol. Après quoi, elle se glissa à l'intérieur. Il y flottait une odeur de détergent citron. Et une autre odeur de matière fécale : Iggy avait fait ses besoins dans la poubelle. Il jappa joyeusement dans le fond. Gémit. Jappa. Ses aboiements stridents déchiraient les tympans de Christine dans la caisse de résonance que constituait le container. Elle eut la vague impression d'entendre la porte métallique du local s'ouvrir – et une peur glacée lui remonta le long du dos. Elle s'immobilisa. Sentit son pouls s'accélérer. Elle avait laissé son couteau à l'extérieur, hors de portée. Mais aucun autre son ne s'éleva, le seul bruit étant celui du sang dans ses carotides. Elle s'enfonça plus avant et ses doigts touchèrent enfin la fourrure un peu rêche d'Iggy. Elle se rapprocha encore et voulut le prendre dans ses bras – mais le chien réagit par un mouvement de recul et un grognement de défense quand elle effleura sa patte arrière droite.

Qu'est-ce que ce salopard lui avait fait ?

Christine tâta précautionneusement, du bout des doigts, la petite patte, sentit les griffes recourbées et les coussinets rugueux puis, en remontant, les muscles durs, les os minces, saillants à travers la fourrure, et lorsqu'elle atteignit le tibia, Iggy se remit à grogner.

Elle stoppa net son geste.

— Calme, Iggy, c'est moi. Tu ne risques plus rien à présent.

Tant bien que mal, en se redressant et en s'agenouillant au fond de la poubelle, le dos voûté et la nuque contre le plastique, elle souleva délicatement l'animal, sans toucher à la patte blessée, et le ramena contre elle. Un coup de langue chaude et râpeuse sur sa figure pour la remercier. Les larmes au bord des paupières, elle enfouit son visage dans l'épais pelage bouclé à l'odeur musquée et canine, puis elle rampa en arrière, ses genoux frottant sur le plastique – jusqu'au moment où elle put enfin se relever.

Lorsqu'elle regarda la patte arrière sous la faible clarté tombant de l'ampoule, elle faillit tourner de l'œil : non seulement elle était brisée, mais un bout d'os affleurait au milieu de la fourrure gluante. Le reste de la patte pendait, désarticulé – tel le membre brisé d'une poupée retenu seulement par un élastique. Iggy devait souffrir le martyre... Elle se demanda si la patte de son chien s'était brisée au moment où l'homme l'avait jeté dans la poubelle, ou bien si ce monstre l'avait sciemment cassée.

Une autre pensée lui vint : qui sait jusqu'où pouvait aller quelqu'un capable d'une telle cruauté envers un animal ? Cela n'avait plus rien d'une plaisanterie, à présent. *Encore un espoir qui s'envole, ma chère : ton copain monsieur-je-fais-peur-aux-dames est nettement plus endommagé de la toiture que tu ne l'imaginais – et tu as pourtant beaucoup d'imagination, d'habitude.*

Elle regarda autour d'elle. Frissonnante. S'empressa de ramasser le couteau.

Puis, Iggy dans les bras, elle retourna à la porte, repoussa la barre métallique du coude et se dépêcha de remonter vers le rez-de-chaussée. Ce ne fut qu'une fois dans l'appartement, verrous et serrures tirés, qu'elle recommença à respirer. Elle prit conscience du tremblement violent de ses mains et demeura un bon moment assise dans le canapé, Iggy sur les genoux, avec sa terrible blessure – mais pourtant apaisé, blotti, confiant, contre sa maîtresse. Sa sauveuse. Sa protectrice.

Et elle, se demanda-t-elle soudain : qui la sauverait ? Qui la protégerait ? Et pourquoi, bordel, lui faisait-on ça ? Il y avait forcément un mobile : elle n'avait pas été choisie au hasard, son tourmenteur la connaissait. Il connaissait son adresse, son métier, son numéro de téléphone privé – et, plus surprenant encore, un des surnoms que Gérald lui donnait. Oui, c'était dans cette direction qu'il fallait chercher... Qui, dans l'entourage de Gérald, pouvait lui en vouloir à ce point ? Elle ne voyait qu'une seule réponse : Denise. Mais Denise avait reçu un faux mail de la part de son harceleur. Se pouvait-il qu'elle se le fût envoyé à elle-même pour brouiller les pistes ? Denise en train de s'introduire chez elle ? De martyriser son chien ? D'uriner sur son paillasson ? Absurde. Et, dans ce cas, qui était l'homme au téléphone ? Elle était en train de devenir parano.

Elle regarda Iggy : elle ne pouvait pas le laisser dans cet état ; il fallait réparer cette patte de toute urgence. Avant que les dégâts ne soient irréparables.

Gérald... Gérald avait un ami véto.

Elle l'avait rencontré une fois dans une soirée : un type imbuvable, qui pratiquait la varappe, le ski hors piste et la chasse aux jupons dès que ceux-ci avaient moins de vingt ans et qui déclarait à qui voulait l'entendre qu'il avait choisi ce métier pour s'enrichir rapidement, pas par vocation.

Elle chercha le téléphone mais, lorsqu'elle l'eut trouvé, la vue de l'appareil la figea. Et si Gérald ne répondait pas ? Ou, pire : s'il se trouvait avec quelqu'un d'autre ? Elle regarda du coin de l'œil Iggy qui se traînait piteusement jusqu'à sa caisse, la tête basse, son membre postérieur pendouillant – et elle appuya sur la touche.

— Christine ? Qu'est-ce qui se passe ?

Pendant une fraction de seconde, elle ne dit rien et prêta l'oreille. Tentant de capter une voix, une respiration, un mouvement à côté de lui.

— C'est Iggy, murmura-t-elle.

— Quoi ?

Elle était sur le point de lui dire ce qui s'était passé : que quelqu'un était entré chez elle, qu'il avait kidnappé Iggy et l'avait abandonné ensuite dans le local à poubelles quand elle se rendit compte de ce qu'il risquait de penser. *Qu'elle était en train de devenir cinglée...* Puisque c'était ce que cherchait son tourmenteur : *l'isoler* – la faire passer pour folle, dépressive, auprès de ses amis comme de ses proches –, mieux valait éviter de lui faciliter la tâche.

— Iggy s'est brisé la patte, annonça-t-elle. Il souffre... Il a une plaie ouverte, c'est très moche, l'os est à vif. Il ne peut pas rester comme ça... Et aucun véto ne me répondra à cette heure. Sauf... sauf, peut-être, ton ami – si c'est toi qui l'appelles...

— Christine, bon sang, il est plus de 4 heures du matin !

— Je t'en prie, Gérald : il a l'air de souffrir atrocement.

Un long soupir dans l'appareil.

— Christine… Christine…

*Quoi, Christine ? Va au bout de tes pensées, pour
une fois, espèce de faux jeton…* Elle fut surprise par
sa propre animosité. Elle se souvint de son attitude
avec Denise la veille. Étaient-ce les épreuves de ces
dernières heures qui la rendaient si agressive ?

— Denise m'a tout raconté, lâcha-t-il soudain.
Votre… *entrevue* d'hier. Oh, bon Dieu, Christine…

Une main invisible souleva la bonde au fond de son
estomac, siphonnant le peu de courage qui lui restait.

La petite garce !

— Christine, siffla la voix de Gérald dans l'appareil,
je n'arrive pas à croire que tu aies pu écrire ce mail.
Mais qu'est-ce qui t'a prise, bordel ! Tu es devenue
folle ou quoi ? Est-ce que tu l'as vraiment menacée ?
Est-ce que tu as vraiment dit ça : « Tiens-toi à distance
de mon mec » ? Réponds-moi, s'il te plaît : est-ce que
tu l'as dit, oui ou non ?

Voilà pourquoi il avait laissé le téléphone sonner
plus tôt dans la soirée. Parce qu'il était en colère contre
elle. Parce qu'il lui en voulait. Bizarrement, cela la
rassura. Les colères de Gérald, elle savait les gérer.

— On parlera de ça plus tard, souffla-t-elle d'un ton
contrit. Je t'en prie. Je vais tout t'expliquer… Crois-
moi, c'est plus compliqué que tu ne le penses. Il se
passe des choses ici difficiles à comprendre…

— Alors, c'est vrai ? Tu l'as vraiment dit ? Putain,
je n'arrive pas à le croire ! éclata-t-il. Et tu as vraiment
écrit ce FOUTU MAIL !

— Non, pas le mail. Plus tard, s'il te plaît… Appelle

ton ami, fais-le pour moi. Après, on parlera, je t'en prie, *chéri*...

Un silence anormalement long. Elle ferma les yeux. *S'il te plaît, s'il te plaît...*

— Désolé, Christine. Pas cette fois. J'ai besoin de réfléchir. On ne peut pas continuer comme ça...

Elle se figea.

— Il vaut mieux qu'on prenne nos distances pendant quelque temps, le temps de savoir où on en est, poursuivit-il. De faire le point... Je veux faire une pause dans notre relation.

Elle entendait les mots, mais son esprit refusait d'en saisir le sens. Est-ce qu'il avait vraiment dit ce qu'elle croyait ?

— Et pour Iggy, je suis navré – mais ça peut sûrement attendre quelques heures de plus. Je te serai reconnaissant de ne pas essayer de me recontacter dans les jours qui viennent. C'est moi qui le ferai.

Elle fixa le téléphone. Incrédule.

Il avait raccroché.

13

Opéra bouffe

L'aube la trouva endormie. Ce furent les coups de langue d'Iggy sur son visage qui la réveillèrent. Elle avait sommeillé une heure, pas plus. Quand l'épuisement avait eu raison de ses nerfs et de ses larmes. Ses paupières étaient collées par les sécrétions quand elle les ouvrit, hébétée, la langue comme du carton bouilli.

Elle faillit refermer les bras sur Iggy blotti contre sa poitrine, mais elle se souvint *in extremis* de sa patte postérieure cassée.

Elle coula un regard prudent dans cette direction et vit qu'il avait encore saigné sur la couette, en petite quantité toutefois. Elle en conclut qu'il avait dormi aussi. Malgré la douleur. *Un vétérinaire...* Cela ne pouvait plus attendre.

Elle se glissa précautionneusement hors du lit et le petit chien, cette fois-ci, renonça à la suivre. Il la regarda quitter la chambre avec un air malheureux. Sa façon de lécher tristement sa plaie lui serra le cœur. Il était trop tôt pour appeler, aussi se dirigea-t-elle vers la cuisine. Ce faisant, elle passa devant le meuble à chaussures, qu'elle avait poussé contre la porte d'entrée avant de s'endormir, y ajoutant un vase en équilibre précaire, qui ne manquerait pas de se fracasser bruyamment si quelqu'un tentait de repousser le tout. Il faisait frais dans le séjour. Elle monta le radiateur et serra les pans de son peignoir sur elle en frissonnant, puis se servit un café noir et des petits pains suédois beurrés sur le comptoir en stratifié gris. Étrangement, elle avait faim. Elle était exténuée mais affamée. Tout en mangeant perchée sur la chaise de bar, les talons sur le repose-pieds, elle entama un processus de réflexion qui la surprit elle-même. Le chagrin et l'horreur de la nuit dernière avaient épuisé toutes ses réserves d'auto-apitoiement ; contrairement à son chien, elle avait cessé de lécher ses plaies. Elle sentait comme le retour d'un état émotionnel familier. Ce n'était encore qu'un frémissement, mais elle savait de quoi il s'agissait : le Grand Rebond de Christine. Le Grand Rebond de Christine survenait généralement après une épreuve – et elle en avait connu un certain nombre dans sa vie (*je sais à laquelle tu fais allusion*, dit la petite voix, *n'y pense même pas, ma belle*). Il se produisait quand elle était vraiment au fond du trou. Et se traduisait chaque fois par un surcroît de détermination, une volonté farouche de ne pas céder à l'abattement, un sursaut d'énergie. À croire que, dans ces moments-là, son cerveau fabriquait une espèce particulière d'anticorps.

À cet instant précis, malgré sa lassitude, malgré son extrême fatigue, toutes ses pensées se concentraient sur son tourmenteur. S'il existait un lien qui l'avait mené jusqu'à elle – et ce lien existait forcément compte tenu de tout ce qu'il savait à son sujet –, il devait y avoir un moyen de le suivre à rebours et de remonter de la même manière jusqu'à lui.

Oui, c'est ça… Jusqu'à présent, elle n'avait pas pris le temps de réfléchir sérieusement à la situation. Tout était arrivé si vite, bon sang : elle avait été ballottée d'un événement à l'autre, incapable de réagir ni même de penser, tel un lapin sur la route pris dans la lumière non pas d'une voiture mais de toute une cohorte de poids lourds fonçant pleins phares et à la queue leu leu dans sa direction. Elle avait juste tenté de les éviter. Maladroitement. Sans conviction. Mais, à présent – même si elle avait l'impression qu'un casque de moto était collé à son crâne –, elle avait tout à coup les idées bien plus claires.

Car ce qui était arrivé à Iggy avait agi sur elle comme un électrochoc.

Il n'aurait pas dû s'en prendre à toi, mon petit père : grave erreur de sa part…

Qu'est-ce que tu sais ? se demanda-t-elle.

Réfléchis.

Au moins, deux choses : 1°) il était parvenu jusqu'à son bureau – ou bien il avait un complice à l'intérieur ; 2°) il était suffisamment proche de Gérald et de Denise pour savoir ce qu'ils se disaient – ou bien il les avait espionnés… Elle revit les photos sur son ordinateur : oui, c'était certainement ce qu'il avait fait. Il avait dû écouter leurs conversations, ce jour-là ou un autre jour. Restait une question, toujours la même : le mobile. Pourquoi ? Et pourquoi *elle* ? Une fois qu'elle aurait le mobile, elle le tiendrait, lui.

Elle porta le bol de café à ses lèvres.

Encore une autre pensée :

Il est en train de m'isoler…

Oui. C'était ce qu'il avait continué à faire cette nuit, en lui aliénant Gérald et ses voisins. De la même manière qu'il lui avait aliéné – elle s'en rendait compte à présent – la police et aussi, en partie, son patron, après l'incident des antidépresseurs... Elle ignorait pourquoi il faisait ça, mais cela faisait partie de son plan. *Tu dois rompre cet isolement. Coûte que coûte.* Elle devait se trouver un allié. Mais qui ? Sa mère ? (*Ha ha,* éclata la petite voix, *tu plaisantes, j'espère ?*) Non, bien sûr que non. Sa mère froncerait son joli nez, poserait ses iris saphir sur elle et se demanderait si sa fille était subitement devenue cinglée ou si elle l'avait toujours été. Son père ? Encore moins. Qui, dans ce cas ? *Ilan ?* Et pourquoi pas ? Son assistant était quelqu'un de fiable, de travailleur, de discret. Mais pouvait-il être autre chose qu'un bon assistant ? Elle n'avait pas le choix : elle ne voyait personne d'autre. À cet instant précis, avec une clarté désagréable, la petite voix s'éleva une fois de plus :

Personne d'autre ? Vraiment ? Pas d'amie tu es sûre ? Quelqu'un à qui se confier qui ne soit pas ton cher fiancé ?... Qu'en penses-tu : tu ne crois pas que ça en dit long sur certains aspects de ta vie, ma chère ?

Il y avait autre chose qu'elle devait faire...

Elle attrapa son ordinateur portable, l'ouvrit sur le comptoir et l'alluma. Elle s'employa à supprimer tous les cookies et à changer les mots de passe, puis elle lança le téléchargement d'un nouveau pack complet de sécurité avec antivirus, pare-feu, anti-espion, anti-phishing et tout le toutim avant d'aller prendre sa douche. De retour de la salle de bains, elle vira l'ancien système et lança une analyse rapide. Un coup d'œil à l'horloge. Elle en lancerait une plus complète au bureau. Elle sortit d'un tiroir du meuble sous la télé les classeurs où elle rangeait factures, quittances, reçus de cartes bleues et chéquiers et les glissa dans une besace en toile kaki qu'elle conservait depuis ses années d'étudiante. Elle allait ouvrir un coffre à la banque et les déposer dedans, en attendant de trouver une solution satisfaisante. Désormais, son appartement ne pouvait plus être considéré comme un endroit sûr en son absence. Pour finir, elle appela son vétérinaire. Sa secrétaire s'absenta une minute et revint en ligne pour gazouiller que son patron acceptait de prendre Iggy en urgence : elle n'avait qu'à passer. « Merci d'avoir choisi nos services. Aucun logiciel potentiellement dangereux détecté », déclara d'une voix synthétique son ordinateur. L'analyse était terminée. Elle fourra l'appareil dans sa besace déjà lourde, alla chercher la caisse grillagée de son chien et retourna dans la chambre – où Iggy la regarda approcher avec un mélange désarmant de tendresse et de confiance.

8 h 20 du matin. Encore un retard. Mais rien en comparaison des jours précédents. Et puis, elle avait été en avance pendant des années : ce n'étaient pas quelques retards ponctuels qui allaient effacer ça, non ?

Elle fila se servir un café au distributeur en émergeant de l'ascenseur. Malgré tout, elle se sentait soulagée : Iggy était en sécurité, on lui avait administré un calmant, et il n'y avait plus rien dans son appartement que son tourmenteur pût utiliser contre elle. Elle n'avait pas eu le temps de déposer les classeurs dans un coffre à la banque – elle les avait toujours avec elle –, mais elle allait mettre la besace et l'ordinateur sous clé dans son bureau en attendant (*sauf que tes tiroirs non plus ne sont pas sûrs*, dit la voix). Oui, mais jusqu'alors elle ne fermait pas ses tiroirs à clé. Cette fois, elle allait s'assurer que la clé ne quitterait pas la poche de son jean.

Tant pis si ses voisins de l'*open space* surprenaient son geste et se posaient des questions.

Elle réprima un bâillement et réfléchit à l'invité du jour : le directeur du Centre spatial de Toulouse. Gérald le connaissait bien. Ce n'était pas la première fois qu'elle invitait un représentant de l'aventure spatiale française dans son émission – la vocation aéronautique et spatiale de la ville étant depuis longtemps au cœur de son développement industriel et économique. Et puis, disons-le, elle avait un rapport particulier à l'espace, pour le meilleur et pour le pire, à travers les hommes de sa vie et... – cette pensée-là aussi, elle la bloqua.

Pas le moment de penser à ça...

Elle ressortit de la pièce vitrée, son gobelet fumant à la main, sa besace en bandoulière, et mit le cap sur son bureau et celui d'Ilan à travers l'*open space*. Elle demanderait à lui parler après l'émission. Pour l'instant, l'urgence, c'était la revue de presse. La vision du bureau vide de son assistant l'arracha à ses pensées.

Pas d'Ilan...

Où était-il passé ?

Ilan n'était *jamais* en retard. Pas un seul jour en trois ans.

Elle avisa un Post-it jaune collé sur son téléphone. Se pencha et lut.

Rejoins-moi dans mon bureau. Tout de suite.

204

L'écriture de Guillaumot.

Le ton était quelque peu comminatoire mais, venant du directeur des programmes, cela n'avait rien d'inhabituel. Les yeux de Christine firent le tour de la salle. Tous semblaient absorbés par leur travail. Bien trop absorbés...

Il se passait quelque chose.

Comme si quelqu'un serrait des doigts sur sa gorge, elle eut tout à coup du mal à respirer. Elle lança un coup de sonde prudent en direction du bureau de Guillaumot : la porte était ouverte et les stores baissés – mauvais présage. Puis elle se fit la réflexion que Cordélia aussi était invisible. Christine devina trois silhouettes à travers les lames des stores.

OK, allons-y.

Elle gagna la porte du petit bureau et s'arrêta sur le seuil. Guillaumot se tenait debout face à Ilan et à Cordélia qui l'écoutaient attentivement. Il l'aperçut, s'interrompit et lui fit signe d'entrer. Comme un seul homme, les deux autres silhouettes se tournèrent vers elle.

— Ferme la porte, dit le directeur des programmes.

Le ton, d'une neutralité prudente, n'augurait rien de bon.

— Qu'est-ce qui se passe ? voulut-elle savoir.

— D'abord, on s'assoit, dit-il.

— On a une émission à préparer, il me semble, répondit-elle en désignant ses deux assistants.

— Oui, oui, je sais, on s'assoit, répéta-t-il sur le même ton.

Elle haussa les sourcils. Déjà assis, le directeur des programmes la regardait avec insistance par-dessus ses lunettes. Il avait un carnet ouvert devant lui. Il lut brièvement ce qu'il avait écrit dans son calepin, puis leva de nouveau les yeux, un stylo à la main, quand ils furent tous assis.

— Bon, euh, je ne sais pas très bien par où commencer... C'est une situation passablement inhabituelle... J'aimerais vous parler à tous les trois. En tant que directeur des programmes, j'ai la responsabilité, comme vous le savez, de la bonne marche de ce service. Et aussi celle de m'assurer que personne dans ce service n'a... euh... à souffrir du comportement des autres.

Christine regarda tour à tour Cordélia puis Ilan. Le visage de Cordélia était impénétrable et Ilan évita soigneusement son regard. Elle sentit un courant d'air glacé remonter le long de sa nuque. Guillaumot la fixait sans ciller.

— Cordélia est venue me voir ce matin, se lança-t-il.

Christine jeta un rapide coup d'œil à la stagiaire, les deux femmes s'affrontèrent du regard en silence. Le sang aux tempes, elle comprit : c'était de là qu'allait venir la prochaine attaque.

— Elle s'est plainte de toi. (Il prit une respiration avant de plonger.) De ton... comportement. Enfin, disons plutôt de ton... *harcèlement*. C'est le mot qu'elle a employé. Cordélia affirme que cela fait des semaines que tu la harcèles sexuellement : des avances, des gestes déplacés et même des menaces de renvoi si elle n'entre pas dans ton jeu. Elle ne veut pas porter plainte, mais elle veut que cela cesse. Ce stage est très important pour elle, et elle ne veut surtout pas de problèmes : c'est ce qu'elle dit. Elle aimerait qu'on règle cette histoire entre nous.

Christine émit un petit rire sarcastique.

— Tu trouves ça amusant ? se cabra aussitôt le directeur des programmes. Tu trouves vraiment qu'il y a matière à rire ?

Elle réprima un mouvement de colère.

— Ne me dis pas que tu crois à ces âneries ? répliqua-t-elle en se penchant vers lui. Enfin, tu l'as regardée ?

Ils jetèrent un même regard à Cordélia. La stagiaire arborait ce matin-là un kilt écossais ultracourt et des collants noirs sur son grand corps maigre et longiligne, un sweat avec le mot ALCHEMY sur la poitrine et des baskets montantes noires avec des clous d'argent. Ses ongles étaient rouge sang, tout comme ses lèvres. Et ses piercings labiaux étincelaient. Comment pouvait-on croire une fille déguisée en Cruella plutôt qu'elle ?

— Elle dit que tu l'as... humm... pelotée à plusieurs reprises dans les toilettes, poursuivit le directeur des programmes en s'empourprant un peu. Que tu as... essayé de l'embrasser. Que tu l'as invitée à prendre un verre chez toi... que...

— Conneries.

— Que tu lui fais sans arrêt des avances...

— Conneries !

— Que tu inondes sa messagerie de mails à caractère... hum... sexuel, voire... hum-hum... pornographique.

— Mais enfin, cette pauvre fille raconte n'importe quoi ! Merde, regarde-la !

— Justement...

— Justement quoi ?

— Justement, tu as pu te dire que personne ne la croirait.

Elle le regarda comme s'il était devenu fou.

— C'est une blague, rétorqua-t-elle. Vous êtes tous devenus dingues !

Et, comme il la fixait sans répondre :

— Tu sais à qui tu parles, là ? Tu me parles à moi, Christine, qui travaille dans cette boîte depuis sept ans – est-ce que j'ai l'air d'une détraquée ?

— Elle dit que cela la met particulièrement mal à l'aise vis-à-vis de toi.

— Ah ouais ? Eh bien, qu'elle les montre, ces mails… Ils sont où ?

Guillaumot la dévisagea, puis il poussa vers elle une liasse de feuillets imprimés.

— Ils sont là.

Il y eut un long moment de silence. À la limite de son champ de vision, Christine devina Ilan qui s'affaissait un peu plus sur son siège. Elle sentit le regard de Cordélia posé sur elle. Son cœur se mit à tambouriner.

— C'est absurde…

Elle posa les yeux sur les impressions.

Cordélia, pardonne-moi. Je ne voulais pas te menacer. Tu sais bien que je ne te veux pas de mal. Je pense à toi tout le temps, je ne peux pas m'en empêcher. Quand je sens ton parfum, quand j'entends ta voix, quand tu es près de moi, je deviens dingue. C'est la première fois que je ressens ça pour une femme.

Christine

Cordélia, s'il te plaît, réponds-moi. Ne me laisse pas dans cet état. Je n'en peux plus. Tu ne devineras pas ce que je suis en train de faire. J'ai bu la moitié d'une bouteille de vin et je suis allongée sur le lit. Nue... Je pense à toi. À ton corps, à tes piercings, à tes seins... Et je me... je suis tellement excitée... Je ne devrais pas écrire ça, je sais. Je ne devrais pas t'écrire le soir – c'est, mmm, dangereux.

Ta Christine

Cordélia, que dirais-tu d'un dîner toutes les deux samedi soir ? S'il te plaît, dis oui. Ça ne t'engage à rien, promis. Juste un dîner entre copines. Je te promets que personne n'en saura rien. Appelle-moi, s'il te plaît.

Christine

Cordélia, tu ne réponds pas à mes mails, je vais en conclure que tu désapprouves mon attitude. Que tu es hostile. Cordélia, tu sais que j'ai ton avenir entre mes mains.

C.

Cordélia, je te donne vingt-quatre heures pour me donner une réponse.

Il y en avait comme ça des dizaines. Un envol d'oiseaux noirs dans sa tête. Elle se sentit étourdie, ses paumes étaient chaudes et moites.

— C'est impossible, articula-t-elle en parcourant les messages d'un regard incrédule. C'est absurde. Ce n'est pas moi qui ai envoyé ces mails... Enfin, tu m'imagines vraiment en train d'écrire ce genre de choses ? Et les signant en plus !

Guillaumot prit un air ennuyé.

209

— Christine, on a vérifié : il s'agit bien de ton adresse IP, de ton ordinateur.

— Mais enfin, merde, n'importe qui peut avoir accès à mon ordinateur, tu le sais très bien ! Il suffit de m'avoir espionnée pendant que je tape mon mot de passe. Je parie que c'est cette petite grue elle-même qui se les est envoyés.

Il opina lentement du chef. La fixa froidement. Un regard qu'elle ne lui avait encore jamais vu, même à l'occasion de ses pires colères.

Il se tourna vers Ilan.

— Ilan, dit-il, tu es prêt à me répéter ce que tu m'as dit ?

Christine sentit une coulée de glace dans sa colonne vertébrale. Elle regarda son assistant. Le visage de celui-ci était pivoine.

— Je tiens à préciser que Christine est une excellente pro, commença-t-il d'une voix presque inaudible. On fait du bon boulot et... euh, on a toujours bien fonctionné... Je suis très content de travailler avec elle, c'est quelqu'un que je respecte... Et je veux dire que je la crois quand elle dit que ce n'est pas elle qui a écrit ces... ces insanités.

— Très bien, Ilan, dit Guillaumot. Nous avons pris note de tes objections. Mais ce n'était pas ma question. Est-ce que tu as toi aussi reçu des mails inappropriés ?

— Oui.

— Pardon ? Pourrais-tu parler un peu plus fort ?

— Oui, répéta Ilan d'une voix étranglée.

— Émanant de la même adresse IP, c'est bien ça ?

— Oui.

— Et ils étaient signés ?

— Euh, oui...

— Peux-tu nous dire ce qui était écrit, Ilan ?
« Christine », c'est bien ça ?

Elle se pencha et tapa du poing sur la table.

— Merde ! Ça suffit, ces conneries ! J'en ai assez !

— Christine, s'il te plaît, tu la boucles et tu ne
bouges pas, OK ? Ilan ?

Elle s'aperçut avec un battement de cœur plus puissant que les autres que Cordélia la couvait du regard.
Une lueur venimeuse et triomphante dans les yeux.

— Oui, répondit Ilan. C'est ça, mais ça ne veut
pas...

— Ces mails, tu les as reçus quand ?

— Eh bien... le mois dernier... mais ça s'est arrêté
très vite. Et je le répète : j'aime beaucoup travailler
avec Christine, je n'ai absolument rien à lui reprocher.
Je suis sûr qu'elle est victime d'un coup monté. Je ne
vois pas d'autre explication.

Il lança un regard soupçonneux en direction de
Cordélia.

— Quel genre de mails ? poursuivit le directeur des
programmes sans se laisser émouvoir.

— Euh... enfin, vous voyez... *inappropriés*, comme
vous avez dit...

— Tu peux être un tout petit peu plus précis, s'il
te plaît ?

— Eh bien... des trucs... euh...

— Des avances ?

— Oui.

— Des trucs sexuels ?

— Oui, ce genre de choses... mais ça n'a pas duré
longtemps, je le répète.

— Combien, tu as une idée ?

— Quelques-uns...

211

— Combien ?

— Peut-être dix…

— Plutôt dix ou plutôt vingt ?

— Eh bien… je ne sais pas… peut-être vingt, oui.

— Plus ?

— Je ne m'en souviens pas.

— Très bien, Ilan. D'accord. Admettons. Combien de temps ça a duré, dis-moi ?

— Une semaine, dix jours, pas plus : ça, j'en suis sûr. Je vous l'ai dit, ça s'est arrêté très vite.

— Donc, tu en recevais plusieurs par jour, c'est bien ça ?

Christine eut l'impression que le sol bougeait comme sous l'effet d'un tremblement de terre. Les oreilles d'Ilan avaient viré au violet. On aurait dit des prothèses de cinéma.

— Oui.

— Combien par jour, tu en as une idée ?

— Non, je n'ai pas compté.

— Chaque jour ?

— Euh… oui.

— Pendant dix jours ?

— Un peu plus d'une semaine, oui.

C'était plus qu'elle n'en pouvait supporter. Elle se leva d'un bond, se pencha par-dessus le bureau.

— Ça suffit maintenant ! On arrête les conneries ! Ça ne prouve absolument rien : quelqu'un a très bien pu se servir de ma messagerie quand elle était ouverte sur mon bureau ! Je ne tolérerai pas d'être salie une minute de plus, tu entends ? Cette histoire est grotesque, ça a assez duré ! Et je ne comprends pas que tu puisses lui donner le moindre crédit !

Le directeur des programmes ignora sa sortie.

— Ces mails, Ilan, voulut-il savoir, tu les recevais le jour ou la nuit ?

Un silence.

— Les deux, répondit le jeune homme, gêné.

De nouveau, un long silence. Christine était toujours debout, elle se sentait vidée, nauséeuse, groggy. Guillaumot jeta un coup d'œil à sa montre.

— Merci pour ton honnêteté. Cordélia et toi, vous pouvez retourner à votre travail. Je vous remercie tous les deux, voyez avec Arnaud pour l'émission. C'est lui qui assurera l'intérim aujourd'hui. Dépêchez-vous.

Cordélia et Ilan décampèrent. Non sans un regard appuyé de la part de la première. Christine regarda Guillaumot, sidérée.

— Très franchement, je ne comprends pas que tu accordes la moindre crédibilité à ces affirmations, répéta-t-elle, découragée.

— Christine…

— *Laisse-moi parler !* Tu m'as obligée à écouter ces élucubrations – alors, maintenant, tu m'écoutes. Ça fait combien de temps qu'on travaille ensemble ? J'ai toujours fait le boulot, tu le sais. Je n'ai jamais eu de problèmes relationnels ni personnels avec les collègues jusqu'à aujourd'hui ; je ne suis pas hystérique comme Becker, tyrannique comme toi, tire-au-flanc comme un paquet de gens ici. Je suis pro, fiable, et tout le monde m'apprécie…

Guillaumot s'empressa de saisir la perche qu'elle lui tendait.

— Tout le monde t'apprécie ? Ouvre les yeux, bon Dieu, *Steinmeyer* ! Tout le monde ici te prend pour une emmerdeuse, une diva arrogante et cassante ! Tout le monde pense que, depuis un certain temps, tu as pris la grosse tête ! Je ne compte pas le nombre de fois où tu es venue me faire chier pour des broutilles ! (Il lui lança un regard lourd de ressentiment.) Et dois-je te rappeler ce que j'ai trouvé dans ton tiroir ? Sans parler de tous ces retards et de ton comportement très peu professionnel au micro ces derniers temps…

Elle comprit soudain. *Guillaumot non plus ne l'aimait pas*. Et, pour lui, c'était l'occasion rêvée… Elle eut l'impression que le sol vacillait, qu'une tempête se levait au fond de son esprit, noire et drue.

— Tu crois vraiment que les gens sont à tes pieds ? poursuivit-il sur le même ton revanchard. Qu'on ne peut pas se passer de toi ? Que tu es indispensable ? (Il leva les yeux au ciel.) Bien sûr que tu le crois… C'est ça ton problème, Steinmeyer, tu es déconnectée des réalités ! Et maintenant, ça. Mais pour qui tu te prends, bordel ?

Elle n'en croyait pas ses oreilles. Elle avait toujours pensé que son travail était apprécié, respecté, tout comme son professionnalisme, et que hormis quelques divergences de vues et quelques ennemis – il était normal d'en avoir dans un environnement où régnait l'esprit de compétition et où beaucoup convoitaient la place des autres –, elle était bien intégrée au sein de la rédaction.

Il consulta ostensiblement sa montre.

— J'ai une réunion avec les actionnaires et la direction dans une heure. Rentre chez toi. Je vais réfléchir aux suites à donner. En attendant, tu restes chez toi demain : Arnaud assurera l'intérim de l'émission.

Elle faillit dire quelque chose mais s'abstint. Elle était au bord de l'épuisement, de la rupture. Elle posa une main prudente sur le dossier de sa chaise pour ne pas tomber.

La voix de Guillaumot s'adoucit, comme s'il se rendait compte qu'il était allé trop loin :

— Rentre chez toi, Christine. Je te tiendrai au courant. Quelle que soit ma décision, tu en seras la première avertie.

Elle battit en retraite. La porte du bureau était restée ouverte après le départ d'Ilan et de Cordélia : tout l'*open space* avait par conséquent entendu la sortie du directeur des programmes. Elle fonça vers son bureau, tête baissée. À travers la salle totalement silencieuse. Sentant tous les regards converger sur elle.

— Christine, je…, commença Ilan.

Elle leva la main et il se tut. Ses doigts tremblaient si violemment qu'elle dut s'y reprendre à deux fois pour introduire la petite clé dans la serrure du tiroir. Elle récupéra sa besace, passa la courroie sur son épaule et fonça vers les ascenseurs.

— Bon débarras, dit une voix sur son passage.

14

Colorature

Des bois derrière, à quelque distance, et des lieues
de peupliers devant – sur la plaine, alignés comme
des hallebardes dans un tableau de Paolo Uccello.
En s'asseyant au volant de sa voiture, il se rendit
compte qu'il commençait à apprécier cet endroit. Il
n'en aimait pas les pensionnaires, à quelques excep-
tions près, mais le lieu lui-même n'était pas dépourvu
de charme. Ni de paix. Il se rendit compte qu'il n'était
pas pressé d'en partir, qu'il appréhendait le retour à
la vraie vie. Cela signifiait-il qu'il était encore loin
de la guérison ?

Pour Servaz, le mot avait une saveur suspecte. *Guérison...* Un langage de psys et de toubibs. Il se méfiait
des uns comme des autres. Il regarda la plaine blanche,
se demandant quand cet épisode neigeux finirait. Et,
tout à coup, il comprit que cette plaine glacée était à
l'image de son cerveau : quelque chose en lui avait
gelé après la mort de Marianne. Son âme attendait le
dégel, son âme attendait le printemps.

Le Cactus n'était pas le genre de bar à figurer dans les guides. Il n'avait pas plus de cent ans d'existence, comme Chez Authié, il n'était pas situé sur l'une des places les plus remuantes de la ville, comme le Bar Basque, et il n'accueillait pas les célébrités, comme l'Ubu Club. Il ne possédait pas non plus la dignité agressive de ces cafés qui clament haut et fort leur ambition d'être le dernier lieu à la mode. Ni l'atmosphère compassée des brasseries historiques de la place Wilson. Il était en apparence rigoureusement identique à des centaines d'autres bars – mais les apparences sont souvent trompeuses, pour les bars comme pour les gens. Le Cactus possédait bien plus que cela : une clientèle de fidèles, qui avaient choisi d'être là comme des chats décident d'habiter quelque part. Et une légende… Bâtie par le précédent propriétaire, homme intrépide qui recevait – et virait – qui il voulait dans son établissement, à toute heure du jour et de la nuit : putes, travelos, voyous – et des flics. Dans un quartier pas forcément amoureux du bleu.

À sa mort, il avait légué le bar et sa légende à son employée et, depuis, *la patronne* – qui écrivait de la poésie à ses heures – menait la barque d'une main ferme mais douce, sachant que ceux qui embarquaient le faisaient aussi pour elle.

Desgranges était assis à sa place habituelle, un galopin posé devant lui. Servaz capta quelques regards aussi chaleureux que ceux d'ours polaires en s'asseyant : il savait que la police pouvait aussi discriminer les siens, qu'elle préférait traiter ceux qui craquaient comme des parias plutôt que d'admettre qu'il y avait un problème. Il constata aussi que rien n'avait changé : les mêmes tronches aux mêmes places.

— Tu as l'air en forme, dit sobrement le policier.

— Je passe mon temps à balayer des feuilles mortes, à faire du sport et à me reposer...

Un gloussement lui parvint de l'autre côté de la table.

— Cette histoire de clé est arrivée à point nommé, on dirait. Je suis content de te voir, Martin.

Servaz ne répondit pas à cet élan d'affection. C'était inutile.

— Et toi, ça va ? demanda-t-il.

— Ça va, ça va. J'ai été affecté aux Jeux. Tu veux savoir mon dernier coup d'éclat ? Un gallodrome...

— Un quoi ?

— Le Maracana des combats de coqs, mon vieux. Au Ginestous, chez les Romanis... Un ring, des gradins pour les spectateurs, une salle de soin pour les coqs blessés, une autre climatisée avant que ces connards de volatiles entrent dans l'arène. Il y avait même des putains de tapis roulants, comme dans un club de gym, fonctionnant avec un moteur de machine à laver... pour muscler les petites pattes de ces champions ! Très mal en point, les champions, quand on les a trouvés... C'était plutôt dégueulasse. Bande de salauds...

Servaz se souvint d'avoir lu l'info dans le journal.

— À la santé des poulets qui volent au secours des coqs, trinqua-t-il.

— Et qui volent dans les plumes de leurs bourreaux, ajouta Desgranges.

— Tu gardes toujours une copie de toutes tes procédures ? demanda Servaz.

Desgranges acquiesça, prudent. Il attrapa la chemise cartonnée posée à côté de lui.

— T'as de la chance. Elle aurait pu être confiée à quelqu'un d'autre. J'ai jeté un coup d'œil là-dedans avant de venir… Martin, tu veux savoir la liste des suicides plus ou moins louches ces dernières années rien qu'à Toulouse ? *Tu sais comme moi combien la frontière peut être ténue entre le suicide et le crime dans cette ville…*

Desgranges avait baissé la voix. Servaz hocha la tête : il savait à quoi son ancien collègue faisait allusion. Les années 1980 et 1990… Les pages les plus sombres de l'histoire de la ville ; elles flottaient encore comme des papiers gras sur les eaux croupies du passé. Elles dégageaient une odeur de soufre que les flics qui étaient en poste à l'époque, tous plus ou moins proches de la retraite aujourd'hui, n'aimaient pas renifler. Des meurtres inexplicablement classés en suicides. Comme celui de ce gamin de vingt ans retrouvé mort et ligoté dans le canal du Midi, portant des traces de coups au visage : *suicide*, selon le rapport du légiste. Ou cette jeune femme qui avait pourtant été cognée avec une extrême violence : *suicide*. Ou encore cette mère de famille baignant dans son sang sur le sol de sa salle à manger, une cordelette nouée autour du cou et une couche-culotte coincée dans la gorge : *suicide*… Cet homme de vingt-huit ans mort d'une balle dans la tête, le corps déplacé après la mort d'après les constats : *suicide-suicide-suicide*… « Raptus suicidaire » étaient les deux termes qui revenaient inexplicablement dans les rapports d'autopsie. Et la liste était longue comme un jour de Ramadan : des jeunes femmes qui disparaissaient entre leur travail et leur domicile, des prostituées dont les meurtres dans des chambres d'hôtels borgnes de Toulouse n'étaient jamais élucidés, des autopsies foirées, des instructions bâclées, des non-lieux à la pelle, des dossiers classés sans suite, des rumeurs folles de policiers et de magistrats corrompus, de réseaux de prostitution et de drogue impliquant des notables, de soirées sado-maso ultraviolentes, du cul, du porno, de la violence, du meurtre... En tout, près d'une centaine d'affaires non résolues entre 1986 et 1998 sur la seule compétence du tribunal de grande instance de Toulouse. Un record absolu. Et, pour couronner le tout, cerise sur le merdier, le tueur en série Patrice Alègre et le premier magistrat de la ville mis en cause : la Ville rose devenue pour la presse nationale une Gomorrhe sanglante, l'anti-chambre de l'enfer ; le soupçon partout, la folie aussi. Une légende urbaine bâtie par des mythomanes avides de publicité à partir d'une litanie de faits troublants, de dysfonctionnements, de négligences et d'incompétence.

Chaque fois qu'on remuait la vase, l'odeur rejaillissait ; la pestilence de ces années traînait encore dans les lieux sombres, au fond d'armoires pleines d'archives, dans des caves où des dossiers que personne n'avait envie de rouvrir prenaient la poussière. Les personnalités mises en cause avaient été blanchies – mais le soupçon, lui, demeurerait à jamais : nauséeux et ineffaçable. C'était comme si, derrière chaque mur de brique rose de la ville, derrière chaque porte en plein soleil existaient un mur d'ombre, une porte d'ombre.

— J'ai même connu l'inverse, poursuivit Desgranges, un suicide déguisé en crime. Le mec espérait faire porter le chapeau à sa femme et à l'amant de celle-ci.

— Tu es en train de me dire que je ne trouverai rien là-dedans ?

— Peut-être et peut-être pas...

Servaz haussa un sourcil.

— Avant de conclure au suicide, au moment des

constats, compte tenu des circonstances très inhabituelles, les flics arrivés sur place ont d'abord pensé à un meurtre. En conséquence de quoi ils ont effectué pas mal de scellés et parmi ceux-ci il y avait...

Desgranges avait plongé une main dans la chemise cartonnée ; il en ressortit un calepin rose.

— Qu'est-ce que c'est ?

— Un agenda.

— Comment se fait-il que tu l'aies encore en ta possession ? voulut savoir Servaz.

— Quand j'ai voulu rendre les affaires à la famille, j'ai appelé les parents de Célia. Ils sont venus les chercher. Je leur ai tout donné – sauf ça...

— Pour quelle raison ?

— Au cas où... J'avais l'intention de gratter un peu mais, puisqu'il s'agissait bien d'un suicide, j'ai laissé tomber.

— Mais tu as quand même gardé l'agenda...

— Oui. Je voulais vérifier un truc, et puis j'ai pas eu le temps.

— Quel truc ?

— Je te l'ai dit : j'ai juste eu le temps de fouiner un peu avant que le suicide soit avéré. Il ne m'a fallu que quelques heures pour identifier tous les prénoms et les noms qui sont là-dedans. Tous sauf un : Moki...

— MOKI ?

— Ouais. Tous les autres sont des amis, des collègues et des parents de Célia. Sauf lui.

Leurs regards se connectèrent : Servaz se sentit aux aguets. Combien d'affaires comme celle-là dormant dans des cartons gardaient à jamais leur secret enfermé entre les pages d'une procédure oubliée ? Il sentit le goût du manque sur sa langue.

221

— Eh ben ! Ça fait une paie, dit la patronne au-dessus de lui. De retour d'entre les morts ?

Il se demanda si même elle était au courant. S'il avait la marque d'infamie du dépressif tatouée sur le front. Mais le joli sourire de la patronne le réchauffa. Il prit conscience que beaucoup de choses lui avaient manqué ici ; il commanda un onglet et une salade.

Les gros doigts de Desgranges tournaient les pages du calepin.

— Tiens. Regarde.

Il fit pivoter l'agenda devant Servaz. Qui lut : « Moki, 16 : 30 », « Moki, 15 : 00 », « Moki, 17 : 00 », « Moki, 18 : 00 »…

— Tu es sûr qu'il s'agit d'une personne ?

Desgranges haussa les sourcils.

— Quoi d'autre ? En tout cas, aucune des connaissances de Célia n'a pu me dire de qui il s'agissait.

— Et c'est tout ?

Desgranges sourit.

— Tu t'attendais à quoi ?

— Tu as une hypothèse ?

— Un homme marié, répondit aussitôt Desgranges. Les horaires collent avec un cinq à sept. C'est sans doute le petit nom qu'elle lui donnait. Une chose est sûre : le type ne s'est jamais manifesté. Ça conforte la thèse de l'homme marié…

— Ça pourrait être n'importe quoi, fit observer Servaz. Un endroit, un bar, un nouveau sport à la mode…

— Il y a autre chose.

Une pensée fugitive traversa l'esprit de Servaz ; *il y avait longtemps qu'il ne s'était pas senti aussi vivant.* Desgranges sortit un reçu de la chemise et le poussa devant lui.

— Peu de temps avant de se suicider, Célia avait fait des achats d'une nature un peu... particulière.

Servaz se pencha. Une facture. Armurerie de Toulouse. Son regard capta les mots : *Guardian angel, bombe de défense, cartouches au poivre...* Apparemment, Célia Jablonka cherchait à se protéger – pas à se suicider.

Il plissa les yeux pour lire la date inscrite sur la facture : environ quinze jours avant son suicide.

— Étrange, pour quelqu'un qui veut mettre fin à ses jours, non ? dit-il.

— Mmm, fit Desgranges, dubitatif. Va savoir ce qui se passe dans la tête des gens ? Si les dépressifs agissaient de façon logique, ça se saurait...

— Elle donnait quand même l'impression d'avoir peur de quelque chose.

— C'est l'impression que ça donne, en effet. (Desgranges piqua dans sa salade.) Mais ce n'est jamais qu'une impression...

Servaz comprit le message. Il y avait toujours, dans une enquête, des éléments en apparence significatifs qui s'avéraient à terme n'avoir aucun lien avec l'affaire. Une enquête au long cours, c'était comme un nouvel alphabet à déchiffrer : certains mots étaient plus importants que d'autres mais, au départ, rien ne permettait de les distinguer. Soudain, Desgranges fronça les sourcils.

— Cette histoire de clé, ça me chiffonne. Tu crois que la personne qui te l'a envoyée sait quelque chose ?

— Peut-être veut-elle simplement qu'on rouvre l'enquête, d'une manière ou d'une autre. Mais il y a une autre question : comment s'est-elle procuré la clé ?

— En séjournant à l'hôtel, répondit Desgranges.

— Exactement. Tu crois qu'ils conservent la liste des gens qui ont perdu ou oublié de rendre leur clé ?

— Ça m'étonnerait, mais ça vaut peut-être la peine d'essayer.

Dès qu'il eut quitté le Cactus, il passa un coup de fil à un autre service de son ancienne maison (qui l'était toujours jusqu'à preuve du contraire). La Documentation opérationnelle était une équipe de quatre personnes qui s'occupait des fichiers « vivants », à savoir tous les fichiers qui concernaient des personnes apparaissant même périphériquement dans des procédures en cours – témoins, suspects, etc. – sans attendre leur mise en cause. Elle effectuait recoupements et croisements (que les enquêteurs n'avaient pas forcément le temps ou la faculté de faire) entre l'ensemble de ces fichiers et le FBS : le fichier des brigades spécialisées. La Doc opérationnelle était dirigée par Lévêque, un brigadier-chef qui avait autrefois travaillé à la Criminelle et dont les deux jambes avaient été explosées par un pare-chocs lors d'un délit de fuite : il en gardait une claudication à senestre qui s'aggravait les jours de pluie et une invalidité pour le service actif sur la voie publique. Après avoir suivi le stage à Europol, Lévêque était devenu analyste criminel, histoire de mettre son flair et son expérience à profit : il n'avait plus le droit d'enquêter, mais il se rattrapait en fouillant dans les enquêtes des autres – et rien ne lui procurait plus de satisfaction que de découvrir un détail qui avait échappé à ses collègues : un nom ou un numéro de téléphone qui revenait dans plusieurs procédures disjointes, une Clio verte aperçue sur les lieux d'un règlement de comptes et sur ceux d'un braquage…

— C'est Servaz. Comment vont tes guiboles avec ce temps ?

— J'ai des fourmis dans les jambes. Et pas seulement par ce temps… Qu'est-ce que tu deviens ? Je croyais que tu étais en arrêt maladie…

— C'est le cas. Faut croire que moi aussi j'ai des fourmis dans les jambes, dit-il.

— Tu ne m'appelles pas rien que pour qu'on parle de fourmis ?

— J'aimerais que tu rentres un nom dans ta moulinette…

— Tu viens de dire que tu étais en arrêt maladie… (Silence au bout de la ligne.) Quel nom ? demanda finalement Lévêque.

— Moki : M-O-K-I.

— *Moki* ? C'est censé être quoi : une personne ? une marque ? un poisson rouge ?

— Aucune idée. Mais si tu trouves que dalle, essaie de l'associer à « viol », « violences conjugales », « harcèlement », « menaces »…

— Je te rappelle.

La réponse lui parvint une heure plus tard :

— Rien.

— Tu es sûr ?

— Tu veux me vexer ? Ton Moki n'apparaît nulle part. Je l'ai mouliné partout, je l'ai associé à tout ce qui m'est passé par la tête – il n'y a rien, Martin. Et ça m'est revenu : cette demande m'a déjà été faite l'an dernier…

— Je sais. Merci.

Elle reposa son verre sur la table, d'un geste incertain – tel un capitaine qui noie son chagrin dans la tempête tandis que ses marins courent, affolés, vers les canots de sauvetage sur le pont balayé par l'écume et les paquets de mer, que le vent hurle et que les fonds de cale se remplissent d'eau salée au milieu du roulis. Beurrée. Quand Christine s'en rendit compte, il était déjà trop tard ; l'alcool avait eu le temps de passer de son estomac à son intestin et de là à tout son système circulatoire.

Elle tourna son regard vers la vitre embuée. Si la neige avait momentanément cessé de tomber, une bise aigre soufflait, vidant les trottoirs blancs des allées Jean-Jaurès, où les voitures passaient très lentement, en mettant leurs roues dans les sillons noirs déjà tracés. L'immeuble de Radio 5 se dressait de l'autre côté, Petit Poucet de brique entre les buildings de quinze étages. Chaque fois que Christine portait le regard dans cette direction, son estomac se soulevait. Elle avait cru que l'alcool anesthésierait la douleur mais il n'en était rien : il l'avait juste rendue plus lasse, plus découragée.

— Vous êtes sûre que ça va ? dit le serveur.

Elle hocha la tête, commanda un café d'une voix mal assurée. Son esprit vagabondait. Incapable de se fixer. En moins de quatre jours, elle avait perdu son fiancé et son job ; elle se demanda si ces pertes étaient irrévocables.

À ton avis ? dit la petite voix qui aimait bien remuer le couteau dans la plaie. *Tu crois peut-être qu'il a envie de faire sa vie avec une cinglée ?*

Elle sentit monter des larmes d'amertume, eut la sensation d'être accrochée à une falaise à laquelle seul le bout de ses ongles la retenait encore. En faisant fondre le sucre dans sa tasse, elle se demanda si cette maudite lettre n'était pas le point de départ de tout. Bien sûr, c'était absurde. Irrationnel. Elle avait pourtant le sentiment que le cataclysme avait débuté à ce moment-là. Comme si la lettre était une sorte de talisman maléfique. Un sort qu'on lui avait jeté : avant la lettre, elle était une femme heureuse, qui s'apprêtait à présenter son fiancé à ses parents pour Noël, qui faisait un métier intéressant et qui vivait dans un bel appartement ; depuis, elle dégringolait un toboggan sans fin…

Pensée magique, répéta la petite voix. *Et tu n'étais pas si heureuse que ça…*

C'est alors qu'elle la vit. Cordélia… Sortant de la radio et émergeant à grands pas de la rue Arnaud-Vidal sur les allées Jean-Jaurès. Machinalement, elle regarda sa montre : 14 h 36. Christine la vit remonter le trottoir en direction du boulevard de Strasbourg et du métro, à quatre cents mètres de là. Elle garda les yeux rivés sur la petite silhouette. Sentit la brûlure de la haine semblable à une remontée de bile. *Garde la tête froide ; ne cède surtout pas à une impulsion…* Mais quand la petite forme emmitouflée fut sur le point de quitter son champ de vision, elle attrapa sa besace sur la chaise voisine et se leva.

— Combien pour les trois bières, les deux cognacs et le café ?

Le barman la regarda par-dessus ses lunettes, fit un rapide calcul.

— Vingt et un euros.

Elle sortit d'une main tremblante un billet de vingt et un de cinq, les déposa sur le comptoir.

— Gardez tout.

Le vent mugit quand elle émergea dans le froid – mais l'alcool la maintenait à bonne température. Il y avait très peu de piétons. Elle aperçut la petite silhouette à cent mètres de là, rajusta la courroie de sa sacoche et se mit en marche d'un pas vif. Elle avançait rapidement, le long du trottoir opposé, le regard braqué sur sa cible ; elle devait cependant prendre garde à ne pas se ficher par terre là où la gadoue de neige fondue avait gelé.

Quand Cordélia atteignit l'entrée de la station – devant l'ancien Hôtel de Paris rebaptisé Citiz Hotel –, Christine était déjà en train de franchir le terre-plein central, près du grand puits qui plongeait sur l'atrium à ciel ouvert. Elle atteignit le haut des marches juste à temps pour voir Cordélia emprunter l'escalator qui dévalait vers les quais de la ligne A. Descendit à son tour le béton glissant puis l'escalier mécanique qui s'enfonçait vers le niveau inférieur. Cordélia était en train de franchir les tourniquets. De son poste d'observation, Christine distinguait ses joues rosies par le froid, son profil de jeune garce effrontée et sa silhouette longiligne. La haine et la colère brûlèrent en elle. En parvenant devant les tourniquets, elle jeta un coup d'œil aux quais en contrebas, nota que la stagiaire avait choisi la direction Basso-Cambo. C'était maintenant que ça devenait délicat : si elle rejoignait le quai tout de suite, Cordélia risquait de la repérer. Elle laissa le flot des voyageurs la dépasser. Lorsqu'une rame se présenta deux minutes plus tard, elle franchit à son tour les tourniquets et descendit rapidement sur le quai. Comme prévu, Cordélia avançait à l'intérieur de la rame sans un regard en arrière. Christine monta deux portes plus loin. Se colla à la vitre. Masquée par un jeune homme qui écoutait Zebda trop fort dans ses écouteurs et un autre d'une quarantaine d'années – qui avait le choix entre perdre rapidement du poids ou se retrouver bientôt allongé sur une table de chirurgie cardiaque. Elle était cependant consciente que, si Cordélia était du genre à promener le regard sur les autres passagers, elle finirait par l'apercevoir.

Sois naturelle, ma vieille, sors ta tablette, fais comme si de rien n'était. Ce sont toujours les petits curieux qui attirent le regard des petites curieuses comme toi, tu le sais.

Naturelle, tu parles : son cœur battait à cent à l'heure ; elle n'était pas habituée à jouer les figurantes dans un film d'espionnage !

Elle jeta un coup d'œil vers l'endroit où se tenait la stagiaire et ce qu'elle vit la rassura. Totalement indifférente à ce qui se passait autour d'elle, la grande asperge pianotait à toute vitesse sur son mobile avec les pouces. Deux stations plus loin, elle vit Cordélia ranger son téléphone et se rapprocher des portes : Esquirol. Christine ignorait où la jeune femme habitait, mais ce n'était certainement pas dans ce quartier. Trop cher. À moins qu'elle n'habitât chez ses parents. L'hypothèse la plus probable était qu'elle allait rejoindre quelqu'un. Le quartier était un des points de ralliement de la jeunesse de la ville.

Elle se demanda soudain où elle voulait en venir avec cette filature. Elle avait cédé à une impulsion. À présent, il était peut-être temps de réfléchir à la situation dans laquelle elle se trouvait – mais l'alcool l'empêchait de penser rationnellement. *Qu'est-ce que tu comptes faire ? La kidnapper comme dans ces films*

et la torturer jusqu'à ce qu'elle écrive sur une feuille :
« Je suis une garce et une salope et j'ai tout inventé » ?
Ou bien frapper à sa porte et dire : « Salut, c'est
moi, je suis venue parlementer, enterrons la hache de
guerre et est-ce que tu aurais du thé blanc au jasmin,
par hasard ? » La vérité, c'était qu'elle n'avait pas la
moindre idée de ce qu'elle était en train de faire. Et
qu'elle agissait probablement en dépit du bon sens.
Elle n'en suivit pas moins la gamine quand celle-ci
descendit place Esquirol.

Lorsque la tête de Christine émergea à son tour au
niveau du sol, elle la vit marcher à une centaine de
mètres devant elle. Elle lui emboîta le pas en restant à
distance. Cordélia poussa la porte de l'Unic Bar. Elle
rejoignit la table de trois jeunes adultes – un garçon et
deux filles. Tous semblaient accoutrés plus ou moins
de la même façon ; des vêtements noirs, des colliers
et des bracelets en argent, des maquillages gothiques,
des cheveux rouges ou violets – même le garçon avait
du crayon noir autour des yeux.

Christine regarda autour d'elle.

En face de la brasserie se trouvaient une boulangerie-
pâtisserie et un centre d'épilation : pas le genre d'endroit où on pouvait s'attarder… Si elle restait sur ce
trottoir, elle finirait par se faire repérer. Le seul point
d'observation potable : un petit café qui jouxtait celui
dans lequel la jeune femme était entrée – mais le risque
de se faire remarquer était encore plus grand, car les
deux terrasses fermées l'hiver n'étaient séparées que
par une vitre. Elle tourna sur elle-même. *Réfléchis.*
Jeta un coup d'œil prudent en direction de Cordélia :
la stagiaire avait suspendu son long manteau noir au

dossier d'une chaise, elle en avait sûrement pour un petit moment.

Elle remonta à pied la rue d'Alsace-Lorraine, l'une des artères de la ville qui comptait le plus de boutiques de vêtements. Deux cents mètres plus loin, elle pénétra dans l'une des enseignes, décrocha une parka d'hiver à capuche aussi peu esthétique que chaude et confortable et se rua vers la caisse. Moins de quatre minutes plus tard, elle ressortait, la capuche tirée sur ses cheveux, la ceinture nouée autour de la taille, son manteau glissé dans sa besace. Elle avait choisi une teinte qui n'attirait pas trop l'attention, évitant les rouges et les jaune vif à la mode cet hiver. *Tu n'as pas trouvé plus moche ?* dit la petite voix sarcastique en elle.

De retour place Esquirol, elle vérifia que Cordélia était toujours là et entra dans le café voisin sans rabaisser sa capuche. Elle commanda un chocolat chaud. Le garçon revenait à peine avec sa commande qu'elle vit Cordélia se lever, enfiler son manteau et embrasser ses voisins. Christine s'empressa de payer, trempa les lèvres dans le chocolat et sentit son estomac vide se contracter, mais la gamine était déjà en train de trottiner entre les tables vers la sortie.

Elle avala deux gorgées en vitesse, se brûlant la langue, et lui emboîta le pas vers la station de métro. Une seule ligne, se dit-elle : ça réduisait les possibilités. Les deux pendules de la place indiquaient 15 h 26.

C'est alors qu'elle le sentit. Le changement qui s'opérait en elle, dissimulée sous son capuchon et sa parka sombre. *De gibier elle était devenue chasseur...* Ce renversement de perspective lui insuffla un surcroît d'énergie ; l'impatience bouillait dans ses veines ; les questions se bousculaient. Était-ce Cordélia sa harceleuse ? Si oui, pour quelle raison ? Elle l'avait toujours bien traitée ; du moins le croyait-elle : la sortie du directeur des programmes lui avait fait comprendre qu'elle n'était pas aussi bien vue qu'elle le pensait au sein de la radio, qu'elle était même détestée par certains – et cette révélation l'avait bouleversée. Mais, si c'était Cordélia sa tourmenteuse, dans ce cas, qui était l'homme au téléphone ? Son copain ? Christine se dit qu'elle était au moins sûre d'une chose : *Cordélia mentait.* C'était quelque chose sur lequel elle pouvait s'appuyer. Et si la stagiaire mentait, cela signifiait qu'elle était à tout le moins complice – contrairement à Ilan qui avait sans doute dit la vérité au sujet des mails.

Une autre conséquence la frappa aussitôt, comme un coup de tonnerre inattendu. *Si ce n'était pas elle, en tout cas Cordélia connaissait la personne qui la harcelait…* À travers elle, Christine tenait le moyen de remonter jusqu'à cette personne.

Cette pensée l'électrisa.

Elle suivit le couloir jusqu'à l'escalier descendant au quai et, comme la fois précédente, attendit au sommet des marches qu'une rame entre en gare. Direction Basso-Cambo, à nouveau. Une fois dans le métro, elle observa discrètement Cordélia depuis l'ombre protectrice de sa capuche. La stagiaire avait repris son pianotage frénétique. Cette fois, la balade dura un peu plus longtemps. Huit stations exactement. Après Mirail-Université, la jeune femme commença à bouger. Christine leva les yeux vers le panneau d'affichage. Aussitôt, elle sentit une vague appréhension la gagner, semblable à un signal d'alerte inconnu qui s'allume sur un tableau de bord : métro Reynerie. Elle n'avait jamais mis les pieds dans ce quartier ; mais elle connaissait sa réputation : agressions, trafics, violences, bandes... Il alimentait régulièrement la rubrique des faits divers. Le mois précédent encore, la presse avait parlé de deux taxis agressés au pied d'une barre d'immeuble. L'un d'eux venait chercher des clients malades pour les transporter à l'hôpital. L'agression n'avait pas eu lieu à minuit, mais à midi. *En plein jour*. Or il était à présent presque 16 heures – et la lumière devait sérieusement commencer à décliner à l'extérieur.

Elle descendit sur le quai à la suite de Cordélia et de plusieurs autres passagers : des femmes – ce qui la rassura quelque peu. Mais quand tout le monde eut émergé sur l'immense esplanade déserte balayée par un vent glacial, qu'elle aperçut les eaux noires hérissées du petit lac et les gros nuages couleur suie voguant au-dessus des barres d'immeubles délavées, son courage s'envola, son excitation de « chasseuse » brutalement évaporée.

Christine vit la petite silhouette au manteau noir remonter le trottoir enneigé d'un pas pressé puis s'en écarter pour suivre un sentier dont la neige avait été maintes fois piétinée, en direction des barres de béton. Le vent soufflait fort et la température avait encore chuté.

En quelques secondes, les passagers sortis du métro s'évanouirent dans le soir qui tombait et elle se retrouva seule. Il régnait ici un froid humide et pénétrant. Elle n'en aperçut pas moins – au-delà du vaste terre-plein désert – des silhouettes encapuchonnées qui traînaient çà et là : ombres désœuvrées, fantômes inquiétants, au pied des immeubles et entre les arbres, sur les pelouses blanches qui viraient au gris et au bleu. Les unes après les autres, des lumières s'allumaient par dizaines derrière les rangées de balcons. Elles étaient tout sauf rassurantes pourtant ; elles faisaient ressortir au contraire sa criante solitude et son criant caractère *exogène* tandis qu'elle marchait dans la grisaille du soir, cernée par les ombres. Elle doutait que, si elle se mettait à crier, quelqu'un vînt à son secours.

Où est-ce que tu vas comme ça ? Tu comptes faire quoi, de toute façon ? La bouche de métro est à environ dix mètres derrière toi : rentre chez toi...

Et zut... Elle reprit sa marche le long du trottoir. Des autobus avaient laissé de profondes ornières sur la route. Elle quitta le trottoir pour suivre le sentier. En grimpant la petite butte, elle ne put s'empêcher de compter les silhouettes qui traînaient au pied des barres de béton : huit. Elle se réjouit que sa capuche enfoncée sur sa tête lui donnât ce qu'elle croyait être l'allure d'une habitante du quartier. Puis elle pensa à ce qui se trouvait dans sa besace – factures, quittances, reçus de carte bleue, chéquiers – et elle blêmit.

Cordélia avait franchi la rangée de voitures garées au pied du bâtiment central et Christine regarda dans sa direction juste à temps pour la voir disparaître par une porte vitrée. Et s'il y avait un digicode ? Elle se voyait mal demander le code à une des ombres qui traînaient dehors – ou attendre que quelqu'un veuille bien entrer. Un ou deux flocons esseulés voletèrent dans la grisaille et, en levant la tête, elle vit que le ciel de plus en plus sombre bourgeonnait de nuages au-dessus des branches nues.

Des aboiements retentirent plus loin, elle entendit une voix lancer : « Booba, viens ici ! » Du hip-hop montait d'une des voitures dont le capot était ouvert, et elle capta des rires juvéniles et des voix qui s'interpellaient et rebondissaient comme des balles de tennis dans la pénombre :

— Hé, man, on se les gèle, putain, laisse tomber ta caisse pourrie !

— Je m'en bats les couilles. Vas-y, accélère.

— Hé, man, man ! Qu'esse-tu branles ? Cé pas com' ça qu'on fait, man !

— Cé pas com' ça qu'on fait ? Cé pas com' ça qu'on fait ? Qu'esse-t'y connais, toi ?

— Quand même, j'ai travaillé dans un garage !

— Putain, tu l'entends ? Il a travaillé dans un garage… Deux semaines, et ils t'ont viré. La honte ! Moi, j'aurais été vénère. Ta race, je lui aurais fait sa fête à ce gros lard ! Mais toi, t'es rentré chez môman la queue entre les jambes : kaï-kaï-kaï… Tu sais quoi ? Ils t'ont pissé d'ssus, bros… C'est ça qui z' ont fait.

— Hé, tu parles pas com' ça à mon p'tit frère, compris ? *Primo*, c'est lui qui s'est barré de cette boîte de merde, c'est lui qui les a plantés, tu piges ?

— Ouais, ouais…

— Ouais, quoi ?

— Je capte, mec. C'est cool.

— Non, c'est pas cool. C'est tout sauf cool, même. Si j't'entends encore raconter des craques et parler comme ça à mon p'tit frère, parole, je défonce ta gueule et je mets la vidéo sur YouTube.

La neige reflétait les lumières des immeubles, mais les arbres, même dénudés, retenaient l'obscurité. Elle atteignit les voitures, se faufila entre les pare-chocs.

Son instinct lui disait qu'elle était observée, elle pressa le pas sur la neige abondamment piétinée. Les voix autour de la voiture s'étaient tues. Son pouls se mit à battre de façon désordonnée. Soulagée, elle constata que la porte était restée ouverte et se faufila dans le hall, paniquée à l'idée que les gamins dehors puissent la suivre ou qu'il y en eût d'autres à l'intérieur. Ce n'était cependant pas des gamins qui l'attendaient dans l'entrée. Mais des papys... Assis sur des chaises pliantes, malgré l'étroitesse des lieux. Une demi-douzaine. Ils cessèrent de bavarder à la seconde où elle franchit le seuil.

— Euh... bonsoir, dit-elle, figée par la surprise.

Un bruissement de voix et quelques sourires quand ils eurent constaté qu'elle n'était pas un dealer. Ils se désintéressèrent d'elle aussitôt.

Sur le mur de gauche, au-dessus des rangées de boîtes aux lettres, une banderole clamait : « NOUS REPRENONS POSSESSION DE CE LIEU. SOURIEZ, VOUS ÊTES FILMÉS. VOISINS VIGILANTS. »

Les conversations reprirent et elle s'approcha discrètement des boîtes aux lettres. Se pencha et les passa en revue à toute vitesse.

Pas de Cordélia... Et merde !

Elle recommença, de plus en plus nerveuse. Un nom accrocha son regard. *Corinne Délia.* Quatrième étage : 19B. Elle fila vers l'ascenseur, jeta un regard en direction du petit comité de vigilance, mais ils ne faisaient plus attention à elle. Dans la cabine, elle se força à respirer calmement. Toutes les fibres de son corps lui disaient qu'elle devait filer d'ici.

Le long couloir était vide. Elle appuya sur le bouton de la minuterie. Se mit en marche le long des portes.

Des bruits de télévision et de vaisselle au travers, de la musique électro, des pleurs de bébé, des cris d'enfants qui braillent, portés par l'écho du corridor interminable... Un angle. Puis un autre. Des tags sur les murs. Elle s'approcha de la dernière porte.

19B.

Elle s'arrêta pour écouter. De la musique à travers la porte ; le genre de pop R'n'B qu'on entendait sur des chaînes comme MTV Base. Elle inspira profondément. Pressa le bouton de la sonnette. Un son grêle retentit derrière le battant. Elle s'attendait à percevoir les talons de Cordélia mais non. Rien. La musique se poursuivait. Il y avait donc quelqu'un.

La minuterie s'arrêta.

Elle se retrouva plongée dans le noir. Seul le petit œil lumineux du judas optique trouait l'obscurité. Puis même lui disparut et Christine comprit : *on l'observait.* Et si quelqu'un d'autre ouvrait ? L'homme qui l'avait menacée au téléphone, par exemple ?...

Sa peur panique des ténèbres montait rapidement : elle en reconnaissait déjà les symptômes dans son ventre.

Puis la porte s'ouvrit en grand, l'inondant de lumière et de son, et elle tressaillit.

Leva la tête.

Eut conscience que sa bouche s'ouvrait en un O parfait.

Cordélia.

Debout sur le seuil, nue.

Sa longue silhouette découpée par la lumière de l'appartement derrière elle. Christine se demanda d'où provenait la lueur dans ses iris, car son visage demeurait dans l'ombre. Puis son regard descendit plus bas et elle frissonna : les bras de la stagiaire étaient entièrement tatoués de l'épaule au poignet. On eut dit qu'elle portait sur la peau une dentelle transparente. Elle se rendit compte qu'elle ne l'avait jamais vue bras nus au travail. Sur son biceps droit, un coucher de soleil rougeoyant éclairait des gratte-ciel bordeaux ; une statue de la Liberté et des flots bleus couraient le long de l'avant-bras. Sur l'autre bras, un crâne jaune et rigolard aux yeux cernés de noir, une toile d'araignée, des roses écarlates et une grande croix... Elle en avait aussi sur les cuisses et les hanches... Un alphabet rudimentaire qui devait avoir un sens pour celle qui le portait. Un peu, se dit Christine en frémissant, comme se balader avec le livre de sa vie imprimé sur sa peau. Le regard de Christine embrassa ensuite les seins à peine dessinés, le nombril où – contrairement à ce qu'elle aurait attendu – ne brillait aucun piercing, les abdominaux fermes, les hanches minces de garçon. Pour finalement s'arrêter sur le sexe : lisse comme un coquillage.

De nouveau, elle sentit un frisson passer dans son dos.

Pendant un instant, elle ne put détacher ses yeux des petites lèvres qui, dans l'ombre, formaient une véritable couture de chair, mais ce qui attira son œil, ce fut l'éclat sourd et métallique : celui du piercing génital en forme de demi-cercle terminé par deux boules minuscules qui brillaient autour du clitoris de la jeune femme.

Elle prit conscience que son sang circulait plus vite. Que la tête lui tournait.

— Entre, dit Cordélia.

15

Duo

Un bébé braillait.

Un vagissement furieux et affamé montait de la pièce d'à côté, puis la voix apaisante de Cordélia s'éleva : « Doucement, mon ange… doucement, mon sucre d'orge… *amour, amour, amour…* » ; le vagissement s'apaisa puis se tut.

Christine regarda autour d'elle.

Des meubles Ikea, des bibelots à trois sous, des posters de films : *Lost Highway*, *The Crow*, *Les Promesses de l'ombre*. La musique trop forte – basses lancinantes, techno binaire pour dance floor –, l'odeur des bougies, les hurlements du bébé, l'alcool, la vision de la nudité de Cordélia : elle luttait contre l'élancement douloureux dans son crâne.

Il faisait trop chaud dans cet appartement. L'espace d'une seconde, elle eut un furieux besoin d'air. Elle posa son sac et se précipita sur le balcon. Au-dessus des immeubles, les dernières lueurs du jour s'éteignirent dans un ultime flamboiement, sous un voile de nuages bas et sombres. Quatre étages plus bas, les ombres encapuchonnées continuaient de s'interpeller à voix haute :

« Hey, man, ma parole, il me fait flipper grave, ton frangin ! » Ils faisaient vrombir le moteur de la voiture au capot ouvert, le rap rugissant dans les enceintes, éructant plus de clichés sur la banlieue que n'importe quel journaliste. Christine s'imagina en train de repartir à pied vers la station de métro et elle frissonna.

Elle retourna à l'intérieur.

Contrairement à ce qu'elle avait prévu, l'effet de surprise avait été pour elle, pas pour Cordélia. Elle se demanda si Cordélia avait pour habitude de se promener à poil dans son appart ou si la stagiaire l'avait accueillie ainsi pour la déstabiliser. Elle devait très vite reprendre la main. Elle n'aurait jamais imaginé que Cordélia pût être maman. Cette fille n'avait même pas vingt ans ! Pas de travail fixe, juste un stage mal rémunéré… Où était le père ?

La jeune femme émergea de la chambre ; elle referma la porte. Cette fois, elle portait un peignoir tout aussi noir que le reste de sa garde-robe. Seuls les liserés des manches étaient rouges, de même que les mots inscrits dessus : FUCK ME, I'M FAMOUS. Le peignoir s'arrêtait en haut de ses longues jambes maigrichonnes.

— Qu'est-ce que tu fous chez moi ?

— Je suis venue comprendre pourquoi tu as menti, déclara Christine.

Les deux femmes s'affrontèrent du regard. Christine s'assit tranquillement dans le sofa défoncé, jambes croisées.

— Fous le camp, siffla la stagiaire. Tire-toi d'ici. Tout de suite.

Elle ne bougea pas, se contentant de balayer le séjour du regard, feignant la nonchalance malgré le ping-pong de ses ventricules dans sa poitrine.

— Eh bien ? dit-elle en levant les yeux après un temps, comme si elle était étonnée que Cordélia fût encore debout.

Cernés de crayon noir, ceux de Cordélia se firent calculateurs ; à l'évidence, elle soupesait la situation. Cherchant une riposte.

— Tu n'as pas le droit d'être ici, dit-elle. Dehors. Dégage.

— Oh, fit Christine d'un ton désinvolte. C'est tout ? Et tu vas faire quoi ? Appeler la police ?

Elle crut déceler un doute passager dans les yeux de la stagiaire. Cela ne dura qu'une fraction de seconde, puis celle-ci fit entendre un rire nerveux.

— D'accord, admit-elle d'un ton qui indiquait qu'elle n'avait pas perdu tout sens de l'humour ni tout sang-froid.

Elle disparut et une Christine plus nerveuse qu'elle ne l'aurait voulu perçut le bruit d'un frigo qu'on ouvrait et refermait. La jeune femme revint avec deux bouteilles de bière décapsulées, couvertes de buée, en posa une devant Christine et se laissa tomber dans le fauteuil restant.

— Eh bien, *madame-je-me-prends-au-sérieux*, on fait quoi maintenant ?

Le ton était malicieux. Christine nota que le peignoir était remonté très haut et que Cordélia ne faisait rien pour dissimuler ce qu'il y avait en-dessous. La jeune femme attrapa la bière, en but une gorgée. Christine l'imita. L'alcool ingurgité plus tôt dans la journée lui avait donné soif.

— Qui t'a dit de mentir ? demanda-t-elle en la reposant.

— Qu'est-ce que ça change ? (Les pupilles dilatées

241

au milieu de l'iris ; elle se demanda si la jeune femme se shootait.) T'es venue jusqu'ici rien que pour me demander ça ? Dans ce quartier ? T'as pas eu peur ? Hé, la vache, c'est quoi cette tenue : où est-ce que t'as dégotté un truc aussi laid ? Et qu'est-ce que tu trimbales là-dedans ?

— Qui est l'homme au téléphone, *Corinne* ? Ton petit ami ? Ton… *mac* ?

Un éclat de colère dans les yeux de la stagiaire.

— Quoi ?? Qu'est-ce que t'as dit ? (Le ton était devenu dangereusement instable.) Me parle pas comme ça, putain ! Mais pour qui tu te prends, conasse de bourge !

— Ce bébé, où est son père ? poursuivit Christine imperturbablement.

— Ça ne te regarde foutrement pas.

— Tu l'élèves seule ? Qui le garde quand tu n'es pas là ? Comment tu arrives à t'en sortir ?

Cordélia lui jeta un regard par en dessous, l'air renfrogné. Mais le regard n'était plus tout à fait aussi dur, aussi assuré qu'auparavant.

— Je n'ai pas à répondre à tes questions… C'est quoi, ça : un putain d'interrogatoire ?

— Ça ne doit pas être facile, continua Christine d'un ton conciliant. Est-ce que… est-ce que je pourrais le voir ?

La jeune femme lui jeta un regard soupçonneux.

— Pour quoi faire ?

— Juste comme ça, j'aime les enfants.

— Alors, comment ça se fait que tu n'en as toujours pas ? siffla la stagiaire entre ses dents.

Christine feignit d'ignorer l'attaque, mais elle accusa

le coup, son ventre se contractant comme si un poing venait de s'y enfoncer.

— Il s'appelle comment ? demanda-t-elle doucement.

Un temps.

— Anton…

— Joli prénom.

— Ne me prends pas pour une conne ! Si tu crois que tu vas réussir à m'amadouer avec tes petits airs mielleux…

— Je peux le voir ou pas ?

La jeune femme hésitait. Finalement, elle se leva sans quitter Christine des yeux. Disparut dans la pièce voisine. Elle revint avec le nourrisson endormi dans les bras.

— Quel âge il a ?

— Un an.

Christine se leva à son tour, elle s'approcha de la mère et du fils.

— Il est beau.

— Ça suffit, dit Cordélia.

Elle ramena le bébé dans la pièce d'à côté.

— Et maintenant tu fous le camp d'ici, lança-t-elle en revenant dans le séjour. Dehors. Immédiatement !

— Qui t'a dit de mentir ? répéta Christine sans bouger d'un pouce.

— TU FAIS CHIER ! *Je t'ai dit de dégager !*

Le visage de la jeune femme était à quelques centimètres du sien, sa fureur si dense que Christine avait l'impression de faire face à un mur. La stagiaire la dominait de quinze bons centimètres, penchée sur elle.

— Doucement… Tu vas réveiller Anton… Pas tant que je n'aurai pas la réponse…

243

Elle se rassit, essayant de dissimuler le tremblement de ses mains et de ses genoux.

— Je connais une excellente école maternelle et primaire privée, dit-elle.

— Quoi ?

— Pour ton fils… Le chef d'établissement est un ami. C'est un peu cher, mais on peut peut-être s'arranger. Ou bien tu préfères qu'Anton grandisse dans ce quartier ? Tu imagines ce qui va arriver dans quelques années ? Quand tu ne seras pas là pour le surveiller ? Et que les types en bas lui proposeront de l'argent pour monter la garde… Ou un peu de came… *Ça commencera comme ça…* Il aura quoi à ce moment-là ? Huit ans ? Neuf ans ?

Elle vit une lueur terrifiée passer dans les yeux de la jeune femme.

— Je te propose une solution pour que ton fils puisse aller dans une bonne école, qu'il ait de meilleures chances dans la vie, des chances d'échapper à ce qui l'attend en bas de cet immeuble.

— C'est une foutue blague, pas vrai ? rétorqua la jeune femme. Tu crois vraiment que je vais gober un truc pareil ? Même si je te donnais l'info, une fois dehors, tu t'empresserais de nous oublier !

Christine nota le *nous*. Elle réprima un sourire. *Ferrée…* Elle sortit son téléphone, mit le haut-parleur et appuya sur une touche.

— Alain Maynadier, Crédit mutuel, répondit une voix dans le haut-parleur.

Elle se présenta.

— Bonjour, Alain, c'est Christine Steinmeyer, je voudrais faire un virement sur un compte, dit-elle.

Comment dois-je m'y prendre ? Par téléphone, c'est possible ?

L'employé de banque lui donna la marche à suivre. Elle le remercia.

— Je vous rappelle dans un quart d'heure.

Les yeux de Cordélia la fixaient. Il y avait quelque chose de changé en eux.

— Alors ?

Pas de réponse. Mais pas de sarcasme non plus, cette fois.

— Pense à ton fils, Cordélia. Pense à son avenir.

— Qui te dit que celui qui m'a demandé de mentir ne m'a pas offert une plus grosse somme ?

— Et il t'a offert aussi un avenir pour ton enfant ?

Touchée… Cordélia eut un mouvement de recul, comme si elle venait de se brûler. Elle se renfonça dans son siège.

— Tu… tu y tiens tant que ça, à connaître la vérité ?

— On est en train de foutre ma vie en l'air. Alors, oui : j'y tiens.

Elle vit Cordélia réfléchir. *Lui laisser le temps*… Porta la bière à ses lèvres. Le silence durait. Cordélia but deux autres gorgées. Pensive. Sans cesser de fixer Christine. Celle-ci regarda sa propre bouteille ; elle en avait descendu la moitié, l'air de rien.

Finalement, la stagiaire parla :

— Je ne voulais pas le faire. Je ne voulais pas… mais ils m'ont forcée.

Mensonge, pensa Christine — mais elle ne dit rien.

— Ils m'ont forcée. Et ils m'ont donné de l'argent. Ils m'ont dit que si je ne le faisais pas, j'allais me retrouver à la rue. Je suis menacée d'expulsion. Avec mon bébé…

Cordélia croisa les jambes et, de nouveau, Christine dut se forcer pour ne pas regarder plus bas.

— J'ai obtenu cet appart grâce à un ami qui me le sous-loue. J'ai quitté le domicile de mes parents. Et le père d'Anton s'est tiré sans laisser d'adresse...

— Pourquoi tu es partie de chez toi ? voulut savoir Christine.

Un coup de sonde prudent dans sa direction – puis les nerfs qui lâchent et la gamine au bord des larmes.

— Mon père picolait, ma mère picolait, mon frangin picolait... Mon père est au chômage, mon frangin aussi... À quinze ans, mon cher frérot a essayé de me baiser et, comme je ne voulais pas, il m'a pété une dent. Quatre dans cinquante mètres carrés et une famille de tarés... Je ne voulais pas que mon bébé grandisse au milieu de ça.

C'est là que tu as durci comme ça ? C'est à cause d'eux que tu es devenue si froide ? Si calculatrice ? Ou c'est juste un bobard de plus ? Une autre de tes inventions ? Ça ressemblait tellement à un mensonge que c'était peut-être la vérité... Une odeur de misère sociale, de pauvreté intellectuelle, de crasse et d'alcoolisme. Peu ou pas de livres – mais sans doute une console de jeux et une parabole, histoire de s'imbiber le cerveau de vulgarité en plus de l'alcool... Un peu trop stéréotypé ? Mais il n'y avait qu'à regarder dehors : les stéréotypes couraient les rues. Ils jaillissaient même des baffles des voitures.

— Ce stage, dit soudain Cordélia, Ilan et toi, vous n'imaginez pas ce que ça représente pour moi... Travailler dans une radio. Apprendre. Venir d'où je viens et me retrouver là... C'est comme si, pour la première fois, j'entrevoyais un avenir...

— Comment tu l'as obtenu ?

Une hésitation. Mais elle avait commencé. Alors, pourquoi ne pas aller jusqu'au bout :

— J'ai bidonné mon CV. Mais cette place, je la mérite. Pendant que mes parents se vautraient devant la télé et que mon connard de frère jouait à Grand Theft Auto IV, j'empruntais des livres à la médiathèque, je dévorais tout ce qui me tombait sous la main. J'ai eu les meilleures notes en français pendant toute ma scolarité – même si j'ai laissé tomber l'école à seize ans. J'ai menti, c'est vrai. Mais je fais du bon boulot, n'est-ce pas ? En tout cas au moins aussi bien qu'un autre...

Pas tout à fait vrai, songea Christine. Plus d'une fois, elle avait été surprise par les lacunes de Cordélia et elle s'était demandé comment elle avait atterri là.

— Je ne demande qu'à m'améliorer, insista la stagiaire. (Avait-elle surpris une lueur de doute dans le regard de Christine ?) Je sais que je peux y arriver... Je travaille dur et j'en veux, ça, tu le sais.

Christina hocha la tête. C'est vrai que la gamine en voulait. Il y avait un accent de sincérité dans cette dernière déclaration, quelque chose qui sonnait vrai. Et qui l'émut. Elle se dit qu'elle ne devait pas se laisser avoir, qu'elle devait garder la tête froide. Que la gamine essayait de l'amadouer.

— Le nom de cette personne, dit-elle en reposant sa bière.

Cordélia surprit son geste.

— Tu en veux une autre ?

— Son nom, répéta-t-elle.

Silence, visage baissé.

— Cordélia...

— Si je te le dis, ils me le feront payer. Cher.

— Pense à ton fils. Tu as ma parole que je vous aiderai. À condition que toi tu m'aides.

Elle lut le débat intérieur dans les yeux effrayés de la gamine. Eut une autre idée.

— Écoute, voilà ce que je te propose : tu racontes tout à Guillaumot. Je te défendrai, je dirai que tu as été victime d'un chantage. Je lui dirai de te garder ta place, que tu fais du bon travail. Non seulement je ne porterai pas plainte, mais je t'aiderai – financièrement aussi. Tout ce que tu as à faire, c'est de tout raconter à Guillaumot. Le nom, tu ne le dis qu'à moi. C'est mon affaire, je n'en parlerai à personne.

— Ils feront du mal à mon enfant !

En voyant ses pupilles à nouveau dilatées, Christine comprit qu'elle était terrifiée. Elle ne bluffait pas.

— *Je... je... écoute, nous te trouverons un... un endroit... pour ton... fils et toi...*

Bon sang, que lui arrivait-il ?

Tout à coup, les mots lui collaient aux gencives comme des caramels, ils rechignaient à franchir ses lèvres. Elle avança une main vers la table basse et son geste lui parut terriblement ralenti. Son cerveau renâclait. Ou alors, c'était l'inverse : son corps qui se mutinait. Ses doigts heurtèrent la bouteille de bière qui se renversa – et roula sur la table avec un bruit rond, étrange et distordu, avant de tomber en silence sur la moquette.

— Qu'est-ce qui... qu'est-ce qui m'arrive ?

Cordélia la fixait. Lèvres serrées.

Christine se concentra. *Ressaisis-toi, ma fille.*

Christiiinnneeee... tu es sûuuuuureee que tu te sens biiieennn ?

C'était quoi cette voix ? La gamine avait dû prendre quelque chose pour parler comme ça... Quelle intonation ridicule...

Christine retint un rire nerveux, elles étaient aussi stones l'une que l'autre.

Une sensation de froid dans ses veines, la pièce et le canapé tanguaient comme le pont d'un navire. Le regard de Cordélia. Une alarme s'alluma quelque part : il était redevenu ce qu'il était avant – froid et calculateur.

Christine sentit un voile de sueur froide lui coller aux joues comme une couche de fond de teint. *Oh, merde, je ne me sens vraiment pas bien...* Son cœur battait très vite. Elle allait être malade, ce n'était plus drôle du tout.

Il se passait quelque chose qu'elle n'aimait pas.

Elle regarda Cordélia et eut un choc : celle-ci était en train de retirer son peignoir. Son long corps couvert de tatouages – semblable à un hiéroglyphe – une nouvelle fois dévoilé.

Cordéliaaaaa... qu'est-ce que tu fais ?...

Je ne me sens pas biennnn... pas bien du touuuut...

Elle vit la gamine se lever, traverser la pièce dans sa direction. Contourner la table basse. Son sexe envahit le champ de vision de Christine. Étourdie et fascinée, celle-ci contempla une nouvelle fois l'étincelant piercing génital – puis le visage encore enfantin le remplaça, obstruant son champ visuel, et une bouche chaude et humide s'écrasa sur la sienne.

Ne bouuuuugeeee paaaaas…

Christine voulut se débattre. Ses yeux cligno-
taient ; elle frissonnait, le visage trempé. Elle voulut
se débattre, se lever, s'en aller, mais elle ne bougea
pas d'un iota.

Elle se concentra sur les gestes de Cordélia. La
stagiaire lui tournait le dos, elle avait ouvert un ordinateur portable sur la table basse.

Elle pianotait dessus.

Christine voyait ses fesses rondes, le grand dos nerveux de la jeune femme et ses omoplates saillantes.
Ses tatouages qui devenaient *flous…*

Çaaaa y eeessst…

Cordélia se retourna. Christine sentit qu'elle perdait
connaissance.

Black-out…

16

Récitatif

Un bruit déchira sa cervelle, comme une lame. Elle se réveilla instantanément. Le bruit recommença, râpe sur ses nerfs – et elle comprit qu'il s'agissait d'un klaxon.

Une rumeur de conversation en bas, dans la rue ; un bruit de moteur – et puis, le silence…

Christine se redressa.

Il faisait presque totalement noir, seule une clarté grise filtrait entre les lames des stores, et elle sentit sa crainte de l'obscurité revenir. Elle roula dans des draps aussi sombres que la pièce dans laquelle elle se trouvait, qui lui parut un endroit inconnu et étranger jusqu'à ce qu'elle se rende compte qu'il s'agissait de sa chambre. La sensation de la soie sur sa peau : comme un suaire. *Elle était nue…* Une image lui revint avec la fulgurance sèche d'une décharge électrique : Cordélia, nue aussi, l'embrassant, sa langue dans sa bouche.

Tremblante, elle chercha à tâtons l'interrupteur de la lampe de chevet mais, quand elle l'eut trouvé et qu'elle l'actionna, rien ne se passa.

Quelque chose brillait dans l'obscurité : tout au bout

du lit. Un rectangle d'un gris à peine plus pâle que les ténèbres ambiantes... *Un écran...*

Sa très faible luminosité disait qu'il était en veille. Elle se demanda – avec un cruel sentiment de vulnérabilité – comment elle avait atterri ici, qui l'avait déshabillée et qui avait allumé son ordinateur ? *Et aussi ce qu'on lui avait fait pendant son sommeil...* Mais cette question-là conduisait à des régions trop noires qu'elle préféra tenir à distance pour l'instant. Elle avait mal dans la colonne vertébrale, ainsi que sous les aisselles et à un coude. Est-ce qu'elle avait été traînée par terre, portée ? Forcément – mais par qui ? Certainement pas Cordélia toute seule... Elle se demanda comment ils avaient réussi à franchir le comité de vigilance dans le hall de l'immeuble.

Instinctivement, elle rampa vers l'écran pour l'allumer – tout sauf cette pénombre trop dense. Elle rampa jusqu'à lui à travers le lit, dans le noir, affolée, et, appuyée sur un coude, elle cliqua sur le pavé tactile. La veille s'interrompit. La clarté soudaine de l'écran l'éblouit, la soulagea et jeta des ombres partout dans la chambre. Une session vidéo était prête à démarrer. La grosse flèche triangulaire au centre de l'écran n'attendait qu'elle, mais quelque chose la retint : la certitude que ce qu'elle allait découvrir l'enfoncerait encore plus profond dans son cauchemar.

Son doigt glissa sur le pavé tactile, hésita, lança finalement la vidéo.

Elle la reconnut tout de suite...

La porte du 19B.

Vue de l'intérieur du petit appartement... *Une webcam...* Branchée face à la porte d'entrée. Un bruit grêle de sonnette. Celui qu'elle avait produit en pressant le bouton. Puis la longue silhouette de la stagiaire entrant dans le champ de la caméra. De dos. Nue. Ses fesses rondes, pâles, séparées par un sillon profond. Elle déverrouille la porte. Tire le battant et Christine apparaît. De face. Étrangement familière et étrangement différente de l'idée qu'elle se fait d'elle-même.

Sur son MacBook, Christine vit Christine regarder Cordélia, puis le regard de Christine glisser le long du corps de la jeune femme jusqu'à s'arrêter longuement sur son sexe. Christine sentit son visage s'enflammer. Sur la vidéo, Christine avait les yeux écarquillés, le regard luisant. Et l'objet de sa fascination ne faisait pas le moindre doute. Puis la voix de Cordélia disant calmement : « Entre » – et Christine pénètre dans l'appartement à la suite de la stagiaire.

Comme si tu étais attendue, se dit-elle. *Comme si tu étais déjà venue...*

Comme si tout cela était prévu et naturel...

Image suivante.

Christine assise dans le canapé, tournant le dos à la caméra.

On ne voit que sa nuque et ses épaules ; Cordélia se tient debout devant elle. Dans une pose éminemment suggestive. Elle écarte les cuisses ; ses doigts aux ongles peints en jaune néon entrouvrent les lèvres de son sexe, en un geste d'une choquante impudeur et d'une troublante intimité. Elle dit, dans une sorte de transe, le regard lubrique : « On appelle ça un piercing du triangle, toutes les femmes ne peuvent pas en mettre un : il faut un capuchon du clito suffisamment proéminent. En plus de l'aspect esthétique, il stimule le clitoris par l'arrière ; *tu n'imagines pas les sensations que ce truc te procure... tu n'as pas idée du pied que c'est...* » Christine ne bouge pas. Immobile comme une statue.

Dos tourné à la caméra, son attitude suggère qu'elle fixe le sexe de la jeune femme, comme elle l'a déjà fait à la porte.

Image suivante. Christine eut un sursaut : Christine et Cordélia nues dans le canapé, face à la caméra cette fois. *Elles s'embrassent.* Christine a les yeux fermés, sa main est blottie entre les cuisses de la stagiaire, leurs bouches jointes. La jeune femme gémit. Christine ne bouge pas – et pour cause.

Dernière image : Christine voit Christine dans le canapé, une nouvelle fois dos tourné à la caméra ; la stagiaire lui fait face – elle compte une liasse de billets :

« 1 600...

1 700...

1 800...

1 900... Deux mille... OK, je vais retirer ma plainte... *Mais c'est pas seulement pour l'argent, c'est parce que tu m'as bien fait jouir.* »

Neige sur l'écran. Fin du petit porno à usage privé.

Elle déglutit. Les tempes bourdonnantes. Elle avait une partie de la réponse sur ce qui s'était passé pendant qu'elle avait perdu connaissance.

Un montage. Personne ne contesterait que certaines parties avaient été coupées si cette vidéo venait à circuler. Mais personne n'aurait le moindre doute non plus sur le fait qu'elle était là de son plein gré en la voyant à la porte en train de mater le con de cette petite garce...

Piégée... Si Guillaumot ou n'importe qui à la radio

venait à visionner cette vidéo, cela conforterait les déclarations de Cordélia. Et sa carrière serait définitivement terminée. Celle de Cordélia aussi, soit dit en passant, mais, *primo* : celle-ci n'était qu'embryonnaire, contrairement à la sienne ; *secundo* : Christine soupçonnait que cette salope n'y tenait pas tellement que ça, en définitive – qu'elle avait d'autres projets dans la vie. Comme, par exemple, celui d'escroquer son prochain et de trouver d'autres pigeons à plumer.

Un chantage ? Était-ce la prochaine étape ? On allait la faire chanter ? C'était ça la finalité ? Mais elle avait déjà perdu son fiancé et son boulot… que lui restait-il à perdre ?

Elle se sentit lessivée, groggy. Incapable de réfléchir. Il n'y aurait pas de Grand Rebond de Christine, cette fois. La drogue qu'on lui avait administrée devait encore voyager dans ses veines, car elle avait le cerveau embrumé et les membres lourds.

L'éclairage expressionniste filtrant entre les lames des stores soulignait d'ombres les moulures au plafond. Elle avait aimé cet appartement mais, soudain, il lui apparaissait comme un lieu hostile – qui menaçait de se refermer sur elle et de l'étouffer.

Tout à coup, elle pensa à sa besace, regarda anxieusement autour d'elle et éprouva un intense soulagement en la découvrant dans un coin du lit. Il y avait un rectangle blanc posé à côté, sur le drap noir. Un ticket ou un message…

Elle se saisit du bout de papier et l'amena dans la lueur de l'écran.

Un ticket de retrait bancaire. La panique s'empara d'elle.

Elle reconnut les premiers et les derniers chiffres :

ceux de son compte en banque... Il était écrit : « *Retrait, date : 28/12/12, heure : 09 h 03, automate : 392081* » : une somme de deux mille euros avait été débitée de son compte le matin même ! À cette heure-là, elle était dans le bureau de Guillaumot en train d'écouter les élucubrations de Cordélia. Puis, avec un hoquet incrédule, elle fit le rapprochement avec les images de la vidéo où on voyait la gamine en train de compter une liasse de billets.

Le piège était à double détente...

Il y avait autre chose sur le drap, à côté du MacBook. Le boîtier en plastique d'un CD. Elle s'en empara.

Madame Butterfly. De l'opéra, bien sûr...

Elle se souvint en frissonnant que Mme Butterfly se suicidait à la fin. C'était à peu de chose près tout ce qu'elle savait en matière d'opéra.

La peur s'insinua entre ses côtes et dans tous les recoins de son cerveau. Était-ce vers cela qu'on la poussait ? Un souvenir affreux : son père la serrant contre lui à lui faire mal, sa voix bizarrement aiguë et hachée répétant sans cesse : *Oh, ma chérie, il est arrivé un terrible, terrible, terrible accident...*

Elle n'avait appris la vérité que bien plus tard : Madeleine s'était pendue.

Pendue – à seize ans.

Cette histoire, pourquoi ça m'arrive à moi ? se demanda-t-elle encore une fois. *Est-ce que c'était comme le Loto mais à l'envers : au lieu d'une chance inouïe – une sur des millions –, un malheur inouï ?*

Elle referma le lecteur vidéo et s'aperçut alors que sa messagerie était restée ouverte sur l'écran. Ou plutôt que *quelqu'un l'avait ouverte pendant son sommeil...* Merde, elle avait téléchargé un pack complet de sécurité, effacé tous les cookies, changé de mot de passe, comment était-ce possible ? Son regard balaya machinalement les mails qui étaient arrivés depuis la dernière fois qu'elle l'avait consultée. Il y en avait un provenant du vétérinaire intitulé « Iggy », plusieurs mails de centrales d'achat, puis son regard se figea : malebolge@hell.com… Le mail s'intitulait « OPÉRA ». Elle retint sa respiration et cliqua sur le pavé numérique.

J'espère que tu aimes l'opéra, Christine.

Rien d'autre.
Sale enfoiré de merde !
Elle agrippa le MacBook à deux mains et – dans un geste libératoire et vengeur – le projeta de toutes ses forces contre le mur de la chambre, où elle le vit et l'entendit se fracasser avant qu'il ne retombe sur le plancher, hors d'usage mais presque intact : les MacBook sont solides…

Dans les petits haut-parleurs, le premier mouvement de la Symphonie n° 9 – violons légers, cors brumeux et harpe scintillante – était comme le souffle élégiaque d'un matin d'automne dans la forêt quand, tout à coup, l'orage des cuivres et des cordes éclata après la foudre d'un coup de timbale. Un nouveau déferlement dans la petite pièce sous les toits : Servaz leva un instant les yeux de sa lecture – non pour regarder quelque chose mais pour mieux écouter, les yeux perdus dans la contemplation du mur, ce passage où le percussionniste rythmait à coups sourds l'approche de la tragédie. Des centaines d'écoutes et pourtant il les ressentait toujours dans son sang, ces coups martelés du destin.

Si un jour un extraterrestre descendait de son vaisseau spatial pour lui demander ce que l'humanité avait créé de beau, il lui ferait écouter Mahler, songea-t-il en souriant. Il était cependant conscient qu'au vu des insurpassables médiocrité et vulgarité de l'époque actuelle, il y avait fort à parier que cet argument ne suffirait pas et que le petit homme vert s'empresserait de remonter dans sa bécane intergalactique, non sans avoir au préalable pulvérisé tout le monde d'un rayon aussi prophylactique qu'exterminateur. Reléguant la musique en arrière-plan, il reporta son attention sur les mots imprimés. Il avait toujours un peu de mal avec les textes sur écran. Aussi s'était-il rendu à la médiathèque avant de rentrer. Il ne savait pas trop ce qu'il cherchait, au vrai. Mais il avait fini par dénicher quelques ouvrages. Et, à présent, il était plongé dans des livres qui portaient des titres tels que *Les manipulateurs sont parmi nous* ou *Le Harcèlement moral, la violence perverse au quotidien*.

De ces ouvrages il ressortait que certaines rencontres changent votre vie pour le meilleur et que d'autres peuvent vous entraîner vers l'abîme, voire constituer un danger mortel. Qu'il existait, au sein de la société, des esprits pervers et manipulateurs qui, chaque jour, prenaient dans leurs filets des individus faibles et vulnérables, femmes ou hommes, qu'ils s'employaient à contrôler, à abaisser et à détruire. Était-ce cela que Célia Jablonka avait subi ? Avait-elle fait une mauvaise rencontre ? En rentrant, il avait tapé *Moki* sur Internet et découvert que le Blue Moki était un poisson perciforme de Nouvelle-Zélande, le Moki Bar un café-concert dans le 20ᵉ arrondissement de Paris et que le mot désignait aussi une forme de haïku en japonais. Mais pas de Moki dans l'annuaire ni dans les pages jaunes – aucun Moki en dehors de l'agenda de Célia Jablonka...

En poursuivant sa lecture, Servaz découvrit qu'il existait une première étape, dite d'*effraction*, au cours de laquelle le manipulateur s'employait à pénétrer le territoire psychique de l'autre, à brouiller ses repères, à squatter ses idées et à les remplacer par les siennes. Puis venaient le contrôle et l'isolement : de la famille, des proches, des amis... *Comme dans une secte*, songea-t-il. Et, en même temps, le dénigrement, les humiliations, les actes d'intimidation destinés à provoquer une rupture identitaire dans l'esprit de la victime, à atteindre son estime de soi. Tout un chacun pouvait se révéler manipulateur à l'occasion, Servaz se souvenait de l'avoir été en quelques circonstances. Mais un individu véritablement pervers l'était constamment, méthodiquement. Petit chef tyrannique cherchant à masquer sa propre incompétence, conjoint toxique, mère abusive... Servaz se remémora une phrase de George Orwell dans *1984* : « Le pouvoir est de déchirer l'esprit humain en morceaux. »

Si la victime résistait, s'opposait, ne réagissait pas comme prévu, alors apparaissaient les menaces, la violence physique et, lorsque la victime était une femme, la violence sexuelle – jusqu'au viol... ou au meurtre. Une fois de plus, Servaz se demanda si c'était cela que Célia avait subi. Devait-il creuser plus avant ou était-il en train de perdre son temps ? Elle n'était pas mariée mais elle avait peut-être un petit ami, un compagnon au moment des faits. Avait-il été interrogé ? Il n'y avait quasiment aucune information dans le dossier que lui avait confié Desgranges. L'affaire avait été classée très vite.

Il poursuivit sa lecture.

Selon ces textes, la violence psychologique était profondément égalitaire, elle transcendait les classes sociales. Les tyrans domestiques et professionnels couraient les rues, cachés derrière des masques sociaux inoffensifs. Dans le milieu du travail, il existait un délit de harcèlement moral, mais les agents de contrôle de l'inspection du travail obligeaient la victime à en faire la preuve par des témoignages, des attestations avant de débuter la moindre enquête. Ce qui laissait le champ libre aux manipulations perverses les plus subtiles, les plus insidieuses : celles au cours desquelles la cible se voyait abaissée, inférieurisée, soumise à des attaques verbales et psychologiques incessantes, dégradantes, à des humiliations en présence de tiers et à des ordres contradictoires sur de longues périodes. De telles attaques n'étaient pas mortelles (sauf lorsque la victime finissait par mettre fin à ses jours sur son lieu de travail), mais l'individu qui rentrait chez lui abîmé, humilié, épuisé y perdait à jamais son amour-propre et sa sève vitale ; quant à l'entourage professionnel, il se tenait la plupart du temps à l'écart, par lâcheté ou par égoïsme – quand il ne rentrait pas tout simplement dans le jeu du manipulateur, stigmatisant à son tour l'incompétence, la mauvaise humeur et la mauvaise volonté évidentes de la victime.

Dans le domaine familial, la violence psychologique adoptait souvent le masque de l'éducation. Une psychologue et philosophe suisse avait parlé de *pédagogie noire*, ayant pour objectif de briser la volonté de l'enfant. La Convention internationale des droits de l'enfant assimilait à de la maltraitance psychologique la violence verbale, les comportements sadiques et dégradants, le rejet affectif, les exigences excessives, les consignes contradictoires ou impossibles... Au sein du couple enfin, le harceleur connaissait parfaitement sa victime, ses faiblesses, ses failles : cela lui donnait un avantage considérable. La violence psychologique consistait alors à humilier, à rabaisser, à faire naître un sentiment de honte et à faire perdre toute confiance en soi. « Qu'est-ce que tu deviendrais sans moi ? » On terrorisait la partenaire par des agressions indirectes : sur les animaux ou sur les enfants ; on l'isolait de ses anciens amis, de ses parents ; on sapait méthodiquement ses défenses par une suite continue de petites attaques, jusqu'à lui faire perdre tout esprit critique, jusqu'à ce qu'elle soit plongée dans un état de confusion mentale, privée de repères, incapable de distinguer le normal de l'anormal. *Jusqu'à ce qu'elle tolère l'intolérable...* On la maintenait dans un climat de tension et d'angoisse permanent : la victime ne savait jamais d'où la prochaine attaque allait survenir, ni quand. On gardait un visage double : souriant, affable, sympathique à l'extérieur ; instable, redoutable et méprisant dans le secret du foyer – si bien que c'était elle qui finissait par paraître caractérielle et asociale aux yeux des autres, quand, un beau jour, elle finissait par réagir mal au mauvais moment.

Avec le développement d'Internet, les *stalkers* – un anglicisme pour désigner les harceleurs névrotiques – pouvaient désormais débusquer leurs cibles hors du cadre familial ou de l'entreprise. Le Web avait démocratisé cette activité-là aussi : on ne s'en prenait plus seulement à des personnalités en vue, comme Madonna ou Jodie Foster ; *tout le monde pouvait devenir la cible de tout le monde*... Les ados ne s'en privaient pas sur les réseaux sociaux. Servaz pensa à Élise, qui avait été la victime de son mari pendant des années. Peut-être devrait-il lui parler du cas de Célia ? Qui sait si elle saurait reconnaître des signes familiers dans le peu dont il disposait ?

Il se leva et alla jusqu'à la fenêtre.

Le soir tombait sur l'étendue de neige et de bois diluée dans la grisaille qui tournait lentement au bleu nuit. Derrière lui, sur l'adagio et dernier mouvement de la n° 9, les violons entamèrent un mouvement d'une lenteur, d'une simplicité et d'un dépouillement bouleversants. Quelle audace, quelle tendresse, quelle tristesse ! Servaz sentit les poils de ses avant-bras et les cheveux dans sa nuque se hérisser. Comme chaque fois qu'il s'abandonnait à cette musique des dieux. Était-il totalement inadapté au monde moderne ? Chaque fois qu'il allumait l'une des télévisions du centre, il avait la sensation de plonger dans un bain infantilisant d'immaturité, de goûter quelque chose d'écœurant et de poisseux comme de la barbe à papa. Bah, il avait suffisamment de livres et de musique pour tenir jusqu'à la fin de son existence... Il pensa à ce que Vincent Espérandieu, son adjoint, aurait dit. Vincent était un geek ; il lisait des auteurs japonais dont Servaz n'avait jamais entendu parler, jouait aux jeux vidéo, était incollable sur les dernières séries télé, écoutait un tout autre genre de musique et semblait en parfaite adéquation avec le monde d'aujourd'hui. Pourtant, il y avait à peine dix ans entre eux.

La pensée de Vincent l'amena à Charlène... À cette

sensation de chaleur et de vie qu'il avait ressentie en la voyant. Il était conscient que Charlène était une drogue semblable à l'opium, qui pouvait lui apporter la délivrance et le soulagement auxquels il aspirait. Mais Charlène était aussi la femme de son adjoint et de son ami, et la mère de son filleul : *E pericoloso sporgersi*.

Il revint à Célia.

Si quelqu'un l'avait poussée au suicide, il ne croyait pas qu'il eût agi gratuitement. Le crime gratuit, ça n'existe pas. Les tueurs en série frappent à cause de leurs pulsions sexuelles, les crimes passionnels sont dus à la jalousie, les crimes crapuleux à l'appât du gain ; même un *stalker* ne le devient que parce qu'à un moment donné quelque chose chez sa victime a attiré son regard : il y a toujours un mobile. Et ce mobile, s'il existait, si elle n'avait pas simplement été dépressive et paranoïaque, se trouvait caché quelque part dans la vie de Célia Jablonka.

Derrière lui, l'adagio s'achemina en sourdine vers sa coda presque tâtonnante, lente et furtive comme le pas d'un daim dans la forêt, légère et fragile comme une fumée – et tout fut consommé. Tout sauf le silence.

17

Figurant

Xanax, Prozac, Stilnox. Pourquoi tous ces médocs avaient-ils des noms qui semblaient sortir d'un film de science-fiction : des noms qui semblaient en eux-mêmes *dangereux* ? Elle se l'était demandé la veille en considérant d'un œil vitreux la quantité invraisemblable de drogues légales qui peuplaient son armoire à pharmacie, cet empilement de boîtes recouvertes de bandes rouges, de symboles et d'avertissements aussi rassurants que ceux placardés aux alentours d'une centrale nucléaire.

Ma vieille, quelqu'un qui éprouve le besoin d'avoir en permanence des trucs pareils en telles quantités chez lui devrait forcément s'interroger sur l'état de sa santé mentale.

Elle avait contemplé au creux de sa paume la gélule bicolore, le gros comprimé bleu ovoïde et sécable et le petit bâtonnet blanc sécable également (mais elle n'avait coupé ni l'un ni l'autre), un antidépresseur, un anxiolytique et un somnifère : souvenirs d'une époque où ses démons avaient pris une telle place dans sa vie que seule une carapace chimique pouvait les arrêter – et elle s'était demandé si la solution ne serait pas de multiplier là tout de suite les doses par dix ou par vingt. Puis elle les avait enfournés tous les trois dans sa bouche avant de porter à ses lèvres le verre à dents d'une main si tremblante qu'elle avait versé la moitié de son contenu sur son menton. Après quoi, elle était allée se rouler en boule sous la couette avec l'impression que son cerveau était une piste d'envol pour pensées suicidaires.

À présent, le matin venu à son secours, Christine ne se souvenait plus exactement quelles avaient été ces pensées (elle se rappelait davantage l'espèce de semi-coma ayant précédé l'effrayante plongée dans un sommeil qui ressemblait à un gouffre noir et sans vie), mais elle savait qu'elle était en danger. Un danger plus grand que tous ceux qu'elle avait connus. *Un danger tout simplement mortel.* En se réveillant ce matin-là dans un état de torpeur et de migraine avancé, elle sut que si elle ne trouvait pas le moyen de stopper rapidement ce dévissage, elle ne verrait pas la nouvelle année… *C'est aussi simple que ça, ma grande.* Cette idée la glaça à tel point qu'elle se mit à claquer des dents. Elle avait pourtant enroulé la couette et le drap autour d'elle, laissant le reste du matelas à nu. Elle se leva, la couette toujours autour de ses épaules, à l'instar de la couverture du SDF en bas dans la rue, et s'avança d'un pas hésitant vers le séjour. Ce n'était pas qu'une impression : *il faisait froid dans l'appartement…* Elle avait dû baisser le chauffage sans s'en rendre compte.

Christine le poussa à fond avant de se diriger vers la cuisine. Son regard tomba sur la pendule et, pendant un instant d'égarement, elle se fit la réflexion qu'elle devait se préparer pour la radio avant que le souvenir des paroles prononcées par Guillaumot ne resurgisse, lui coupant les jambes. Elle vacilla. S'appuya au comptoir de la cuisine pour garder son équilibre.

Elle vit la gamelle vide d'Iggy et reçut un nouveau coup de poing à l'estomac. Se précipita dans la salle de bains. *Vite, une nouvelle gélule et un nouveau comprimé...*

Agrippant le lavabo, elle se campa devant le miroir – y surprit son visage effrayé. *Et maintenant ? Qu'est-ce qui va se passer ?* Le comprimé ovale et la gélule bicolore – telle une glace aux deux parfums – étaient déjà au creux de sa main. La petite voix, cependant, n'avait pas dit son dernier mot : *Tu es en train de réagir exactement comme ils l'attendent de toi,* fit-elle remarquer d'un ton acide. *Tu te comportes conformément à leurs prévisions.*

Et après ? eut-elle envie de lui rétorquer. *Quelle différence cela peut bien foutre ? Tu as une solution ? Non ? Alors, ferme-la !*

Elle considéra les comprimés... les reposa momentanément sur le bord du lavabo...

Elle revint dans le séjour avec une aspirine effervescente en train de se dissoudre, s'assit dans le canapé et resta ainsi un long moment, immobile. Elle écouta les bruits de l'immeuble en train de se réveiller : tuyauteries, bruits de pas, radio lointaine, voix étouffées – ce vieil immeuble si mal insonorisé – et sut qu'elle était seule, seule face à un adversaire invisible, retors et bien plus puissant qu'elle. Quand elle regarda de nouveau la pendule, une bonne heure s'était écoulée. Elle s'ébroua, mais sans savoir que faire, où aller, ni à qui s'adresser. Toute tentative de réagir se heurtait à l'immense fatigue qui lui brisait les os, et la terreur de la prochaine attaque la paralysait. Elle n'avait plus de repères : elle était un bateau qui a rompu ses amarres – à la dérive, sans cesse menacé de se fracasser sur les rochers… Il était tellement plus facile de se laisser aller… *La vérité, c'est que je n'ai plus aucune option ; j'ai perdu mon boulot, mon homme – et ça ne va sans doute pas s'arrêter là…*

Elle se sentit comme écrasée par cette vérité. *En attendant, que ça ne t'empêche pas de réfléchir,* insista néanmoins la petite voix en elle, celle qu'elle venait de rembarrer.

Elle obéit. Sa première pensée fut qu'elle évoluait désormais dans un monde radicalement différent de celui qu'elle avait connu. Comme après une tornade, tout ce qui faisait sa vie d'avant avait été balayé et – dans ce nouveau monde dévasté et méconnaissable – les règles avaient changé. Si elle voulait survivre, elle allait devoir s'adapter. Sauf que ce monde nouveau ressemblait à un marécage sans surface solide sur laquelle s'appuyer. Et qu'elle n'avait ni boussole ni carte pour s'y orienter. Pourtant, elle fut surprise de découvrir qu'il lui restait tout de même un petit coin de terre ferme, toujours le même : Cordélia. La réflexion qu'elle s'était faite en la prenant en filature n'avait rien perdu de sa pertinence : *Cordélia connaissait forcément celui ou ceux qui étaient derrière tout ça…* Car Christine ne croyait plus qu'elle en fût l'instigatrice. Trop élaboré. Trop complexe. Comment la stagiaire aurait-elle pu orchestrer et appliquer un tel plan avec un boulot à mi-temps et un bébé sur les bras ? La jeune femme était sans doute uniquement motivée par l'appât du gain. Quelqu'un lui avait promis – ou déjà versé – une belle somme.

Une deuxième pensée la traversa comme un éclair : comment se renseigner sur Cordélia sans attirer l'attention de celui ou ceux qui la surveillaient constamment ? Réponse : elle ne pouvait y parvenir toute seule. Un obscur instinct lui disait qu'il y avait au moins deux personnes dans le camp d'en face, Cordélia et l'homme au téléphone – et peut-être davantage. Toute seule, elle ne faisait pas le poids. Faire appel à un tiers, quelqu'un qui agirait à sa place... Mais *qui* ? Gérald, c'était exclu ; Ilan aussi, désormais. *Idem* pour son père et sa mère...

Et puis, une idée germa : elle pensa à deux personnes totalement inattendues, forcément inconnues de son ou de ses tourmenteurs ; la première se tenait tout simplement en bas de chez elle.

Christine se sentit soulevée par une brusque et paradoxale allégresse : l'idée était tellement absurde qu'ils ne pouvaient pas l'avoir envisagée. Restait un problème de taille – convaincre la personne en question.

Elle alla à la fenêtre de sa chambre et le regarda, assis sur son bout de trottoir, au milieu de ses cartons et des sacs-poubelles qui contenaient toutes ses affaires personnelles.

Il tournait la tête à droite et à gauche, balayant la rue de son regard perçant. *La personne idéale*... Leurs conversations lui revinrent en mémoire. Il lui avait toujours paru lucide, calme, sensé et l'esprit étonnamment vif malgré sa situation.

Dans ce cas, tu peux me dire ce qu'il fout dans la rue ? demanda la petite voix intérieure qui aimait à la contredire.

La ferme...

Christine le vit remercier en souriant une passante qui venait de déposer une pièce dans son gobelet et la suivre des yeux. Elle se détourna de la fenêtre.

D'abord se réveiller. Les molécules flottaient encore à faible dilution dans ses veines ; elle avait la sensation qu'une armée de fourmis transformait son cerveau en fourmilière à dôme.

La douche presque glacée lui fouetta les sangs. Elle avala un café très fort, s'habilla en vitesse. Quand elle émergea dans la rue, elle se sentait étrangement remontée. Elle le salua depuis le trottoir d'en face et il lui rendit son salut. Elle fila vers le DAB le plus proche, place des Carmes. En arrivant devant l'appareil, Christine fit un rapide calcul. Le plafond de retrait maximal autorisé pour sa carte de crédit était de trois mille euros pour une période de trente jours ; deux mille avaient déjà été retirés la veille par ses tourmenteurs et elle connut un instant d'appréhension en glissant sa carte dans la fente. En avaient-ils retiré plus ? Allait-elle être privée de carte bancaire ? Rien de tout cela ne se passa et elle regarda avec soulagement la liasse de billets crachée par l'appareil. Elle s'arrêta ensuite à la boulangerie pour acheter deux croissants – et la boulangère la foudroya du regard quand elle la paya avec un billet de cinquante euros. De retour à l'appartement, elle attrapa un bloc-notes, un stylo, rédigea un mot avant de le plier et de le glisser dans sa poche. Pendant un bref moment, elle se demanda si elle ne nageait pas en plein délire. Elle décida que non, fit couler un café noir dans un gobelet Tupperware et mit les croissants dans le micro-ondes. Elle replaça le couvercle en plastique sur le pot de café, les croissants chauds dans le sac en papier et reprit le chemin de l'ascenseur.

— Tenez, c'est pour vous, déclara-t-elle dans la rue, en lui tendant le tout deux minutes plus tard.

Elle vit son sourire s'agrandir dans sa barbe poivre et sel. Des dents jaunes et de travers apparurent au milieu de sa face burinée, ainsi que plusieurs chicots en métal qui brillaient au coin de sa bouche.

— Eh bien ! Je suis gâté. Un vrai petit déjeuner...

Le ton disait, cependant, son étonnement.

— C'est quoi votre prénom ? voulut-elle savoir.

Il lui décocha un regard surpris et prudent.

— Max...

— Max, dit-elle en glissant le papier plié à l'intérieur d'un billet de vingt euros dans la poche de son manteau, je peux vous aider... J'ai mis un papier dans votre poche. Faites en sorte que personne ne vous voie le lire. C'est très important.

Cette fois, le coup d'œil fut plus circonspect qu'étonné. Il hocha la tête sans sourire et elle sentit son regard peser sur son dos pendant tout le temps qu'elle mit à retraverser la rue en direction de son immeuble. Une fois chez elle, elle se dirigea vers la fenêtre de sa chambre. Il avait déjà les yeux levés vers sa fenêtre ; il savait parfaitement où elle habitait. Même à cette distance, elle lut la perplexité dans ses prunelles. Il éleva lentement le gobelet, comme pour porter un toast. Sans la lâcher des yeux. Et sans sourire. Au bout d'un moment seulement, le café terminé et les croissants avalés, il se coucha et disparut sous son carton et sa couverture.

Christine se souvenait de chaque mot qu'elle avait écrit :

Le code de l'immeuble est 1945. Il y a une autre entrée sur la rue de derrière. Attendez une heure. Ensuite, entrez par-derrière et montez au troisième étage. Porte gauche. J'ai du travail pour vous. Ayez confiance : ça n'a rien d'illégal, malgré les apparences.

Ce ne fut qu'en ressortant de la chambre qu'elle prit conscience de son appréhension. Était-il raisonnable d'inviter quelqu'un comme lui chez elle ? Que savait-elle de lui au fond ? Absolument rien. Il pouvait être un repris de justice, un drogué en manque, un voleur, un violeur...

Trop tard. Elle lui avait donné le code.

Elle pouvait toujours refuser de lui ouvrir, cela dit. Elle alla à la porte et vérifia que le verrou était tiré. Retourna dans la chambre. Il avait repris sa position assise et avait de nouveau le regard fixé sur sa fenêtre. Et sur elle. Il ne fit aucun signe pour lui faire comprendre s'il acceptait – ou refusait. Il resta simplement à l'observer d'en bas, le visage levé, impénétrable. Elle fut tout à coup très mal à l'aise : il devait la prendre pour une folle.

Qu'est-ce que ça sera quand tu lui auras expliqué ce que tu attends de lui...

Elle revint toutes les cinq minutes à la fenêtre, de plus en plus impatiente, mais il ne bougeait toujours pas. Au bout d'une heure environ, elle s'en approcha une nouvelle fois et se figea. Le trottoir était vide : *il avait quitté son poste.* Quand la sonnette déchira le silence de l'appartement, elle se raidit. Il agissait pourtant comme elle lui avait dit de le faire.

Oh, Seigneur, tu es complètement dingue...

Elle inspira un bon coup. Parcourut la distance qui la séparait de la porte, tira le verrou et ouvrit.

18

Vérisme

Sa première pensée fut qu'il était très grand. Un bon mètre quatre-vingt-dix. Et très maigre. Il encombrait le seuil de son quasi-double mètre en se tenant un peu voûté, semblable à un doux géant dans un conte pour enfants – et elle se demanda si elle ne faisait pas une bêtise.

Parce que tu crois qu'un petit serait moins dangereux ?

— Je reste là si vous voulez, dit-il avec un grand sourire ironique en devinant son hésitation. Je peux aussi me déchausser – mais je vous le déconseille.

Sa voix apaisante, tranquille ; elle se sentit ridicule.

— Non, non, entrez.

Elle s'effaça et il passa devant elle. L'odeur parvint alors à ses narines : un mélange de sueur aigre, de crasse, de pieds sales et le relent douceâtre mais insistant, en arrière-plan, de l'alcool qui suinte par tous les pores de la peau même quand on n'a pas bu depuis des heures. Peut-être que, dans la rue, il empestait moins que certains de ses condisciples, mais ici, dans l'espace clos de l'appartement, sa puanteur l'enveloppait comme un nuage d'acétone. Elle ne put s'empêcher de se réjouir de ne pas avoir cinq nez, comme la fourmi. Elle fronça le seul et unique qu'elle possédait et lui montra la direction du séjour en se tenant à distance. Tandis qu'il s'avançait tranquillement dans la pièce, elle considéra les gros souliers usés et crottés en train de fouler son plancher.

— Un café ? lui demanda-t-elle.

— Un jus de fruits, vous avez ?

Du genre fermenté et distillé ? dit la méchante petite voix en elle, mais elle la fit taire.

Elle alla chercher la bouteille dans le frigo et lui montra le canapé.

— Vous n'avez pas peur des microbes ? ironisa-t-il en s'asseyant et en prenant le verre aux trois quarts plein dans sa grande main presque aussi noire que sa mitaine, où les ongles blancs ressemblaient à des cailloux clairs posés sur du charbon.

Elle regarda sa pomme d'Adam aller et venir tandis qu'il buvait à grands traits comme s'il mourait de soif, sans se soucier du bruit qu'il produisait, faisant descendre gloutonnement le liquide dans son gosier, puis léchant ses lèvres gercées d'une langue agile qui conclut l'opération d'un claquement badin. Quelques gouttes de jus de mangue roulèrent dans les poils blancs de sa barbe ; il les essuya du revers de sa mitaine. Après quoi, il leva vers elle ses yeux pâles et légèrement voilés, et elle se dit qu'il avait dû être beau, dans le temps. Sous la peau sombre et le réseau de rides qui sillonnaient ses joues, les traits étaient réguliers, le nez droit, la bouche bien dessinée. Des sourcils épais et noirs accentuaient l'intensité de son regard et ses cheveux gris tombaient sur ses épaules en longues mèches sales, entremêlées, mais l'impression d'ensemble était celle d'un tableau retrouvé par hasard dans un grenier, ses détails enfouis sous d'épaisses couches de suie, dont on devine d'emblée la beauté.

Il la regarda – longtemps.

— Merci pour le verre, dit-il. Mais je ne suis pas prêt à faire n'importe quoi pour de l'argent.

Plongeant une main dans la poche du manteau plein de taches, il déposa le billet de vingt euros devant lui sur la table basse. Il plaça le mot qu'elle avait rédigé à côté.

— Si ça n'a rien d'illégal, pourquoi tous ces mystères ?

Il avait parlé sans animosité. Plutôt comme quelqu'un de curieux, et aussi diverti par la situation.

— Êtes-vous folle ? demanda-t-il comme elle ne répondait pas.

La question la fit tressaillir. Le ton, bien que décontracté, indiquait qu'il attendait une réponse.

— Je ne crois pas, dit-elle.

— Comment vous vous appelez ?

— Christine.

— Allez-y, Christine. Expliquez-moi.

Sur ces mots, il se rejeta au fond du canapé et croisa les jambes. Elle faillit sourire en songeant que, malgré ses vêtements crasseux et ses longs cheveux qui n'avaient pas vu une paire de ciseaux depuis des lustres, il lui faisait penser à un psy.

— Comment en êtes-vous arrivé là ? demanda-t-elle au lieu de répondre. Vous faisiez quoi avant ?

Il y eut un bref moment de silence. Il la sonda brièvement, puis haussa les épaules.

— Je ne crois pas que vous m'ayez fait monter pour ça...

— J'insiste, Max. Si je dois vous raconter mon histoire, il me faut d'abord en savoir plus sur vous.

Il haussa de nouveau les épaules.

— C'est votre problème. Pas le mien. Vous croyez que je suis prêt à raconter ma vie pour vingt euros ? Que j'en suis là ? C'est cela que vous pensez de moi ?

Il était offensé, cela s'entendait au tremblement dans sa voix. Il n'allait pas tarder à se lever et à partir.

— Vous croyez que j'invite tous les sans-abri chez moi ? répliqua-t-elle. Pourquoi croyez-vous que je vous ai ouvert ma porte – sinon parce que je vous considère comme quelqu'un digne de confiance ? Vous n'êtes pas obligé de tout me dire, si ça vous gêne. Et puis, zut, ne dites rien, si ça vous chante ; de toute façon, je vous dirai pourquoi vous êtes là.

Elle le vit hésiter, puis ses traits se durcirent.

— J'étais professeur de français, commença-t-il, dans une école privée.

Il fronça les sourcils, laissa échapper un soupir.

— J'accompagnais aussi les enfants lors des sorties le week-end, ou pendant les vacances de Toussaint ou de Pâques. À cette époque-là, j'avais la foi. J'allais à la messe tous les dimanches, avec ma femme et mes enfants. J'étais un membre important de la communauté, quelqu'un de respecté, d'apprécié, et j'avais beaucoup d'amis. Vous saviez que, pour certains chercheurs, la foi et le comportement religieux sont des traits spécifiquement humains qu'on retrouve dans toutes les cultures et qui sont sans équivalent dans le règne animal ? D'après eux, il existe des circuits du cerveau spécifiques à la croyance religieuse.

— Que s'est-il passé ? voulut-elle savoir.

— La communauté scientifique est profondément divisée sur ces questions, poursuivit-il sans tenir compte de sa question. Pour certains, la foi est d'origine biologique ; pour les tenants de Darwin, la sélection naturelle a pu favoriser les individus qui sont croyants parce que leurs chances de survie étaient plus grandes. Le cerveau humain aurait ainsi évolué en devenant plus sensible à toutes les formes de croyance, ce qui expliquerait que les croyances religieuses et la foi sont aussi répandues dans le monde. (Il marqua une longue pause, la fixa.) J'ai perdu la mienne le jour où les parents d'un petit garçon ont porté plainte pour *comportement inapproprié* sur leur enfant. Selon eux, je lui avais montré mon zizi... La rumeur s'est très vite répandue. C'était une petite ville. Les gens parlent. D'autres parents ont interrogé leurs enfants, et ont à leur tour répandu des histoires encore pires que celle-là. Sans doute étaient-ils de bonne foi. Sans doute leurs questions étaient-elles tellement biaisées, leur insistance et le désir des enfants de satisfaire la curiosité des parents si grand que la réponse ne pouvait être que celle que les parents attendaient – ou redoutaient... J'ai été mis en garde à vue. Confronté au témoignage du petit garçon. Des détails ne collaient pas. Un tas de détails. Beaucoup trop, en fait. Il a reconnu avoir inventé toute cette histoire, et je suis rentré chez moi. Mais ça ne s'est pas arrêté là... Des mails ont commencé à circuler sous le manteau. On y racontait que des vidéos de pornographie infantile avaient été retrouvées sur mon ordinateur, que je me masturbais en douce en matant les enfants pendant les sorties du week-end et que je me débrouillais pour être toujours présent quand ils allaient aux toilettes ou sous la douche... que j'avais même eu... des gestes déplacés sur mes propres enfants...

Ces derniers mots s'étranglèrent dans sa gorge et, en levant la tête, elle vit que ses yeux étaient humides. Un petit muscle palpitait sous la peau de sa joue droite. Christine regarda ailleurs.

— Aux yeux de ceux qui les répandaient et se les passaient, le fait que la gendarmerie n'avait pas assez de preuves ne voulait évidemment pas dire que je n'avais rien fait : le petit garçon avait retiré son témoignage pour ne pas avoir d'ennuis, le juge avait eu avec lui un comportement plus que douteux, des pressions avaient été exercées sur ce malheureux gosse, sur ses parents, la procédure avait été close pour un simple détail technique... Et ainsi de suite...

Il transpirait. Christine se dit qu'il n'avait plus l'habitude de vivre à l'intérieur.

— C'était plus que du soupçon. J'étais coupable. On est toujours le coupable de quelqu'un, pas vrai ? Il y avait trop de rumeurs, trop d'indices, vous comprenez ? Alors, les justiciers du dimanche, les salauds ordinaires qui sont convaincus de leur bon droit, ceux qui n'attendent qu'une occasion pour donner libre cours à leur violence, ont commencé à vouloir faire justice eux-mêmes. On habitait une jolie maison, ma femme, mes enfants et moi – un peu à l'écart du village, près de la forêt : même ça a été retenu contre moi ; on prétendait que je voulais vivre isolé, à l'abri des regards, à cause de toutes les dégueulasseries que j'aimais faire. Un soir où nous regardions la télé, on a reçu des pierres dans les vitres du salon. Ça s'est reproduit deux jours plus tard, sur d'autres vitres. Une fois, deux fois. Bien entendu, ceux qui les lançaient ne se montraient jamais, on entendait juste des cris dans la nuit qui prononçaient mon nom et l'accolaient à des mots immondes... On a fini par fermer les volets dès que la nuit tombait, mais les pierres continuaient de pleuvoir, cela faisait un boucan d'enfer sur le métal. Parfois, plusieurs nuits s'écoulaient sans que rien se passe, on se disait que c'était enfin terminé et puis, tout d'un coup, à 3 heures du matin, ça recommençait. *Bang, bang, bang, bang !* Un bruit de tonnerre, les insultes qui fusaient dans la nuit, les cris de bêtes... Les enfants étaient terrorisés, bien entendu.

Il montra son verre et elle le resservit. Il se désaltéra avec la même avidité que précédemment, mais sans faire claquer sa langue, cette fois. Il n'était plus d'humeur.

— Les incidents se sont accumulés. Notre chat est mort empoisonné, nos pneus étaient régulièrement crevés, on a refusé de servir ma femme dans une pharmacie alors qu'elle venait acheter du sirop pour la toux du petit et on lui a demandé de ne plus revenir, des amis nous ont fermé leurs portes. *De plus en plus d'amis...* D'autres ont cessé de répondre au téléphone quand ma femme les appelait. Ou bien ils trouvaient toujours un prétexte pour décliner nos invitations... Certains lui raccrochaient au nez... Certains jours, elle rentrait en larmes du travail et elle refusait de me dire pourquoi. Elle allait s'enfermer dans sa chambre et je l'entendais pleurer, mais je faisais comme si de rien n'était, je ne lui demandais rien. J'avais trop peur des réponses. Mes enfants ont été mis au ban ; on les traitait comme des parias ; ils n'avaient plus de copains avec qui jouer. Alors, ils jouaient entre eux, ma fille et mon fils, mes jumeaux – ils avaient sept ans cet automne-là, quand ça s'est passé : sept ans, vous imaginez ? D'autres fois, on les traitait comme s'ils étaient atteints d'une maladie rare et des personnes bien intentionnées leur posaient toutes sortes de questions compatissantes sur leur santé à la sortie de l'école. Ils ne comprenaient pas ce qui se passait. Ma femme n'osait plus venir les chercher devant le portail de l'école. Elle les attendait dans sa voiture, au bout de la rue.

Il lui décocha un sourire triste.

— Et puis, un jour, elle m'a regardé en face et elle m'a dit : « Tu l'as fait, pas vrai ? » Même elle avait fini par s'en convaincre. Vous comprenez : il n'était pas possible qu'autant de gens aient tort. Il s'était forcément passé quelque chose, *pas de fumée sans feu...* Elle m'a quitté. Elle est partie avec les enfants. Je me suis mis à boire. Le directeur de l'école attendait le premier faux pas pour me virer, lui aussi était convaincu qu'il n'y avait pas de fumée sans feu. La maison n'était pas payée : je l'ai perdue. J'ai dormi chez le dernier ami qui me restait, puis même lui m'a dit : « Il faut que tu partes. » Je ne lui en veux pas : sa femme lui avait dit que c'était elle ou moi. Il m'a fait promettre de garder le contact, il m'a donné de l'argent, il a insisté : « Tu peux m'appeler quand tu veux. » Je ne l'ai jamais revu, je n'ai jamais cherché à reprendre le contact – lui non plus. C'était un très bon ami, le meilleur que j'aie jamais eu.

Il ferma fort les yeux, toutes ses rides convergeant vers les commissures de ses paupières, puis les rouvrit. Ils étaient redevenus vifs et secs.

— Bien, dit-il d'une voix ferme, comme s'il venait

d'évoquer un épisode amusant ou distrayant, assez parlé de moi : qu'est-ce que vous me voulez, Christine ?

Quel âge avait-il ? Il en paraissait pas loin de soixante mais, depuis le temps qu'il vivait dans la rue, peut-être en avait-il dix ou même vingt de moins. Il émanait de lui une impression de force sereine communicative, malgré l'histoire effroyable qu'il venait de raconter. Elle se demanda s'il avait dit la vérité, s'il était vraiment innocent. Ou s'il avait commis au moins une partie des faits qui lui étaient reprochés et qu'il avait réécrit l'histoire. Comment savoir ? Elle décida d'y aller bille en tête.

— Est-ce que je vous parais quelqu'un de déséquilibré, de mentalement instable ou de névrosé ?

— Non.

— Je sais que vous êtes fin observateur. Et que rien de ce qui se passe dans la rue ne vous échappe. Vous ai-je jamais semblé hystérique ou paranoïaque ?

— Non. Bien moins que certains de vos voisins.

Cela la fit sourire.

— Si je vous dis que j'ai de bonnes raisons de croire que quelqu'un me suit ou me fait suivre...

— Je vous crois.

— Qu'il surveille cet immeuble...

— Ça m'a l'air sérieux, en effet.

— Ça l'est. Vous passez votre temps dans la rue, devant ma porte, se lança-t-elle. Je veux que vous me signaliez toute personne qui repasserait un peu trop souvent dans la rue et qui s'intéresserait à cet immeuble, vous avez compris ?

— Je ne suis pas idiot, répondit-il d'un ton

débonnaire. Pourquoi pensez-vous que quelqu'un vous fait suivre ?

— Ça ne vous regarde pas.

— Oh que si, ça me regarde. Je vous l'ai dit : je ne suis pas prêt à faire n'importe quoi pour de l'argent.

Elle hésita. D'une certaine manière, sa profession de foi la rassurait. Si la cupidité n'était pas son seul moteur, cela voulait peut-être dire qu'il ne vendrait pas ses services au premier venu.

— Très bien, dit-elle. Tout a commencé par une lettre anonyme dans ma boîte aux lettres, il y a six jours…

Il l'écouta sans broncher, hochant juste la tête de temps en temps, impénétrable et patient. Car patient il l'était, bien sûr ; il passait sa vie dans la rue à attendre une pièce. Cependant, plus elle avançait dans son récit, plus elle voyait ses yeux se plisser d'intérêt et d'étonnement. Par moments, à l'écoute de certains détails, une lueur d'incrédulité les traversait brièvement, mais elle disparaissait presque aussitôt : il en avait vu d'autres.

— Intéressant, conclut-il simplement quand elle eut fini.

— Vous ne me croyez pas, n'est-ce pas, Max ?

— Pas encore… Mais je ne crois pas que vous soyez folle… Combien ? dit-il.

— Cent euros pour commencer. Ensuite, on verra.

— On verra quoi ?

— Les résultats.

Il sourit.

— Cent euros plus quelque chose à manger et un autre café chaud : là, tout de suite.

Elle rit pour la première fois depuis plusieurs jours.

— Marché conclu.

Il la sonda intensément du regard, secoua la tête.

— Christine, vous ne me connaissez pas et pourtant vous m'avez ouvert votre porte sans hésiter : j'aurais pu en profiter pour vous voler, vous agresser... Vous êtes une jolie femme. Très seule à l'évidence. Pourquoi prendre un tel risque ?

Elle répondit d'un ton fatigué :

— J'ai déjà eu mon quota de malchance, je ne crois pas que je pourrai en avoir plus. Et puis, je vous connais : ça fait des semaines qu'on bavarde presque tous les jours. J'ai des collègues avec qui je parle moins.

Il secoua la tête.

— Vous ne lisez pas les journaux ? Ces personnes seules qui accueillent des gens comme moi et qui, une nuit, sans qu'on sache pourquoi, finissent la gorge tranchée dans leur sommeil.

— Je fermerai ma porte à clé après votre départ si ça peut vous rassurer, le taquina-t-elle. Vous ne croyez pas à mon histoire, n'est-ce pas ?

L'honnêteté de sa réponse la surprit :

— Pour l'instant, j'y vois surtout l'occasion de gagner un peu d'argent assez facilement. Je vais remplir ma part du contrat. Je jugerai ensuite si je dois vous croire. Et je ne suis pas contre une soupe, un café chaud ou un casse-croûte de temps en temps. On est bien d'accord ?

Elle acquiesça et ils sourirent en même temps. Comme si un courant chaud et douillet circulait soudain entre eux, elle eut la sensation d'une brusque connivence. Cela lui faisait du bien de s'être confiée à quelqu'un, quelqu'un qui ne la jugeait pas, qui lui laissait le bénéfice du doute. Pour la première fois depuis plusieurs jours, elle se surprit à reprendre espoir et se demanda si la chance n'était pas enfin en train de tourner.

— Bien, dit-elle. Si vous repérez quelqu'un de suspect, vous viendrez me le dire et me le décrire. En attendant, si vous pensez que la voie est libre et que personne ne surveille mon entrée, vous mettrez votre gobelet pour les pièces à votre gauche. Si au contraire vous avez repéré quelque chose de louche, vous poserez votre gobelet à votre droite. On est bien d'accord ?

Il fit signe que oui, esquissa un sourire.

— Gobelet à gauche : la voie est libre ; gobelet à droite : danger. Mmm, ça me plaît…

Elle pensa soudain à quelque chose et se leva.

— Vous vous y connaissez en opéra, Max ?

— Un peu, dit-il, la surprenant une nouvelle fois.

Elle lui tendit le CD trouvé sur le lit.

— Quel rapport entre *Le Trouvère*, *Tosca* et *Madame Butterfly* ?

Il examina le boîtier.

— Le suicide, répondit-il après réflexion. Dans *Le Trouvère*, Leonora absorbe du poison après s'être promise au comte de Luna pour sauver Manrico. *Madame Butterfly* se fait hara-kiri après avoir été abandonnée par Pinkerton. Et Tosca se jette dans le Tibre du haut d'une tour du château Saint-Ange.

Elle resta coite devant ses connaissances en matière d'opéra – mais plus encore devant cette révélation. Bien sûr. Elle aurait dû s'en douter. Le message était limpide.

— Max, murmura-t-elle aussi doucement que possible, est-ce que vous avez revu vos enfants ?

Un silence.

— Non.

19

Ténor

Elle sortit son téléphone. Elle avait une deuxième personne à appeler. Elle jeta un coup d'œil à Iggy et, une nouvelle fois, elle se sentit émue aux larmes.

Elle avait récupéré son chien. Il avait à présent la tête entourée d'une ridicule collerette en forme d'entonnoir qui l'empêchait d'arracher son pansement. Maintenu par une attelle et un gros bandage, son membre postérieur était aussi raide que la jambe en bois d'un pirate. Bref, il ressemblait à un personnage sorti de l'imagination des studios Pixar.

Déboussolée et affolée, la pauvre bête passait son temps à se secouer pour essayer de se débarrasser de ces instruments de torture et à se cogner dans les angles des portes et des meubles en avançant.

— Tu sais que je t'aime, toi, lui dit-elle.

Le bâtard lui répondit par un jappement qui lui fendit le cœur. La supplia du regard. L'air de penser : *Comment peux-tu me faire une chose pareille ?* Et si elle demandait à Max de le promener un peu ? *Doucement, ma belle. Ne nous emballons pas. Tu ne vas quand même pas lui laisser tes clés, tu le connais à peine.*

Le vétérinaire lui avait demandé pourquoi elle n'était pas venue chercher son chien plus tôt ; Christine avait bafouillé qu'elle avait eu des soucis familiaux, mais elle avait bien senti qu'elle ne convainquait guère. Et qu'il l'observait avec défiance : « Comment vous dites qu'il s'est fait ça, déjà ? » Elle avait répondu qu'Iggy avait été renversé par une voiture après avoir rompu sa laisse, d'une voix aussi diaphane qu'un matin d'automne ; un éclat sceptique et dur avait lui dans l'œil du praticien – et elle avait senti ses joues s'échauffer de honte.

Christine examina une fois de plus le plan qui mûrissait dans sa tête. *Ne rien laisser au hasard... Anticiper...* Elle regarda son téléphone portable, la touche sur laquelle elle s'apprêtait à appuyer. Et s'il était sur écoute ? *Ben voyons, c'est la CIA qui a fait le coup, ma grande, avec l'aide du KGB... ah, non, on dit FSB de nos jours...*

Elle se sentit ridicule, mais se fit aussitôt la réflexion que le ridicule ne tuait pas – moins en tout cas que la naïveté dans ce genre de situation. Elle était parfaitement consciente de fonctionner dans un registre de plus en plus paranoïaque, mais, après tout, on l'aurait été à moins, non ?

Elle marcha jusqu'à la fenêtre de sa chambre. Max avait repris son poste, le gobelet était à gauche de son nouvel allié : *la voie était donc libre.* Il ne leva pas les yeux vers sa fenêtre, cette fois. Il se conformait à la lettre à son nouveau rôle. Sans doute était-il tout autant amusé par la tournure des événements que bien content d'avoir obtenu si facilement une source de revenus et un repas chaud quotidien.

Elle passa un jean, des baskets, un pull et un

sweat-shirt noir dont elle rabattit la capuche sur son visage avant de mettre ses lunettes de soleil.

Dans la rue, elle ignora le SDF et fila vers la station de métro la plus proche. Il ne neigeait pas, mais la neige ne fondait pas non plus, sauf là où des voitures passaient régulièrement – la température était trop basse.

Les lumières, les couleurs vives et les visages à l'intérieur du métro lui tournèrent un peu la tête. En s'asseyant dans la rame, elle examina une par une toutes les personnes présentes. Des visages jeunes et vieux, absents pour la plupart... Un homme dans la trentaine attira son attention : il avait posé les yeux sur elle au moment où elle était montée dans la rame ; puis les avait détournés lorsqu'elle l'avait regardé à son tour.

À la station Palais de Justice, Christine descendit. Tandis que le grand escalator la hissait vers la surface, elle s'immobilisa et se retourna, détaillant à l'abri de ses lunettes de soleil les personnes présentes à sa suite : le jeune homme n'en faisait pas partie. Parvenue au sommet de l'escalier mécanique, elle emprunta aussitôt l'autre escalator pour redescendre, tout en se retournant pour s'assurer que personne ne l'imitait. Satisfaite, elle admira brièvement la grande tapisserie à la licorne, où s'affichaient en grosses capitales les mots LIBERTÉ, ÉGALITÉ, FRATERNITÉ, et dévala les dernières marches jusqu'au quai avant de sauter dans la première rame partant en sens inverse. Elle descendit trois stations plus loin, métro Jean-Jaurès.

Une fois à l'air libre, elle se faufila au milieu de la foule qui traînait entre les kiosques et la colonne Morris, contourna le manège de chevaux de bois puis la fontaine, traversa le terre-plein central de la place Wilson et fila rue Saint-Antoine-du-T. Elle la remonta jusqu'à une boutique de téléphonie mobile, pénétra dans le magasin, retira sa capuche et ses lunettes et attendit qu'un vendeur daigne s'intéresser à elle. Cinq minutes plus tard, elle ressortait avec un téléphone à carte prépayée et entrait dans le café le plus proche.

Slalomant entre les tables, elle s'installa dans le fond, s'assura que personne n'entrait à sa suite. Le numéro qu'elle avait l'intention d'appeler se trouvait dans son ancien répertoire et elle le composa sur le téléphone neuf.

Après quoi, l'appareil collé à l'oreille, elle attendit que réponde quelqu'un qu'elle aurait cru ne plus jamais appeler.

Servaz suait à grosses gouttes. Tous ses muscles gorgés d'acide lactique. Ils le brûlaient à tel point qu'il avait l'impression d'être au bord de la tétanie. Une vision le traversa : celle de son cadavre glissant sur le tapis de course, avec la voix du coach électronique glapissant : « Debout ! Debout ! C'est pas le moment de se reposer, fainéant ! »

Il coupa le programme et attrapa sa serviette. Son tee-shirt trempé collait à son dos et à sa poitrine. Ses poumons faisaient un bruit de soufflet. Et pourtant, il sentait les vagues du bien-être le submerger. Il se demanda pourquoi il avait attendu si longtemps pour faire du sport. En vérité, il avait attendu d'y être contraint : ici, le sport était obligatoire, tout comme les travaux quotidiens – cela faisait partie de la thérapie. Servaz s'était plié à cette discipline avec beaucoup de réticence au début mais, à présent, il en appréciait le caractère routinier et les bénéfices qu'il en retirait.

Un autre pensionnaire s'escrimait sur un rameur – un type auquel des années d'alcoolisme avaient conféré une face rougeaude, une voix râpeuse comme du papier émeri et des yeux perpétuellement mouillés. Servaz le salua et fila vers les douches. Quand il émergea de l'ancienne grange transformée en salle de sport, il vit Élise lui faire signe depuis l'une des fenêtres du bâtiment principal. Il avait les cheveux humides et se dépêcha de traverser la pelouse enneigée en pantalon de jogging et sweat à capuche.

— Il y a un colis pour vous, dit-elle en le rejoignant dans le hall.

Son regard surprit le paquet qu'elle tenait. Pendant un instant, il fut de retour dans la forêt polonaise. Puis il eut un déclic et il se souvint de la clé d'hôtel.

— Martin, ça va ?

Il sursauta. Planté au milieu du hall.

— Désolé, dit-il.

— Vous voulez que je l'ouvre ?

— Non, c'est bon. Je vais le faire.

Il le lui prit des mains. Examina le cachet de la poste : expédié de Toulouse, comme la dernière fois. « Merci », dit-il, et elle comprit qu'il voulait rester seul ; elle lui jeta un dernier regard, hocha la tête et s'éloigna.

Il attendit qu'elle eût disparu pour déchirer le papier. La même petite boîte en carton rigide d'environ onze centimètres par neuf. Il prit une inspiration. Souleva le couvercle. Son regard plongea au fond de la boîte. *Une photo…* Tout d'abord, il ne comprit pas ce qu'il voyait. Une sorte de Meccano géant. Qui flottait en orbite autour de la Terre, elle-même nimbée d'un halo bleu et froid… De grandes ailes formées de panneaux solaires, des cylindres blancs et des entretoises, des hublots : *ce qu'il avait sous les yeux, c'était une photo de la Station spatiale internationale…*

C'était bien ça. Il souleva le cliché. Il y avait quelque chose en dessous ; un petit bout de papier quadrillé arraché à un carnet à spirale, et quelques mots écrits au stylo à bille :

Un indice de plus, commandant. Faut aller de l'avant maintenant.

Il reporta son attention sur la photo. Se souvint du journal qu'il avait feuilleté dans ce café avant de rendre visite à Charlène : l'article entouré au stylo ; Toulouse haut lieu de l'aventure et de la recherche spatiales : était-ce de ce côté qu'il devait chercher ? Mais chercher quoi ? Il réfléchit un instant. D'abord on l'orientait vers la chambre 117, celle où une artiste nommée Célia Jablonka s'était suicidée, et, à présent, très clairement, vers l'espace… Quel rapport entre les deux ?

Il glissa la photo dans sa poche et sortit son téléphone.

— Charlène ? dit-il quand elle eut décroché. C'est Martin…

Il y eut un silence.

— J'ai encore une question à te poser au sujet de cette artiste que tu as exposée…

— Je t'écoute.

— Avant cette expo, Célia Jablonka s'était-elle intéressée à l'espace ?

289

Nouveau silence.

— Oui. C'était le thème de son expo précédente…
Pourquoi ? Tu as trouvé quelque chose ?

Un picotement familier.

— Est-ce qu'elle aurait pu rencontrer quelqu'un au
cours de ses recherches ?

— Comment ça : rencontrer quelqu'un ?… Célia
rencontrait beaucoup de monde pour ses travaux, elle
se considérait à la fois comme une artiste et une sorte
de journaliste.

— Mais tu n'as pas connaissance de quelqu'un en
particulier, dont elle t'aurait parlé ?

— Non… ce n'est pas moi qui me suis occupée
de cette expo-là.

Il la remercia.

— Martin, tu es sûr que ça va ? Tu as une voix…
bizarre.

— Ça va, dit-il. Mais merci de poser la question.

— Prends soin de toi, dit-elle. Je t'embrasse.

Il ressortit la photo, la contempla. L'exploration spatiale… Un domaine sensible, au carrefour de la science
et du politique. Combien de personnes dont le travail
était lié de près ou de loin à ce domaine à Toulouse
et dans ses environs ? Probablement des milliers… Et
Servaz ne savait même pas ce qu'il cherchait.

— Je le crois pas, il s'est remis à neiger ! dit une
voix familière derrière lui.

Servaz se retourna. Il sourit. Le jeune homme en
Burberry chiffonné qui s'époussetait dans le hall avait
un visage un peu joufflu de gamin aimant trop les
sucreries, des cheveux châtains qui lui balayaient le
front et l'air débraillé d'un adolescent qui passe trop
de temps devant son ordinateur, ses jeux vidéo et ses

bandes dessinées. Et pourtant, à trente-deux ans, le lieutenant Vincent Espérandieu avait deux enfants – dont l'un était le propre filleul de Servaz – et il était marié à l'une des plus belles femmes de Toulouse. Celle-là même que Servaz venait d'appeler et à qui il avait récemment rendu visite.

— Salut, dit Vincent.

Ses écouteurs pendaient encore sur sa poitrine et il en sortait une sorte de musique grésillant comme le chant d'un grillon. Espérandieu récupéra son iPhone dans la poche de son imper, passa un doigt à l'ongle rongé sur l'écran et coupa le sifflet aux Killers en train de chanter *All These Things That I've Done*.

— Charlène m'a dit que tu lui avais rendu visite pour l'interroger sur une artiste qui s'est suicidée… C'est quoi, cette histoire ? Tu as du nouveau ?

Servaz le regarda. Il plongea la main dans sa poche. En sortit la petite boîte en carton gris perle qu'il venait d'ouvrir et la lui tendit.

— Tiens. Tu pourrais jeter un coup d'œil à ça ? Voir où ce truc a été fabriqué et où il est vendu ? Il y a la marque à l'intérieur.

Son adjoint fronça les sourcils, prit la boîte sans la regarder.

— C'est quoi, ça ? Une demande officielle ? Tu enquêtes ? Tu reviens parmi nous ?

— Pas encore.

— Je me suis renseigné. Cette affaire est classée, Martin. Ils ont conclu à un suicide.

— Je sais. Comme pour l'affaire Alègre.

— Sauf que dans le cas de cette fille, c'est Delmas qui a fait l'autopsie.

291

— Ça aussi, je le sais. Et il est formel : pour lui, il s'agissait bien d'un suicide.

— Delmas t'a parlé ? (Espérandieu ne cacha pas sa stupéfaction.) Quand ça ?

— Peu importe. Et si quelqu'un l'avait poussée à se suicider ?...

— Tu as parlé à Delmas ? insista son adjoint, perplexe. Tu fais quoi, là, au juste ?

— Si quelqu'un était derrière tout ça ?...

— Comment ça ?

— Harcèlement, manipulation, acharnement...

— Tu as des preuves de ce que tu avances ?

— Pas encore...

— C'est quoi, cette histoire, bordel ? Tu enquêtes ? Tu es au courant que tu es en arrêt maladie ? Que tu n'es pas censé enquêter sur quoi que ce soit ?

— Tu es venu jusqu'ici rien que pour me dire ça ? Tu aurais pu le faire par téléphone... Je n'enquête pas : je vérifie juste un ou deux points.

Espérandieu secoua la tête.

— Merci pour l'accueil. Comment tu vas ?

Servaz regretta aussitôt de s'être emporté, Vincent avait été la seule personne à venir le voir assidûment.

— Charlène ne te l'a pas dit ?

— Si... Elle t'a trouvé plutôt en forme.

Servaz hocha lentement la tête.

— Excuse-moi, tu es à peu près la seule personne à m'avoir rendu visite ici semaine après semaine.

— Cet endroit n'a pas très bonne réputation dans la police...

— Ah bon ? Tiens donc ! Et pourquoi ça ? ironisat-il. La bouffe est dégueulasse mais, à part ça, c'est plutôt accueillant : on fait du sport, on respire le bon air, on a des activités telles que balayer les feuilles mortes ou jouer dans des pièces de théâtre contemporain... Ils ont peur de la contagion, c'est ça ?

Espérandieu hocha la tête.

— Quarante suicides de flics par an, ça calme.

Il montra la boîte.

— Qu'est-ce que c'est ?

— J'ai reçu ça par la poste aujourd'hui. Il y avait cette photo à l'intérieur.

Il tendit le cliché de la station spatiale à Vincent.

— Et il y a quatre jours, j'ai reçu une clé d'hôtel électronique. Dans une boîte identique... *Celle de la chambre où Célia Jablonka s'est suicidée...*

Il vit s'allumer dans l'œil de Vincent l'équivalent d'une ampoule de 1 000 watts.

— C'est à cause de ça que tu t'es lancé dans cette enquête, alors ?

Servaz acquiesça.

— Tu as une idée de la personne qui te les a envoyées ?

Il eut un geste de dénégation.

— Martin, si ça vient à se savoir...

— Tu veux m'aider ou pas ?

— Dis toujours...

— J'ai besoin de savoir si Célia Jablonka avait porté plainte pour harcèlement, ou si elle se sentait menacée, ou si elle en avait parlé à des proches : il n'y a rien à ce sujet dans le dossier. Et aussi si cette fille avait des tendances dépressives, si elle avait déjà fait des tentatives de suicide. Et je veux savoir si ce genre de boîte est fabriqué en grande série ou commercialisé à petite échelle et où.

Espérandieu opina.

— Admettons que j'accepte de t'aider, tu ne peux pas débarquer partout en disant que tu es flic et que tu mènes l'enquête, ça va finir par arriver aux oreilles de la hiérarchie.

— La hiérarchie ? (Le visage de Servaz s'assombrit.) Tu crois qu'elle vient souvent par ici, la hiérarchie ? Pourtant, on est encore des flics, que je sache... On fait partie d'une grande *famille*, il paraît. (Il avait prononcé ce mot sur le ton du sarcasme.) De quel genre de famille il s'agit, d'après toi : d'une famille unie ou d'une famille dysfonctionnelle ? Tu veux que je te dise ? La plupart des flics présents ici ont mis au moins une fois le canon de leur arme dans la bouche. Elle était où, la hiérarchie, quand ça s'est passé, dis-moi ?

Il vit Vincent se rembrunir.

— Il n'empêche. Tu ne peux pas foncer comme ça tête baissée.

— Il a raison, patron.

Servaz pivota en direction du visage extraordinairement laid qui venait d'apparaître, émergeant d'une capuche au bord orné de fausse fourrure. Samira Cheung était le seul membre de son groupe d'enquête à l'appeler « patron ». Fille d'un Chinois de Hong Kong et d'une Franco-Marocaine, elle était aussi la plus jeune recrue du groupe. Et sans aucun doute l'une des plus douées.

— J'ai fait le tour des bâtiments, dit-elle. C'est mignon ici, on se croirait dans une maison de retraite...

Servaz n'avait pas revu Samira depuis des mois. Il se rendit compte qu'il avait fini par s'habituer à sa laideur car, de nouveau, elle le choquait comme au premier jour, quand elle avait débarqué pour la première fois dans son service. Même si elle n'était pas dénuée d'un certain charme paradoxal, comme souvent les personnes laides. Elle sortit un mouchoir de sa poche et se moucha bruyamment dedans.

— Pourquoi tu n'es pas venue me voir plus tôt, Samira ?

Elle eut un sourire tordu comme une grimace et il la vit rougir sous sa capuche.

— Z'étiez pas trop en forme, à c'qu'on m'a dit, patron, répondit-elle d'une voix nasillarde, le nez dans son mouchoir. J'avais pas trop envie de vous voir dans cet état... Vous êtes un peu une figure paternelle pour moi, si je peux me permettre. J'ai pas tout à fait résolu mon Œdipe, vous voyez ?

Elle avait dit cela avec humour – et il sourit.

— Je ne suis pas si vieux... si ? Une *figure paternelle*... vraiment ?

— Enfin, un truc dans le genre. Une sorte de... maître Jedi.

Son nez enchifrené avait la couleur d'une aubergine, ses yeux larmoyaient. Elle trompeta de nouveau dans son mouchoir.

— De maître *quoi* ?

— C'est dans *La Guerre des étoiles*, précisa Vincent.

Servaz les regarda l'un après l'autre, puis renonça à comprendre.

— C'est quoi, ça ? voulut-elle savoir en désignant la photo dans la main de Vincent.

Espérandieu lui répéta ce qu'il venait de lui raconter. Il les observa l'un et l'autre. À leur arrivée dans le service, ils avaient fait l'objet d'attaques plus ou moins voilées : racisme anti-arabe ou anti-Chinois – ou les deux – pour Samira, homophobie pour Vincent que certains vieux flics soupçonnaient de ne pas être attiré que par les femmes, malgré la beauté de la sienne. Sans doute parce que Espérandieu avait des choix vestimentaires et des manières qui manquaient quelque peu de virilité. Quant à Samira, certains à la brigade avaient eu le plus grand mal à admettre qu'une jeune femme issue de l'immigration fût meilleure flic qu'eux.

— Tu as une idée de la signification de ce cliché ? s'enquit Vincent en agitant la photo comme si elle sortait d'un bac de révélateur.

— Pas la moindre.

— Tu sais si Célia Jablonka était liée d'une manière ou d'une autre au milieu de la recherche spatiale ?

— Selon Charlène, son avant-dernière expo avait ce milieu pour sujet, oui.

Espérandieu le fixa – et Servaz reconnut une expression qu'il connaissait bien : celle qu'a un collectionneur devant une pièce intéressante.

— Je ne comprends pas, patron, dit Samira en rangeant son mouchoir, cette fille s'est suicidée, ou pas ?

— Aussi sûr que tu es enrhumée, répondit-il.

C'était la réception où il fallait être, en cette fin d'année 2010. Salle des Illustres du Capitole. Une longue galerie surchargée de dorures, peintures et stucs à la mode du XIXe siècle bourgeois et pompier où on se pressait, on se saluait, on se congratulait d'être là. De s'être hissé suffisamment haut, d'avoir le bras assez long, d'être assez important pour avoir été invité. D'appartenir à la crème de la crème de la région, en somme. Tout était faux, bien entendu. Ou plutôt, il y avait un peu de vrai et beaucoup de faux – les colonnes de marbre, par exemple : Christine avait appris un jour que seules quatre d'entre elles étaient authentiques, toutes les autres n'étant que du faux marbre peint en trompe l'œil sur des cylindres creux. Un peu comme cette assemblée, avait-elle songé ce soir-là. Quelques vrais bijoux et quelques robes venant de grands couturiers, le reste n'était que du faux chic singeant le vrai. Pareil pour les personnalités présentes : à l'image des bustes qui avaient donné son nom à la galerie, on trouvait ici de vraies célébrités et des demi-gloires, des hommes politiques et des juristes, des architectes et des journalistes, des artistes et des athlètes, des hommes d'influence et des parasites. Christine savait qu'elle-même surjouait son rôle d'animatrice radio localement populaire. Elle passait d'un sujet comme d'un invité à l'autre, grave quand il le fallait mais pas trop – légère et gaie le reste du temps. Un papillon…

Et, bien entendu, puisque c'était l'objet de la soirée, il y avait tout là-bas, dans le fond, autour du maire, le gratin de la conquête spatiale européenne. Ingénieurs, directeurs, chercheurs… Avec, en vedettes principales, *les cow-boys de l'espace*. La vitrine maison. Plus bardés de diplômes que la plupart de leurs voisins et pourtant aussi virils que des acteurs d'Hollywood, ils affolaient les compteurs de la gent féminine ; Christine avait déjà surpris un certain nombre de regards dans leur direction pendant qu'elle-même contemplait le plafond peint, tout là-haut. Pour l'instant, ils serraient les rangs près du buffet, mais, dès qu'ils se disperse- raient, les dames disponibles (et même celles qui ne l'étaient pas) s'abattraient sur eux comme un nuage de sauterelles sur un champ. En même temps, il fallait comprendre : des types capables de se faire catapulter dans l'éther avec une poussée de 400 tonnes dans les fesses sans sourciller devaient mériter le détour. Des individus qui passaient leur vie à s'entraîner, qui étaient auscultés, examinés, scrutés, jaugés, qui subissaient des centaines de tests et de visites médicales. De vraies bêtes à concours... Capables de subir toutes les pressions et de continuer à sourire au pied du pas de tir. Telles étaient ses pensées, une coupe de champagne à la main, quand la voix l'avait interpellée :

— Ne me dites pas que vous aussi vous n'avez d'yeux que pour eux.

Elle s'était retournée pour considérer le binoclard qui, effectivement, était assez éloigné de l'image qu'elle se faisait d'un spationaute.

— Et vous êtes ?

— Gérald Larchet, professeur et chercheur à l'Institut supérieur de l'aéronautique et de l'espace.

— Dans ce cas, vous êtes comme moi, Gérald : vous vous contentez de regarder les étoiles d'en bas.

Elle avait planté là le binoclard. Avait serré quelques mains, embrassé quelques joues, échangé quelques propos sans importance – jusqu'au moment où la voix avait de nouveau retenti à ses oreilles.

— Mais pour qui est-ce que vous vous prenez, bon Dieu !

— Je vous demande pardon ?

— C'est une habitude chez vous d'envoyer les gens balader ?

Il semblait très remonté. Ses yeux lançaient des éclairs à travers les verres de ses lunettes. Pas mal, d'ailleurs, les yeux en question. Sa colère l'avait presque fait sourire. Et, à y regarder de plus près, l'effet lunettes était trompeur : elle devinait les muscles sous le manteau de laine, la veste grise et la chemise bleue. Il était grand. Il avait des traits agréables. Presque beaux même.

— Vous devriez changer de lunettes, avait-elle dit.

— C'est encore une vacherie ?

— Non, tout le contraire : un compliment.

Ça avait commencé comme ça. Une heure plus tard, elle savait à peu près tout ce qu'il y avait à savoir de lui, par exemple qu'il était célibataire et surtout qu'il avait un *vrai* sens de l'humour (là encore, il y avait pas mal de *faux* dans la salle, où résonnaient les rires déclenchés sur commande). Et elle savait aussi, avec certitude, qu'il lui plaisait.

Sauf que l'histoire ne s'était pas arrêtée là...

C'était également au cours de cette soirée qu'elle avait fait la connaissance de Léo : Léonard Fontaine. Un vrai et beau héros de Celluloïd, celui-là. Un cowboy de l'espace. Et même, pour tout dire, le plus célèbre d'entre eux : le clou du spectacle, la vitrine de l'Agence spatiale européenne. C'était elle qui avait abordé Léo. Pour l'inviter dans son émission. Elle avait dû pour cela se frayer un chemin parmi la horde de ses admirateurs (qui étaient à 75 % des admiratrices). Elle s'était attendue à trouver un type assez imbuvable et sûr de lui, mais il était juste... *décontracté*. Une carrure d'athlète, un visage agréable auquel les rides conféraient du charme et une dentition à l'évidence artificielle. Cinquante-cinq ans. L'archétype du cool... *Marié, deux enfants en bas âge*, avait ajouté la petite voix en elle. Pourtant, elle s'était sentie flattée et même un peu plus quand il avait commencé à lui faire du rentre-dedans.

— Vous êtes-vous déjà demandé pourquoi la nuit est noire, dehors, mademoiselle Steinmeyer ? l'avait-il interrogée au bout d'un moment. Si l'univers était infini comme on le dit, et donc le nombre d'étoiles infini également, la nuit devrait être remplie de lumière, non ? Puisque le regard devrait toujours rencontrer une étoile, où qu'il se tourne... Vous voyez (il l'avait entraînée vers les hautes fenêtres donnant sur la grande place et, ce faisant, à l'écart, et lui avait montré la nuit de décembre à l'extérieur), il ne devrait pas y avoir le moindre atome de nuit – mais un tissu continu d'étoiles, et donc de lumière... C'est le paradoxe d'Olbers. En réalité, l'univers, comme vous le savez, a eu un commencement : la lumière de la plupart des étoiles n'a pas eu le temps de parvenir jusqu'à nous parce que la lumière voyage à une vitesse déterminée et que ces étoiles n'existent pas depuis assez longtemps. La deuxième explication, c'est l'inverse : la vie d'une étoile est plus courte que celle de l'univers, une étoile meurt aussi. Vous croyez au hasard, Christine ?

— Et vous ?

— Le hasard règne en maître à l'échelle des atomes : là, tout est possible – mais il disparaît à l'échelle macroscopique.

— Et à quelle échelle nous situons-nous ?

— À vous de choisir...

Une brève flambée de culpabilité : il l'avait rappelée le lendemain, à sa grande surprise, pour lui dire qu'il acceptait de faire son émission, et l'avait invitée à dîner dans la foulée. Ils avaient couché ensemble le soir même. Il était très entreprenant, direct – et ça lui avait plu. C'était un bon amant. Imaginatif. Pendant ce temps, elle avait laissé Gérald lui faire une cour dans les règles, prendre son temps. Léo était rarement libre le soir ; il avait sa vie de famille. Leurs ébats se déroulaient donc, en général, l'après-midi à l'hôtel. Il l'avait avertie d'emblée : il n'avait pas l'intention de quitter sa femme. Il avait été honnête avec elle. Du moins était-ce ce qu'elle avait cru alors. Aujourd'hui, elle se disait qu'il s'agissait plutôt d'une forme suprême de malhonnêteté : il se dédouanait, tout en sachant que sa partenaire en souffrirait forcément, même si elle acceptait ses conditions. De la sorte, il était en paix avec lui-même et menait le jeu à sa guise. Pas de promesses intenables, pas de responsabilité ; au début, elle s'était sentie plus amoureuse de Léo que de Gérald mais, petit à petit, la balance avait penché en faveur de ce dernier. *Alors pourquoi n'avait-elle pas mis fin à leur relation plus tôt ?* Pourquoi avoir attendu si longtemps ? Presque deux ans ! Elle n'avait renoncé à Léo qu'un mois plus tôt : quand Gérald lui avait montré la bague de fiançailles. Et, même à ce moment-là, elle avait eu du mal à se faire à l'idée qu'elle ne se retrouverait plus jamais entre ses bras, qu'elle ne sentirait plus jamais ses mains puissantes et douces sur son corps. Léo, c'était l'aventure, l'incertitude, l'exaltation – quelqu'un qui avait besoin de vivre en permanence sur le fil du rasoir. Gérald n'était pas un cosmonaute, c'était un Terrien. Un homme à l'esprit pratique et aux ambitions plus modérées. Mais c'est ce qu'elle avait fini par aimer chez lui, en fin de compte : ce sentiment que leur amour ne mettait pas en péril tout le reste, qu'il était moins une tempête déchaînée qu'un sol solide sur lequel on pouvait bâtir.

Est-ce que Léo pouvait être derrière tout ça ? Bien sûr que non : elle s'était déjà posé la question – mais

elle avait immédiatement répondu par la négative :
Léo était à la fois la plus égoïste et la plus équilibrée
des personnes. Et puis, à aucun moment au cours de
ces deux ans elle ne l'avait senti véritablement amoureux. C'était peut-être pour cette obscure raison qu'elle
avait attendu si longtemps avant de le quitter. Parce
qu'elle avait espéré, avec un secret appétit de revanche,
que ce moment viendrait : celui où elle parviendrait
à percer sa carapace, à atteindre son cœur – et à le
faire saigner...

Mais ce moment n'était jamais venu...

Que se passerait-il, en revanche, si Gérald apprenait
qu'elle avait vu un autre homme pendant les deux
premières années de leur relation ? Qu'elle n'avait
cessé de lui mentir et de lui cacher la vérité ? Que,
quand elle se blottissait dans ses bras, elle sortait de
ceux d'un autre ? Un frisson la parcourut ; l'espace
d'un instant, elle se sentit paniquée à cette idée. Lui
qui avait déjà pris ses distances... Pour combien de
temps ? se demanda-t-elle. C'était de Gérald qu'elle
était amoureuse. C'était avec lui qu'elle voulait faire
sa vie. Même si la pensée des après-midi avec Léo
faisait encore naître une boule de chaleur au creux
de son ventre.

Pourtant, à présent, tandis que la tonalité retentissait
dans le téléphone, elle s'apprêtait à reprendre contact
avec l'homme qu'elle avait chassé de sa vie à peine
un mois plus tôt.

— Christine ? Tu as changé d'avis ?

Le ton était sans amertume. Ni surprise. Juste celui
d'une bonne blague. Elle ressentit un pincement au

cœur à l'idée qu'il pût plaisanter aussi aisément d'une liaison qui avait duré deux ans et pris fin à peine un mois plus tôt – tout autant qu'au son de sa voix chaude et profonde. Puis elle se dit que c'était sa manière à lui de gérer leur rupture. De la digérer. Que le fait de ne pas montrer ses émotions ne voulait pas dire qu'il n'en avait pas.

— Désolé, dit-il sur un ton plus grave. Quel con je fais... Qu'est-ce qui se passe, écureuil ? Comment tu vas ?

Elle vacilla un court instant : *écureuil*. Un des surnoms dont il l'affublait naguère. Un mois après, il n'avait rien perdu de son pouvoir.

— Il faut que je te voie, Léo, c'est important.

— Tu as une voix bizarre... Qu'est-ce qu'il y a ?

Elle lui répondit qu'elle préférait en parler de vive voix. Elle devina sa surprise à son silence. Ferma les yeux. S'efforçant de fermer aussi son esprit au doute : comment lui expliquer ce qu'elle avait vécu ces derniers jours ? Comment lui faire appréhender l'immensité de sa détresse ? Si quelqu'un pouvait l'aider, c'était bien lui – cet homme plus fort, plus sûr de lui que nul autre.

— Je t'en prie, murmura-t-elle d'une voix presque éteinte.

— Bien sûr, dit-il. C'est si grave que ça ?

— Je suis en danger, Léo. *En danger de mort.*

Un très long silence.

— Où ça ? demanda-t-il d'une voix solennelle.

— Notre hôtel et notre chambre habituels, c'est toi qui réserves... Dans une heure.

— Très bien. J'y serai. Christine ?

— Oui ?

— Je ne sais pas ce qui se passe. Mais fais-moi confiance : on va arranger ça.

Elle coupa la communication. Immensément soulagée. La dernière phrase de Léo l'avait remplie d'espoir. Oui, elle avait bien fait de l'appeler... Le toucher doux d'une chemise d'hiver en flanelle... Une odeur d'eau de toilette citronnée dans ses narines... Un nœud dans son ventre et le sang qui remue, juste là – exactement là –, suivant le méridien du corps jusqu'au point névralgique situé entre l'abdomen et le pubis : Léonard Fontaine était un remède presque aussi dangereux que le mal.

En ressortant du café, elle rabattit sa capuche sur sa tête. Regarda à droite et à gauche. Il s'était remis à neiger. De gros flocons duveteux, légers comme des plumes. Elle se dirigea vers un cinéma qu'elle connaissait et choisit un film qui avait peu de chances d'avoir fait le plein de spectateurs, car elle n'en avait jamais entendu parler.

— La séance est commencée depuis trente minutes, lui fit remarquer la caissière.

— Ça ne fait rien, répondit-elle. Je l'ai déjà vu.

La femme haussa les épaules, prit son argent et lui tendit son ticket. Christine remonta le couloir moquetté et éclairé par une rampe lumineuse au ras du sol en direction de la salle. Elle franchit la double porte battante, se retrouva plongée dans l'obscurité. Sur l'écran, une femme et un homme s'embrassaient. Elle alla s'asseoir dans le fond : à peine une demi-douzaine de personnes. Il lui fallut quelques minutes pour comprendre que le film parlait de la fin du monde, ou plutôt du dernier jour sur Terre : le lendemain, à 4 h 44 précises, le monde disparaîtrait, frappé par un rayonnement solaire mortel. En attendant, des gens se jetaient par les fenêtres, se soûlaient à mort, allumaient des bougies, faisaient l'amour... Cisco et Skye – un homme dans la cinquantaine et une femme beaucoup plus jeune, interprétés par Willem Dafoe et une jeune actrice qu'elle ne connaissait pas – s'apprêtaient à passer leur dernier après-midi ensemble : l'occasion d'une ultime étreinte. *Tristement ironique*, songea-t-elle amèrement, non sans jeter de fréquents coups d'œil vers la porte qu'elle venait de franchir. Au bout de quinze minutes, quand elle fut certaine que personne ne l'avait suivie, elle se leva et se dirigea vers une deuxième porte en bas à droite, près de l'écran, au-dessus de laquelle brillait le mot « SORTIE ». Le film était déprimant.

Comme Christine l'avait prévu, après un couloir et quelques marches, elle déboucha dans une ruelle adjacente. Personne à l'horizon ; rien d'autre qu'une rangée de poubelles coiffées de neige.

Elle stoppa au débouché de la ruelle. Ses yeux perçants firent le tour de la place. Puis, la capuche toujours rabattue, les mains au fond des poches, elle traversa rapidement le square et contourna la fontaine gelée en direction du Grand Hôtel Thomas Wilson.

À l'intérieur de la porte à tambour, elle ôta sa capuche ; elle n'en sentit pas moins les regards des employés de la réception peser sur elle tandis qu'elle se dirigeait vers les ascenseurs. Les portes s'ouvrirent au premier étage et elle remonta le long couloir silencieux, ses pas étouffés par la moquette.

Elle s'immobilisa devant une porte sombre, avec une grosse serrure électronique dorée. Cogna discrètement. La porte s'ouvrit presque aussitôt et elle pénétra dans la chambre 117.

Le petit couloir familier aux murs lambrissés avec le porte-bagages, les deux peignoirs blancs suspendus à des cintres, la porte de la salle de bains entrouverte sur sa gauche… Elle les reconnut immédiatement. De même que l'odeur de propre et de parfum floral qui flottait dans la chambre. Léo referma la porte derrière elle et la fit pivoter vers lui ; elle se laissa embrasser, mais mit rapidement fin à l'étreinte.

— S'il te plaît, Léo…

Elle se tenait droite et raide.

Christine pivota et s'avança dans la chambre. Le grand lit de 180, l'écran de télévision LCD, le bureau recouvert de cuir noir, la machine à café, le minibar, la tête de lit formée de losanges couleur argent, les oreillers rouges, les petites lampes chromées qui perçaient la pénombre des murs ébène…

Combien de fois étaient-ils venus ici ? Trente ? Quarante ? Cinquante ? Au moins une fois par semaine pendant deux ans, vacances exceptées : cela allait plutôt chercher dans les… *cent* rendez-vous…

Cent !

Une bouffée de culpabilité la submergea en pensant au nombre de fois où elle s'était tenue au milieu de ce décor kitchissime dans de la lingerie fine, à toutes les fois aussi où il lui avait arraché son jean à peine la porte franchie, et où ils avaient baisé sur le bureau, sur le plancher, sur le fauteuil, debout contre les murs, dans la salle de bains, dans l'entrée... Ou encore à ces fois où ils écourtaient leurs ébats pour passer des heures à parler, étroitement enlacés, à se raconter leurs petits secrets et à boire du champagne. Comment aurait réagi Gérald s'il avait su ? Cette idée lui retourna l'estomac.

Il s'approcha du bureau et elle constata qu'il avait fait monter du champagne.

— Non, merci, dit-elle.

— Tu es sûre ? Bon sang, ça me fait tout drôle d'être ici...

Elle fut étonnée par la tendresse et la légère attrition qu'elle discerna dans sa voix : Léo n'était pourtant pas homme à regarder en arrière. Quand leurs regards se croisèrent, elle surprit la même lueur tendre dans ses yeux. Il retira la bouteille du seau et elle vit qu'il s'était déjà servi en l'attendant.

— Je ne suis pas venue pour ça, Léo.

— Christine, détends-toi. On va parler, tu vas m'expliquer ce qui se passe. Ici, tu ne risques rien, d'accord ?

Il s'assit sur le bord du lit, sa flûte remplie. Il portait une chemise en denim délavé ouverte sur une poitrine bronzée et ses manches étaient retroussées comme si c'était l'été. Une dent de requin pendait à son cou. Léo lui avait raconté comment il avait un jour été attaqué par un squale au large des côtes d'Afrique du Sud alors qu'il faisait du surf. Il avait été heurté par un requin blanc alors qu'il était au sommet d'une vague : le choc avait été aussi violent que s'il avait été percuté par un autobus et les mâchoires du squale

307

s'étaient refermées sur sa jambe gauche tandis que le grand poisson tentait de l'entraîner vers le fond. Léo était parvenu à s'agripper à des rochers et à repousser le squale à coups de pied. Il avait été transporté à l'hôpital en hélicoptère. Christine se souvenait de la grosse cicatrice sur son mollet : elle aimait passer le bout de ses doigts sur les nodosités de sa chair recousue, cela lui procurait un sentiment étrange. La dent était celle que les chirurgiens avaient trouvée dans sa jambe... Léo était un peu moins grand que Gérald, mais plus fort. Et le dessin des muscles de sa poitrine et de ses avant-bras était bien visible. Dans ce même lit, il lui avait montré des photos où il était assis torse nu, la poitrine bardée d'électrodes, entouré d'une armée de toubibs et d'instruments ; d'autres où il était attaché sur une table basculante pour contrôler le déplacement du sang vers la tête, ou encore assis dans un fauteuil tournant à grande vitesse – les séances de « torture » de la Cité des étoiles, près de Moscou. Ce corps-là était une machine en parfait état de marche. Tout comme ce cerveau qui ne connaissait pas la peur... C'était peut-être pour cela qu'il était incapable d'émotions communes ; mais c'était de ça qu'elle avait besoin aujourd'hui. D'un chevalier. D'un héros impavide. Comme dans les récits de sa jeunesse. Comme dans les romans de gare qu'elle lisait, adolescente. Elle tira une chaise devant lui et s'assit dessus. Il la fixa, sourcils froncés.

— Je t'écoute, dit-il. Au téléphone, tu semblais bouleversée. Apparemment, tu l'es toujours. Prends ton temps, j'ai tout le mien...

— Je veux bien une demi-flûte, en fin de compte.

Il se leva pour la servir. Elle en profita pour

commencer à parler, tandis qu'il lui tournait le dos, d'une voix lente et mesurée. Elle rendit compte de ce qui s'était passé aussi honnêtement, objectivement que possible. Il resta inexpressif pendant toute la durée de son récit. Quand elle eut fini, une dizaine de minutes plus tard, il émit un sifflement. Ses yeux s'étaient voilés – comme s'il rentrait en lui-même et cherchait dans ses nombreuses expériences quelque chose d'approchant.

— Ça m'a l'air sérieux, dit-il finalement en lui jetant un regard soucieux.

Elle savait que, pour Léo, le mot « sérieux » voulait dire « grave », « inquiétant », voire « dramatique ». Il avait dû employer ce même mot le jour où un feu dû à un générateur d'oxygène déficient avait pris dans la station Mir où il séjournait en compagnie de deux cosmonautes russes. Officiellement, le feu n'avait duré que quatre-vingt-dix secondes ; en réalité, ils avaient lutté pendant quatorze bonnes minutes et l'incendie avait rempli l'habitacle d'une fumée toxique. Ou lorsque la station spatiale vieillissante avait subi sa première panne totale de courant, les plongeant dans le noir et entraînant des mouvements incontrôlés de la structure. « Cette fois, ça m'a l'air sérieux, les gars. » Elle l'imaginait bien disant ça à ses copains russes, de sa voix totalement dépourvue d'affolement, alors qu'ils étaient menacés de dériver, à jamais hors d'atteinte, dans les ténèbres de l'espace.

— Tu es vraiment sûre que tout s'est passé exactement comme tu me l'as raconté ?

Il y avait une nuance de scepticisme dans sa voix qui déplut à Christine. Pour autant, elle était trop épuisée pour se rebeller.

— Tu insinues quoi, là ? Que je suis mytho ?

— Et tu es sûre que tu n'as pas la moindre idée de qui est derrière tout ça ? demanda-t-il sans tenir compte de sa réaction.

Elle hésita.

— L'espace d'un instant, j'ai pensé que ça pouvait être toi.

Elle le vit hausser un sourcil.

— *Moi ?*

— Mmm… Je t'ai plaqué il y a à peine un mois, je t'ai annoncé que tout était fini entre nous et, tout à coup, quelqu'un essaie de me pourrir la vie…

Elle le fixa d'un air de défi.

— Tu ne penses pas ce que tu dis, Christine ?

Tiens, elle avait quand même réussi à percer la carapace : sa voix vibrait de colère.

— Non, bien sûr que non… J'en sais rien, Léo… Je ne vois pas Cordélia agir toute seule, je crois qu'elle fait ça pour le fric et rien d'autre.

Il paraissait préoccupé.

— En tout cas, cette histoire a déjà été beaucoup trop loin, tu en es consciente ? Tu dois prévenir la police.

— Après ce qui s'est passé avec la lettre ?

— Oui. Même après ça. Il n'y a pas d'alternative. Si tu veux, je viens avec toi.

Elle réfléchit. Qu'est-ce que les flics penseraient d'elle si elle se pointait accompagnée d'un homme marié qui n'était pas son fiancé – de surcroît un homme que tout le monde allait reconnaître dans la seconde ?…

— Non, il vaut mieux que tu ne m'accompagnes pas.

Il plongea son regard dans celui de Christine.

— Christine, *tu dois aller voir la police.* Tu as déjà

310

trop attendu. Tu as quasiment perdu ton boulot ! Et ce qui s'est passé avec ton chien : je n'aime pas ça du tout… Ça va beaucoup plus loin qu'un simple harcèlement… Quelque part, là, dehors, il y a quelqu'un qui se balade et qui t'en veut à mort. Quelqu'un qui est déjà entré chez toi. Quelqu'un qui a agressé Iggy.

Elle fronça les sourcils, plissa les paupières. Comme si elle ne le savait pas. Tout à coup, l'appréhension lui noua le ventre : elle cherchait désespérément une issue et tout ce qu'il lui proposait, c'était d'aller voir la police ?… Si un type comme lui ne voyait pas d'autre solution, quel recours lui restait-il ?

Il dut sentir sa frayeur, car il posa une main sur la sienne.

— Ne t'en fais pas. On va trouver une solution… Il faut agir avec méthode, poursuivit-il. Pour commencer, va dormir à l'hôtel pendant quelque temps.

— Et Iggy ?

— Emmène-le avec toi. Ou confie-le à quelqu'un… à tes parents, à des amis.

Quels amis ? faillit-elle dire.

— Pourquoi tu ne viendrais pas t'installer quelques jours chez moi ? suggéra-t-elle. Tu n'as qu'à dire à ta femme que tu es en voyage d'affaires.

Elle savait que Léo avait une vie bien remplie après sa carrière de spationaute. Il avait longuement parlé de sa reconversion lors de son passage à Radio 5 : il avait dirigé pendant un temps le centre d'entraînement des astronautes à Cologne, en Allemagne ; il avait travaillé comme astronaute conseil sur le projet de l'ATV, un vaisseau cargo sans équipage destiné à ravitailler en fret la Station spatiale internationale ; il avait fondé sa propre entreprise, GoSpace, une filiale du Centre national d'études spatiales qui organisait des vols scientifiques paraboliques à bord de l'Airbus A300 ZERO-G et dont le siège se trouvait dans la zone industrielle de l'aéroport de Toulouse-Blagnac ; il était aussi devenu l'un des principaux VRP de l'ESA, l'Agence spatiale européenne, défendant les vols habités et l'exploration spatiale *humaine* auprès du grand public, des élus et des universités.

Il lui jeta un regard acéré.

— Non, je ne peux pas faire ça. Mais on doit agir… Tu as bien fait de venir me voir. À qui d'autre en as-tu parlé ?

Elle revit Max dans son salon, avec ses vêtements sales, sa barbe crasseuse et ses longs cheveux gras.

— À personne… Gérald, dans l'état actuel de notre relation, ne me croirait pas.

Il lui lança un nouveau regard aigu.

— Il n'a jamais su pour nous deux, n'est-ce pas ?

Elle secoua la tête.

— Voilà ce qu'on va faire, dit-il. Toi, tu vas à la police ; moi, je vais me renseigner…

— Te renseigner ?

— J'ai quelques contacts à la Sécurité publique. Je vais voir si d'autres femmes ont subi la même chose que toi à Toulouse ou dans les environs, si elles ont été prises au sérieux, s'il y a eu des suspects…

Il se leva, marcha jusqu'au bureau, arracha une feuille du papier à en-tête de l'hôtel et prit le stylo glissé dans le petit portfolio en cuir. Puis il revint s'asseoir.

— On va commencer par dresser la liste des personnes que tu as croisées ces derniers mois et avec qui tu as eu des différends. Et même de celles sur lesquelles tu as le moindre doute. Je vais voir ce que je peux obtenir.

— Comment tu vas t'y prendre ? voulut-elle savoir.

Il eut un sourire énigmatique et rêveur.

— Tu sais, je connais un tas de gens.

Elle réfléchit et quelques noms lui vinrent spontanément à l'esprit : Becker, le connard machiste à la tête de l'info de Radio 5, Denise, sa voisine… *D'autres noms…* Pas franchement agréable de se rendre compte qu'on avait plus d'ennemis que d'amis. Paradoxalement, plus la liste s'allongeait, plus elle reprenait espoir : le coupable était forcément dedans.

— Eh bien, dit-il quand ils en eurent terminé, on dirait que tu as le don de te faire des amis. Regarde ces noms : je veux bien être pendu si ton tourmenteur n'y est pas.

Il avait raison. Elle aurait dû commencer par là ! Il suffisait d'agir et de raisonner logiquement…

— J'insiste : comment tu vas faire pour te renseigner sur ces gens ? Je veux savoir.

Il eut de nouveau ce sourire énigmatique qu'il arborait parfois.

— Je connais un détective privé… Il me doit un service ; il y a quelques années, il s'est fait prendre à enquêter de manière illégale sur ma société : de l'espionnage industriel pur et simple… Il avait été embauché par une boîte concurrente d'un pays étranger. Je l'ai pris la main dans le sac et, plutôt que de l'envoyer en prison, je lui ai proposé un deal : il stoppait ses investigations, je ne portais pas plainte, mais un jour peut-être je ferais appel à lui. Je pensais avoir recours à ses services dans le cadre d'une enquête à des fins disons… *commerciales*, plutôt que privées… Mais tant pis.

Un détective, des flics amis… Oui, elle avait bien

313

fait d'appeler Léo. Il avait toujours été plein de ressources, pas le genre à baisser les bras... Elle se
demanda fugitivement comment aurait agi Gérald à
sa place, mais elle chassa cette pensée. Elle sentit une
vague de reconnaissance l'envahir.

— Détends-toi, répéta-t-il d'une voix douce. Ça va
aller.

Il s'était levé et avait pris sa flûte vide pour la remplir de nouveau. Il la plaça dans sa main. Puis il fit
le tour de sa chaise et posa les mains sur ses épaules.

— Laisse-toi aller.

— Léo...

— Quoi ?

— Merci.

Les mains fortes et douces de Léo pétrirent les
muscles de ses épaules. Comme ils le faisaient dans
le temps quand elle était stressée. Dénouant un par un
les nœuds de ses trapèzes et de ses cervicales, exerçant
des pressions aussi fermes que précises. Elle ferma les
yeux. Elle voulait s'abandonner. Elle sentit ses muscles
se réchauffer et gagner peu à peu en souplesse. Sa
nuque se détendre. Elle porta le champagne à ses lèvres.
Il était bon. Les petites bulles lui montaient au cerveau.

— Tu te rappelles cet hôtel à Neuchâtel, sur le lac,
la suite sur pilotis ? dit-il. Le matin, on ne voyait que
les voiles, les oiseaux et les montagnes au loin.

*Et comment qu'elle se souvenait. Un des rares week-
ends qu'ils avaient passés ensemble... Les reflets du
soleil sur le lac comme des éclats de mica, la blancheur
des voiles et des mouettes, la table du petit déjeuner
dressée au-dessus de l'eau qui clapotait contre les
pilotis – et la montagne à l'horizon. Elle aurait voulu
rester là un mois, un an – au lieu de deux jours...*

314

— Ressers-moi, dit-elle.

Elle avait envie d'être ivre tout à coup. Elle but une longue gorgée de champagne, sentit les bulles lui chatouiller le palais et la langue.

— Tu m'as manqué, dit-il.

Il déposa un baiser dans son cou qui lui donna la chair de poule puis un deuxième, près de sa bouche. Elle tourna la tête, entrouvrit les lèvres et il glissa sa langue entre elles. Elle l'accueillit et leurs respirations se firent plus rapides. Avant même de comprendre ce qui arrivait, ils étaient debout et elle avait son jean aux genoux, les cuisses nues. Il coula une main dans son slip et elle mouilla instantanément au contact de ses doigts. Ouvrit les jambes. Gémit lorsque les doigts la caressèrent plus intimement. Elle avait envie de le sentir en elle, *là, maintenant...* Elle le libéra, enlaça amoureusement son sexe dur et doux. Ils se séparèrent pour se dévêtir plus rapidement puis, une fois nus, elle promena les mains sur ses flancs, ses côtes, son dos, ses fesses – puis sa main redescendit et elle caressa de nouveau son sexe épais, rigide et doux. Ils firent l'amour sur le lit et elle l'accueillit en bougeant en rythme, leurs deux bassins cognant l'un contre l'autre. Que cela tînt à la force de leur désir, à leur situation ou simplement à l'urgence, ce fut une étreinte sans tendresse, quelque chose de brutal et d'instinctif. En une seconde de plénitude, elle reconnut l'odeur familière de sa peau, le parfum de ses cheveux, la forme précise de son corps, le dessin exact de ses flancs musclés et de son squelette sous ses doigts. Ce territoire qu'elle avait longtemps considéré comme son royaume, même si elle le partageait avec une autre femme, car celle-ci ne comptait pas : comme au temps des rois, l'épouse officielle ne pouvait rivaliser avec la favorite. Elle haleta et promena les mains de ses flancs et de ses omoplates à ses fesses et à ses hanches. Elle perçut des bruits sur la place, derrière le double vitrage, des voix et des klaxons, et même le roucoulement d'un pigeon, qui étaient comme le contrepoint à ses propres halètements. Elle vit la lueur des lampes au plafond comme de petites lunes mystérieuses – et elle ferma les yeux, tout en cognant son bassin encore davantage. Elle fourragea dans ses cheveux quand il la cloua au matelas et éjacula.

Elle éprouva soudain la morsure du remords et, quand il se laissa retomber à côté d'elle, elle se sentit trahie. Non par lui mais par elle-même : par son corps. Christine se leva et fonça vers la salle de bains pour s'essuyer. Quand elle en ressortit et attrapa ses habits, il demanda :

— Où est-ce que tu vas ?

— Je m'en vais, on n'aurait pas dû faire ça.

— Quoi ?!

Elle acheva de s'habiller. Hésita à l'embrasser ou à dire quelque chose ; puis renonça et se rua vers la porte.

— Va voir la police ! lança-t-il dans son dos. Christine, tu m'entends ? *Va voir la police !*

Elle claqua la porte. Se retrouva seule dans le couloir. Sa tête bourdonnait.

Le couloir était silencieux.

Elle le remonta rapidement, passant de l'ombre à la lumière et de la lumière à l'ombre, les petites appliques aux murs hachant la pénombre avec un effet théâtral. Un défilé de portes. Toutes semblables. Une pensée fugitive la traversa : combien de couples adultères derrière ? *L'était-elle ?* Gérald avait décidé de prendre

ses distances : cela l'exemptait-elle de toute loyauté ?
Elle l'imagina apprenant qu'elle avait baisé avec un
autre dans un hôtel quelques heures seulement après
leur dispute. Et lui ?

Est-ce qu'il n'était pas en train de baiser Denise ?

Dans l'ascenseur, elle sentit ses jambes se dérober.
Une vague de peur laide et nue déferla. La peur de
tout perdre... Elle se sentait profondément malheureuse. Elle aurait dû prendre une douche, elle avait
encore le sperme de Léo en elle. Le sang battant aux
tempes, elle se rua en dehors de la cabine dès que les
portes s'ouvrirent.

Un type se tenait devant. Elle le percuta violemment. Il était d'une taille étonnamment petite pour
un homme, plus petit qu'elle. Il avait le crâne rasé et
un drôle de visage – *efféminé*, songea-t-elle en une
fraction de seconde –, mais il bougea à peine quand
elle le heurta et elle faillit retomber en arrière.

— Exc... excusez-moi, bafouilla-t-elle avec une
voix qui trahissait plus la colère qu'autre chose. Je
suis désolée !

Le petit homme s'écarta avec un sourire. Elle eut à
peine le temps d'entrevoir le tatouage qui émergeait
de son col. Une Madone avec son auréole, comme on
en voit dans les icônes russes. *Étrange*, pensa-t-elle
en fonçant vers la porte à tambour. L'image insolite
s'imprima dans son esprit – comme celles de certains
rêves au réveil – tandis qu'elle courait à travers le hall,
poussait la porte tournante, s'enfuyait dans la neige
qui s'était remise à tomber.

20

Opérette

La femme-flic regarda l'écran de son ordinateur, regarda le mur derrière Christine – dont Christine se souvenait qu'il portait une affiche du film *Chinatown* –, regarda son stylo, regarda ses ongles, regarda Christine.

— Vous dites que vous avez trouvé de l'urine sur votre paillasson : est-ce que ça ne pourrait pas être celle de votre propre chien ?

Le ton était si manifestement, si outrageusement sceptique que Christine se raidit.

— Vous ne me croyez pas ?

— Je vous pose une question.

— Non, répondit-elle fermement.

La femme la jaugea, et Christine eut la sensation qu'un faisceau de rayons X la scannait de la tête aux pieds.

— Qu'est-ce qui vous rend si sûre ?

Elle haussa les épaules.

— Je n'ai pas sorti mon chien ce jour-là. Par conséquent, je ne vois pas comment il aurait pu...

— Vous ne l'avez pas sorti ?... Où a-t-il fait ses besoins ?

— Il a une caisse pour les cas d'urgence, quand... je n'ai pas le temps de le sortir. (La femme-flic lui jeta un regard sévère.) Écoutez, on ne va pas épiloguer là-dessus pendant des heures, non ? Il s'est passé beaucoup plus grave.

La femme consulta ses notes sur son écran.

— Oui. Quelqu'un s'est introduit chez vous et y a laissé un... CD d'opéra... sans rien prendre par ailleurs. Cette même personne qui vous a appelé à la radio où vous travaillez et à votre domicile... Et puis, vous avez été droguée et déshabillée chez cette jeune personne, Corinne Délia, qui est stagiaire à Radio 5, avant d'être ramenée inconsciente chez vous où vous vous êtes réveillée nue. Ah oui, j'oubliais : ces personnes ont aussi tiré deux mille euros sur votre compte en banque, mais sans pour autant vous avoir dérobé votre carte bancaire... et elles ont, euh, déposé des antidépresseurs sur votre lieu de travail pour vous discréditer...

Elle déplaça son regard de l'écran vers Christine. Un regard hostile. Où affleuraient non seulement le scepticisme mais aussi l'exaspération. Elle avait entre trente et quarante ans, une alliance au doigt, la photo d'un enfant blond sur son bureau.

— Vous avez l'air épuisée, ajouta-t-elle. Vous avez vu un docteur ?

Christine inspira profondément. Elle regrettait d'être venue. *Se calmer... Si tu piques une crise maintenant, cela ne fera que confirmer ce qu'ils pensent déjà.*

— J'ai imprimé les messages qu'il m'a envoyés, dit-elle en posant une main sur la chemise cartonnée qu'elle avait récupérée à l'appartement après avoir pris une douche. Vous voulez les voir ?

La femme ne répondit ni oui ni non.

— « Il » ? Vous pensez donc qu'il s'agit d'un homme ? Tout à l'heure, vous pensiez que c'était votre stagiaire qui avait fait le coup...

— C'est-à-dire... je pense qu'ils sont au moins deux...

— Une véritable conspiration en somme.

Le mot la cingla. Elle savait où la femme-flic voulait en venir.

— Vous me croyez cinglée, c'est ça ?

De nouveau, la femme ne répondit ni par oui ni par non. Elle se contentait de garder son regard brumeux posé sur Christine.

— Mettez-vous à ma place.

— Ça ne devrait pas plutôt être l'inverse ?

— Je vous demande pardon ?

— Ça ne devrait pas plutôt être à la police de se mettre à la mienne ?

Le regard se refroidit d'un ou deux degrés supplémentaires.

— Je vous déconseille d'employer ce ton-là.

Christine posa les mains sur les accoudoirs de sa chaise.

— Bon. Je crois qu'une nouvelle fois je perds mon temps ici.

— Restez assise.

C'était un ordre, pas de doute. Elle interrompit son geste.

— Il y a quelques jours, vous êtes venue avec une lettre prétendument écrite par une personne qui annonçait son intention de se suicider. Or il s'est avéré qu'il

320

n'y avait aucune autre trace que les vôtres sur cette lettre, pas la moindre empreinte, pas de cachet de la poste.

— Oui, d'ailleurs, je pensais que je serai int... questionnée par la même personne qui m'a reçue pour cette lettre...

— Aujourd'hui, vous dites que vous êtes allée voir Mlle Délia chez elle et qu'elle vous a droguée, c'est bien ça ? Qu'elle a fait une vidéo compromettante où on vous voit nues toutes les deux dans l'intention évidente de vous faire chanter ?

Christine hocha la tête sans conviction. Cela faisait au moins trois fois qu'elle répondait aux mêmes questions.

— Une lettre... un coup de fil... votre chien dans le local à poubelles... de l'urine sur votre paillasson... cette vidéo... Où est la logique dans tout ça ? dit la femme-flic. Dans quel but quelqu'un ferait-il ça ? Ça n'a pas de sens.

La femme sortit une petite clé de sa poche et verrouilla les tiroirs de son bureau. Puis elle se leva.

— Veuillez me suivre.

— Où est-ce qu'on va ?

Pas de réponse. La femme-flic était déjà à la porte, elle sortit sans se retourner. Christine se dépêcha de lui emboîter le pas en se disant que Léo s'était lourdement trompé : venir ici avait été une erreur.

Un couloir aux murs de brique, puis un angle ; Christine aperçut un type assis sur un banc de ciment dans un réduit éclairé par des carreaux translucides. Un autre corridor. La femme-flic avançait rapidement, saluait des collègues.

Elle dépassa une photocopieuse, s'arrêta, ouvrit une porte.

— Veuillez entrer.

Une petite pièce aux murs de brique avec une table et trois chaises. Un néon déversait une lumière crue. Pas de fenêtre. Le cœur de Christine accéléra. La femme lui montra la chaise solitaire d'un côté de la table.

— Asseyez-vous.

Elle ressortit, la laissant seule. La pièce sentait le détergent industriel. Son pouls battait dans ses carotides. Tout courage l'avait désertée, tout l'espoir que lui avait insufflé Léo. Les minutes passèrent et elle commença à avoir envie d'uriner. Se tortilla sur sa chaise. Il n'y avait pas de glace sans tain, comme dans les films, mais elle soupçonnait que c'était bien d'une salle d'interrogatoire qu'il s'agissait. Les fesses à peine posées au bord de la chaise, le dos aussi éloigné que possible du dossier métallique, elle se demanda quelles sortes d'individus étaient passés entre ces murs. Quelles sortes de crimes ils avaient bien pu avouer. Allait-elle être confrontée à Cordélia ? À quelqu'un d'autre ?

Au bout de longues minutes, la porte s'ouvrit enfin et la femme-flic réapparut, accompagnée d'une deuxième personne : le policier de la dernière fois, avec ses yeux ronds et saillants, ses épais cheveux bouclés et sa cravate moche. Le visage fermé, il ne la salua même pas. Christine y vit un très mauvais signe et elle déglutit. Il posa un dossier sur la table et prit place de l'autre côté, sur la chaise restante, à droite de la femme-flic. Sans quitter Christine des yeux.

Il y eut un long silence extrêmement gênant, puis

M. Caniche (*Beaulieu, le lieutenant Beaulieu*, se souvint-elle) sortit des photos de la chemise et les fit glisser devant elle.

— Vous reconnaissez cette personne ?

Elle se pencha. Ouvrit grands les yeux. Le cliché la frappa comme une gifle. L'espace d'une seconde, elle oublia tout ce qu'il y avait autour : la lumière violente, les deux flics, les murs de brique, l'odeur de détergent.

Oh, non…

Un violent haut-le-cœur ; elle inspira à fond.

Cordélia.

Son visage en gros plan : de toute évidence, les clichés avaient été pris au flash et de très près car l'éclat blafard brillait sur ses joues et sur son front. Ne laissant ignorer aucun des sinistres détails. Ni l'œil gauche gonflé et presque fermé, arcade sourcilière tuméfiée et large ecchymose passant du jaune moutarde au vert et au noir tout autour de l'œil. Ni le nez qui avait doublé de volume. Ni le gros hématome sur la joue droite et la lèvre inférieure fendue… Des croûtes de sang aussi dans les cheveux et dans l'oreille gauche… Le menton, lui, était écorché et à vif – comme si on avait passé une râpe dessus.

Cordélia avait été photographiée de face et de profil. Christine avala sa salive. Incapable de détacher son regard des clichés. Elle frissonna. Elle n'avait jamais eu sous les yeux la représentation d'une violence aussi nue, aussi débridée. Elle réprima la nausée qui la soulevait. Les plans qu'elle avait échafaudés avec Léo à peine deux heures plus tôt lui semblèrent tout à coup très loin.

— Oh, mon Dieu… Qu'est-ce… qu'est-ce qui lui est arrivé ?

323

Quand elle leva les yeux, elle rencontra ceux du flic tout proches. Il s'était penché par-dessus la table et il la dévisageait intensément, à présent – ses deux yeux marron et globuleux comme ceux d'un poisson-lune à quelques centimètres des siens.

— Vous devriez le savoir. C'est vous qui lui avez fait ça, mademoiselle Steinmeyer.

La lumière du néon clignota avec un grésillement bref et elle vit soudain les deux visages immobiles face à elle animés d'un effet stroboscopique. *Bzzzzz-bzzzzz*... Leurs regards posés sur elle disparurent et réapparurent une fraction de seconde plus tard. Une fois, deux fois. De même que les photos de Cordélia sur la table... Chaque clignotement, chaque fraction d'obscurité était comme un clou planté dans sa chair. Elle lutta contre la panique qui la gagnait. Eut conscience des gouttes de sueur sur son front.

— Saleté de néon, dit Beaulieu en se levant, son mouvement décomposé par l'effet stroboscopique.

Il alla jusqu'à l'interrupteur, qu'il tripota. À peine le temps de voir disparaître le regard de la femme-flic qu'il était de nouveau là, à la même place. Posé sur elle et sans expression. L'homme revint s'asseoir. Il n'avait plus du tout l'air de quelqu'un qui n'est guère excité par son métier, comme la dernière fois. Il regarda sa collègue, puis se tourna de nouveau vers Christine.

— Bon. Bref. Elle affirme que vous l'avez payée pour faire l'amour avec elle – une très grosse somme : deux mille euros –, elle reconnaît avoir accepté parce qu'elle avait terriblement besoin d'argent pour elle et pour son bébé et parce que vous êtes une femme séduisante, après

tout, et qu'elle aime bien le faire avec des femmes :
c'est ce qu'elle a déclaré. C'est ensuite que vous avez
voulu récupérer l'argent en lui disant qu'elle avait pris
son pied et que vous n'aviez pas pour habitude de payer
pour ça. Et, comme elle refusait et qu'elle s'énervait,
vous vous êtes mise à la frapper, c'est bien ça ?

Les mots tombaient dans la pièce silencieuse, à part
le néon qui ne clignotait plus mais dont la lumière palpitait avec un faible ronronnement – des mots absurdes,
impossibles…

— C'est ridicule. Rien de tout ça n'est vrai.

— Vous ne vous êtes pas rendue de votre propre
chef chez Mlle Délia ?

— Si, mais…

— Et quand elle vous a ouvert la porte, elle était
nue ?

— Oui.

— Et vous êtes entrée quand même ?

— Oui.

— Pourquoi ?

— Je vous l'ai dit, je…

— Cette lettre, c'est vous qui l'avez rédigée, n'est-
ce pas ? intervint la femme.

— Non !

— Alors, comment expliquez-vous qu'elle ait atterri
dans votre boîte aux lettres ?

— Je ne me l'explique pas.

— Nous avons interrogé les habitants de votre
immeuble : aucun d'eux n'a la moindre idée de l'identité de l'auteur de cette lettre.

— Je sais, j'ai moi-même…

— Votre voisine, l'interrompit l'homme, elle pense
que vous êtes folle. Vous vous êtes présentée chez elle

à 2 heures du matin en affirmant que votre chien se trouvait dans son appartement. Vous êtes entrée chez des personnes âgées de force. Vous avez fouillé leur appartement sans leur autorisation ; vous les avez effrayées...

La légère vibration du néon lui donnait mal à la tête. Ou bien c'était l'odeur du détergent.

— Je...

— En vérité, votre chien se trouvait dans le vide-ordures avec une patte cassée, c'est bien ça ?

— Oui.

— Est-ce vous qui l'avez balancé dans le vide-ordures, mademoiselle Steinmeyer ? demanda la femme-flic très distinctement.

Elle lui jeta un regard désespéré. Que l'homme la traite comme une criminelle, passe encore, mais elle... Est-ce que les femmes n'avaient pas été les victimes des hommes pendant des siècles ? Est-ce qu'elles n'auraient pas dû se montrer un peu plus... *solidaires* ?

— Non ! Il était dans une poubelle à côté du puits !

— À côté de quoi ?

— À côté du vide-ordures.

— Mais vous avez dit...

— Écoutez, je...

— Ce n'est pas la première fois que vous essayez d'intimider quelqu'un – que vous le menacez...

Il fit glisser devant elle une feuille imprimée. Des mails. Christine les reconnut d'emblée :

Cordélia, tu ne réponds pas à mes mails, je vais en conclure que tu désapprouves mon attitude. Que tu es hostile. Cordélia, tu sais que j'ai ton avenir entre mes mains.

C.

Cordélia, je te donne vingt-quatre heures pour me donner une réponse.

— Mademoiselle Steinmeyer, êtes-vous l'auteur de ces mails ? demanda la femme-flic.

— Non !

— Pourtant, ils viennent bien de votre ordinateur ? s'impatienta l'homme.

— Oui, mais je me suis déjà expliquée à ce…

— Avez-vous été récemment suspendue de vos fonctions à cause de votre comportement ? insista la femme.

Elle ne répondit pas. L'impression qu'un gouffre s'ouvrait sous ses pieds.

— Nous avons parlé avec votre patron – qui est aussi celui de Corinne Délia…, dit l'homme.

— …

— Vous nous entendez ? demanda la femme.

— …

— Il est 18 h 40, dit l'homme en se frottant les paupières. À compter de cette heure, vous êtes placée en garde à vue.

21

Ensemble

Cette nuit-là, Christine ne dormit pas, à part une heure vers le matin où elle somnola. Cette nuit-là, elle comprit que les villes renferment différentes sortes d'enfers, des enfers de tailles et d'aspects variés, mais dont la principale torture, comme dans la phrase de Sartre, vient de ceux qui les peuplent. Cette nuit-là, elle comprit que Sartre avait raison – mais qu'il n'avait sans doute pas la plus petite idée de ce que sa phrase signifiait vraiment.

Un détail, en tout cas, était conforme à la tradition : l'enfer, c'était en bas.

La veille, elle avait tressailli lorsque le lieutenant Beaulieu avait prononcé la phrase rituelle :

« *Il est 18 h 40. À compter de cette heure, vous êtes placée en garde à vue.* »

Elle l'avait écouté lui expliquer les accusations portées contre elle, lui lire ses droits, l'avait regardé accomplir les premiers gestes de la liturgie policière puis passer un coup de fil au procureur de la République, tandis que la femme-flic se retirait. Il lui demanda, entre autres, si elle souhaitait s'entretenir avec un avocat. Elle se fit la réflexion que moins il y aurait de personnes au courant, plus faibles seraient les risques de fuite vers la presse (elle imaginait déjà le chapeau de l'article : « Une présentatrice de Radio 5 en garde à vue pour des violences ») : elle pouvait bien tenir une nuit en cellule. Elle lui répondit qu'elle ne le souhaitait pas, car elle n'avait rien à se reprocher. Il haussa les épaules et, vers 19 heures, l'invita à l'accompagner. Ce n'était pas vraiment une invitation. Ils se dirigèrent vers un autre ascenseur que celui qu'elle avait emprunté, juste en face du premier. Le flic passa son badge magnétique dans le boîtier et les portes de l'appareil s'ouvrirent. Une fois à l'intérieur, il le présenta une deuxième fois et l'appareil se mit à descendre en vibrant.

Lorsque les portes s'ouvrirent à nouveau en bas, l'aspect froid et clinique des lieux ne manqua pas de la faire frissonner. Ils tournèrent sur la droite et débouchèrent aussitôt sur un couloir de circulation qui desservait de nombreuses portes, à droite comme à gauche. L'endroit, vaste et sonore, était assez mal éclairé, certaines des cellules l'étaient aussi, d'autres étaient plongées dans l'obscurité. Elle entrevit des hommes allongés près du sol, la tête collée derrière la vitre, comme des chiots dans une animalerie – et elle frissonna de nouveau. De l'autre côté du couloir, dans une pièce entièrement vitrée, plusieurs gardes en uniforme clair l'observaient ; deux d'entre eux se levèrent et sortirent du bocal pour les rejoindre dans un petit espace attenant, où se dressait un portique de sécurité. Il n'y avait pas la moindre fenêtre. Nulle part. Un sous-sol. Elle déglutit.

— Salut, dit Beaulieu, je vous emmène Mlle Stein-meyer. C'est comment ce soir ?

— Calme, répondit l'un des garde-chiourmes. Mais c'est encore un peu tôt : les IPM ne sont pas encore arrivées.

Beaulieu surprit l'inquiétude dans ses yeux.

— Les ivresses publiques et manifestes, expliqua-t-il. Veillez à ce qu'elle ait une cellule individuelle – dans la mesure du possible.

L'homme hocha la tête en la dévisageant. Les autres gardes la fixaient aussi. Leurs regards la firent se ratatiner.

— Je vous la confie, déclara Beaulieu. À demain. Bonne nuit, les gars.

Cette dernière phrase lui serra le cœur. Elle résista à l'envie de l'appeler, de le supplier de la ramener là-haut – dans les étages. De ne pas l'abandonner dans ce souterrain qui puait l'absence d'espoir et l'inhumanité administrative. De lui lancer qu'elle n'était pas une criminelle, juste une femme qui avait peur. Qu'elle avouerait tout ce qu'il voudrait à condition qu'il ne la laisse pas ici.

Quand elle le vit disparaître à l'intérieur de l'ascenseur, elle comprit que le cauchemar ne faisait que commencer – et que personne ne lui viendrait en aide : elle était seule.

— Veuillez passer dans le portique, lui dit un des gardes poliment.

Elle obéit. Une femme en uniforme les rejoignit bientôt. Elle salua les hommes puis entreprit de fouiller Christine – une fouille superficielle, mais les mains de la garde la palpèrent avec une répugnante absence de retenue qui lui donna la chair de poule.

— Suivez-moi.

Elle ouvrit une porte sur une petite pièce avec une

quarantaine de casiers. Christine remarqua qu'il y avait des casques de moto alignés au-dessus. La femme en uniforme – petite, trapue – attrapa une grande boîte profonde en bois et la fit glisser sur une table.

— Veuillez retirer tous vos bijoux, montre, bagues, bracelets, boucles d'oreilles et votre ceinture et les mettre dans la boîte, dit la femme. Et aussi argent, papiers, clés, téléphone portable…

Christine s'exécuta – avec l'impression de se dépouiller un peu plus de son identité à chaque objet qu'elle abandonnait. La garde fit l'inventaire à voix haute, tout en l'inscrivant dans un gros registre ouvert sur la table ; puis elle attrapa un bout de papier, ouvrit son passeport et inscrivit : *Christine Steinmeyer, 31/4817.* Elle glissa la boîte dans un des casiers, le verrouilla et colla le papier à son nom dessus.

— Je la mets où ?

Une fois qu'elle eut obtenu une réponse, elles franchirent la porte vitrée et la femme précéda Christine dans le grand couloir mal éclairé. Des cellules aux façades de Plexiglas et aux montants métalliques peints en gris-bleu. Des hommes derrière : allongés dans la lumière violente, sur des couvertures marron et des matelas plastifiés bleus. Christine s'efforçait de ne pas regarder dans leur direction.

— Hé ! Quelle heure il est ? lança l'un d'eux sur leur passage. Salut poupée, première visite, hein ? Fais gaffe à cette vicieuse : elle aime la chatte !

Parmi les cellules éteintes, certaines portaient la mention « H.S. » et les grosses serrures et l'espèce de passe-plat vitré à hauteur de la couchette étaient presque entièrement arrachés de leur support – comme si on avait enfermé là des animaux enragés.

La femme s'arrêta deux portes plus loin, fit tourner la clé, puis tira d'un coup sec sur la courte barre verticale. L'énorme bruit métallique résonna dans tout le couloir – un bruit de cinéma, un bruit de prison. Christine tressaillit si fort que ses épaules remontèrent d'un coup à hauteur de sa nuque.

— Enlevez vos chaussures.

Elle obéit. La femme ouvrit alors un tiroir dans la façade de verre et de métal, juste en dessous de la couchette, et les poussa dans l'ombre.

— Entrez...

Un tremblement lorsqu'elle s'avança en chaussettes sur le béton froid. Elle considéra sa cellule : une grotte blanc cassé de deux mètres sur trois, un banc de béton avec un demi-mur derrière qui devait dissimuler des toilettes. Des angles arrondis partout. Un matelas. Un robinet dans une niche, au fond. C'était tout.

— Dans un petit moment, deux personnes vont venir vous chercher pour prendre vos empreintes. En attendant, essayez de vous reposer.

— Il fait froid ici, fit-elle remarquer.

— Je vais vous emmener une couverture. Vous voulez manger quelque chose ?

— Non, merci.

Elle n'avait pas faim : *elle avait froid... elle avait peur... elle était terrifiée...* Elle vit, de l'autre côté de la vitre, la femme en uniforme tendre un bras vers le haut et un store de toile descendit, lui bouchant complètement la vue. Aucune des cellules qu'elle avait aperçues – celles où se trouvaient des hommes – n'avait été camouflée de la sorte : elle en conclut que la garde voulait éviter que sa présence dans ces sous-sols ne perturbât le fragile équilibre qui y régnait.

Dès que les pas de la femme se furent éloignés, elle passa derrière le muret. Elle baissa son jean et son slip sur ses chevilles et s'accroupit pour se soulager dans le trou. Elle se rendit compte qu'elle tremblait si violemment que ses dents claquaient. Elle avait envie de pleurer, mais quelque chose en elle s'y refusait. Ses intestins vidés, elle revint s'asseoir sur la couchette, la couverture marron passée sur ses épaules, et elle ferma les yeux en essayant de fermer pareillement son esprit à ce lieu, d'oublier où elle se trouvait – et comment elle y était arrivée. *Après tout, ce n'est pas si terrible. Au moins, ici, personne ne peut t'atteindre. Tu verras : dans une heure ou deux, ça ira mieux – même si ça ne va pas être facile de dormir sur ce truc…* Elle passa l'heure suivante recroquevillée sur le matelas plastifié mince et dur, enveloppée dans une couverture qui sentait le renfermé, et elle regretta d'avoir refusé le repas, car les crampes se déchaînaient dans son ventre.

Au bout d'une heure, deux personnes – une femme et un homme plus jeunes qu'elle – vinrent la chercher et la conduisirent dans une pièce sans fenêtre éclairée au néon (près de l'ascenseur : elle éprouva un éphémère et cruel espoir, une flambée aussitôt éteinte). Une table, un ordinateur, un comptoir derrière une vitre et un gros appareil qui ressemblait à un distributeur de billets. Un homme équipé de gants bleus, le visage protégé par un masque chirurgical, l'attendait derrière la vitre. Il la fit asseoir, lui demanda d'ouvrir la bouche et effectua ce qu'elle supposa être un prélèvement ADN à l'aide d'un coton-tige ; après quoi, la jeune femme lui demanda de s'approcher du gros appareil et prit ses empreintes – d'abord la main complète, puis les cinq doigts un par un. Elle lui parlait aimablement, comme s'il s'agissait d'une simple formalité administrative. Pour finir, elle eut droit à la traditionnelle photo anthropométrique dans un coin de la pièce. Quand les deux jeunes gens la ramenèrent en cellule, Christine eut l'impression que, cette fois, ça y était : *elle était passée de l'autre côté.* Elle eut du mal à combattre le découragement, le désespoir qui s'immisçaient en elle. Son cerveau – qui, jusqu'ici, n'avait pas pris toute la mesure de la situation – mugissait de honte, de confusion et de peur.

Puis l'enfer commença…

Tout ce que la ville comptait de dealers, de maquereaux, de voleurs, de tapineuses, d'ivrognes, de junkies semblait s'être donné rendez-vous ici, comme des internautes qui ne se connaissent pas répondant à une invitation sur Facebook. *Projet X* à l'hôtel de police. Ils débarquèrent les uns après les autres – de 22 à 2 heures du matin –, dans un grand remue-ménage. Christine se réjouit que personne ne pût la voir derrière le store de toile car, de l'autre côté, la folie enflait de minute en minute. Et la *colère* : une tension effrayante courait d'un bout à l'autre du couloir, elle le traversait comme des faisceaux de particules dans un collisionneur. Impossible de fermer l'œil : sa cellule était l'avant-dernière individuelle ; deux portes plus loin se trouvaient des cellules plus grandes, dans lesquelles on enfermait de quatre à dix personnes. Chahut, fureur, grabuge : *un sabbat frénétique…* Vers 2 heures, le couloir plein comme un hall de gare s'était transformé en une ménagerie bruyante, énervée et fébrile. « Hé, enculés de flics, vos mères sucent des bites en enfer ! » « Hé, la gouinasse, on caille ici ! T'as pas une couverture en

334

rab', chérie ? » « Appelez un toubib, appelez un toubib ! Je fais une criiiiiiiiiiseee ! » « Madame, s'il vous plaît, madame, venez vite : il va pas bien du tout ! » « La ferme, putain ! C'est pas bientôt fini, ce bordel ? » Cette nuit-là, Christine écouta les hurlements stridents des fauves, leurs râles déments, les coups de poing et les coups de pied terribles contre le Plexiglas et le métal, les rires sinistres des ivrognes, les pleurs désespérés des junkies, les insultes provocantes et querelleuses des putains, les langues, les accents, les claquements des verrous, les portes qui s'ouvrent et se referment, les pas, les appels, les sonneries, les cris. Les mains moites et le cerveau en feu, elle cligna des yeux comme un hibou dans la douche de lumière qui ne s'arrêtait jamais, cette pluie continue qui traversait ses paupières closes. En proie à un sentiment de solitude absolue, à une détresse comme elle n'en avait jamais connu. S'efforçant de se fermer à l'anarchie qui régnait, à toute cette animalité et à toute cette fureur. N'y parvenant pas. Vers 3 heures, son corps finit par réagir ; elle fut prise de nausées et elle se précipita vers le trou pour vomir, à genoux sur le sol recouvert de revêtement industriel, cachée par le demi-mur, tandis que d'autres arrivants déclenchaient un nouveau tapage. Elle se redressa, essuya son front en sueur et appuya sur le bouton commandant le robi-net – qui éclaboussa ses vêtements. Cette fois, elle se mit à pleurer, de manière étouffée d'abord – car elle craignait d'être entendue –, puis de plus en plus fort, secouée par des sanglots convulsifs, toutes ses digues mentales rompues.

— Pleure, bébé, ça fait du bien, dit doucement une voix de femme dans la cellule voisine de la sienne.

Elle fut réveillée par le froid. Elle avait fini par s'endormir sur le matelas dur, enveloppée dans la couverture marron, et – quand elle s'assit – les courbatures dans son dos et ses reins lui donnèrent mille petits coups de rasoir tranchants. Elle avait la bouche pâteuse et atrocement soif. Elle constata que le silence régnait enfin. Le couloir avait retrouvé son calme. Des ronflements sonores montaient des cellules, ainsi que des murmures de conversations à voix basse. Puis les verrous claquèrent de nouveau et des bruits de pas retentirent. Des portes qui s'ouvrent ; des gens qui se réveillent, qui râlent, qui toussent. Trois minutes plus tard, la femme en tenue relevait le store, déverrouillait sa porte et lui tendait un plateau.

— Tenez.

Deux Speculoos et une briquette de jus d'orange…

— Merci, dit-elle néanmoins.

La femme baissa le store et passa à la cellule suivante. Elle considéra ce petit déjeuner qu'en d'autres circonstances elle aurait repoussé avec dédain, mais les crampes lui tordaient l'estomac. Elle n'avait rien avalé depuis la veille et elle se jeta sur la briquette, ses mâchoires si dures qu'elle ressentit des coups d'aiguille dans les maxillaires quand elle but les premières gorgées. Quand elle eut terminé, sa faim et sa soif, loin d'être dissipées, étaient au contraire décuplées.

Une heure plus tard, alors qu'elle rêvassait et somnolait, le store fut relevé et le verrou claqua de nouveau.

— Suivez-moi.

Elle remonta le couloir derrière la femme. Beaulieu l'attendait près du bocal vitré des surveillants.

— Bonjour, dit-il en la précédant vers la pièce aux

casiers. Veuillez récupérer vos affaires, mademoiselle Steinmeyer. Vérifiez que tout y est et écrivez « repris ma fouille, complet » ici, s'il vous plaît.

La femme en uniforme ouvrit son casier, en retira la boîte en bois et la posa devant elle, sur la petite table. Christine sentit l'espoir regonfler sa poitrine comme une chambre à air. Elle remit sa montre autour de son poignet, passa sa ceinture, récupéra ses papiers et ses affaires. Une par une. La main tremblante. Elle ne reconnut pas l'écriture heurtée quand elle fit courir le stylo sur la page d'un mouvement syncopé de sismographe.

— Suivez-moi, dit Beaulieu.

L'espoir de nouveau, quand il la précéda vers l'ascenseur. Elle remonta vers les étages avec la sensation d'un plongeur qui a tranché les sangles qui le retenaient au fond et qui, d'un coup de talon, s'élève *in extremis* vers la surface alors que sa bouteille est presque vide. Elle n'aurait jamais cru qu'un simple ascenseur pouvait symboliser à ce point la liberté. Puis une pensée la glaça : il allait l'interroger. Et ensuite, il la ramènerait en bas… *Oh non, par pitié*. Elle se rendit compte qu'elle était prête à avouer n'importe quoi pour ne pas retourner dans cet enfer. Mais elle n'était pas dupe : si elle avouait, ce serait pire – bien pire.

Ils émergèrent de l'ascenseur et Beaulieu la ramena non dans la salle d'interrogatoire mais dans son bureau. Il lui montra un siège. Elle se laissa tomber dessus avec le même plaisir qu'elle aurait eu à s'enfoncer dans le fauteuil douillet d'un grand hôtel.

— Vous avez de la chance, mademoiselle Steinmeyer, dit-il en s'asseyant à son tour.

Elle ne dit rien. Tous ses sens aux aguets.

— Vous allez sortir. Votre garde à vue est terminée. Elle faillit lui faire répéter.

— Corinne Délia a retiré sa plainte.

Cela le contrariait, visiblement – Christine se demanda s'il plaisantait, si c'était une forme de torture mentale, comme les simulacres d'exécution d'otages à qui on bandait d'abord les yeux. Elle n'en croyait pas ses oreilles. Son cœur voletait dans sa poitrine.

— J'ai essayé de l'en dissuader, mais elle n'a rien voulu entendre, dit le flic sévèrement. Elle estime qu'elle a sa part de responsabilité dans cette histoire et que la leçon est suffisante. Vous avez vraiment de la chance. Mais n'oubliez pas qu'on vous a à l'œil, désormais.

Ses yeux saillants étaient toujours aussi dénués de sympathie. Il attrapa une feuille sur son bureau et la lui tendit.

— Tenez, voici une liste de psychiatres qui pourraient vous aider. Maintenant, vous m'excuserez, mais j'ai du travail.

Il se leva pour la raccompagner jusqu'à l'ascenseur, qu'il mit en route avec son badge. Au moment où les portes allaient se refermer, il se pencha assez près pour pouvoir parler à voix basse.

— Un conseil, dit-il, je t'ai à l'œil. Alors, ne me taquine pas, ma belle. Et fais-toi oublier.

Le tutoiement et la menace lui firent l'effet d'une gifle. Elle se réfugia, les jambes flageolantes, au fond de la cabine. Avec une seule idée en tête : *sortir d'ici*.

C'est ainsi que, par un matin glacial de la fin décembre comme Toulouse n'en avait pas connu depuis des siècles, elle se traîna vers la bouche de métro la plus proche – honteuse, coupable, malheureuse et terrifiée. Un chien enfermé dans un chenil, abandonné par ses maîtres pour cause de déménagement après des années de confort, de bons repas, de caresses et de câlins de la part des enfants, n'aurait pas montré plus triste mine. Elle attendit la rame et, une fois dedans, s'assit sans un regard autour d'elle. C'était un dimanche matin comme les autres, tôt ; il n'y avait pas grand monde. Le regard fixé sur la vitre face à elle, elle tenta de convoquer un souvenir heureux, mais rien ne lui vint. Elle avait cru pouvoir résister, se battre, mais elle devait se rendre à l'évidence – c'était peine perdue. Le désespoir était sur le point de prendre le contrôle de son esprit, de remporter cette lutte sans merci dont l'issue – elle s'en rendait compte à présent – risquait bien de lui être fatale.

En faisant irruption dans sa rue, elle dérapa sur le trottoir verglacé et se tordit douloureusement la cheville mais, cette fois, elle ne jura même pas. L'épuisement lui ôtait toute velléité de rébellion. Elle aperçut son ange gardien qui dormait à poings fermés dans ses cartons et eut un hoquet rageur. *Tu parles d'un garde du corps !* Cette pensée lui arracha un petit rire sinistre, dénué d'humour, puis elle se dit qu'il ne pouvait tout de même pas rester éveillé vingt-quatre heures sur vingt-quatre.

Christine traversa la rue et le secoua doucement par l'épaule. Elle avait besoin de parler à quelqu'un de ce qui s'était passé et il ferait parfaitement l'affaire. Après tout, il s'était montré plus attentif et perspicace que tous les autres. Mais il ne bougea pas. Elle le secoua derechef. Un ronflement sonore s'éleva en guise de réponse et – quand il ouvrit sa bouche aux dents jaunes – un puissant remugle alcoolisé la fit reculer comme si on venait de mettre un tonneau en perce. *Il avait bu... il était soûl !* Ce salaud avait pris son argent et s'était empressé de le convertir en vrai liquide ! Il n'avait absolument pas l'intention de remplir sa part du marché. La trahison lui mordit le ventre et elle se dirigea en titubant vers son immeuble.

Elle retrouva son appartement glacial en se demandant si quelqu'un était venu baisser le chauffage. La réponse lui fut fournie aussitôt : la musique montait du salon ; deux voix féminines entrelacées comme des lianes, s'enroulant l'une autour de l'autre – poignantes... Elle repoussa Iggy, qui se traînait lamentablement, la tête dans son entonnoir en plastique, mais qui remua tout de même la queue en la voyant. Elle connaissait ce morceau. *Lakmé*, le « duo des fleurs ».

Elle aperçut le CD posé sur la table basse. Encore un opéra.

Il était venu...

La terreur la bouscula, et elle fit un pas en arrière, hébétée, chancelante – tandis que le musique enflait et peuplait le moindre recoin de l'appartement.

Pourtant, quelque chose d'autre se faisait jour en elle. Une colère dévastatrice. Comme une réaction en chaîne, comme si son cœur radioactif avait atteint la masse critique. Sa vue se troubla et la colère flamba avec la soudaineté d'une braise tombant sur un tapis d'aiguilles de pin desséchées. Elle s'avança, empoigna la mini-chaîne, la souleva rageusement, arrachant d'un coup les fils des prises et coupant net le lamento à deux voix. Donnant libre cours à sa fureur, elle laissa l'explosion blanche déferler et l'aveugler, balança l'appareil à travers la pièce, l'envoyant se fracasser contre le mur opposé en hurlant :

— MAIS QU'EST-CE QUE VOUS ME VOULEZ, À LA FIN ? ALLEZ VOUS FAIRE FOUTRE ! BANDES DE FUMIERS ! *ALLEEEEZ-VOUS-FAIRE-FOUTREEEEEEEEEEE !*

Servaz regrettait qu'on fût dimanche. Il avait des coups de fil à passer, des visites à rendre. Pas tant que ça en fait. Mais il avait toujours détesté les dimanches.

Il marchait dans les bois enneigés, suivant une allée qui filait entre de grands chênes tordus et des charmes. Des feuilles dorées et rousses s'incorporaient à la neige. Quand il était gosse, les dimanches d'hiver étaient les pires. Pas de télévision à la maison : veto paternel. Et les ordinateurs domestiques n'existaient pas encore. Quand ses copains ne lui rendaient pas visite, il se traînait lamentablement d'une pièce à l'autre – grisaille au-dehors, grisaille au-dedans – tandis que son père, le professeur de lettres, s'enfermait avec ses livres et que sa mère corrigeait des copies ou préparait la classe du lendemain pour les CM1 ou les CM2. Ces sinistres dimanches après-midi d'hiver lui avaient laissé à jamais le goût de la solitude et de l'ennui. Les deux plus grands ennemis de l'homme.

En marchant dans la forêt, il s'interrogeait sur la signification des deux indices envoyés par son mystérieux correspondant. La chambre 117 et la station spatiale… Célia Jablonka avait temporairement fréquenté le milieu de la recherche et de l'exploration spatiales avant de mettre fin à ses jours dans la chambre en question. Soit. Mais quel lien entre les deux ? Visiblement, son informateur anonyme savait un certain nombre de choses. Pourquoi, dans ce cas, ne refilait-il pas tout simplement ses infos à Servaz ? Et pourquoi ne se faisait-il pas connaître ? Craignait-il pour lui-même ? Ne pouvait-il le faire sans rompre le secret professionnel auquel il était tenu ? Il creusa cette idée… Un avocat ? Un toubib ? Un autre flic ?

Rien ne lui venait… Avait-il perdu la main ? Déduire, construire, échafauder, extrapoler – opérations élémentaires, mais le truc, c'était qu'il fallait toujours aller un petit peu plus loin, un petit peu plus loin… Il savait que son intérêt pour cette histoire était dû à l'ennui profond que distillait son inactivité. C'était l'enfant en lui qui parlait. C'était l'enfant qui voulait enquêter. De la même façon qu'à l'époque il s'inventait avec ses copains des mystères et des secrets autour des habitants du quartier, des enjolivements auxquels ils finissaient tous par croire à force de voir des indices là où il n'y en avait pas. Était-ce ce qu'il était à nouveau en train de faire ? Se raconter des histoires ?

Un petit peu plus loin…

Une station spatiale : espace, étoiles, cosmonautes (ne disait-on pas *spationautes* dans ce pays ?)… Une artiste suicidaire, paranoïaque… ou pas. *Un petit peu plus loin…* Il savait par où il devait commencer – et comment : comme s'il enquêtait sur un meurtre et non sur un suicide. Partir de ce postulat. Première étape : les parents…

22

Lakmé

Elle le secoua jusqu'à ce qu'il ouvre les yeux. Il lança un coup de sonde méfiant vers le monde extérieur, écarquilla les paupières en la reconnaissant.

— Christine ? Qu'est-ce que vous faites là ? Quelle heure est-il ?

Il avait la moitié du visage dissimulée par la couverture, tel un Bédouin, et le reste du corps enfoui sous les cartons. Puis le regard de Christine descendit vers le trottoir – et elle sursauta : *le gobelet était à droite...*

— L'heure de se bouger un peu, répondit-elle, la vapeur de sa respiration s'élevant devant ses lèvres. Je vous attends chez moi. Dans cinq minutes. Il y aura du café chaud.

Elle surprit une lueur étonnée dans son regard. Tourna les talons et remonta chez elle. Il sonna trois minutes plus tard.

— Vous avez vraiment une sale tête, constata-t-il quand elle eut ouvert. Quel froid ! Je ne serais pas contre une soupe chaude.

Il se dirigea vers le salon comme si lui aussi avait

ses entrées chez elle et elle réprima un mouvement d'humeur. Elle le regarda s'asseoir dans le canapé, le bas de son manteau crasseux souillé de boue et de neige, un chiffon sale qui lui servait peut-être de mouchoir sortant d'une poche, un livre corné dépassant de l'autre. Elle aperçut le nom de l'auteur : Tolstoï.

— Vous vous êtes endormi, dit-elle. Et quelqu'un est venu.

Max leva vers elle un regard surpris, gratta sa barbe poivre et sel comme si elle le démangeait, ce qui était peut-être le cas.

— La nuit, je dors – comme tout le monde, répondit-il. Si vous voulez une garde vingt-quatre heures sur vingt-quatre, faites appel à une agence de sécurité.

Un court moment, elle résista à la tentation de le mettre à la porte.

— Vous avez mis votre gobelet à droite. Pourquoi ?

Il hocha la tête, sourcils froncés. L'air soudain préoccupé. Une touillette pour café dépassait d'entre ses lèvres gercées et il la mâchouillait pensivement entre ses dents abîmées.

— Un type est passé à plusieurs reprises, il est resté un bon moment à surveiller l'immeuble... Et puis, il a fini par entrer... De toute évidence, il connaissait le code.

— C'était peut-être quelqu'un de l'immeuble ?

— Non.

Il secoua la tête fermement.

— Je connais tous les habitants de la rue, un par un. Il n'en fait pas partie. *C'était lui. Le gars que vous cherchez...*

Elle se sentit blêmir.

— Qu'est-ce qui vous fait dire ça ?

Il lui jeta un regard intense, sans cesser de mâchouiller.

— Vous aviez raison : vous avez de gros problèmes. Je ne sais pas qui c'est, mais ce type… c'est quelque chose… un vrai dur. Un homme violent.

— Comment vous savez ça ?

— Parce que je l'ai attrapé par le bas de son pantalon en lui demandant de l'argent. Je ne m'attendais pas à ce qu'il m'en donne, cela dit. Je sais reconnaître un *donneur* quand j'en vois un. Je voulais juste savoir à qui on avait affaire, à quel genre d'homme… Alors, je l'ai attrapé, juste comme ça – et il s'est arrêté et m'a regardé…

Il avait retiré la touillette de sa bouche.

— Vous auriez dû voir ce regard… Il s'est penché et m'a saisi par le col. En me disant que si je le touchais encore une fois, il me couperait mes dix doigts, un par un, avec une cisaille rouillée dans un endroit très sombre, après m'avoir bâillonné et au moment où tout le monde dort. Et vous savez quoi ? Ce type ne bluffait pas. Pas une seule seconde. Il avait le visage à quelques centimètres du mien et il me fixait, les yeux dans les yeux. Il pensait vraiment ce qu'il disait… Oh, oui. Il aurait même *aimé* le faire. Les hommes violents, ce n'est pas ce qui manque dans la rue, j'en ai déjà côtoyé. Mais celui-là est bien pire que tous ceux que j'ai rencontrés, croyez-moi. Je ne sais pas ce que vous lui avez fait, mais s'il en a après vous, je pense que *vous feriez mieux d'appeler la police.*

Elle eut l'impression qu'un acide lui rongeait l'estomac, que ses jambes se remplissaient de coton. Elle le regarda, désespérée.

La police, Max l'ignorait, ne lui serait d'aucun secours.

— Et à part la police, dit-elle d'une voix atone, qu'est-ce que je peux faire ?

De nouveau, elle vit la lueur de surprise dans ses yeux gris.

— Pourquoi vous ne voulez pas appeler la police ?

— C'est mon affaire.

Il secoua la tête, incrédule.

— Pas grand-chose… Disparaissez un moment. Faites en sorte qu'il ne puisse pas vous trouver là où vous allez. Vous savez qui c'est ?

— Non. À quoi ressemble-t-il ?

Il eut l'air de ne pas comprendre.

— Vous êtes sûre de ne pas savoir qui c'est ? Il a la trentaine, et il est petit, très petit – pas plus d'un mètre soixante-huit. Il a un putain de regard de cinglé, si vous voulez mon avis. Ah, oui… et un drôle de tatouage dans le cou.

Elle sursauta. Une *réminiscence*… Elle pensa aux tatouages couvrant le grand corps de Cordélia. Non, ce n'était pas ça. Elle en avait vu un autre – *récemment. Il est petit… très petit,* se répéta-t-elle, songeant que Max était un géant et qu'il avait été effrayé par quelqu'un qui faisait une tête de moins que lui.

— Un tatouage ? Quel genre ?

— Un truc pas ordinaire. On aurait dit une Madone avec son auréole. Vous avez entendu parler d'Andrei Roublev ?

Elle fit signe que non.

— Le plus célèbre des peintres d'icônes russes. Eh bien, le tatouage de ce mec ressemblait à une putain de Madone d'Andrei Roublev…

Elle le connaissait ! *Elle avait déjà vu ce tatouage quelque part !* Où ça ? Où ça ? Soudain, ça lui revint : le Grand Hôtel Thomas Wilson… Au moment où elle sortait de l'ascenseur après avoir rencontré Léo… Elle avait heurté ce drôle de petit bonhomme avec une Madone tatouée dans le cou. *Il l'avait donc suivie…* Elle avait cru l'avoir semé mais non.

Elle se sentit désespérée à cette idée. Est-ce qu'il avait aussi repéré Léo ?

— Qu'est-ce que c'est ? dit la voix de Max.

Elle suivit son regard. Il était posé sur le boîtier du CD.

— Vous connaissez ?

— Oui. Encore un opéra.

Elle le scruta intensément.

— Ça parle encore de suicide, n'est-ce pas ?

— Mmm. Lakmé est une jeune hindoue qui s'empoisonne avec du datura lorsqu'elle comprend que celui qu'elle aime, Gérald, va retourner auprès des siens…

Elle le fixait, pâle comme un linceul.

— Qu'est-ce qu'il y a ? dit-il. Qu'est-ce que j'ai dit ?

— Vous avez bien dit *Gérald* ?

— Oui, pourquoi ? Vous connaissez quelqu'un qui s'appelle comme ça ? Bon Dieu, Christine, vous êtes sûre que ça va ? Vous êtes vraiment pâle…

— Tenez. Buvez, dit-il. Vous avez fait un malaise. On devrait appeler un toubib.

— Non, merci, je me sens déjà mieux. (Elle lui prit le verre d'eau des mains.)

— Vous connaissez un Gérald, alors ?

Elle fit signe que oui.

— C'est lui, l'homme au tatouage ?

Elle fit signe que non.

347

— Vous ne voulez pas en parler ?

Elle hésita.

— Pas encore… Je vous remercie pour tout ce que vous faites, Max. Et désolée pour mes remarques de tout à l'heure. Mais je ne suis pas encore prête.

Il lui adressa un regard préoccupé.

— Christine… jusqu'à présent je ne savais pas trop quoi penser de votre histoire. Mais j'ai vu cet homme. J'ai vu son regard. Je connais ce genre de type : il ne vous lâchera pas. Que va-t-il faire la prochaine fois, vous y avez pensé ? Jusqu'où est-il prêt à aller ? Car – tôt ou tard – il va revenir à la charge. Ce genre de malade, ça a de la suite dans les idées. Croyez-moi, Christine : je pense que vous devriez appeler la police ; vous avez besoin d'aide.

— J'ai déjà la vôtre. Et il y a quelqu'un d'autre. Quelqu'un de fort, au moins aussi fort que cet homme.

Elle avait élevé la voix, comme pour se convaincre de ce qu'elle disait. L'espace d'un instant, elle crut surprendre une lueur de contrariété dans ses yeux gris. Mais c'était sans doute une illusion.

— Maintenant, si ça ne vous dérange pas, ajouta-t-elle, j'aimerais rester seule.

Il acquiesça, lèvres serrées. Se leva lentement. Sur le seuil, il s'arrêta et se retourna.

— Si vous avez besoin de moi, vous savez où me trouver.

Quand il fut parti, elle attendit un long moment que l'adrénaline redescende. Elle ne comprenait rien à ce qui se passait, tout ça n'avait aucun sens. Max avait l'air de considérer que l'homme en question était un criminel professionnel. Quelle sorte de criminel ? Un mafieux ? Un voleur ? Un tueur à gages ? Cette histoire de tatouage lui faisait penser à des histoires de gangs russes ou sud-américains qu'elle avait vues à la télé.

Sa pensée revint à Gérald et elle sentit une couleuvre se déployer dans son ventre. Que savait ce type de sa relation avec son fiancé ? Était-ce lui qui avait pris Denise et Gérald en photo ? Et pourquoi cette allusion à Gérald par opéra interposé ? Ça ne pouvait pas être une coïncidence… *Gérald faisait partie de l'équation…* De nouveau, elle sentit la parano l'envahir et elle pensa à Denise. Denise avait-elle embauché un truand, un criminel pour lui faire peur, la faire renoncer à Gérald ? Absurde. Ridicule. Ce genre de choses n'arrivait que dans les films. *Et dans des émissions comme « Faites entrer l'accusé »*, dit la petite voix en elle avec un soupçon d'impatience. *C'est-à-dire dans la réalité, ma chère…* Elle essaya de la repousser, mais la voix insistait :

… la jalousie, l'envie, la vengeance – les mobiles les plus courants… Souviens-toi des avocats que tu as invités dans ton émission, de ce qu'ils t'ont raconté : tu serais surprise, ma vieille, de ce que certaines personnes sont capables de faire sous le coup de la jalousie ou de la colère…

Quelle issue, quel choix lui restait-il ? Elle sortit son téléphone et le consulta. Léo n'aurait-il pas dû l'appeler ? Il avait dit qu'il allait se renseigner, mobiliser ses contacts… Où en était-il ? Elle aurait bien aimé avoir de ses nouvelles à cet instant…

Elle n'allait pas laisser cet enfoiré de merde lui pourrir la vie éternellement.

Cette pensée la galvanisa. Elle allait réagir. Mais pas comme ce type l'attendait… Jusqu'à présent, elle avait toujours eu un coup ou deux de retard. Mais, grâce à

Max, elle venait d'obtenir une information précieuse. Oui. Elle allait transmettre l'information à Léo, il lui avait parlé d'un détective privé : lui saurait l'exploiter. *Deuzio, quitter cet endroit.* Max avait raison : elle ne pouvait plus rester ici. Quand elle regardait ces murs, elle avait l'impression d'être Mia Farrow dans *Rosemary's Baby.* Elle voyait ce monstre entrant chez elle en son absence, urinant sur son paillasson, s'emparant d'Iggy et lui brisant la patte, baissant le chauffage et glissant un CD d'opéra dans la chaîne… Elle l'imaginait parvenant à entrer la nuit, pendant qu'elle dormait, malgré le meuble poussé devant la porte et le verrou.

Mais pour aller où ? Une première pensée lui vint : pourquoi ne pas faire sa valise et demander asile à ses parents pour quelques jours ? La voix qui aimait jouer les rabat-joie réagit aussitôt : *Allons, ma grande, j'espère que tu plaisantes ! Le seul fait que tu l'envisages prouve à quel point tu as touché le fond. Tes…* parents ? *Sérieux ? Et tu vas leur dire quoi ? Que tu avais besoin de changer d'air ?*

La voix avait raison : *Pourquoi maintenant ?* demanderaient-ils – sans chercher à dissimuler le fait que le retour de leur fille dans leur vie quotidienne ne faisait pas partie de leur projet de retraite. Elle ne pouvait tout de même pas leur raconter ce qui s'était passé (elle imaginait la tête de son père si elle lui disait qu'elle avait invité un SDF à monter chez elle). Et si elle inventait une histoire, quelle qu'elle fût, son père y verrait la confirmation de ce qu'il avait toujours pensé, à savoir que sa fille n'avait pas les épaules, qu'elle serait à jamais incapable de trouver sa vraie place dans le monde, *qu'il aurait mieux valu, au fond, que sa sœur vive au lieu d'elle* (car c'était bien ça qu'il devait penser, non ? quand il avait suffisamment picolé pour avoir le cran d'assumer son... sa *préférence*...). Quant à sa mère... eh bien, elle la regarderait en se demandant où elle avait échoué en tant que mère, en faisant de l'échec de sa fille son échec personnel.

Tout mais pas ça...

Elle retourna dans le salon, se resservit un plein bol de café. *Une autre idée lui était venue...* Elle impliquait d'appeler quelqu'un qui n'avait peut-être pas envie de l'entendre ni d'avoir de ses nouvelles, mais elle n'avait pas le choix. Elle chercha le numéro d'Ilan dans son répertoire ; elle savait qu'à cette heure-ci il n'était pas encore parti pour la radio. D'ailleurs, quand il répondit, elle perçut des voix d'enfants et du remue-ménage derrière lui.

— Christine ?

Elle essaya de deviner si sa voix était hostile ou méfiante, mais elle était juste étonnée.

— Désolée de venir t'importuner, dit-elle, mais j'ai besoin que tu me rendes un service. Je sais que je t'ai déjà causé pas mal de problèmes et je comprendrais que tu refuses – mais je ne peux compter que sur toi, Ilan.

Sans lui laisser le temps de répondre, elle lui expliqua de quoi il retournait. Puis elle attendit. Pendant un long moment, il resta silencieux.

— Je ne te promets rien, dit-il. Mais je vais voir ce que je peux faire.

— Papa, c'est qui ?

Une voix de petite fille près du téléphone. Un signal d'appel en même temps.

— C'est personne, ma puce.

Sur ces mots, il raccrocha.

Elle prit le second appel.

— Allô ?

— Christine ? C'est Guillaumot.

Son cœur tomba dans sa poitrine : la voix était aussi dépourvue de chaleur humaine qu'un hiver dans le Yukon.

— La police m'a appelé hier. Ils m'ont posé des questions à ton sujet, ils m'ont aussi dit ce que tu avais fait. J'ai ensuite appelé Cordélia. Elle m'a expliqué ce qui s'était passé pendant le week-end, qu'elle avait porté plainte à la police puis finalement retiré sa plainte. (Un soupir à l'autre bout.) Putain, comment tu as pu faire une chose pareille ? C'est... c'est... On savait tous ici que tu avais un putain de caractère, mais ça... ça... c'est... je n'arrive toujours pas à le croire... (Il émit un grincement dans l'appareil, comme s'il avait une subite rage de dents.) Inutile que tu viennes à la radio demain matin. Ni après-demain. Ni aucun autre jour... Nous allons entamer une procédure de licenciement pour faute grave et engager des poursuites contre toi.

Un temps.

— Peut-être que cette gamine estime que tu as eu ce que tu méritais mais pas moi : ta conduite est un gros préjudice pour l'image de la station. Je te conseille de te trouver un bon avocat... *Espèce de sale pute cinglée...*

23

Leitmotiv

Servaz avait rarement vu une telle quantité de neige en plaine. Un type à la radio était justement en train d'expliquer que, cet hiver, les chutes étaient exceptionnelles. Comme d'habitude, tout le monde se demandait si cela avait un rapport avec le changement climatique. Le froid, la chaleur, les inondations, les sécheresses… Les journalistes adoraient le réchauffement climatique – tout comme ils adoraient les crises économiques, les révolutions arabes, les faillites des banques, les braquages de bijouteries…

Il roulait à travers des étendues blanches immaculées, le long de lignes d'arbres déshabillées par l'hiver, avec pour seule compagnie la musique de ce bon vieux Gustav. Le ciel gris formait une deuxième plaine inversée au-dessus de lui, avec ses collines de nuages. Cette partie centrale de la région n'était pas aussi pittoresque que le sud du département, où la barrière des Pyrénées se dressait comme une muraille de Chine naturelle, ni que le pays albigeois, plus vallonné et boisé – ou encore que l'est du pays toulousain, qui se faufilait dans des vallées sauvages avant de redescendre vers les rivages accueillants de la Méditerranée. Elle était juste... monotone. Au milieu d'une longue ligne droite, il quitta la nationale pour une route plus étroite et en mauvais état et, trois kilomètres plus loin, il vit la ferme sur sa droite. Servaz s'engagea prudemment sur la neige, en se disant que, s'il restait en rade, le tracteur qu'il apercevait là-bas viendrait le sortir du pétrin.

Il se gara devant le long bâtiment d'habitation dont le ciment gris n'avait jamais vu une couche de peinture et descendit.

Releva son col, saisi par l'humidité et par le froid.

Avant même d'être entré, il eut une vision de l'enfance et de la jeunesse de Célia Jablonka dans cet endroit loin de tout ce qui peut égayer les longues journées d'une adolescente. Eut une compréhension spontanée de la nature de son ambition. De ses rêves de gosse à l'imagination trop grande pour un cadre aussi étriqué.

Une femme à la blondeur factice se tenait sur le seuil. Elle le regarda approcher avec des yeux plissés et méfiants, à peu près aussi accueillants que les aboiements rauques du chien qui s'égosillait en tirant sur sa chaîne.

— Bonjour. Je suis le commandant Servaz, de la police de Toulouse. J'ai rendez-vous avec M. Jablonka.

Elle lui indiqua d'un bref mouvement du menton, sans desserrer les dents, la grande étable à une trentaine de mètres – et Servaz se mit en marche parmi les profondes ornières crénelées imprimées dans la neige et la boue par les roues des tracteurs, les tas d'ensilage recouverts de bâches blanchies et de boudins, la rangée de silos et les engins agricoles. En franchissant les deux portes métalliques béantes, il fut frappé par la puanteur qui s'élevait des rigoles où s'écoulait un liquide brunâtre et fumant.

— Par ici, lança une voix.

Il tourna la tête sur sa gauche et aperçut un homme aux cheveux blancs assis devant un écran d'ordinateur, dans un petit bureau. Il avait devant lui un tas de papiers et de notes. Sa main qui s'activait sur la souris portait un gant bleu – comme s'il était un chirurgien ou un technicien de scène de crime. Servaz pénétra dans la petite pièce. Sur l'écran s'affichaient des colonnes de chiffres. Il y avait aussi un tableau blanc au mur, sur lequel étaient notées au marqueur un tas de recommandations. On se serait cru dans un bureau de la PJ.

— Vous permettez, dit l'homme, je dois gérer le robot. Voir si tout s'est bien passé pendant la nuit.

— Le robot ?

— Le robot de traite. (L'homme se retourna pour la première fois et lui lança un regard aigu. Il avait les mêmes yeux soupçonneux que sa femme.) Vous êtes un flic de la ville, vous, ça se voit... Vous avez une carte ?

Servaz s'était attendu à la question. Il plongea une main dans la poche de sa veste. Le sexagénaire compara la photo sur la carte tenue dans sa main gantée avec le visiteur, sourcils froncés. Puis il se retourna vers l'écran.

— Désolé, mais je dois vérifier que tout s'est bien passé cette nuit et m'occuper des vaches qui sont en retard au niveau du robot.

Servaz hocha la tête.

— Faites ce que vous avez à faire, dit-il, j'ai tout mon temps.

— Tant mieux.

— Le robot, voulut savoir Servaz, vous voulez dire que c'est lui qui trait les vaches ?

L'homme se leva, finalement.

— Venez.

Ils sortirent de la petite pièce et remontèrent l'allée centrale. Entre les barrières métalliques, Servaz apercevait des dizaines de vaches serrées les unes contre les autres, leurs museaux plongés dans le foin, cernés par la vapeur de leurs respirations. Le père de Célia lui montra celles qui faisaient la queue devant une grande machine comme des voitures devant une station de lavage. L'une d'elles s'était placée d'elle-même dans l'appareil, plongeant la tête dans la mangeoire, et Servaz vit un grand bras articulé glisser sous ses pis lourds de lait. D'abord, des brosses cylindriques nettoyèrent les pis, puis une petite lumière rouge clignota sur ses mamelles, après quoi des manchons de plastique s'enfilèrent autour de chacun des pis. L'animal ne broncha pas, il semblait parfaitement accoutumé à ce manège.

— Le laser reconnaît les pis de chaque laitière et positionne le robot pour la traite, expliqua le père de Célia.

— Vous avez combien de bêtes ?

— Cent douze.

— Et combien ça coûte une installation pareille ?

— Tout dépend de l'installation. Entre cent vingt mille et huit cent mille euros…

Servaz pensa à toutes ces histoires d'agriculteurs grevés de dettes qui mettaient fin à leurs jours.

— Et quand est-ce qu'elles sortent d'ici ? voulut-il savoir.

La réponse tomba comme un couperet.

— Jamais.

Servaz s'interrogea sur la santé mentale de vaches et de veaux qui ne voyaient jamais la lumière du jour. Il apercevait chaque été des vaches à viande – blondes d'Aquitaine, limousines – dans les prés. Il se dit que les vaches non plus ne naissaient pas égales. Des fermiers maîtrisant l'informatique, s'occupant de robots, gérant les stocks et sans doute compétents dans un tas d'autres domaines ; des ordinateurs, des écrans tactiles, des lasers et des caméras : on était loin des clichés sur la campagne.

— Vous n'êtes pas venu jusqu'ici pour me parler de mes vaches…

Servaz l'observa. Il avait des yeux bleus dans un visage tanné par le soleil et raviné mais ferme.

— Vous rouvrez l'enquête ? Pourquoi ?

— Non, dit-il, l'enquête n'est pas rouverte, monsieur Jablonka. Mon travail consiste juste à examiner certains dossiers classés, mentit-il.

— Pourquoi ?

— C'est comme ça : l'administration.

— Pourquoi celui-là ?

Servaz ne répondit pas.

— Elle a grandi ici, n'est-ce pas ?

L'homme lui décocha un sourire tordu.

— Je sais ce que vous pensez, dit-il.

— Vraiment ?

— Monsieur le policier… Ce que nous faisons ici, ça s'appelle du concret. Nous ne spéculons pas sur de l'argent qui n'existe pas ; nous ne vendons pas des produits inutiles à des gens qui croient en avoir besoin ; nous travaillons jour et nuit ; nous sommes peut-être les derniers à savoir que le monde réel existe – et

357

c'est pour ça qu'on veut nous voir disparaître. Mais, en ce qui concerne Célia, sachez qu'elle a grandi au milieu des livres. Si je vous invitais à entrer dans cette maison que vous voyez là-bas – ce que je ne ferai pas –, vous constateriez qu'il y a des livres partout, des livres cornés, des livres annotés, des livres lus… Célia adorait les livres. Et nous l'avons toujours encouragée à lire… Ce n'est pas pour s'échapper d'ici qu'elle avait cette ambition, ce n'est pas pour faire mieux que ses parents, c'était au contraire pour qu'ils soient fiers d'elle. Chaque fois qu'elle éprouvait le besoin de se ressourcer, de respirer un peu, elle revenait ici. Cette campagne, vous devriez la voir au printemps – c'était son endroit préféré sur Terre…

Servaz regarda la vache qui venait de prendre la place de la précédente devant la machine. Chaque fois que celle-ci essayait de lui glisser les manchons de plastique autour des pis, elle faisait un léger mouvement vers l'avant ou vers l'arrière, et les manchons se repliaient avec un claquement sec tandis que les lasers recommençaient leur lent travail de repérage. La machine avait tout son temps ; l'animal n'aurait pas le dernier mot.

— Et est-ce qu'elle entrait souvent ici ? demanda-t-il. Ou est-ce qu'elle s'en tenait à l'écart ?

Le père de Célia lui lança un regard dur.

— Célia s'était opposée à l'installation de cette machine, dit une voix féminine dans son dos. Elle disait que c'était inhumain que ces vaches restent toujours enfermées. Elle avait peut-être raison… (La femme lança à son mari un regard peu amène.) Célia était une jeune femme très intelligente. Et équilibrée. Du moins jusqu'à ce qu'elle rencontre ce type.

Servaz se retourna, la femme blonde le fixait.

— Quel type ?

— Je ne sais pas. Nous ne l'avons jamais vu. Je crois qu'il était marié. Et que c'était quelqu'un d'important. C'est pour ça qu'elle ne voulait pas en parler. Elle disait juste qu'elle avait rencontré quelqu'un. Un homme exceptionnel, à l'en croire. Du moins, au début… Avant que son humeur ne se mette à changer…

Servaz se remémora les paroles du directeur du centre social autogéré.

— Célia n'a jamais fait les conneries que font les jeunes gens à l'adolescence, dit son père. C'était une jeune fille studieuse et timide. C'est peut-être pour ça qu'elle s'est mise à les faire à l'âge adulte, et à rencontrer des types pas très nets. Elle nous en a amené un ou deux, toujours le même profil : des minables aux faux airs de durs à cuire.

Ses yeux étincelaient et Servaz comprit que la colère le rongeait comme un cancer, une colère rentrée qui était peut-être déjà là auparavant, dans sa personnalité, mais qui empoisonnait désormais son sang plus sûrement que l'arsenic depuis la mort de sa fille.

— Et puis, elle a changé… Elle est devenue une jeune femme épanouie, heureuse – pour autant qu'on sache. Elle commençait à réussir en tant qu'artiste, à ce que j'ai cru comprendre, et cela la rendait plus sûre d'elle. On s'entendait bien, tous les deux. Je n'ai… je n'avais qu'une fille, vous comprenez. Alors, Célia, je l'ai toujours chouchoutée.

Il regarda ses mains fortes et bronzées au dos desquelles courait un réseau de grosses veines.

— Elle ne nous parlait pas de ses rencontres, reprit

la femme. Et on ne lui posait pas de questions. Et puis, un jour, elle a fini par lâcher le morceau. Elle avait rencontré quelqu'un. Quelqu'un de bien. Quelqu'un qui nous plairait, nous a-t-elle dit. Mais c'était trop tôt... Il y avait des *obstacles*, selon elle : c'est le mot qu'elle a employé. On a vite compris que le type devait être marié. On s'est dit... on s'est dit que notre petite fille avait grandi, mais que pour ça elle resterait la même, elle continuerait de se faire avoir encore et encore...

Elle s'interrompit.

— Je crois qu'à la fin elle faisait une dépression. Mais elle refusait d'en parler. Les derniers temps, elle paraissait avoir peur de son ombre. Quelque chose la terrorisait. Quelque chose ou quelqu'un... Mais jamais je n'aurai pensé qu'elle... qu'elle...

Servaz avait l'impression que le temps s'était ralenti – qu'il coulait infiniment moins vite que le lait dans les tuyaux avides du robot.

— Vous êtes sûrs qu'elle ne vous a rien dit au sujet de cet homme ?

— Elle a dit une chose bizarre, une fois. Une seule. Elle a dit que c'était un vrai cow-boy : *un cow-boy de l'espace*. Ou quelque chose comme ça... Je n'ai pas compris ce qu'elle voulait dire.. Mais c'était ça, Célia : elle parlait souvent par énigmes.

Servaz fixa le père de Célia en pensant à la photo dans la boîte – la photo de la station spatiale – et il tressaillit... Le père de Célia avait les yeux baissés. Quand il les releva, Servaz fut frappé par l'intensité du feu qui y brûlait.

— Si elle s'est vraiment suicidée, qu'est-ce que vous faites ici un an après ? s'enquit-il.

— Je vous l'ai dit : vérifications de routine.

— Vous foutez pas de ma gueule. Toutes ces questions, à quoi ça rime ? Vous avez rouvert l'enquête ou pas ?

— Non, monsieur. Cette affaire est classée.

— Classée ?

— Oui.

— Très bien. Alors, maintenant, vous allez me foutre le camp d'ici, inspecteur, lieutenant, commissaire – ou quel que soit votre foutu grade : vous allez me foutre le camp d'ici tout de suite.

Servaz ralentit devant l'entrée du Centre spatial, qui évoquait un péage d'autoroute surmonté d'un grand symbole représentant à l'évidence une planète et un lanceur.

Le Centre spatial était situé au cœur d'un vaste complexe scientifique et universitaire composé de laboratoires, d'écoles d'ingénieurs et d'entreprises aérospatiales, à l'est de l'université Paul-Sabatier, au sud de l'agglomération. L'endroit évoquait l'idée que Servaz se faisait d'un campus à l'américaine : des jeunes gens sur des bicyclettes – étudiants, ingénieurs ou informaticiens –, de larges avenues bordées d'arbres, de hautes antennes, des bâtiments fonctionnels et interchangeables ; il avait aussi aperçu un ou deux avions posés sur les pelouses pour la déco. Les deux gardes à l'entrée, en uniforme bleu, échangeaient des vannes ; ils avaient l'air aussi efficaces que des figurants dans une émission de téléréalité. Il baissa sa vitre. Expliqua qu'il avait pris rendez-vous avec le directeur. Le gardien lui confisqua sa carte d'identité et lui remit en échange un badge visiteur, avec dessus le nom de la personne qu'il devait rencontrer (au cas où il aurait été tenté de *s'égarer* à l'intérieur), puis il fut invité à laisser sa voiture sur le parking à gauche, juste après l'entrée.

Servaz s'exécuta, coupa le moteur, descendit et promena un regard alentour. Quelques flocons voletaient dans l'air froid ; il vit de grands sapins, de hauts pylônes surmontés de projecteurs, une fusée et une énorme parabole sur la neige devant l'un des bâtiments. Toutes les façades étaient constituées de hautes lames de béton verticales séparées par d'étroites meurtrières.

Il ne nota pas la présence de mesures de sécurité particulières sur le site ; il devait pourtant y en avoir. Il se dirigea vers ce qu'on lui avait indiqué comme étant « le bâtiment des directeurs ». En face se dressait le bâtiment Fermat, qui abritait les salles de contrôle des satellites lancés par Ariane. Juste à côté se trouvait le CADMOS, le Centre d'aide au développement des activités en micropesanteur et des opérations spatiales. Quand Servaz avait appelé, il s'était présenté comme enquêteur de police judiciaire et avait demandé à parler au directeur du centre, en priant pour que ce dernier n'eût aucun contact à la PJ. Il avait expliqué qu'il enquêtait sur la mort de cette artiste, Célia Jablonka, qui avait fait de la recherche spatiale le thème d'une de ses expos. Au téléphone, le directeur lui avait confirmé que Mlle Jablonka avait bien visité le site. Il ne voyait pas trop ce qu'il pourrait apporter à l'enquête (avait-il déclaré), mais il ne voyait pas d'inconvénient non plus à consacrer à Servaz un peu de son temps – qui, toutefois, était déjà bien employé (avait-il souligné). Et non, il n'avait pas été contacté par la police avant aujourd'hui, pour quelle raison l'aurait-il été : Célia

Jablonka ne s'était-elle pas suicidée ? Moins de trois minutes de conversation au téléphone et Servaz soup-çonnait déjà que son interlocuteur n'était pas étouffé par la modestie. Un rapide coup d'œil à son CV lui avait appris que l'homme était à la fois diplômé de l'École polytechnique, promotion 77, docteur en philo-sophie et titulaire d'un *master of sciences* de l'univer-sité de Stanford.

Le gros homme qui l'accueillit dans son bureau cinq minutes plus tard avait toutefois des petits yeux pétillants d'humour et une poignée de main amicale bien que moite.

— Je vous en prie, asseyez-vous !

Il reprit place derrière son bureau – qui était vide à part un Mac, une lampe d'architecte, quelques papiers et une maquette de lanceur – et redressa son gros nœud papillon à pois. Il couva gentiment Servaz du regard puis écarta les mains.

— Je ne sais pas exactement ce que vous attendez de moi, commandant, commença-t-il, mais allez-y : posez vos questions. Je vais tâcher d'y répondre.

Servaz décida de tourner un peu autour du pot.

— Si vous me parliez, pour commencer, de ce qui se fait ici.

Le sourire de l'homme s'agrandit.

— Le CST est le centre opérationnel du Centre national d'études spatiales. C'est ici que sont conçus, développés, mis en orbite, contrôlés et exploités les véhicules et les systèmes spatiaux dont le CNES a la responsabilité. Vous avez sûrement entendu parler des programmes Ariane, Spot, Hélios... et surtout du robot Curiosity, envoyé sur Mars par les Américains ?

Servaz fit ce qu'on attendait de lui : il acquiesça.

— Eh bien, la ChemCam – la caméra laser qui se trouve au sommet du mât du robot, celle qui a déjà effectué quatre-vingt mille tirs laser sur des roches pour les analyser – est pilotée *d'ici*, et a été conçue *ici* par le CNES et l'IRAP, l'Institut de recherche en astrophysique et planétologie.

Toulouse et l'espace, Toulouse et l'aéronautique... Une vieille histoire qui remontait au début du siècle dernier, aux avions de Latécoère, aux légendaires pilotes de l'Aéropostale, à Mermoz, à Saint-Exupéry : *Terre des hommes, Courrier Sud*, les dunes du Sahara, les lumières de Casa, de Dakar, de Saint-Louis du Sénégal – des récits pleins de mots comme Patagonie, TSF, Croix du Sud, grâce auxquels il s'évadait de sa chambre, adolescent.

— Mais vous n'êtes pas ici pour parler robots et recherche, je me trompe ?

— Vous vous souvenez de ce qui intéressait plus particulièrement Mlle Jablonka ?

Le directeur croisa les doigts sous son menton.

— Tout l'intéressait ; c'était une jeune femme curieuse et intelligente. Et très jolie aussi, ajouta-t-il au bout d'un instant. Elle voulait tout savoir, tout voir, tout photographier – bien entendu, cette dernière requête était impossible à satisfaire.

— Diriez-vous que c'était une personne dépressive ?

— Je ne suis pas psy, répondit l'homme. Et puis, je ne l'ai vue en tout et pour tout que deux fois. Pourquoi voulez-vous le savoir ?

Servaz pensa à quelque chose.

— Elle avait rencontré quelqu'un, dit-il sans tenir compte de la question. Elle avait parlé à son père d'un « cow-boy de l'espace »...

Le directeur fronça les sourcils.

— Si vous vous intéressez aux spationautes, vous faites fausse route : vous n'en trouverez pas ici. Le centre d'entraînement des astronautes européens est à Cologne – et les sièges de l'Agence spatiale européenne comme du Centre national d'études spatiales sont à Paris... Mais elle a pu contacter d'autres personnes sans passer par moi. Pourquoi vous intéresser à eux ?

— Désolé, mais je ne suis pas autorisé à vous le dire. (Il surprit avec satisfaction la petite étincelle agacée dans les yeux de son vis-à-vis.)

— Écoutez, je ne sais pas trop ce que vous cherchez – ou ce que vous imaginez –, mais ce sont des types hyperentraînés, hyperpréparés, physiquement, mentalement... Ils subissent des entraînements dont vous n'avez pas idée : la centrifugeuse, le fauteuil tournant, la table basculante... ça sonne comme des instruments de torture parce que *ce sont* des instruments de torture. Et ces types résistent à tout. Avec le sourire. Ils sont incroyables. Et ils subissent aussi des batteries de tests, y compris psychologiques...

— Est-ce qu'elle n'aurait pas pu en croiser un ici, d'une manière ou d'une autre ? insista Servaz en ignorant la remarque.

— Je viens de vous le dire...

Le ton du directeur était de plus en plus agacé. Il marqua pourtant un temps d'arrêt.

— Maintenant que vous en parlez... elle avait aussi été invitée à une soirée de gala que le CNES a donnée au Capitole : tout le gratin de l'aventure spatiale française était là. Je lui ai proposé de m'accompagner. Quand elle a vu tous ces mâles dominants en smoking, elle a complètement oublié qui j'étais, s'esclaffa le gros homme.

— Vous voulez dire que…

— Oui, tous les spationautes français étaient présents : *les cow-boys de l'espace*, comme vous dites.

Servaz le fixait. Il imagina l'humiliation du gros homme quand il avait vu cette pimbêche délaisser son brillant intellect pour les muscles et les sourires éclatants de ces messieurs. Ses pulsations s'accélèrent.

— Vous avez la date de ce gala ?

Le directeur décrocha son téléphone et échangea quelques mots avec sa secrétaire, puis il attendit la réponse.

— 28 décembre 2010, répondit-il en raccrochant. Si vous cherchez un astronaute, eh bien, vous allez être servi. Ce soir-là, ils étaient tous là. Vous n'aurez que l'embarras du choix.

Le soir descendait sur Toulouse, bien qu'on fût à peine aux deux tiers de l'après-midi. 31 décembre. La ville était illuminée comme un sapin de Noël. Sous son plafond de nuages, le soleil saignait à l'ouest comme un cœur blessé – et le vent glacial des steppes polonaises se mit à souffler jusqu'à lui.

Pourquoi es-tu revenue dans ma vie ? songea-t-il. *Je t'avais oubliée.*

Tu ne m'avais pas oubliée.

Mais tu es morte.

Oui.

Ton visage, je l'oublie déjà.

Comme tu oublieras tout le reste.

C'est donc ça ? Toutes ces paroles prononcées.

Toutes ces promesses. Tous ces baisers, tous ces ins-
tants partagés, tous ces gestes, toutes ces attentes, tout
cet amour – il n'en restera rien ?
Rien.
Alors, à quoi bon vivre ?
À quoi bon mourir ?
Tu me le demandes ?
Non.

Il regarda les piétons, hâves et pressés, les guirlandes, les décorations de Noël, les jolies filles
emmitouflées qui riaient aux terrasses : leurs rires se
tairaient, les guirlandes s'éteindraient, les jolies filles
vieilliraient, se couvriraient de rides et mourraient. Il
composa le numéro de l'hôtel de ville.

— Allô ?

Une voix de femme. Il se présenta. Expliqua qui il
était et parla de la soirée de gala du 28 décembre 2010.

— Et après ? dit la femme avec un zeste de suffi-
sance bureaucratique.

— Est-il possible que vous ayez gardé trace de la
liste des invités ?

— Vous plaisantez ?

Il refréna l'envie de lui balancer une remarque bien
sentie.

— J'en ai l'air ?

— Désolée, mais ce n'est pas de ma compétence.
Je vais vous passer quelqu'un qui pourra *peut-être*
vous renseigner…

— Merci, dit-il en notant le « peut-être ».

Il patienta sur la musique de Mozart.

— Qui vous a envoyé ici ? l'agressa d'emblée la
deuxième personne – comme s'il s'était rendu coupable
de quelque mauvaise action.

— Votre collègue… Elle m'a dit que vous pourriez peut-être…

— Je vous jure. Il y a des fois où on se demande si les gens se rendent compte… J'ai du travail, moi…

Pas moi, pensa-t-il, *je n'ai que ça à faire...* Mais il ne dit rien. Il lui fallait cette info.

— Écoutez, je vais quand même vous passer quelqu'un. Mais je ne sais pas si elle est là. On est tout de même le 31 décembre, pas vrai ?

Super. Merci. Bon réveillon…

Nouvelle musique, nouvelle attente.

— Oui ? dit une troisième voix.

Servaz exposa, sans plus d'illusions, l'objet de son appel.

— Ne quittez pas. Je vais vous trouver ça.

Il se redressa. La voix était ferme et décidée. Il entendit son interlocutrice bouger, appeler quelqu'un d'autre d'un ton autoritaire. Reprit espoir. Après tout, c'était pareil dans la police, il y avait tout de même des fonctionnaires compétents et zélés. Il écouta les pas revenir quelques minutes plus tard.

— Désolée, mais ce n'est pas ici. Je vais vous passer quelqu'un.

Il allait renoncer et couper la communication quand une petite voix menue lui répondit.

— Oui ? Allô ? *Allô ?*

Il hésita. À quoi bon ? La petite voix insistait.

— *Allô !*

Il lui resservit son laïus d'un ton las.

— Euh… la liste des invités du 28 décembre 2010 ? répéta après lui la petite voix, très peu sûre d'elle-même.

— Oui. Vous voyez de quelle soirée je veux parler ou pas ?

— Bien sûr. J'y étais. La soirée des spationautes…

Un minuscule espoir.

— C'est ça.

— Je vais voir si je peux vous trouver ça. Vous restez en ligne ou vous préférez rappeler ?

Il pensa à la difficulté qu'il avait eu à obtenir un interlocuteur. Se dit que, s'il raccrochait, il n'aurait pas le courage de rappeler.

— Je reste en ligne.

— Comme vous voudrez…

Au bout de dix minutes, il commençait à se demander si la personne ne l'avait pas oublié et n'était pas partie fêter le réveillon en laissant son téléphone décroché sur un coin du bureau quand il l'entendit :

— Je l'ai ! triompha-t-elle.

— Vraiment ?

— Oui. On a tout archivé. Y compris les photos.

— Les photos ? Quelles photos ? (Il réfléchit à toute vitesse.) Ne bougez pas… j'arrive, décida-t-il soudain.

— Quoi ? Maintenant ? Mais c'est que… je finis dans une demi-heure et c'est le… le réveillon, ce soir !

— Je suis à cent mètres de chez vous. Et je n'en ai pas pour très longtemps. C'est très important, ajouta-t-il.

La petite voix se fit encore plus diaphane.

— Dans ce cas.

24

Voix

Il était 19 h 46, ce 31 décembre. Il faisait moins
de 2 °C, mais elle avait quand même ouvert la porte-
fenêtre de sa chambre d'hôtel et les bruits montaient
de la place dans le soir. De son lit, elle pouvait admi-
rer, au-delà de la balustrade, les illuminations sur la
façade de l'hôtel de ville, perpendiculaire à celle de
l'hôtel. Grand Hôtel de l'Opéra. 1, place du Capitole.
Cinquante chambres, deux restaurants, un spa avec
sauna, un hammam et un salon de massage en plein
cœur de la ville. La sienne était rouge : murs rouges,
fauteuil rouge, sol rouge – seuls le plafond, le lit et
les portes étaient blancs.

Iggy avait reniflé l'endroit jusqu'au moindre recoin
– l'entrée, la salle de bains –, se cognant aux montants
des portes car il n'avait toujours pas pris la mesure
de sa collerette, puis, quand il en avait eu assez, il
s'était endormi sur la parure de lit.

Elle-même s'était assoupie – après avoir vidé ses
deux valises – lorsqu'elle s'était sentie en sécurité et
que la tension des dernières heures était enfin retombée. C'était sa mère qui lui avait trouvé cet endroit :

370

« Prends une chambre au Grand Hôtel de l'Opéra, le directeur est un ami. » Elle lui avait fait promettre de ne rien dire à son père. Il avait toutefois fallu qu'elle lui fournisse une explication plausible – sa mère n'étant pas femme à se contenter d'échappatoires. La sienne s'était résumée à ceci : un cambrioleur avait pénétré par effraction pendant qu'elle dormait dans son appartement et elle ne s'y sentait plus en sécurité. « Tu as prévenu la police, je suppose ? » Elle avait menti. Puis ajouté qu'il ne s'agissait que d'une question de quelques jours, le temps qu'elle fasse changer les serrures. Ses parents étaient venus deux fois chez elle depuis qu'elle y habitait – il y avait peu de chances pour que sa mère veuille vérifier...

Les voix de bronze de Saint-Sernin et des autres églises retentirent ; le concert monotone de la circulation montait sous ses fenêtres, traversé par des solos de cris et de rires et – de temps en temps – par la note discordante d'un klaxon impatient. Elle fixa le ventilo au plafond. Les cloches sonnaient, vibrantes et ferventes. Elle percevait aussi des bribes de musiques plus païennes, flottant comme des lambeaux de joie parmi les bruits du soir. Elle entendait le cœur de la ville battre. Toute cette vie qui l'animait. Toute cette vie et cette joie qui lui étaient désormais inaccessibles.

Pourquoi Léo ne l'appelait-il pas ?

N'y tenant plus, elle sortit son mobile et le chercha dans ses contacts. Elle écouta la sonnerie retentir à quatre reprises avant que le répondeur ne se déclenche. Et merde ! Furieuse, elle coupa la communication et relança aussitôt l'appel. Cette fois, il décrocha à la deuxième sonnerie.

— Christine...

371

— Oui. C'est moi. Désolée de te déranger, tu es sûrement chez toi, mais je me demandais si tu avais essayé de me joindre, mon portable était déchargé, mentit-elle, et...

— Non, je n'ai pas essayé.

Elle sentit son estomac se nouer. Sa voix était distante, froide, peu concernée – ou c'était une impression ?

— Et c'est tout ? s'enquit-elle. Tu n'as aucune nouvelle ?

— Christine, tu sais que je ne peux pas te parler, là, dit-il à voix basse.

— Qui c'est ? lança à distance une voix de femme qu'elle crut reconnaître – elle avait rencontré l'épouse de Léo, une fois, dans une soirée ; elles avaient même fraternisé.

— C'est rien. C'est au sujet de ce voyage dont je t'ai parlé !

— Les enfants ! lança la même voix. Les enfants, allez vous préparer !

— Quand est-ce qu'on se voit ? demanda-t-elle. Tu as pu joindre ce détective ?

Un silence.

— Écoute, ce n'est pas le moment... Qu'est-ce que ça a donné avec la police ?

Devait-elle lui dire la vérité ? Plus tard. Elle ne voulait pas lui parler de la fausse agression de Cordélia maintenant – elle n'était pas sûre de ce qu'il en penserait.

— Rien, mentit-elle. J'ai eu l'impression qu'ils ne me croyaient pas...

De nouveau, un long silence.

— J'ai besoin de te voir, ajouta-t-elle, en frissonnant

à cause de l'air froid qui soulevait les rideaux – comme un envol dans la chambre – mais pas seulement.

— Christine… il faut que je réfléchisse… j'ai parlé à ce détective, celui qui me doit un service… Il a trouvé des choses sur toi.

Elle déglutit.

— Quelles choses ? Tu lui as dit de mener une enquête *sur moi* ?

— Que tu as fait l'objet d'un suivi psychiatrique à l'adolescence. Que tu as agressé ton médecin de famille…

— J'avais douze ans !

— Il a aussi activé ses contacts dans la police : il y a cette fille que tu as également agressée… Je suis au courant.

— Ce n'est pas moi !

— Il faut que je réfléchisse, répéta-t-il. C'est moi qui te rappellerai. Fais attention à toi.

Il avait raccroché. Elle sentit la fureur l'inonder et elle appuya de nouveau sur la touche d'appel. Il n'allait pas s'en tirer comme ça ! Elle avait le droit de s'expliquer. Bon Dieu, c'était injuste : tout le monde avait le droit de se défendre ! Il la connaissait, non ? Ils avaient couché ensemble une bonne centaine de fois ! Le répondeur se déclencha.

C'était l'été de sa douzième année, le soir du 23 juillet 1993. Cet été-là – cet été de cauchemars et de fantômes –, elle avait contracté une mononucléose qui l'avait laissée dans un état d'épuisement tel qu'elle se traînait au fond de son lit – la plupart du temps en proie à des fièvres plus ou moins fortes qui faisaient mijoter son corps dans des suées tièdes, le cou et les aisselles gonflés de ganglions, le crâne pris dans l'étau de maux de tête à répétition. L'augmentation des globules blancs dans son sang – et surtout des complications bronchiques – avait amené le médecin de famille à lui faire une injection chaque soir avant le coucher. Après quoi, sa mère éteignait la lumière. Ces nuits de fièvre étaient marquées par des cauchemars extravagants – et elle avait fini par craindre le moment où sa mère tournait l'interrupteur et où les ténèbres s'abattaient. Tout comme elle s'était persuadée que les mystérieuses injections du docteur Harel étaient à l'origine de ses cauchemars.

Mais, en ce soir du 23 juillet, ce n'était pas sa mère qui avait éteint la lumière : elle était partie au chevet de sa propre mère malade. C'était son père qui s'en était chargé. « Dors bien, ouistiti », avait-il dit – comme s'il ignorait tout de ses cauchemars et de ses fièvres – avant d'éteindre et de refermer la porte.

Dans le noir, elle avait senti son cœur battre la chamade, enveloppée par une terreur absolue.

Puis elle avait entendu des voix en provenance de la piscine, dans son sommeil, sous sa fenêtre. Les voix chuchotaient, mais la température était montée à plus de 30 °C la nuit et la fenêtre était entrouverte. Ou bien peut-être qu'elle rêvait, tout simplement. Peut-être était-ce le rêve d'un rêve – car il y avait quelque chose d'irréel dans ces voix et dans le froissement nonchalant, presque languide, des palmiers dans la brise.

Elle s'était rendu compte que l'obscurité n'était pas si totale : on avait dû allumer la piscine, en bas. Elle avait prêté l'oreille et elle l'avait alors perçu : le clapotis de quelqu'un qui nageait. Elle avait tourné son visage hâve et fiévreux vers le radioréveil. Minuit. Sa joue contre l'oreiller humide de sueur nocturne. Un soleil brûlant dans le crâne. Et, de nouveau, elle les avait entendues : les voix chuchoteuses, les voix mystérieuses. Les voix dans la piscine l'attiraient. Mais la piscine, la nuit, était un lieu différent du jour : un lieu inaccessible et dangereux – un lieu *interdit*. Son eau profonde brillait d'une clarté quelque peu perturbante dans le noir, rectangle lumineux qui passait du bleu pâle au rouge plus dense et au vert tendre derrière les vitres du salon. Elle repoussa néanmoins le drap. Sortit sur la mezzanine : personne en bas, dans le séjour, et pourtant toutes les lampes étaient allumées – elle descendit...

La piscine l'attirait. Les voix l'attiraient. Dans son jeune cerveau enfiévré, des associations libres et inconscientes – eau, feu, poissons, angoisse, nausée, désir... – naissaient, se formaient. La piscine était un fantasme singulièrement attirant, mais aussi intolérable et refoulé. Pieds nus, elle traversa le séjour en direction de la porte coulissante qui donnait sur le patio. L'ouvrit très doucement. Elle pénétra ainsi dans la nuit chaude et étoilée. Et un frisson courut, de plaisir et de trouble mêlés, sur sa peau. Devant elle s'étendait la surface illuminée et clapotante. Quelqu'un s'y baignait. Une silhouette découpée par les lampes allumées au fond du bassin. Elle la reconnut d'emblée : sa sœur Madeleine. Maddie nageait au milieu des vaguelettes irisées, sur le dos, ses cheveux ondoyant autour de sa tête comme des algues. Entièrement nue... L'espace d'un instant, Christine aperçut le triangle soyeux entre ses jambes.

— Maddie ?

Sa grande sœur se redressa et se tourna vers elle en agitant les bras.

— Christine – qu'est-ce que tu fais là ? Tu sais l'heure qu'il est ?

— Maddie, qu'est-ce que tu fais ?

L'air tremblait au-dessus de la piscine ; il sentait le chlore, une odeur qui lui chatouillait les narines, et il était rempli d'un ballet luminescent de lucioles. Elles se livraient à une danse scintillante et Christine, à douze ans, ressentit la force hallucinatoire de cette image : Madeleine nue dans la piscine et les lucioles dansant autour d'elle.

— Va-t'en, Christine ; va-t'en d'ici. Retourne dans ton lit !

— Maddie, qu'est-ce que tu fais ?

— Tu as entendu ? Je t'ai dit de retourner te coucher !

La violence – et la détresse – de la voix de sa sœur la cingla, mais l'enchantement – ou peut-être le rêve – la clouait au sol.

— Maddie...

Elle allait se mettre à pleurer. Il y avait, dans cette nuit d'été étrangement enchantée, quelque chose de profondément sinistre et déplaisant. Elle ressentait comme une perturbation, un dérèglement qui l'étourdissait. Ce devait être un rêve – car elle eut l'attention attirée par autre chose sur sa droite, à l'autre bout du bassin. *Une ombre...* Elle sinuait et ondulait souplement à la surface de l'eau et, de nouveau, les associations entrèrent en action. *Serpent, venin, danger...* Christine se sentit devenir glacée. Un serpent nageait à la surface de l'eau, en direction de sa sœur. Elle voulut la prévenir du danger, mais aucun son ne sortit de sa gorge. Elle était trop terrifiée, la peur l'avait rendue aphone. Le serpent sombre ondulait, mais, curieusement, il faisait du surplace, sa queue toujours reliée au bord de la piscine. Puis elle comprit que ce n'était qu'une ombre. L'ombre d'une ombre : celle de la silhouette qui se tenait debout au bord du bassin, immobile, à l'autre extrémité de la piscine. Elle ne voyait pas son visage – mais elle le reconnut. Reconnut ses épaules, reconnut son torse, son allure…

— Papa ? dit-elle.

L'ombre ne bougea pas. Ne dit rien.

Ça ne pouvait être lui, cependant : papa dormait là-haut, dans sa chambre. C'était quelqu'un qui lui ressemblait. Quelqu'un de son âge… *Il était nu, lui aussi.* Cette révélation l'oppressa étrangement, la mit profondément mal à l'aise.

Que faisait Maddie nue dans la piscine avec un homme de l'âge de papa, nu également ? Elle eut l'impression que la pression à l'intérieur de son crâne allait le faire exploser. Elle se rendit compte qu'elle n'avait pas envie de savoir. Elle était étendue sur son lit, elle rêvait. Malade de peur. De fièvre. D'angoisse. Mais le rêve refusait de finir. Le rêve s'attardait. Il était comme ces films qui durent trop longtemps, comme un manège dont on voudrait descendre quand il reste encore deux tours.

— S'il te plaît, Chris, retourne te coucher. J'arrive tout de suite.

La voix de Madeleine : suppliante, immensément triste. Christine avait alors fait demi-tour et pénétré dans le séjour, remonté lentement dans sa chambre d'un pas de somnambule. Derrière elle, les chuchotements avaient repris et elle avait perçu un grand plouf.

La piscine est un lieu dangereux et interdit la nuit :
son papa le lui avait souvent répété.

Le lendemain, la fièvre était encore montée. 39,5 °C.
Les cheveux collés au front, les joues brûlantes, la
sueur, l'asthénie musculaire et mentale, les draps
moites entortillés en permanence autour des jambes.
Le docteur Harel avait ouvert sa boîte à seringues.
Elle avait dit non, qu'elle ne voulait pas de piqûre.
Il avait souri – *allons, allons, tu es une grande fille
maintenant.* NON, avait-elle répété, avec l'impression
que les yeux lui jaillissaient de la tête à cause de
la fièvre. NON. *Sois raisonnable*, avait dit son père
avant de la laisser seule avec le docteur – son père
et sa mère avaient ouvert la porte de sa chambre à la
volée quelques secondes plus tard, quand ils avaient
entendu le toubib hurler de douleur, l'aiguille fichée
dans la cuisse.

Après, il faut bien l'admettre, elle était devenue
dingue. Elle avait hurlé. Craché. Griffé. Et, quand son
père avait voulu la calmer, elle l'avait mordu. C'était
le docteur Harel qui leur avait conseillé ce psychiatre.

Comment Léo pouvait-il se contenter de la version
des flics ? se demanda-t-elle. Comment pouvait-il se
baser sur des faits qui avaient eu lieu vingt ans auparavant ? Ils avaient été amants pendant deux ans. Est-ce
que ça ne comptait pas ? Est-ce qu'il n'aurait pas dû
au moins écouter sa version des faits ? Qui étaient tous
ces gens qui passaient dans notre vie, exigeaient notre
attention, notre amour – et puis, soudain, la quittaient ?

Comme on ferme un magasin, comme on dépose le bilan. (*C'est toi qui l'as quitté, je te rappelle*, fit valoir la petite voix.) Si elle ne pouvait s'appuyer sur Léo, qui lui restait-il ? Max, ce poivrot au gosier assoiffé ? Pitié !

Les cloches dehors avaient cessé de sonner. Elle se leva pour fermer la croisée, l'atmosphère était glaciale dans la chambre. Des piétons emmitouflés en bas sur la place, dans les illuminations de Noël. Elle aperçut un homme seul parmi la foule, la quarantaine, une bouteille de champagne à la main. Aussi solitaire qu'elle…

Qui d'autre ? *Personne*… Elle était seule – aussi seule qu'on peut l'être : cette fois, c'était sûr.

25

Contrepoint

Un soir de 31 décembre, Servaz fit son entrée dans la cour Henri-IV de l'hôtel de ville de Toulouse, par la grande porte de bois qui donne sur la place du Capitole. Tandis qu'il s'avançait sur le pavé parmi les touristes et les fêtards, il se fit la réflexion, en voyant les guirlandes multicolores qui illuminaient l'édifice, que le roi galant et festoyant n'aurait sans doute pas désapprouvé ces excès. Sous sa statue, une inscription avait été ajoutée à la Révolution : « Vivant, le peuple entier l'aima. Il le pleura quand il fut enlevé. » Servaz ne put s'empêcher de sourire. Comme toujours, ceux qui réécrivaient l'Histoire *a posteriori* le faisaient à la truelle : de son vivant, Henri IV avait été l'un des rois les plus haïs, son effigie brûlée, son nom associé à l'Antéchrist. Et, s'il fut finalement occis par Ravaillac, il y eut une bonne dizaine de tentatives d'assassinat avant celle-là. Mais, comme d'habitude, les mensonges avaient la vie dure. Il traversa la cour jusqu'à une double porte vitrée coulissante, prit à droite à l'intérieur – jusqu'à une belle grille en fer forgé suivie immédiatement d'une haute porte en bois qui s'ouvrait en dessous d'un écriteau clamant en grosses lettres dorées : SERVICE DES ÉLECTIONS ET DES FORMALITÉS ADMINISTRATIVES. Son guide l'attendait au-delà : une petite femme aussi large que haute curieusement vêtue d'un ample survêtement violet. Elle le conduisit au pas de charge à travers un dédale de couloirs et de bureaux nettement moins pompeux, poussa une porte, et il pénétra derrière elle dans un tout petit espace où trônait un ordinateur. Elle lui montra l'écran.

— Tout est là, dit-elle. Les photos de la soirée du 28 décembre 2010. (Elle désigna une chemise cartonnée.) Et la liste des invités est là-dedans.

Il pointa un doigt vers les rangées de clichés sur l'écran.

— Il y en a combien ?

— Environ cinq cents.

— Cinq cents ?

Il montra le siège.

— Je peux m'asseoir ?

Elle jeta un coup d'œil inquiet à sa montre.

— Ça va vous prendre combien de temps ?

— Aucune idée.

Elle parut un brin contrariée par cette réponse.

— Dites… j'aimerais bien être à l'heure au réveillon, moi…

La nuit était tombée depuis longtemps à l'extérieur et, dans la petite pièce, seule une lampe combattait la pénombre grandissante.

— Si vous voulez, je fermerai, suggéra-t-il.

— Non, je ne peux pas faire ça. C'est vraiment important ?

381

Il hocha la tête gravement, en la regardant droit dans les yeux.

— Et urgent ?

Il la fixa du même air sévère. Elle secoua la tête, abattue. Sa silhouette enveloppée d'ouate violette pivota sur ses petits pieds chaussés de baskets fluo jaune et orange.

— Très bien, faites ce que vous avez à faire. Vous voulez un café ?

— Noir et sans sucre, merci.

Une demi-heure plus tard, il déchantait : plus de deux cents invités, sans compter les extras – et le photographe avait fait du zèle : il avait mitraillé à tout-va. Personne ne s'était visiblement donné la peine de faire le tri, à moins qu'il n'eût conservé qu'un ou deux clichés pour la presse locale et oublié les autres dans le ventre de cet ordinateur.

Les mêmes visages revenaient très souvent, d'autres n'apparaissaient qu'une fois et encore : flous et lointains, quasiment hors champ. Tout le gratin de l'aventure spatiale était là, à en croire la liste, à commencer par le directeur du Centre spatial de Toulouse, que Servaz aperçut sur plusieurs clichés, et celui du CNES. Il y avait aussi des journalistes locaux et nationaux, des invités de tous horizons, le maire, un député et même un ministre. Bien sûr, il n'eut aucun mal à identifier Célia Jablonka ; la jeune femme était ravissante dans sa robe de soirée qui laissait son dos nu, sa nuque mise en valeur par un chignon piqué de petites perles roses, avec des mèches libres savamment disposées sur les côtés, une coiffure élaborée qui avait dû lui coûter pas mal de temps au salon. Peu de femmes pouvaient rivaliser et le photographe avait sans doute trouvé qu'elle captait bien la lumière – ou qu'elle était une bonne publicité pour la soirée – car il l'avait abondamment shootée.

Le problème, c'est qu'elle avait discuté avec pas mal de monde.

Le deuxième angle d'attaque de Servaz, c'étaient les fameux *cow-boys de l'espace* ; le *boys band* galactique. Il avait la liste sous les yeux et les photos sur l'écran et il pensait être parvenu à repérer les treize spationautes présents sans toutefois pouvoir faire correspondre chaque nom avec un visage. Des types souriants, la mâchoire carrée, l'œil vif, l'air aussi sains que des surfeurs californiens. Tous vêtus du même costume, un peu comme les joueurs d'une équipe de sport collectif en tournée officielle. Une fois les visages imprimés dans sa mémoire, il revint aux clichés de Célia. Elle avait discuté avec trois d'entre eux. Du moins sur les photos. Rien ne garantissait qu'une jolie fille comme elle n'ait pas été approchée par d'autres en l'absence du photographe. Avec le premier, elle n'apparaissait qu'une seule fois. Avec le deuxième, la conversation avait dû durer un peu plus longtemps, car il y avait deux clichés ; son interlocuteur avait dans la quarantaine et il déployait tous ses charmes à son intention. Célia y répondait – mais sans plus. Avec le troisième, elle avait été photographiée en trois endroits différents de la salle et leurs visages s'étaient nettement rapprochés sur le dernier cliché. Servaz sentit son pouls s'accélérer. *Il se passait quelque chose sur cette photo…* Le photographe avait zoomé et surpris Célia sous un angle qui montrait ses pupilles dilatées et toute son attention accaparée par son vis-à-vis. En outre, elle s'était suffisamment rapprochée pour que cet échange prît un tour plus intime. Une question de *proxémie*, la distance physique qui sépare les individus dans une communication. Tout espace est partagé, il n'y a pas de territoire neutre. Que ce fût Célia ou le spationaute qui eût fait le premier pas, l'un comme l'autre avaient finalement accepté une distance à la frontière entre la sphère personnelle et la sphère intime – loin en tout cas de la simple sphère sociale.

Il se rejeta contre le dossier de son siège, les mains derrière la nuque. Et après ? Qu'est-ce que ça prouvait ?

L'employée municipale choisit ce moment pour passer la tête par la porte.

— Vous avez fini ?

Il regretta d'avoir été surpris dans cette pose décontractée et se remit aussitôt en position de travail, le nez à quelques centimètres de l'écran.

— Pas encore. Accordez-moi encore un peu de temps…

— Vous ne réveillonnez pas, commandant ?

— Euh, si… Il est si tard que ça ?

— Dix-neuf heures.

— Ah, oui. Quand même.

Il la rappela.

— Euh… Cécile, c'est ça ?

Le visage rond aux cheveux bouclés réapparut.

— Oui ?

Il pointa un doigt vers l'écran.

— Ce visage, là, il m'est familier. Vous savez qui c'est ?

Elle se déplaça dans l'espace exigu avec la même

précision millimétrique que précédemment, comme si elle possédait un radar ou un sonar intégré, et se pencha sur l'écran.

— Vous ne regardez jamais la télé ? dit-elle.

— Je n'aime pas la télé.

Elle le jaugea avec l'air de se demander s'il plaisantait.

— C'est Léonard Fontaine.

Et, comme il haussait un sourcil :

— Le spationaute.

Il se fendit d'un sourire contrit.

— Ah oui, bien sûr.

Il nota le nom.

— Vous êtes marié, commandant ?

— Divorcé, répondit-il. Un cœur à prendre.

Elle éclata de rire et regarda de nouveau sa montre.

— Je vais aller chercher une clé USB et je vais vous mettre toutes ces photos dessus. Comme ça, vous pourrez les regarder autant que vous voudrez. Et vous pouvez emporter la liste. Ça m'étonnerait que quelqu'un d'autre la demande… Je suis désolée, mais je dois fermer les bureaux.

Un air de fête dans toute la ville. Il n'avait pas envie de retourner à la maison de repos. Pas plus que de se retrouver quelque part coincé avec des inconnus qui lui taperaient sur l'épaule au milieu des confettis et des serpentins pendant que leurs femmes insisteraient pour le faire danser.

Il savait cependant que s'il rentrait au centre, ce serait pire : personne ne l'appréciait – et il se retrouverait seul dans un coin, à l'écart, traité comme un pestiféré pendant que les autres feraient la chenille, danseraient ou se trémousseraient. Il y aurait forcément un imbécile qui, à un moment ou à un autre, se mettrait à le détester et à penser qu'il n'était qu'un sale con méprisant et il inviterait les autres à rire à ses dépens – jusqu'au moment où Servaz se lèverait pour lui casser la figure, ce qui mettrait fin à la fête. Mieux valait boire seul que mal accompagné. Il avait acheté une bouteille de champagne avec des flûtes en plastique qu'il avait toutes jetées dans une poubelle sauf une, et il se resservit tout en se déplaçant à travers la vaste esplanade noire de monde. Autour de lui, des couples se pressaient dans la nuit glaciale en manteaux d'hiver par-dessus leurs tenues de soirée, qui avec une bouteille, qui avec un cadeau. Des femmes lui lançaient des regards surpris, en se demandant manifestement comment un homme comme lui pouvait être seul à boire une nuit comme celle-là ; des hommes les entraînaient par le coude en haussant les épaules, contents de ne pas être à sa place.

Il s'asseyait sur un banc du square Charles-de-Gaulle, au pied du donjon, quand son téléphone vibra dans sa poche. Il répondit sans vérifier l'identité de l'appelant – ce qui prouvait bien que, s'il n'était pas ivre, il n'était déjà plus dans son état normal.

— Tu es où, Martin ?

La voix de Vincent… Un fantôme de sourire flotta un instant sur ses lèvres.

— Je sors de la mairie, dit-il, tout en calculant qu'il s'était bien écoulé une heure et demie depuis qu'il avait libéré la fonctionnaire municipale au survêtement violet et aux baskets fluo.

386

— De la mairie ? À cette heure-ci ? Qu'est-ce que tu faisais là-bas ?

Il ne répondit pas, l'attention distraite par un sans-abri qui guignait sa flûte à moitié pleine. Servaz lui fit un clin d'œil et la lui tendit.

— Bonne année, mon pote ! lui lança le vagabond en s'en saisissant.

— Avec qui tu es ?

— Personne… Tu ne réveillonnes pas ? demanda-t-il à son adjoint.

Question idiote s'il en était.

— C'est à ce sujet que je t'appelle. C'est Charlène qui a insisté pour que je le fasse. Mais ça me ferait plaisir à moi aussi, hein ? On organise un petit réveillon entre amis, ils doivent arriver d'une minute à l'autre. Pourquoi tu ne viendrais pas te joindre à nous ?

— C'est gentil, mais…

— Écoute, Charlène me fait de grands signes, je te la passe. J'espère que tu viendras, ajouta son adjoint. Tu ne vas quand même pas passer le réveillon dans cet endroit sinistre, Martin ? Ou alors tu as un rencard…

Il y avait de la musique derrière, un de ces groupes de rock que Vincent affectionnait. Non : un truc plus sirupeux, une nana qui miaulait comme un chat sur la queue duquel on a marché – sans doute un choix de Mégan, leur fille de dix ans.

— Martin ?

Une voix chaude et onctueuse comme une gorgée de Baileys Irish Cream.

— Salut, dit-il.

— Comment tu vas ?

— On ne peut mieux.

— Pourquoi tu ne viendrais pas ? dit-elle à voix

387

haute. On serait ravis de t'avoir : ton filleul te réclame, tu sais. (Elle avait dû s'éloigner un peu, car elle baissa soudain la voix.) *Viens. S'il te plaît...*

— Charlène...

— Je t'en prie. On n'a pas eu le temps de beaucoup discuter ces derniers mois. Te revoir, ça m'a... J'ai envie de te voir, Martin. J'en ai *besoin*. Je te promets que je serai sage, gloussa-t-elle.

Il devina qu'elle avait bu. Il coupa la communication, éteignit l'appareil. L'estomac noué, il éleva la bouteille de champagne vers ses lèvres – mais arrêta son geste en pensant aux policiers alcooliques qui hantaient le centre. Il regarda une nouvelle fois la bouteille : il avait oublié à quel point l'alcool pouvait le déprimer. Il se leva lentement. Regarda le groupe des SDF assis par terre de l'autre côté de l'allée. Celui à qui il avait offert la flûte l'avait encore en main – vide. Il l'éleva dans sa direction en lui souriant. Les autres accompagnèrent son regard et tous hochèrent la tête pour le saluer courtoisement, les yeux plus ou moins fixés sur la bouteille de champagne, dont il ne leur avait pas échappé qu'elle était encore pleine aux deux tiers.

Servaz s'approcha d'eux et la leur tendit.

— Bon réveillon, dit-il.

Son geste fut salué par des applaudissements et des hourras.

— Hé, t'aurais pas aussi une clope, mec, tant qu't'y es ? lui lança sur un ton mi-provocant, mi-hostile un gamin qui devait être le bagarreur de la bande – un jeune gars avec un visage émacié et pâle et des yeux luisants d'une inépuisable colère.

Il avait un anneau à l'arcade sourcilière droite et

un autre autour de la lèvre inférieure, plus trois autres piercings à l'arcade gauche, dans le nez et dans la joue et une demi-douzaine d'anneaux dans les oreilles. Servaz sortit de sa veste le paquet qu'il gardait toujours par-devers lui mais ne fumait jamais et le lui tendit.

— Merci, lâcha le gamin du bout des lèvres.

— Pas de quoi, dit-il sur le même ton en soutenant son regard.

Le jeune homme finit par baisser les yeux. Servaz prit la direction du parking souterrain où il avait laissé sa voiture.

Il éteignit ses phares en entrant sur celui de la maison de repos. Il ne voulait surtout pas qu'Élise ou l'un des PAMS le repère et fasse le forcing pour le convaincre de se joindre à la fête. Il referma sa portière aussi doucement que possible, mais il ne risquait pas d'être entendu : la musique jaillissait du bâtiment à plein volume. Il y avait de la lumière à toutes les fenêtres du rez-de-chaussée, et il vit des silhouettes s'agiter derrière.

Il s'avança sur la pointe des pieds, bien que la neige étouffât ses pas, jusqu'au hall – qu'il traversa en rasant les murs. Ici, la musique était assourdissante. Des rires, des applaudissements, des exclamations. Il fila silencieusement dans l'escalier sans allumer la lumière. Même une fois la porte de sa chambre refermée, les basses continuèrent de traverser les murs. Servaz consulta sa montre. Sept minutes avant minuit. Bon, il ne parviendrait pas à dormir, de toute façon. Aussi alluma-t-il son ordinateur et ouvrit-il sa messagerie. Il vit tout de suite le message... Il avait été expédié par un certain malebolge@hell.com. Une référence évidente. Dante. *La Divine Comédie. Tu aurais pu faire preuve d'un peu plus d'imagination*, songea-t-il. Ses poils ne se hérissèrent pas moins comme de la limaille de fer sur un aimant quand il ouvrit le mail :

Tu avances, commandant ? Je t'ai donné pas mal d'indices pourtant. Tu te ramollis, commandant.

Ses traits éclairés par l'écran. Le cœur cognant. Fouetté à la fois par le tutoiement et par la familiarité du ton, par son côté directif aussi. Il contemplait le mail. Quelqu'un d'autoritaire, d'impatient – de tyrannique même. Quelqu'un qui savait mais qui jouait avec lui comme le chat avec la souris. *Pour quelle raison ?* se demanda-t-il. Si cette personne, quelle qu'elle fût, avait un intérêt à ce que cette affaire soit résolue (à supposer qu'il y eût quelque chose à résoudre), pourquoi ne pas livrer toutes les informations dont elle disposait une bonne fois pour toutes, au lieu de jouer avec lui de la sorte ? Encore une fois, il pensa à quelqu'un tenu par le secret professionnel : médecin, flic ou avocat… Mais il y avait quelque chose d'autre dans le ton de ce message : une impression tenace…
Ou bien…
Oui, bien sûr… C'était *lui*… Lui qui avait poussé Célia au suicide. Et qui le mettait à présent au défi de le trouver. La gorge sèche, il eut l'impression que cette idée s'enfonçait dans son crâne comme un foret… Était-ce une possibilité ou bien, encore une fois, échafaudait-il des hypothèses farfelues pour meubler son ennui ?
La respiration de plus en plus rapide, il se leva dans

la pénombre et alla plonger une main dans la poche de sa veste suspendue pour y récupérer la clé USB que lui avait confiée Cécile. Il la brancha. Son ordinateur mit un temps infini à télécharger les cinq cents photos. Tout à coup, en bas, le son de la sono gagna encore en intensité et il entendit l'écho lointain de cris et d'applaudissements nourris. Il consulta sa montre dans la lueur de l'écran. *Minuit.* Une nouvelle année… Il se demanda s'il aurait retrouvé son poste avant qu'elle s'achève – et s'il aurait guéri. Brusquement, il se souvint qu'il avait éteint son portable après avoir raccroché au nez de Charlène et pensa à Margot. Il se précipita vers sa veste, s'empressa de le rallumer. Il avait un message enregistré et un texto… La voix de Margot sur le premier : « Bonne année, papa. J'espère que tu vas bien. J'essaierai de passer te voir cette semaine. Prends soin de toi, mon petit papa. Je t'aime ! » Il y avait de la musique et des voix derrière et il se demanda si Margot était avec sa mère ou avec des amis. Le texto émanait de Charlène. *Bonne année, Martin. Tu aurais dû venir… j'espère que tu t'amuses, au moins. À bientôt...* Il le relut mais ces mots-là glissèrent sur lui, il avait déjà l'esprit ailleurs.

Il revint s'asseoir à la table. Mit en route le diaporama. Les visages défilèrent de nouveau. Des dizaines de visages. Parmi lesquels ceux des spationautes et de Célia, et aussi du directeur du Centre spatial et du maire. Tous en grande conversation. Une foule de visages. Comment faire le tri ? Comment trouver celui qui avait de l'importance ? Puis il s'attarda sur le cliché qui avait capté son attention : Célia Jablonka et ce spationaute, Léonard Fontaine. Très proches. Si proches que chacun devait sentir le souffle de l'autre sur sa figure. Une piste ? Rien de moins sûr. Il tapa le nom dans Google et comprit la stupéfaction de la fonctionnaire municipale devant son ignorance. Selon toute évidence, Léonard Fontaine était une figure emblématique de l'aventure spatiale française : deuxième Français dans l'espace, premier Français à avoir mis les pieds à bord de l'ISS, la Station spatiale internationale, il avait aussi séjourné dans la station Mir, connu les vols Soyouz et la navette Atlantis, plus de deux cents jours passés en orbite (le record français, apparemment, mais loin des huit cent trois jours du Russe Sergueï Krikaliov s'il en croyait l'article) ; commandeur de la Légion d'honneur, chevalier de l'Ordre national du mérite, Ordre russe du courage, trois Space Flight Medals et deux Exceptional Service Medals décernées par la NASA, membre du conseil pour l'Académie de l'air et de l'espace, membre de l'American Institute of Aeronautics and Astronautics, membre de l'Académie internationale d'astronautique et de la Space Explorers Association, pour ce que ça voulait dire. Il avait même un collège à son nom dans la ville où il était né... Il avait aussi souvent été invité sur les plateaux télé et il aurait fallu à Servaz toute la nuit pour lire tous les articles où son nom figurait.

Perdu dans ses pensées, ce dernier revit la photo de la Station spatiale internationale qu'il avait confiée à Vincent et à Samira...

Comme chaque fois qu'il tenait quelque chose, il se sentit en proie à une légère ivresse, une griserie modérée toutefois car, à ce stade, le faisceau de présomptions était mince. *Léonard Fontaine*. En même temps, une deuxième sensation, presque opposée à la première, le tracassait : celle qu'il avait laissé passer un truc. Celle que son inconscient avait capté quelque chose pendant que les photos défilaient, mais qu'il n'avait pas réagi, peut-être parce qu'il était un peu rouillé ou un poil gris et fatigué, ou bien parce que la musique en bas le distrayait – ou les trois à la fois.

Pourtant, c'était là, ancré dans sa tête : il avait *vu* quelque chose. Mais quoi ? À quel moment ? Il n'allait quand même pas se repasser les cinq cents clichés !

C'est pourtant ce qu'il fit. Pas une fois, mais deux. Car le premier revisionnage n'apporta rien de neuf. La musique s'était tue. Les pensionnaires étaient allés se coucher. Il était 1 h 23 du matin quand il s'arrêta enfin sur le détail qui, inconsciemment, avait capté son attention. Un reflet. Dans un miroir… Un grand miroir au-dessus du buffet, derrière un petit groupe de personnes : Célia Jablonka s'y encadrait. Et elle n'y était pas seule.

Elle parlait à un homme. Ou plutôt c'était lui qui lui parlait, à l'oreille – tout en lui glissant une carte de visite qu'elle tenait déjà entre le majeur et l'index. Elle souriait. Elle était aux anges. *C'était ta soirée, hein ? Deux conquêtes le même soir…* Il reporta son attention sur l'homme. La trentaine, cheveux courts. Il était vêtu d'un manteau, d'une veste grise et d'une chemise bleue. Des lunettes… Pas du tout l'air d'un spationaute avec son manteau de laine et ses lunettes, mais plutôt beau gosse. Un petit air intello. *Qui es-tu ?* lui demanda-t-il. Dans sa main bronzée, l'inconnu tenait un verre plein d'une boisson verte et de glaçons. *Caïpirinha.*

26

Argument

Mardi 1er janvier. Une nouvelle année, de nouveaux espoirs. En posant les pieds sur le sol, ce matin-là, il était impatient de poursuivre son enquête – mais cette impatience se heurta tout de suite à un fait précis et incontournable : *on était le 1er janvier*. Et il y avait par conséquent fort peu de chances pour que qui que ce soit ait envie de répondre aux questions d'un enquêteur, si motivé fût-il, un jour comme celui-ci. D'un autre côté, il ne voyait pas bien ce qu'il pourrait faire de sa journée s'il devait attendre le lendemain – alors autant tenter le coup.

Il chercha à se souvenir d'où il avait bien pu fourrer la carte du directeur du Centre spatial. Une fois qu'il l'eut dénichée, il l'examina et un sourire se profila sur ses lèvres : il y avait un numéro de téléphone portable. Il consulta sa montre. 8 h 01. Un peu tôt pour sortir un directeur du lit un lendemain de réveillon.

En attendant l'heure, il descendit se servir une demi-tasse de café noir dans la salle commune. Elle n'avait pas été nettoyée et un épais tapis de confettis et de serpentins amortit ses pas. Les tables étaient recouvertes d'un chaos de gobelets en carton, de flûtes en plastique et de bouteilles vides et des relents de jus de raisin flottaient partout. Personne en vue. Servaz s'approcha, regarda les bouteilles. Étiquettes dorées sur fond noir, restes de papier doré autour du goulot – son cerveau traduisit : champagne… *Est-ce qu'ils avaient vraiment eu le droit de picoler ?* Il se pencha sur l'une des bouteilles. La marque ne lui disait rien, mais le chiffre en bas à gauche de l'étiquette lui sauta aux yeux : 0 %. Fuyant l'odeur de raisiné, il décida d'aller boire son café dans le petit salon côté nord, le plus loin possible de ce champ de bataille. Il alluma la télé, mais l'éteignit aussitôt en voyant des images de fête défiler sur les chaînes d'info. En tournant la tête, il découvrit un bonhomme de neige qui le fixait à travers la baie vitrée. *Il n'était pas là hier…* Il avait un air triste avec sa bouche en V inversé et quelqu'un avait inscrit « MARTIN » sur sa poitrine. Servaz remonta dans sa chambre.

À 9 heures tapantes, il attrapa le téléphone. Le directeur du Centre spatial parut quelque peu étonné par son appel :

— Bon Dieu, vous savez quel jour on est ?

— Non, quel jour ?

Un soupir à l'autre bout.

— Faites vite. Qu'est-ce que vous voulez ?

— Léonard Fontaine.

— Encore ? Vous ne lâchez pas facilement prise, hein, commandant ? Eh bien, quoi, Fontaine ?

— Des infos croustillantes ? Un scandale ? Des accusations de harcèlement ? Quelque chose de négatif à dire sur lui ? Un peu de médisance, que diable ! La dernière fois, je vous ai trouvé un peu vague…

Le silence fut anormalement long.

— À quoi vous jouez, commandant ? Vous êtes sérieux ? Écoutez, je vais me voir obligé d'en référer à votre hiérarchie… Non seulement les séjours humains dans l'espace ne sont pas du ressort du Centre, je vous l'ai déjà dit, mais je serai le dernier à colporter des ragots sur qui que ce soit, vous m'entendez ?

— Fort et clair. Vous voulez dire qu'il y en a eu – des ragots ?

Le timbre du téléphone : on avait raccroché. Bon, il n'avait peut-être pas choisi la bonne approche. Qui pourrait le rencarder sur le côté sombre des spationautes ? Le problème était qu'il ne savait pas par où commencer, et qu'il ne pouvait pas aller voir les collègues du service technique – eux qui étaient férus de sciences et de technologies – et leur demander un coup de pouce. Une recherche sur Internet en tapant l'un après l'autre les noms des treize spationautes présents à la soirée lui procura un tas d'infos semblables à celles qu'il possédait déjà, mais pas le moindre contact. Il associa également dans sa recherche des mots comme « spationaute » et « scandale » ou « spationaute » et « harcèlement » mais, là encore, tout ce qu'il obtint, ce fut un article intitulé *Rumeurs sur le programme Apollo,* qui faisait état de cette légende urbaine selon laquelle les astronautes américains n'auraient jamais mis le pied sur la Lune, et que toute la mission n'aurait été qu'une gigantesque mise en scène filmée sur Terre. Il faut dire qu'on était à l'époque de Nixon, du scandale du Watergate et de la guerre au Viêtnam et qu'aucune administration américaine – pas plus la NASA qu'une autre – n'inspirait confiance. L'article expliquait que cette rumeur n'était qu'une théorie

conspirationniste de plus et il démontait méthodiquement les arguments de ceux qui l'avaient propagée.
Par exemple, les petits malins qui faisaient remarquer
que le drapeau flottait au vent alors qu'il n'y avait pas
d'atmosphère et donc pas la moindre brise sur l'unique
satellite de la Terre (ah, ah, bien vu, les gars !). En
dehors du fait qu'il aurait fallu être complètement
débile pour laisser un courant d'air agiter le drapeau
si la scène avait été filmée dans un hangar, une suc-
cession rapide des images prises par les astronautes
démontrait que ledit drapeau ne bougeait absolument
pas et que sa forme et ses plis étaient exactement
les mêmes d'un cliché à l'autre. En réalité, l'éten-
dard n'était pas simplement fait de toile mais renforcé
par une armature de fils de fer lui donnant justement
l'aspect d'une bannière claquant au vent, sans quoi
il aurait pendu mollement au bout de son mât : pas
très glamour… En somme, les astuces que les techniciens de la NASA avaient imaginées pour rendre ce
moment visuellement plus spectaculaire se retournaient
contre eux et alimentaient la paranoïa des théoriciens
du complot du monde entier.

En feuilletant les pages Google et les dizaines
d'entrées sans rapport avec l'objet de sa recherche, il
finit pourtant par tomber, page 11, sur une rubrique
qui éveilla son intérêt. Elle faisait référence à un livre
intitulé *Le Livre noir de la conquête spatiale*. Il avait
été écrit par un certain J.-B. Henninger. Servaz nota le
nom et il lui fallut dix minutes de plus pour trouver un
numéro de téléphone et une adresse : le journaliste en
question, bien que français, habitait dans les Pyrénées
espagnoles, ce qui le mettait à moins de trois cents
kilomètres de Toulouse. Enfin le petit coup de pouce

de la chance qu'il attendait… Il était temps de vérifier ce que cet Henninger faisait un 1er janvier. La sonnerie de téléphone sonna longtemps, mais sans qu'aucun répondeur prît le relais, et il commençait à craindre que le numéro ne fût plus valable quand, tout à coup, une voix claironnante rugit dans l'écouteur.

— ALLÔ ?

Servaz éloigna l'appareil de son oreille. Le gaillard devait être sourd.

— Monsieur Henninger ? demanda-t-il en élevant automatiquement la voix.

— Oui ! C'est moi !

— Je m'appelle Servaz ! Commandant Servaz ! De la police judiciaire de Toulouse ! J'aimerais vous parler !

— À quel sujet ?

— Au sujet de ce livre que vous avez écrit : *Le Livre noir de la conquête spatiale*.

— Vous l'avez lu ?

— Euh… non, je viens juste d'apprendre son existence.

— Ah ! Je me disais aussi… Le cercle de mes lecteurs est presque aussi restreint que celui des spationautes dont il parle. En quoi puis-je vous aider, commandant ?

— J'aurais des questions à vous poser.

— À quel sujet ?

— Eh bien, vous êtes une sorte de… d'historien, de spécialiste de la conquête spatiale, c'est bien ça ?

— Oui. Je suppose qu'on peut dire ça.

— J'aurais besoin de savoir s'il y a eu des scandales concernant certains, euh… spationautes français…

— Excusez-moi, quel genre de scandales ?

— Je ne sais pas… des violences… du harcèlement… ce genre de choses, vous voyez – ces choses
qui arrivent un peu partout mais, apparemment, pas
chez eux…

Un gloussement à l'autre bout.

— Des comportements répréhensibles, des histoires
qu'on aurait étouffées, des secrets pas jolis, jolis – c'est
bien de ça que vous voulez parler ?

— Oui.

Silence.

— Et vous avez un nom en particulier ?

Servaz le lui donna. Il attendit longtemps la réponse.

— Je vais vous donner mon adresse, on ne peut
pas parler de ça au téléphone, dit soudain l'homme.
Et puis, j'aurai besoin de vérifier votre identité…

Servaz sentit son pouls accélérer. Le sieur Henninger
était peut-être sourd, mais il ne semblait pas étonné
outre mesure par sa drôle de question.

— Quand est-ce qu'on peut se voir ?

— Qu'est-ce qui se passe au juste, commandant ?

— Je vous le dirai quand on se verra.

— Bon. Très bien. Je vous attends.

— Vous voulez dire : *aujourd'hui* ?

— C'est vous qui êtes pressé, non ? Pourquoi ?
Vous avez prévu autre chose ? Apparemment pas.

Il prit la direction du sud après une douche. Il n'avait
pas consulté la météo et il eut tout à coup peur que
l'accès au Pas de la Case et au tunnel d'Envalira soit
fermé à cause des chutes de neige. Le plus haut col
des Pyrénées culminait à 2 409 mètres et son ascension
débutait trente kilomètres plus bas, à Ax-les-Thermes,

tout en bas de la Nationale 20 – laquelle partait de Paris et venait buter sur les Pyrénées, à la frontière de l'Andorre et de l'Espagne. Ces dernières années, le col avait vu son ultime tronçon remplacé par un tunnel routier de trois kilomètres de long. Tunnel dont l'entrée était quand même située à 2 000 mètres d'altitude et donc parfois fermée l'hiver, elle aussi.

Près de deux heures trente plus tard, et alors que, depuis qu'il avait quitté Ax-les-Thermes, la taille des murs de neige au bord de la route ne cessait d'augmenter tandis que la route elle-même ne cessait de s'élever, il eut le soulagement de voir apparaître devant lui le viaduc qui marquait la frontière entre la France et l'Andorre et, au-delà, le tunnel. À sa sortie, il roula pendant une vingtaine de kilomètres dans un paysage montagneux d'une grande beauté avant de pénétrer dans les rues populeuses d'Andorre-la-Vieille, cette espèce de petit Monte-Carlo pyrénéen avec – contrairement à ce que laisse penser son nom – ses buildings flambant neufs, ses commerces de luxe et de high-tech détaxés, ses hôtels très récents, sa fiscalité paradisiaque et ses rues engorgées par le trafic. Il poursuivit sa route, toujours cap au sud, franchissant la frontière entre la Principauté et l'Espagne, et redescendit vers la Seu d'Urgell, commune de 13 000 habitants au confluent de la Valira et du Sègre.

L'adresse que Henninger lui avait donnée se trouvait un peu plus loin, dans le parc de Cadi-Moixero, le plus grand parc naturel de Catalogne. La maison de Henninger était nichée en pleine nature, parmi les pins sylvestres, les bouleaux, les érables et les peupliers trembles et, en descendant de voiture, il eut l'impression d'être au Canada. Il respira l'air pur et vivifiant, écouta le silence, s'attendant presque à apercevoir un barrage de castors ou un ours se grattant contre un arbre. Un endroit d'une beauté insensée. Un endroit, songea-t-il, où il aurait bien fait une halte de quelques jours ou quelques semaines. Ou quelques années ?

Il tourna son regard vers la maison. Entièrement en bois, avec une terrasse orientée au sud qui surplombait la vallée.

L'homme qui en sortit n'avait cependant rien d'un bûcheron canadien. Il ne devait pas mesurer plus d'un mètre trente et il s'appuyait sur une canne qu'il enfonçait profondément dans la neige à chaque pas. À part ça, il était tout en barbe et en muscles et il serra la main de Servaz dans une poigne d'acier.

— Bonjour ! Vous n'avez pas eu trop de mal à trouver ? Une chance que la route ait été déneigée hier !

Il parlait tout aussi fort qu'au téléphone. Parmi les symptômes fréquents de l'achondroplasie – la forme la plus courante du nanisme –, il y a les otites à répétition, lesquelles entraînent comme séquelle une tympanosclérose qui se traduit par une surdité plus ou moins importante. Une chance, se dit Servaz, qu'il n'eût pas de voisins. Henninger l'examinait d'un œil critique.

— Flic, hein ? Vous ne m'avez pas dit où.

— Brigade criminelle, PJ de Toulouse.

— Alors, comme ça, la brigade criminelle s'intéresse aux spationautes ?

Henninger avait l'œil allumé.

— Vous n'avez pas l'intention de me laisser geler dehors ? voulut savoir Servaz.

Le petit homme éclata de rire.

— Non ! Mais votre histoire a aiguisé ma curiosité.

Je ne vous cache pas que je trépigne d'impatience depuis que je vous ai eu au téléphone.

— On manque de compagnie ?

L'intérieur lui donna encore plus l'envie de rester. Des murs de rondins, un plancher fait de lattes de châtaignier, de vieux fauteuils profonds et confortables, une cheminée où trois grandes bûches craquaient sous la morsure des flammes, un bar avec des cuivres, des livres empilés partout et une grande fenêtre qui donnait sur la forêt.

Servaz regarda autour de lui.

— Pourquoi vous être installé ici ? demanda-t-il.

— Vous voulez dire : de ce côté-ci des Pyrénées ? Pour une raison très simple : quand vous les survolez à bord d'un avion de ligne, de la France vers l'Espagne, vous vous apercevez que la couverture nuageuse vient buter sur ces sommets comme les armées de Sarou- mane contre la forteresse du roi Théoden.

— Les armées de qui ?

— Laissez tomber. Deux minutes avant, vous sur- voliez un plafond impénétrable de nuages et, passé les montagnes, vous apercevez soudain des rivières, des routes, des villages, des lacs, sans un nuage à l'hori- zon. Même chose quand vous franchissez le tunnel d'Envalira et la Principauté du nord au sud : deux fois sur trois, vous passez d'un temps couvert à un temps ensoleillé et sec. C'est pour ça que je me suis installé ici. Pour pouvoir contempler les étoiles le plus souvent possible.

Servaz avait déjà repéré le gros télescope sur son trépied, qui attendait des nuits plus favorables. Et aussi les photos en noir et blanc du 21 juillet 1969, les modèles réduits de fusées Apollo 11 et Soyouz et le

Spoutnik miniature sur les rayons de la bibliothèque. Henninger l'invita à s'asseoir dans un fauteuil et se laissa tomber dans l'autre, dans lequel il eut l'air d'un enfant assis dans un siège pour adulte.

— Il m'arrive de me demander d'où me vient cette passion pour l'espace... Le fait est qu'à sept ou huit ans déjà, je voulais être cosmonaute ; je dessinais des fusées, des scaphandres, des planètes, je contemplais la Lune par la fenêtre de ma chambre en rêvant du jour où je mettrais le pied dessus... Comme vous pouvez l'imaginer, c'est en grandissant – si j'ose dire – que j'ai compris que je ne serai jamais astronaute... (Il sourit.) Ça n'a fait que décupler mon intérêt pour cette profession et pour l'espace lui-même. Savoir que jamais je ne pourrai quitter l'atmosphère terrestre, que je serai condamné à en rêver d'en bas, à tenter en vain d'imaginer ce que cela leur fait d'être là-haut... À l'adolescence, je dévorais les romans de science-fiction et les ouvrages de vulgarisation. L'an dernier, j'ai pu voler pour la première fois en impesanteur à bord d'un Airbus A300 ZERO-G. Ça m'a coûté la bagatelle de 5 980 euros mais quel pied ce fut ! Bien sûr, je suis conscient que ce n'est rien à côté de ce qu'ils vivent là-haut. C'est l'aventure humaine ultime, indépassable. Il n'y a rien au-dessus : quitter la Terre... Mais qui sait ? Peut-être que nous vivrons assez longtemps pour voir les vols spatiaux à notre portée. De plus en plus de sociétés privées se lancent dans l'aventure.

Servaz constata que son regard était parti loin d'ici. Cela ne dura qu'une seconde, puis il revint parmi eux.

— Mais vous êtes venu pour quelque chose de beaucoup plus terre à terre, je crois, dit-il.

— Je cherche à savoir si certains spationautes ont pu être mêlés à des scandales.

— Des scandales ? D'accord. Qu'entendez-vous par là ?

— Des agressions, du harcèlement sexuel, des comportements inappropriés. En fait, celui qui m'intéresse le plus, c'est Léonard Fontaine. Quand j'ai cité son nom au téléphone, il m'a semblé que vous réagissiez.

— Pourquoi lui en particulier ?

Oui, pourquoi lui ? se demanda-t-il. *Après tout, Célia avait pu croiser un autre spationaute à la soirée...*

— Lui ou un autre, rectifia-t-il. Y a-t-il eu à votre connaissance des incidents de cette sorte mettant en jeu des spationautes ?

Henninger le regarda à travers ses paupières mi-closes. Il prit le temps de réfléchir.

— Il faut savoir que les astronautes sont en général des types surdiplômés, fiables, surentraînés, commença-t-il. Ils passent des batteries de tests psychologiques et subissent à longueur d'année toutes sortes d'examens médicaux – mais ce sont aussi de fortes personnalités, des *caractères*. Et, là-haut, dans le noir, le bruit et la promiscuité permanents, il faut être drôlement solide dans sa tête. Derrière la façade officielle, l'histoire de l'aventure spatiale est émaillée d'incidents. Tous soigneusement étouffés. Très peu de choses filtrent, que ce soit à Star City, à Houston ou ici...

Il écarta les mains puis les emboîta l'une dans l'autre comme s'il les refermait sur une boîte.

— Les agences spatiales sont presque aussi secrètes que les agences de renseignements, mais on a quand même, de temps en temps, des faits qui sortent dans la presse : on sait qu'un couple de cosmonautes soviétiques a connu de graves problèmes psychologiques au cours des décennies passées, que des astronautes américains ont admis avoir souffert d'isolement, voire de légères formes de dépression pendant leur séjour dans l'ISS. On sait aussi qu'il y a eu des incidents, des situations de tension et de crise à bord de Mir et de la Station internationale au cours des ans, mais ces faits sont bien enfouis au fond de rapports très confidentiels et ils sortent rarement à la lumière du jour. Mais les deux incidents les plus notables, l'affaire Judith Lapierre en 1999 et l'affaire Nowak en 2007, ont eu lieu sur Terre...

Il se pencha en avant.

— En 1999-2000, l'Institut russe des problèmes médicaux et biologiques a mené une série d'expériences pour tester la réponse humaine aux conditions d'isolement dans l'espace. Parmi ces tests, l'un d'eux consistait à isoler pendant cent dix jours plusieurs cobayes dans une réplique au sol de la station Mir. Leurs interactions, leurs comportements étaient filmés, scrutés et analysés par une équipe de psychologues vingt-quatre heures sur vingt-quatre. Le 3 décembre 1999, trois sujets internationaux et un Russe furent invités à rejoindre les quatre Russes déjà présents dans cet espace restreint depuis le début de l'été : un Autrichien, un Japonais et le docteur Judith Lapierre, trente-deux ans, une femme ravissante titulaire d'un doctorat des sciences de la santé et envoyée par l'Agence spatiale canadienne.

Henninger se leva, alla jusqu'au bar et revint avec un petit joint qu'il alluma précautionneusement.

— Vous en voulez ? dit-il.

— Non, merci, vous oubliez que je suis de la police…

— Et vous, vous oubliez qu'on est en Espagne et qu'ici la consommation est autorisée.

Il attrapa un Zippo, en souleva le capuchon, manœuvra la mollette et approcha la flamme du pétard.

— Moins d'un mois après leur arrivée, à l'occasion du réveillon du Nouvel An, le commandant russe, ivre, tenta à deux reprises d'embrasser de force Judith Lapierre, la toucha et essaya de l'entraîner hors du champ des caméras pour avoir un rapport sexuel avec elle. À la suite de quoi, une bagarre éclata entre deux cosmonautes russes. Si violente que le sang éclaboussa les murs. Judith Lapierre prit des photos du mur avec son appareil photo numérique et les envoya à son domicile au Canada par courrier électronique. De leur côté, les deux sujets autrichien et japonais demandèrent à leurs pays respectifs d'intervenir pour ramener le commandant russe à la raison. Il leur fut répondu que ces comportements étaient normaux pour des Russes et que soit ils les acceptaient, soit ils quittaient l'expérience. Le lendemain, un deuxième incident se produisit, au cours duquel un des cosmonautes dut planquer les couteaux dans la cuisine de la station parce que les deux belligérants de la veille menaçaient de s'entre-tuer. En raison des tensions qui régnaient, des agressions verbales et physiques, le Japonais décida qu'il lui était impossible de continuer sa mission et il quitta le projet. Lapierre, elle, hésita à baisser les bras si vite. Après avoir obtenu des serrures pour sa chambre, elle décida de rester. Suite à l'incident, le Dr Valeri Gushin, coordinateur du projet, blâma Lapierre pour avoir ruiné l'atmosphère de la mission en refusant d'être embrassée (et donc, si l'on suit son raisonnement, en refusant d'avoir des rapports sexuels avec le commandant russe). À son retour au pays, Judith Lapierre traîna en justice l'Agence spatiale canadienne qui avait refusé de lui porter secours : elle a finalement gagné son procès après cinq ans de procédure.

Le petit homme s'inclina un peu plus en avant. Ses yeux brillaient comme des gemmes.

— Le deuxième incident concerne Lisa Marie Nowak, astronaute de la NASA expérimentée ayant volé à bord de la navette Discovery. Le 5 février 2007, Lisa Nowak fut arrêtée par la police et mise en examen pour agression et tentative de kidnapping à l'aéroport d'Orlando sur la personne d'une femme officier de l'US Air Force, le capitaine Colleen Shipman, qui entretenait une liaison avec un autre astronaute, William Oefelein, avec qui Nowak venait de rompre. On a trouvé dans la voiture de Nowak des gants en latex, une perruque et des lunettes noires, ainsi qu'un pistolet BB et des munitions, un spray au poivre, un couteau avec une lame de quatre pouces, de grands sacs à ordures et un tuyau en caoutchouc. Nowak a agressé Colleen Shipman dans sa voiture alors que celle-ci venait de débarquer d'un avion en provenance de Houston. Elle a arrosé Shipman de spray au poivre dans le parking de l'aéroport, mais sa victime a réussi à s'échapper et à appeler la police. Les caméras de surveillance de l'aéroport ont filmé Nowak déguisée avec sa perruque, son trench-coat et ses lunettes. Jusqu'à ce jour, le travail et le comportement de Lisa Nowak comme astronaute avaient toujours été irréprochables. (Il se pencha encore un peu plus.) Je n'ai pas eu accès au dossier – cependant, compte tenu de l'attirail trouvé dans sa voiture, je trouve que cela ressemblait plutôt à une tentative d'assassinat, non ? Pourtant, le procureur en a décidé autrement. Il a réduit les charges initiales, oubliant même la tentative de kidnapping, et tout le monde s'est mis à penser – alors que Collen Shipman elle-même l'affirmait : « Elle allait me tuer » – que, peut-être, ce n'était pas aussi grave que ça en avait l'air… Ben voyons. Vous êtes une femme brillante, intelligente, à qui tout réussit sauf, visiblement, votre vie privée, et vous roulez pendant neuf cents kilomètres à travers cinq États déguisée d'une perruque, d'un trench-coat et de lunettes noires, avec des gants en latex, un couteau de quatre pouces, une réplique à air comprimé de pistolet automatique, un tuyau en caoutchouc et des sacs-poubelles dans votre coffre rien que pour balancer un peu de spray au poivre dans la figure de votre rivale ? Lisa Nowak a finalement écopé de deux jours de prison et d'un an de probation.

Henninger prit le temps de tirer sur son joint, ses yeux plissés posés sur Servaz. L'image des surhommes était sérieusement écornée. Servaz nota que les deux principaux « incidents » cités mettaient en scène des hommes *et* des femmes : dans les deux cas, il s'agissait d'histoires de jalousie, de harcèlement et de convoitise sexuelle.

— Cet incident a amené la NASA à revoir toutes les procédures de suivi psychologique de ses astronautes, poursuivit le journaliste. Elle a mené des études sur leur niveau de stress et aussi sur le comportement à adopter pour traiter un astronaute suicidaire ou psychotique dans l'espace. En 2009, ils ont même été plus loin : ils se sont demandé de quelle juridiction pénale relèveraient le ou les coupables d'un crime commis à bord de l'ISS, sachant qu'il y a toujours plusieurs nationalités représentées à bord. Cette question a fait l'objet de discussions intensives entre plusieurs nations... À ma connaissance, les Français n'ont jamais envisagé ce genre de situations. C'est un sujet qui les met mal à l'aise.

Servaz haussa un sourcil.

— Est-ce que... est-ce que l'incident avec Fontaine impliquait lui aussi une femme ?

— Une femme ? (Le petit homme regarda Servaz. Il acquiesça.) Oui, en effet...

— Quand ?

— 2008. En Russie.

Un ruban de fumée devant ses yeux mi-clos.

— À la Cité des étoiles...

Servaz sentit un frisson courir tout le long de son échine.

— Qu'est-ce qui s'est passé ?

Henninger le gratifia d'un nouveau regard.

— Laissez-moi d'abord vous raconter une histoire. L'histoire des rapports entre hommes et femmes au cours de la conquête spatiale. L'histoire de la longue lutte des femmes pour conquérir leur place dans l'espace... Vous comprendrez vite où je veux en venir. Dès 1960, avant même que Gagarine ait effectué son premier vol, le docteur William Randolph Lovelace avait mené une étude sur la possibilité d'inclure des femmes dans les programmes spatiaux. Un certain nombre de femmes pilotes avaient subi des tests physiques et nerveux très sévères – les mêmes que les hommes – et treize d'entre elles avaient montré des réponses extraordinaires, supérieures même à celles de leurs homologues masculins. Elles furent alors sélectionnées pour un nouveau programme de tests, à Pensacola, en Floride – à l'École de médecine navale. Mais, deux jours avant leur départ, la Navy et la NASA annulèrent brutalement le projet au motif qu'il s'agissait d'une initiative privée et que ces femmes pilotes n'étaient pas des militaires. Comme vous le savez, le premier Américain à effectuer un vol orbital autour de la Terre fut John Glenn en 1962, dix mois après Gagarine, ce même John Glenn qui déclara, à l'époque : « Le rôle des hommes est d'aller à la guerre et dans l'espace, les femmes ne sont pas partie prenante de ces activités. » Mais bon, autres temps, autres mœurs... Il fallut attendre 1983 pour voir une femme américaine dans l'espace. Ce fut Sally Ride, à bord de la navette Challenger. Décédée en 2012 d'un cancer du pancréas. À cette occasion, le patron de la NASA a souligné qu'elle avait, je cite, « brisé des barrières avec grâce et professionnalisme et littéralement changé le programme spatial américain »... (Il regarda Servaz.) Étrange, le choix de ces mots, non ? « *Barrières... grâce... professionnalisme...* » Mais Ride n'était pas la première femme à aller dans l'espace, tant s'en faut. Comme le premier homme, la première femme fut russe. Ou plutôt soviétique. Valentina Terechkova, vingt ans auparavant... Car, après le succès colossal de la propagande autour du vol de Gagarine, Khrouchtchev décida d'envoyer une femme dans l'espace. Valentina Terechkova fut sélectionnée parmi des dizaines d'autres candidates. En vérité, le vol orbital de celle qu'on appelait « la Mouette » ne se passa pas si bien que ça. Il faut dire que les conditions de vol étaient terribles, Valentina fut sans doute malade là-haut, tout comme l'avait été Titov l'année d'avant, et, le deuxième jour, elle échoua à prendre le contrôle manuel du vaisseau. Elle donna aussi quelques inquiétudes par son comportement. Elle n'en fut pas moins accueillie comme un héros de l'Union soviétique à son retour et elle fit une tournée mondiale triomphale. Mais, à la Cité des étoiles, ses collègues masculins, tout comme les savants responsables du programme, considéraient qu'elle était la preuve que les femmes n'étaient pas encore prêtes pour l'espace – et peut-être ne le seraient jamais – et, bien que l'Union soviétique continuât à produire plus que n'importe quelle autre nation des femmes ingénieurs, des femmes officiers et des femmes pilotes, celles-ci s'entraînaient invariablement pour des vols spatiaux qui étaient toujours annulés à la dernière minute. Ce n'est qu'en 1982 qu'une autre femme russe partit pour l'espace. Encore une fois, les Soviets le firent surtout pour damer le pion aux Américains qui s'apprêtaient à envoyer Sally Ride… Tenez, vous en voulez une autre ? En 1979, le président Giscard d'Estaing effectua une visite officielle en URSS. À cette occasion, Brejnev lui proposa d'envoyer un cosmonaute français dans l'espace. C'était la première fois que l'URSS ouvrait ses vols spatiaux à un pays non communiste. Sur quatre cents candidats, cinq furent finalement sélectionnés : quatre hommes et une femme, mais, comme les Russes ne voulaient pas de femmes, seuls les quatre hommes partirent là-bas…

Le journaliste se pencha vers lui en laissant échapper un soupir.

— À ce jour, les choses ne se sont pas améliorées, au contraire : il y a eu seulement trois femmes russes envoyées dans l'espace en cinquante ans pour cinquante-sept femmes astronautes au total, dont quarante-trois Américaines. Lorsque, en 2010, la Station spatiale internationale a accueilli pour la première fois quatre femmes en même temps, il n'y avait pas la moindre Russe parmi elles. Et il n'y a plus la moindre femme parmi les quarante cosmonautes du programme spatial russe actuel. La dernière en date, Nadejda Kuzhelnaya, a démissionné en 2004 du corps des cosmonautes, après dix ans de préparation : à plusieurs reprises, ses vols à bord de Soyouz avaient été annulés et refilés à des astronautes de l'Agence spatiale européenne ou même à des passagers milliardaires comme Dennis Tito. Bien sûr, les vols de ses collègues masculins ne l'étaient pas, eux... (Il se rejeta en arrière.) Il n'y a qu'un seul autre pays où le déséquilibre entre astronautes mâles et femelles est aussi important, conclut-il en fixant Servaz, la France.

— Donc, en gros, la majorité des cosmonautes sont des machos, des phallocrates – et de là à devenir des harceleurs il n'y a qu'un pas, c'est ça ?

Henninger secoua vigoureusement la tête.

— Non, non, non, ne me faites pas dire ce que je n'ai pas dit. La grande majorité de nos spationautes sont des gentlemen, des types cool avec une éducation qui leur a appris à respecter les femmes et leurs compétences et, comme je vous l'ai dit, les choses changent petit à petit. Mais Fontaine appartient à la vieille génération. Il a beaucoup fréquenté les vieux cosmonautes russes et les astronautes américains de la vieille école : ce sont eux qui ont fait plus ou moins son éducation à l'époque où il n'était qu'un *Rookie*, un débutant. Et ces types-là, du moins un certain nombre d'entre eux, avaient une vision de la femme quasi...

moyenâgeuse, croyez-moi. Un mélange de chevalerie et de discrimination.

— Vous ne m'avez toujours pas dit ce qui s'était passé...

— C'est là que ça se complique, admit Henninger. Vous savez comment ça se passe dans ce pays : on est très fort pour attirer l'attention sur les dysfonctionnements des autres, mais on met systématiquement sous le tapis tout ce qui déconne chez nous. L'ESA, l'Agence spatiale européenne, et le CNES n'ont jamais communiqué sur cette affaire. Le peu qu'on sait vient de fuites, il n'y a pas eu non plus de dépôt de plainte... En conséquence de quoi, ils se sont dépêchés de tout étouffer.

— Étouffer quoi ? demanda Servaz.

— Je le répète : la chose n'est pas très claire. Tout ce qu'on sait, c'est que cela s'est passé en 2008. L'Agence spatiale européenne avait envoyé Fontaine et une jeune spationaute franco-russe pour s'entraîner à la Cité des étoiles et effectuer un séjour à bord de la Station internationale, *via* un vol Soyouz. La mission a été annulée au dernier moment. À son retour, Fontaine n'était plus le même... Je crois qu'il a plus ou moins été accusé de harcèlement et de violences sur la jeune spationaute, là-bas, par la police russe. Quelque chose comme ça. Je ne connais pas toute l'histoire. L'ESA a étouffé l'affaire pour ne pas ternir l'image de l'un de ses *héros* les plus fameux et les Russes ont fait de même pour ne pas ternir l'image de la Cité des étoiles. Quoi qu'il en soit, après ça, Fontaine n'a plus fait partie du moindre programme. Depuis cette époque, l'Agence spatiale le sort juste pour les événements médiatiques, les opérations de communication... Il est devenu le VIP numéro 1, le Tom Cruise de l'Agence. Mais, en tant que spationaute, il est grillé…

— Vous connaissez l'identité de cette jeune femme ? Henninger acquiesça.

— Bien sûr. Je l'ai même rencontrée. Mais elle s'est refusée à entrer dans les détails… C'était… (Il prit le temps de choisir son mot.) Bizarre… D'un côté, je sentais qu'elle avait peur de trop en dire, de l'autre, qu'elle brûlait de se libérer de ce poids… Je me souviens de lui avoir demandé si c'était vrai qu'il y avait eu des violences – et elle a hoché la tête affirmativement –, mais quand je lui ai demandé de quelle sorte de violences il s'agissait, elle a refusé de répondre.

Servaz frissonna : il tenait peut-être son homme.

— Vous êtes sûr de ce que vous avancez ? demanda-t-il. Qu'un type comme lui puisse être un pervers manipulateur, c'est à peine croyable.

— Pas si incroyable que ça si on considère ce qui s'est passé en 1999 : Judith Lapierre qui a failli être violée et deux cosmonautes qui se sont presque entre-tués, ni si on se rappelle l'affaire Nowak en 2007… Et il y a aussi cette histoire qui circule : un cosmonaute qui aurait pété un câble dans la station Mir et qui aurait voulu ouvrir une écoutille. On dit que les autres ont eu le plus grand mal à le maîtriser. Pourquoi les astronautes seraient-ils différents des autres, commandant ? Pourquoi n'auraient-ils pas eux aussi leurs faiblesses, leurs brebis galeuses ? C'est l'image qu'on veut donner d'eux. Mais ce n'est pas la réalité.

Servaz prit le temps de digérer les paroles de Henninger. Il avait l'impression d'avoir arraché un pan

du voile et qu'une nuit pleine d'étoiles l'attendait au-
delà. Une nuit dont il n'avait pas fini de sonder les
profondeurs.

— Est-ce qu'il serait possible d'avoir l'adresse et le
numéro de téléphone de cette femme ? demanda-t-il.

Henninger se leva.

— Oui. Pas de problème. Je vais vous chercher ça.

Le journaliste quitta la pièce et il en profita pour
réfléchir à toute vitesse. Célia avait-elle été frappée ou
violée en plus d'avoir été harcelée ? Il avait manifestement affaire à un récidiviste : dans ce cas, il existait
peut-être d'autres victimes... Henninger revint avec un
Post-it. Servaz lut :

Mila Bolsanski
Route de la Métairie Neuve

— Mila, c'est un prénom slave, observa-t-il.

— Oui. Je vous l'ai dit : elle a la double nationalité
franco-russe. C'est bien là le problème.

— Comment ça ?

— Eh bien, en général, à la Cité des étoiles, les cosmonautes russes ne se comportent pas exactement de
la même façon avec leurs collègues féminines qu'avec
les astronautes femmes venues d'autres pays. Regardez
Claudie Haigneré : elle a toujours salué ses partenaires russes, « si joyeux, si gentils », elle a toujours
dit que tout le monde était aux petits soins avec elle
à la Cité des étoiles – et même ce bon vieux général
Alexeï Leonov, qui était son « chouchou ». Le même
Leonov qui, en 1975, alors qu'il était le commandant du Soyouz 19 participant à la première mission
américano-soviétique, expliqua aux journalistes que

l'effort spatial russe n'avait pas besoin de femmes...
Pareil pour Shannon Lucid. Elle a séjourné dans la
station internationale en compagnie de deux cosmonautes russes qu'elle appelait affectueusement « ses
deux Youri ». Elle avait entendu parler du machisme
et de la misogynie des cosmonautes russes, mais il ne
se passa rien de tel et l'entente avec les deux Youri
– une femme seule avec deux hommes dans un espace
hyperconfiné – fut absolument parfaite. Alors que les
femmes cosmonautes russes, elles, ont souvent dénoncé
la façon dont elles étaient traitées : comme des quantités négligeables, des cosmonautes de seconde zone...
Or il semble qu'à la Cité des étoiles, Mila était plus
considérée comme une Russe que comme une Française, à cause de sa double nationalité.

Il se rejeta dans son fauteuil.

— Mais si vous voulez en savoir plus, je vous
conseille de vous adresser directement à elle. (Il dévisagea Servaz.) À mon tour de vous poser quelques
questions... Qu'est-ce qui amène un policier de la
Crim à s'intéresser à Léonard Fontaine, tout à coup ?

Servaz hésita un peu trop longtemps.

— Hé, je vous ai dit tout ce que je savais !

— C'est qu'il ne s'agit pas d'une enquête officielle...

— Comment ça ?

— Disons que... eh bien, j'enquête pour mon propre
compte.

Pendant un instant, les deux hommes s'observèren
en silence.

— Hum. Et cette enquête concerne Léonard Fontaine ?

Servaz hocha la tête affirmativement.

— Encore une histoire de viol ?

Il fit signe que non.

— Harcèlement ?

Il acquiesça.

— Bon Dieu, pourquoi est-ce que je ne suis pas surpris ! Ces types-là recommencent toujours. Vous ne pouvez rien me dire de plus ?

— Trop tôt...

— Merde, je veux votre parole que si vous bouclez cette enquête, je serai le premier informé !

— Vous l'avez.

— Cette femme, voulut-il savoir, il lui est arrivé la même chose qu'à Mila Bolsanski, c'est ça ? Elle a été violée ?

— Non, elle est morte.

Cette fois, la curiosité flamba dans les billes de métal de son vis-à-vis.

— Comment ça, « morte » ? Un meurtre ?

— Suicide.

27

Diva

À quatre heures moins le quart de l'après-midi, il reprit la route sous un ciel de plus en plus sombre. La neige s'était remise à tomber doucement. Les montagnes se voilaient de nuages, le mettant au défi de les franchir une nouvelle fois avant la nuit – il lui tarda soudain de l'avoir fait.

En roulant codes allumés, bien qu'il fît encore à peu près jour, et essuie-glaces en action, il se demanda comment Fontaine choisissait ses proies. Dans le cas de Mila Bolsanski, elle avait été placée sur son chemin par le hasard et l'Agence spatiale, la rencontre avec Célia était aussi le fruit du hasard – comme bien des rencontres qui ne débouchaient pas sur du harcèlement et de la violence, se dit-il. Y avait-il eu d'autres victimes ? Les observait-il ? Apprenait-il à connaître leurs habitudes ? Faisait-il en sorte d'en savoir un maximum avant de les aborder ? Ou, au contraire, s'agissait-il toujours de personnes que le destin – cette grande loterie céleste – plaçait sur sa route ? Servaz se retrouva coincé derrière un autobus dans la longue montée vers l'Andorre. Chaque fois qu'il essayait de déboîter, il se retrouvait nez à nez avec des voitures descendant à vive allure en sens inverse. Finalement, juste après le péage de la police des frontières, il se gara et sortit son téléphone pour appeler Mila.

Elle répondit dès la deuxième sonnerie – d'une voix prudente, timide. Il avait lu que, pour ces femmes, le souvenir de la violence physique finissait par s'estomper alors que les humiliations, les injures endurées jour après jour laissaient des traces ineffaçables.

— Bonjour, dit-il. Je m'appelle Martin Servaz, je suis commandant de police. J'aurais besoin de vous voir et de vous parler. C'est un journaliste, M. Henninger, qui m'a donné votre numéro.

— Qu'est-ce que vous me voulez ?

— C'est au sujet de Léonard Fontaine.

Elle mit si longtemps à répondre qu'il eut le temps de compter quatre voitures et trois poids lourds passant devant lui.

— Je n'ai pas envie d'en parler, répondit-elle.

— Je sais que vous avez retiré votre plainte à l'époque, et M. Henninger m'a confié vos réticences à évoquer cet... épisode. Mais il y a du nouveau.

— Que voulez-vous dire ?

— Je préférerais vous l'expliquer de vive voix si ça ne vous fait rien.

Un coup de klaxon déchira l'air.

— Écoutez, dit-elle, je ne vois pas ce que je peux faire pour vous. En ce qui me concerne, cette affaire est terminée. Je n'ai pas envie de me replonger là-dedans. Je suis désolée.

— Je comprends, madame Bolsanski.

— Mademoiselle...

— Mademoiselle Bolsanski, si je vous disais que

d'autres personnes ont subi ce que vous avez subi et que Léonard Fontaine a du sang sur les mains ?

Un nouveau silence.

— Vous pouvez le prouver ?

— Je crois que oui.

— Vous allez l'arrêter ?

— Nous n'en sommes malheureusement pas là.

— Je vois. Merci, commandant, mais j'aimerais rester en dehors de tout ça.

— Je comprends.

— Ils m'ont poussée à retirer ma plainte à l'époque. J'ai subi des pressions énormes. Pourquoi est-ce que ce serait différent aujourd'hui ?

— Parce que je ne suis pas eux.

— Eh bien… je ne doute pas de votre bonne foi – ni de votre bonne volonté, mais…

— Tout ce que je vous demande, c'est cinq minutes de votre temps. Comme je vous l'ai dit, il semble que d'autres personnes aient subi ce que vous avez subi. Si je parviens à les relier entre elles d'une manière ou d'une autre – alors, j'arriverai peut-être à le coincer…

Il compta quatre voitures et deux camions supplémentaires avant qu'elle revienne en ligne.

— Très bien. Je vous attends.

La nuit était tombée quand il remonta la longue ligne droite bordée de platanes. La grande maison se trouvait tout au bout, dans la plaine – presque cubique avec ses deux étages de fenêtres toutes semblables. Peut-être une ancienne ferme. Si c'était le cas, granges et annexes avaient disparu pour laisser la place à un vaste espace dégagé cerné d'une ligne gracile de peupliers.

Une lampe brûlait au-dessus du seuil. À part ça, toutes les fenêtres étaient éteintes. Il claqua la portière dans le silence et regarda autour de lui : hormis une petite lumière fragile à un kilomètre de là, l'endroit était parfaitement désert.

Il se dit que c'était un choix audacieux pour une femme qui avait enduré ce que Mila Bolsanski avait enduré. Mais il avait aussi lu que les femmes victimes de violences à répétition pouvaient finir par s'enfermer en elles-mêmes, convaincues que le monde extérieur leur était hostile. Des années plus tard, elles craignaient encore le plus petit événement qui les replongerait dans le passé. Il savait qu'en venant ici il allait réveiller des choses douloureuses – si Mila ne le jetait pas dehors avant.

Il ne voyait pas de véhicule, mais devina un garage en tôle dans l'obscurité, à une dizaine de mètres. La porte s'ouvrit tandis qu'il s'avançait vers le perron. La femme qui s'encadra sur le seuil était grande et mince ; la lumière provenant des profondeurs de la maison, derrière elle, ses traits demeuraient dans l'ombre. Elle ne prononça pas le moindre mot avant qu'il eût gravi les trois marches.

— Entrez, dit-elle, d'une voix qui lui parut plus ferme qu'au téléphone.

Elle le précéda le long d'un couloir aussi interminable qu'une galerie de mine, un couloir plongé dans les ténèbres. La seule lumière provenait d'une pièce dans le fond et l'ombre de la femme qui marchait devant lui s'étirait comme la traîne noire d'une mariée qui aurait aussi été veuve. Il la détailla. Une silhouette à l'évidence entretenue par la pratique du sport, avec des épaules larges et un long cou gracieux. Il aperçut des vieux radiateurs à colonnes et des tableaux encore plus anciens dans la pénombre. La pièce du fond était une grande cuisine aménagée, violemment éclairée par deux spots encastrés dans le plafond.

Il avait beau prêter l'oreille, il n'entendait aucun bruit. Compte tenu du nombre de pas qu'ils avaient faits pour arriver jusqu'ici, et des deux étages au-dessus, il se dit que la maison devait bien compter une trentaine de pièces.

— Vous vivez seule ?

— Non. Il y a aussi Thomas. (Elle lui décocha un demi-sourire.) Mon fils.

La lumière des spots tombait à présent sur son visage et il lui donna dans les trente-cinq ou trente-six ans. Des cheveux bruns, des yeux marron, des pommettes hautes et quelques rides au coin des yeux mais un beau visage avec une bouche large au dessin ferme, une peau mate et une mâchoire carrée. Un visage plein de caractère. Mais ce qui le rendait remarquable, c'était son regard. Un regard pénétrant et compréhensif ; une lueur à la fois sérieuse et indulgente y brillait – comme si elle avait fait le tour des bassesses et des petitesses humaines et décidé une fois pour toutes de pardonner. Il ne faisait pas le moindre doute qu'il avait en face de lui quelqu'un d'intelligent. Elle portait un gros pull de laine à col roulé sur un jean.

— Un café ? Je suis désolée, mais il n'y pas d'alcool ici.

— Merci, ça ira très bien.

Elle lui tourna le dos et tendit le bras vers un placard au-dessus du plan de travail. Elle posa sa tasse sur la grande table où ils auraient pu dîner à dix et s'assit de l'autre côté – à un bon mètre de lui. Servaz se demanda si elle observait la même distance avec tous les hommes qu'elle rencontrait depuis les événements, et il pensa à celle, beaucoup plus faible, qui séparait Célia de Léonard Fontaine sur la photo.

— Merci de me recevoir, dit-il.

— J'écoute ce que vous avez à dire. Mais ça ne signifie pas que je vais répondre à vos questions.

— Je comprends.

— Allez-y, commandant. Dites-moi ce qu'il y a de si nouveau.

Elle avait pris une inspiration avant de prononcer ces mots, comme si elle s'apprêtait à plonger dans le vide. Elle avait aussi retenu ce qu'il lui avait dit au téléphone.

— Avez-vous déjà entendu parler de Célia Jablonka ?

— Non.

— Célia Jablonka est une jeune femme qui s'est suicidée l'an dernier. Auparavant, elle avait eu une liaison avec Léonard Fontaine. Je le soupçonne d'être pour quelque chose dans son suicide...

— Pourquoi ?

— À vous de me le dire...

Elle ne l'avait pas quitté des yeux. Elle n'avait l'air ni intimidée ni craintive. Et l'éclat de son regard se durcit imperceptiblement.

— Et c'est tout ? C'est tout ce que vous avez ? Un vague soupçon ? C'est pour ça que vous êtes là ?

Sa voix s'était faite tranchante. Il devina que s'il ne se montrait pas plus convaincant, elle allait se fermer. Il sortit la clé magnétique et la photo de sa poche, se pencha pour les faire glisser à travers la table.

— Qu'est-ce que c'est ?

— C'est vous qui me les avez envoyées ?

423

Elle le regarda sans comprendre.

— Cette clé et cette photo, quelqu'un me les a envoyées par la poste... Elles vous disent quelque chose ?

Elle examina la clé longuement, puis posa un doigt sur la photo.

— Évidemment que ça me dit quelque chose : c'est l'ISS, la Station spatiale internationale... Et ça ? demanda-t-elle à propos de la clé.

— La clé de la chambre d'hôtel où Célia Jablonka s'est donné la mort. Vous n'êtes jamais allée dans cet hôtel avec Léonard Fontaine ?

Elle regarda de nouveau le rectangle de plastique, fit signe que non.

— Ni avec lui ni avec personne...

— Quelqu'un qui ne tient manifestement pas à se faire connaître m'a d'abord envoyé cette clé, puis cette photo – et aussi des messages m'incitant à rouvrir l'enquête sur le suicide de Célia Jablonka. Or le seul lien entre ces deux choses s'appelle Léonard Fontaine.

— Expliquez-moi...

— Léonard Fontaine a été l'amant de Célia Jablonka. Et il a été dans la Station spatiale internationale.

Le silence se fit. C'était l'instant où elle pouvait tout arrêter, refuser de rouvrir la porte qui donnait sur le passé. Ce fut une autre porte qui s'ouvrit. Servaz l'entendit grincer faiblement sur sa droite, et il tourna la tête. Un couloir qu'il n'avait pas remarqué auparavant s'illumina. Une ombre s'étira sur le sol puis un petit garçon vêtu d'un pyjama en velours bleu et rouge apparut. Aussitôt, le visage de Mila changea. Elle lui fit signe d'approcher et le jeune garçon se réfugia sur les genoux de sa mère, appuya sa tête entre ses seins, les traits alourdis par la fatigue d'une journée bien remplie. Mila embrassa son crâne à travers ses cheveux fins.

— Dis bonsoir, mon chéri.

— Bonsoir, dit le garçon d'une voix ensommeillée en se tournant vers Servaz, son pouce dans la bouche, les paupières lourdes.

— Bonsoir. Moi, c'est Martin, et toi ?

— Thomas.

— Enchanté, Thomas.

Il devait avoir dans les cinq ans. Servaz n'aurait su dire quel était le personnage représenté sur le plastron de son pyjama. Le garçon était un blondinet qui avait hérité les beaux yeux marron de sa mère ; il avait le visage poupin des enfants de son âge et des traits encore un peu indéfinis.

— Dis, maman, tu me mets au lit ? dit-il.

— Excusez-moi, j'en ai pour une minute.

Elle disparut et Servaz entendit la mère et l'enfant qui devisaient doucement sans parvenir à saisir ce qu'ils se disaient.

Quelque chose le tracassait. Un signal dans sa mémoire. Bien qu'encore brouillés par l'enfance, les traits de Thomas lui évoquaient quelqu'un. Un visage qu'il avait vu récemment, en chair et en os ou en photo. Il chercha et soudain il sut. Cette révélation fit son chemin dans son esprit : elle ouvrait des perspectives insoupçonnées – sans qu'il pût en mesurer pour l'instant toute la portée.

— Il a quel âge ? demanda-t-il quand elle revint.

— Cinq ans.

2008, calcula-t-il. Elle le fixait, comme si elle devinait à quoi il était en train de penser.

— Vous croyez vraiment que cette femme s'est suicidée à cause de Léo ? voulut-elle savoir.

— J'en suis persuadé. Et je crois qu'il y en a eu d'autres. Peut-être beaucoup d'autres, compte tenu de l'âge de Fontaine... Le problème, c'est qu'on ne peut pas condamner quelqu'un pour le suicide d'une personne, même si ce quelqu'un a largement contribué à son mal-être... En revanche, on peut peut-être le condamner pour des crimes qui relèvent de la loi – avant qu'il y ait prescription...

Elle hocha la tête.

— Ce qui vous est arrivé s'est passé en 2008, poursuivit-il lentement. La prescription est de trois ans pour les délits, c'est-à-dire les coups et blessures, les agressions sexuelles autres que le viol. Mais elle est de dix ans pour les crimes. *La question est de savoir s'il y a eu crime...*

Il la fixa. De nouveau, elle hocha la tête en soutenant son regard. Ce n'était pas une réponse, mais le signe qu'elle comprenait où il voulait en venir.

— Et savoir exactement ce qui vous est arrivé me permettrait aussi de savoir dans quelle direction chercher d'autres victimes, quels services contacter, quels dossiers examiner...

Elle garda le silence et il n'insista pas. Il la laissa ruminer ce qu'il venait de dire.

— Je n'en parlerai pas, insista-t-elle au bout de quelques secondes. Je ne peux pas, je vous l'ai dit... C'est au-dessus de mes forces.

— Je comprends.

— Vous croyez vraiment que vous pouvez le coincer ?

— Ça dépendra de ce que je vais trouver...

— Mais vous pensez avoir une chance ?

— Je suis assez bon dans ce que je fais en général, répondit-il.

Elle hocha la tête pour la troisième fois, après l'avoir scruté – comme si elle était d'accord avec lui.

— Je crois que oui.

— Oui, quoi ?

— Que vous êtes assez bon… Si je vous donne quelque chose, ai-je votre parole que vous ne le montrerez à personne ?

Il acquiesça.

— Vous l'avez, Mila.

Elle se leva, quitta la pièce. Il entendit ses baskets frôler le sol dans son dos, une porte s'ouvrir. Une minute plus tard, une main déposait un objet devant lui, dans la lumière. Il baissa les yeux. Un livre dont la couverture était recouverte de cuir et maintenue par un ruban. Il dénoua le ruban. Ouvrit le livre. Une écriture féminine, soignée. Et une date pour commencer : *un journal intime…*

— De quand date-t-il ?

— Des événements, répondit-elle.

— Tout est dedans ?

— Oui.

— Vous n'avez plus été spationaute après ça, n'est-ce pas ? Ils vous ont laissée tomber.

— On m'a fait comprendre que je n'étais plus la bienvenue. Apparemment, dénoncer un viol était presque aussi grave que de l'avoir commis. Le coup classique : est-ce que je ne l'avais pas un peu cherché, etc.

Il respira lentement.

— Il y a donc eu viol ?

— C'est plus compliqué que ça… Lisez, dit-elle. (Elle montra le journal.) J'ai votre parole que personne d'autre que vous ne posera les yeux sur ceci ?

— Je le répète, vous l'avez.

— Maintenant, si ça ne vous fait rien, j'aimerais aller lire une histoire à mon fils.

Il se leva, le journal à la main, sourit tout à coup.

— Quelle histoire ? demanda-t-il.

— *Le Petit Prince.*

— « Mon étoile, ce sera pour toi une des étoiles, récita Servaz. Alors, toutes les étoiles, tu aimeras les regarder. Elles seront toutes tes amies. »

Elle lui jeta un long regard perplexe et amusé.

— Thomas, qui est son père ?

Derechef, le regard se durcit.

— Vous l'avez deviné, non ? C'est vrai qu'il lui ressemble…

— Il a refusé de le reconnaître ?

Elle hésita une demi-seconde, puis fit un signe de tête affirmatif.

— Pourquoi ?

— Lisez, commandant… Et maintenant, bonsoir.

28

Intermezzo

Elle se déshabilla, se brossa les dents, passa un pyjama et retourna dans la chambre. Iggy dormait toujours sur le lit, ses yeux clos au fond de l'enton-noir. Une pâle lueur tombait de la porte-fenêtre. En s'approchant, elle vit que la lune lui souriait au-dessus du Capitole. Elle se demanda ce que faisait Max en ce moment même, s'il dormait sur son bout de trottoir, au milieu de ses cartons et de ses affaires.

La seule compagnie qu'il te reste. Un SDF... Si ça se trouve, c'est lui qui est derrière tout ça, tu y as pensé ? Non, évidemment que non.

Elle regarda les deux comprimés au creux de sa main, le verre d'eau dans l'autre. Avala le tout. Elle avait verrouillé sa porte, écouté des clients passer dans le couloir. Sa vie ressemblait de plus en plus à celle de ces types traqués qui se réfugient de trou en trou, comme des rats... Jusqu'à quand ? Sa mère avait insisté pour régler la note, mais elle ne pouvait rester ici indéfiniment. Et Max avait raison : ce type ne la lâcherait pas.

Sa mère était passée la voir et elles avaient pris

un café au bar de l'hôtel. « Tu as une mine épouvantable, on dirait que tu as pris dix ans en quelques jours. » Heureusement, sa mère avait des choses à faire – comme toujours –, des rendez-vous : à la salle de fitness, pour une manucure, une pédicure, un soin du visage, un massage aux pierres chaudes, chez son coiffeur, chez son psy, avec un journaliste pour une interview du style : « Que sont-ils devenus ? », avec la présidente d'une association caritative, avec son coach de développement personnel, pour un atelier d'art-thérapie, une vente aux enchères… Christine avait passé le reste de la journée à errer sans but à la recherche d'une idée, d'une solution. Elle avait envisagé un temps de se réfugier dans le foyer pour femmes battues dont elle avait un jour interviewé la directrice. Le problème, c'est qu'elle ne l'avait pas été, battue. Pas encore… Et ces gens-là ne passaient-ils pas de discrets coups de fil à la police pour s'assurer qu'ils n'avaient pas affaire à des mythomanes ? Peut-être aurait-elle dû se cogner elle-même pour rendre la chose plus crédible ? Elle y avait songé… sérieusement… Elle était aussi entrée dans un magasin qui vendait des armes à feu et des couteaux (et même des sabres et des katanas) mais aussi des Tasers, des shockers électriques et des aérosols de défense. Le vendeur était un homme obèse qui sentait la sueur et, quand il s'était approché un tout petit peu trop près, elle s'était dit qu'il avait tout à fait le profil du type capable d'abuser d'une femme sans défense. Bien entendu, elle savait que c'était du délit de faciès mais, depuis qu'elle avait découvert que le monde est un enfer pour les plus vulnérables, elle était beaucoup moins encline à laisser aux autres le bénéfice du doute.

Elle se rendait compte qu'elle devenait de plus en plus vulgaire, agressive. Intolérante.

Bienvenue dans la jungle, ma vieille...

Elle commença à s'assoupir, vaincue par les molécules. Elle ne savait pas du tout ce qu'elle allait faire demain – et encore moins après-demain, ni la semaine prochaine. Tout comme pour ce bon vieux Richard Kimble, il n'y avait plus de havre pour elle. Ni de repos.

C'est ça que tu es : une fugitive dans ta propre maison, accusée de crimes que tu n'as pas commis – et qui sait si celui qui te traque n'est pas manchot, lui aussi ?

Elle gloussa stupidement, les paupières lourdes. Une larme roula sur sa joue. Elle ramena les jambes vers sa poitrine, sous la courtepointe. Passa les bras autour de ses genoux. Posa la joue contre le matelas, laissant le cocon des somnifères l'envelopper, ses craintes s'évanouir une par une comme des brumes matinales. Sauf que ce n'était pas vers la lumière qu'elle était entraînée – mais vers la nuit, les ténèbres, l'oubli... Elle ferma les yeux, se laissa aller.

Un répit. Jusqu'au lendemain.

29

Libretto

Servaz s'assit à la tête du lit étroit, mit la musique de Mahler en sourdine, regarda la pleine lune dehors et saisit le journal de Mila posé sur la table de nuit.

En soulevant la couverture de cuir sur laquelle était dessinée une rose, il repensa à la belle femme brune et à l'enfant blond, seuls dans cette grande maison isolée… Le fils de Léonard Fontaine… Et à l'importance de ce qu'il allait lire pour comprendre ce qui était arrivé non seulement à Mila Bolsanski, mais aussi à Célia Jablonka. Dans ces pages, il y avait peut-être la réponse à toutes ses questions. Qui était vraiment Léonard Fontaine ? Comment s'y prenait-il pour pousser ces femmes au suicide ou à vivre seules avec leurs enfants, loin du monde ? Quelle sorte de monstre à double visage était-il ? Mila et Célia étaient des femmes intelligentes, ne manquant pas de personnalité – et cependant il était parvenu à les maintenir sous son emprise et à les briser… Comment s'y était-il pris ?

La nuit risquait d'être longue. Il n'était pas un trouillard, mais il était habité par une appréhension tenace à l'idée de ce qu'il allait lire. Il n'avait jamais oublié le journal d'Alice Ferrand. Celui qu'il avait trouvé dans la chambre de la jeune fille, là-haut, dans la montagne, cinq ans plus tôt. Les mots de la gamine étaient restés imprimés au fer rouge dans son cerveau. Il tourna les deux premières pages blanches et commença à lire ; le récit de Mila débutait par leur arrivée à Moscou :

20 novembre 2007 – Arrivés à 8 h 30 du matin. Débarqués dans le nouveau terminal C de Cheremetievo flambant neuf : rien à voir avec l'ancien aéroport immense et glauque. Longue attente à la douane. Suis un peu nerveuse. Léo, lui, semble parfaitement calme. Guennadi Semyonov, le chef de projet de la mission Andromède, et Roman Roudine, le correspondant de la Cité des étoiles, nous attendaient à la sortie.

Le bus qui nous emmène aussi a changé. Il n'y a plus cette effroyable odeur de gaz d'échappement de la fois précédente, quand j'étais venue seule. Nous avons roulé vers Moscou puis sur la route du nord-est, celle qui mène à la Cité des étoiles, au bord de laquelle les datchas se multiplient derrière les palissades. Isbas coquettes ressemblant à des maisons de poupées peintes en bleu ou en rouge ou simples cabanes. Elles témoignent de l'attachement profond des Moscovites pour la terre, malgré la pollution de l'air, les grues, le béton, les voitures, les centaines de panneaux publicitaires qui défigurent le paysage... La grande entreprise d'uniformisation est à l'œuvre ici comme ailleurs, le béton est sans nul doute l'œuvre du diable...

Dans le bus, je regarde Léo. Il discute avec Roman

et Guennadi. Il ne fait pas attention à moi – ou, plutôt, j'ai l'impression qu'il fait exprès de ne pas faire attention à moi... *Que se passe-t-il ? Tout à coup, je me sens envahie par un mauvais pressentiment et je revois la scène d'hier. Je ne comprends toujours pas ce qui s'est passé. Cela n'était jamais arrivé auparavant. Comme nous allions sortir pour une petite soirée organisée par le CNES en notre honneur avant le départ pour Moscou, et que je terminais de m'habiller et de me maquiller, assise devant le miroir, il s'est approché derrière moi et m'a regardée :*

« Tu as vraiment besoin de te maquiller comme une pute ? » a-t-il dit.

Sur le moment, j'ai cru que j'avais mal entendu. Il ne pouvait pas avoir prononcé ce *mot-là. C'était tout bonnement impossible. Je l'ai regardé dans le miroir.*

« Quoi ?

— Tu m'as très bien entendu...

— De quoi est-ce que tu parles ? Léo, bon Dieu, tu plaisantes, j'espère ! »

Il a alors posé les mains sur mes épaules, mais c'était un geste tout sauf amical.

« Bien sûr que je plaisante. Il n'empêche : tu as eu la main un peu lourde... »

J'aurais voulu me mettre en colère, me rebeller, mais j'étais trop surprise, trop abasourdie. Je ne l'avais jamais vu dans cet état. Et ce qu'il m'a reproché : est-ce que j'ai rêvé ? Bien sûr, il a reconnu qu'il plaisantait mais... quelque chose me dit que ce n'était pas le cas. Ce n'est pas lui : ce n'est pas le Léo que je connais. Depuis trois mois que nous sommes ensemble, il a toujours été si prévenant, si drôle, si amoureux... Trois mois idylliques, trois mois parfaits. Je ne m'étais jamais sentie aussi bien avec un homme avant ça. Je l'aime. Oh, oui. Cet homme chaleureux, solide et fort.

Je sais que c'est l'homme de ma vie, je l'ai tout de suite su.

Je dois me concentrer sur ce qui nous attend – et uniquement sur ça. C'est l'expérience la plus importante de toute ma vie. Ne pas l'oublier. Nous allons avoir neuf mois au lieu de deux ans pour nous préparer ; c'est très court ! Et je sais déjà que l'emploi du temps sera infernal, ce n'est surtout pas le moment de flancher. Mais, ce matin, pendant tout le trajet en bus et même alors que nous remontions la longue allée forestière et passions le contrôle militaire, à l'entrée du centre, je n'ai pu m'empêcher de repenser à cette scène, hier soir, et surtout à ce mot. J'en viens à douter qu'il l'ait prononcé.

Ce n'est pas possible. J'ai dû mal comprendre...

20 novembre au soir – Zvyozdny Gorodok, *la Cité des étoiles, la bien mal nommée : cité grise avec ses longues avenues désertes et ses immeubles, on dirait une banlieue française perdue au milieu de la forêt russe ! On y trouve pourtant un centre commercial, un cinéma, une école, une poste, une discothèque... Et, bien sûr, toutes les installations pour l'entraînement et la préparation des cosmonautes : le planétarium, l'Hydrolab, les salles de cours, la centrifugeuse, les simulateurs Soyouz... Malgré sa laideur, je me sens terriblement excitée par cet endroit, par tout ce qu'il représente. On croise ici des astronautes japonais, canadiens, américains, allemands, italiens... On nous a installés au Prophylactium, la « clinique-hôtel »* des cosmonautes, Léo et moi, en attendant que notre appartement au Dom 4 soit prêt. Léo est une vedette ici. Il a droit à tous les égards. J'ai réquisitionné une penderie entière, il a souri devant mes trois valises. C'est plus calme que la dernière fois, on n'entend plus rugir en permanence les Antonov et les Iliouchine décollant pour la Tchétchénie depuis la base militaire voisine, de l'autre côté de la voie ferrée. Ce soir, Léo est sorti. Il avait de « vieux potes » russes à voir. Je suis seule et je regarde le lac sombre au pied de l'hôtel, et l'immense forêt glacée au-delà. Ces millions de sapins et de bouleaux gantés de blanc s'enfonçant dans la nuit russe... Je sens un peu de la mélancolie de l'âme slave m'envahir. Que se passe-t-il ? Depuis hier, Léo n'est plus tout à fait le même. D'abord cette dispute, et aujourd'hui je l'ai trouvé distant, froid.

J'ai peur... C'est déjà difficile d'être ici. S'il me quitte maintenant, je ne le supporterai pas.

21 novembre – Dès le premier jour, programme hyper-chargé : cours intensif de russe avec une heure pour déjeuner. Mes craintes se confirment : mon niveau de russe est catastrophique... Léo, qui le parle couramment, dit que le russe est la plus belle des langues. Il a sans doute raison mais, en entendant, il y a la grammaire, les déclinaisons, et en plus on doit assimiler dans les semaines qui viennent toutes sortes de termes techniques car la formation se fait en russe... Moment de découragement.

Et puis, soudain, moment très agréable à la Stalovaïa, la cantine, où tout le monde prend ses repas. Léo m'a gentiment présentée à tous. Surtout, après les cours, nous avons eu notre première séance de ski *de fond dans la forêt. Magnifique. On s'est élancés sur la piste qui forme comme un tunnel dans le paysage splendide de bouleaux et de sapins, avec le ciel incolore au-dessus de nous et le silence tout autour. À peine troublé par le chuintement de nos skis, nos cris et le froissement des branches alourdies de neige. On a ri, on s'est embrassés, on a fait une bataille de boules de neige et, en rentrant, nous avons fait l'amour et ensuite, alors que nous étions enlacés, Léo m'a longuement parlé de son premier séjour dans l'espace, des nouveaux passagers qui agitent bras et jambes dans tous les sens en impesanteur et qui filent à travers la station comme des pantins. De la fois où tout le monde avait perdu quelque chose – ça arrive très souvent, paraît-il – et où ils étaient quatre cosmonautes à se croiser dans tous les sens, qui à la recherche de sa montre, qui de sa brosse à dents, qui de ses écouteurs.*

Je reprends espoir. Et confiance en l'avenir. J'ai retrouvé mon Léo : il a l'air d'avoir complètement oublié l'incident.

28 novembre – Il a recommencé. M'a accusée de draguer les Russes. Nous étions sortis pour dîner avec un petit groupe. Une sortie exceptionnelle. Il y a tant à apprendre et à réviser le soir, et nous sommes si fatigués... On a bu cul sec le premier verre de vodka, comme le veut la tradition, mais ensuite j'ai à peine touché à l'alcool pendant que Léo et les Russes s'enfilaient un nombre impressionnant de bières et de shots et, en rentrant, tandis que je me déshabillais, il a soudain déclaré : « Tu crois que je ne t'ai pas vue ? » d'une voix venimeuse. J'ai eu un choc. Ses yeux étincelaient de colère. Son visage était rouge à cause de l'alcool.

« De quoi est-ce que tu parles ? j'ai demandé.

— Ne me prends pas pour un imbécile ! Je t'ai vue ! »

Je n'en suis pas revenue, je crois que je n'arrivais pas à me convaincre que tout cela était réel.

« Tu as vu quoi ?

— Je t'ai vue faire la putain... »

Ce mot, de nouveau. C'était pire que s'il m'avait giflée. Ça m'a laissé sonnée, K-O debout.

Je n'aurais jamais cru qu'il pouvait être jaloux à ce point. Je l'ai regardé sans comprendre. Incapable de répondre. Il a haussé les épaules et est allé se coucher.

J'y ai réfléchi toute la journée. Peut-être qu'il a raison... peut-être que, sans m'en rendre compte bien sûr, j'ai flirté avec les Russes – ou plutôt que j'ai eu un comportement inapproprié ici. Comment savoir ? C'est vrai qu'ils aiment les jolies femmes, et qu'ils sont parfois un peu collants... Il va falloir que je fasse très attention à ne pas envoyer de signaux qui pourraient être mal interprétés. Je sais qu'il existe des hommes maladivement jaloux. Et aussi des hommes violents. Mais je ne peux pas croire que Léo en fasse partie. Pas lui. Un homme si sûr de lui, si charmant. Il doit s'agir d'un malentendu. Il est peut-être stressé, ou malade, et il ne veut pas le dire. Il a peut-être peur d'être trop vieux, de ne pas être à la hauteur, cette fois. Ou bien ce sont tous ces hommes beaux et plus jeunes que lui qu'on croise ici qui le rendent nerveux.

Il ne devrait pas être jaloux. Je l'aime.

Servaz regarda l'heure : minuit moins sept. Il se frotta les paupières. Dans le ciel nocturne, la lune veillait entre les nuages. Il y passerait la nuit s'il le fallait, mais il irait au bout de sa lecture. Une fois de plus, il éprouvait face à elle un malaise croissant. Il se dégageait du récit de Mila le sentiment d'une tragédie imminente, d'un engrenage impossible à stopper. Ou peut-être était-ce dû à ce qu'il savait déjà ? Comme dans la 6e Symphonie de Mahler, où les nuages s'accumulaient dès les premières notes, une force sinistre était à l'œuvre ici.

Il sursauta quand un rire éclata quelque part, aussitôt recouvert par une épaisse couche de silence. Calé contre les oreillers, il frissonna.

Il reprit sa lecture.

Iggy dressa la tête.

Il avait cru entendre un bruit. Dans la grisaille de sa vision monochromatique, l'animal balaya du regard le lit et la chambre baignés par le clair de lune silencieux – comme du fond d'un tunnel, son champ visuel étroitement limité par cette saleté en plastique.

Profondément endormie à côté de lui, sa maîtresse ronflait légèrement. En une micro-seconde, le cerveau du petit chien oublia ce qui l'avait réveillé pour se concentrer sur une autre sensation plus urgente : *il avait faim*... Il analysa et scruta rapidement chaque possibilité qui s'offrait. Il n'était pas chez lui : cet endroit lui était inconnu et beaucoup plus exigu que son territoire ; mais il en avait exploré chaque recoin (cela n'avait pas pris bien longtemps) et il savait que sa maîtresse avait déposé sa gamelle dans la salle de bains. Or la porte de celle-ci était ouverte... Peut-être restait-il quelque chose à manger à l'intérieur ? À peine cette pensée l'eut-elle traversé que l'animal remua la queue de plaisir, anticipant le possible repas à venir, et il décida d'aller voir sans plus attendre. Sautant du lit, il trotta vers la salle de bains, ses courtes pattes cliquetant à peine sur la moquette drapée d'un glacis de lune, son arrière-train gêné par l'attelle à sa patte postérieure gauche. Son acuité visuelle avait beau être plus faible que celle des humains, sa vision nocturne, elle, nécessitait cinq fois moins de lumière – et il avançait sans hésitation dans un environnement ombreux suffisamment illuminé par le halo qui traversait la porte-fenêtre entre les rideaux.

Dans la salle de bains – que sa maîtresse avait laissée éclairée –, ses griffes tictaquèrent plus distinctement sur le carrelage. Il apercevait la gamelle à présent, au pied de la baignoire. Vue d'ici, elle avait l'air vide, mais il n'en voyait pas le fond. Parvenu au bord, il plongea sa truffe hypersensible dedans, la promena tout autour et sentit la morsure de la déception : il ne restait absolument rien à se mettre sous la dent ! Dépité, il but un peu d'eau tiède dans le bol en plastique et retourna dans la chambre, la queue basse.

C'est en franchissant le seuil de celle-ci qu'il sentit de nouveau ce qui l'avait réveillé. Qu'est-ce que c'était ? Il s'arrêta à l'entrée de la chambre, prêtant un instant l'oreille. Sur son garrot, ses poils se hérissèrent. Il retroussa les babines, montra les crocs, hésitant à s'aventurer plus loin. Partagé entre deux émotions contradictoires : la peur du danger et l'obligation dictée par des siècles de comportements instinctifs de protéger sa maîtresse. Une *présence*... Il ne l'avait pas encore identifiée, mais son instinct lui criait qu'il y avait quelqu'un d'autre que sa maîtresse dans la pièce. Quelqu'un qui demeurait immobile : il ne voyait bien que ce qui était en mouvement. Mais il n'en entendait pas moins une respiration lente, était à même de l'associer à une palette d'odeurs cent fois plus étendue que celle de n'importe quel être humain et de créer ainsi une cartographie précise de son environnement. En l'occurrence, la chambre. Conclusion : il y avait bien quelqu'un de vivant : là-bas, près de la fenêtre, derrière le rideau de droite. Une ombre. Planquée dans le noir. Il aurait pu s'agir d'une illusion d'optique due à un rayon de lune, mais les illusions n'ont pas d'odeur. Il flaira l'air ambiant. Pas de doute, c'était un homme qui se trouvait là-bas. Le bâtard capta aussi une autre odeur, moins habituelle ; chimique, médicamenteuse : elle lui rappela désagréablement les effluves de la clinique vétérinaire, et il se mit à grogner, d'abord timidement (la peur ne l'avait pas quitté), puis un peu plus fort. C'est à ce moment-là que le murmure jaillit de derrière le rideau – suave, tendre, tout à fait amical :

— *Bon chien, IGGY... bon chien, bon toutou... tu as faim ?*

Ce dernier mot illumina son faible intellect. Sa mémoire l'avait depuis longtemps inscrit dans son cortex au registre des mots essentiels pour sa survie. Il s'accroupit sur le sol et se mit à remuer joyeusement la queue, émit un jappement.

— *Chuut... bon chien, IGGY... doucement... je vais te donner à manger, d'accord ?...*

La queue d'Iggy remua plus vite. Il avait reconnu son nom à deux reprises. L'intrus sortit lentement de sa cachette et l'animal fut tenté de reculer à l'intérieur de la salle de bains, par mesure de précaution. Il n'était pas encore tout à fait rassuré. Il y avait cette odeur médicale que l'homme transportait avec lui… Et cette façon qu'il avait de se cacher derrière les rideaux ne lui disait rien qui vaille… Mais l'homme répéta : « *Tu as FAIM ?* », et la perspective d'un repas balaya tout le reste. Quand l'intrus se dirigea vers lui, Iggy l'attendit joyeusement, sa queue se balançant comme un métronome.

1ᵉʳ décembre – 6 heures du matin, il fait encore nuit et pourtant je n'arrive pas à dormir, bien que je sois épuisée. Je n'arrête pas de penser à ce que Léo m'a dit hier. Huit heures de cours théoriques et deux heures de gymnastique quotidiennes, plus les séances de tabouret tournant – qui est en vérité un fauteuil où l'on est transformée en toupie humaine. On y tourne de plus en plus vite, le front bardé d'électrodes, avec les types en blouse blanche qui vous disent dans le casque de pencher la tête en avant, en arrière, sur la gauche, sur la droite… – jusqu'à ce que vous soyez couverte de sueurs froides et que vous tombiez dans les vapes…

Les médecins russes, étonnés par ma résistance, m'ont dit que je m'en sortais mieux que la plupart des hommes. J'ai voulu rapporter fièrement la chose à Léo, quand on s'est retrouvés le soir (comme il maîtrise le russe et qu'il est déjà venu ici, nous ne suivons pas la même formation). Il m'a lancé un regard dont la froideur m'a glacée, son expression était lugubre – avant de sourire et de répondre : « Ces Russes, tous des dragueurs. Ce n'est pas leur faute. C'est toi

qui devrais faire un peu plus attention à ton com-
portement... »

3 décembre – Il neige en abondance. Cela confère
à la cité silencieuse une douceur, une paix, une séré-
nité que je suis loin de ressentir. Léo est de plus
en plus étrange. De plus en plus distant. Il multiplie
les phrases blessantes, les remarques désobligeantes.
Aujourd'hui, j'ai eu droit à mon premier passage dans
la centrifugeuse. Elle est installée dans un grand bâti-
ment cylindrique. À l'intérieur, un immense bras de
18 mètres de long fixé à un axe central et terminé par
une cabine qui ressemble à un casque. Un manège de
trois cents tonnes. On referme la porte et c'est parti.
Le bras se met à tourner, vous emportant tout autour
de la grande salle, de plus en plus vite. La centrifu-
geuse est capable de produire une accélération de
30G, mais on ne dépasse pas les 8G, c'est-à-dire une
accélération à laquelle les pilotes de chasse comme
Léo sont habitués. Mais pas moi. L'impression d'être
transformée en pâte à modeler dans les doigts d'un
géant, le cœur dans la gorge et le palpitant déchaîné.
Et pourtant, même là-dedans, je pensais à Léo. À ce
que notre amour est en train de devenir...

L'homme qui avait été caché derrière le rideau
fixa la silhouette endormie. Debout à la porte de la
salle de bains. Aussi immobile qu'une statue. Comme
s'il avait toute la nuit devant lui. Son visage illuminé par le clair de lune, il gardait le regard rivé sur
Christine... Il se sentait calme, relâché. Le calme se

répandait en lui comme un courant d'eau glacée sur un lit de galets.

C'était son moment de triomphe, le bruit du sang dans les veines, le *crescendo* des sensations. Jusqu'à l'acmé. Il ne portait qu'un slip, sa montre et des gants de latex. Le reste de ses vêtements se trouvait dans la baignoire.

Il n'avait eu aucun mal à entrer dans la chambre. Comme le lui avait expliqué le type qui lui avait vendu le matériel, la serrure électronique, codée sur 32 bits, ne présentait qu'un niveau très limité de sécurité. Il avait suffi d'un microcontrôleur programmable de type Arduino et d'une connexion secteur adaptée à la serrure, le tout en vente libre, et de brancher l'appareil à la porte pour l'ouvrir sans coup férir. À l'accueil, il s'était présenté avec sa petite valise et avait demandé une chambre.

Il promena le faisceau de sa lampe-torche sur les épaules et le dos nus de Christine qui se soulevaient en rythme. Descendit vers la cambrure des reins arrondissant joliment la chemise de nuit. Continua le long des jambes jusqu'aux pieds entortillés dans les draps. Il commençait déjà à être excité. Il se détourna à regret de ce spectacle et se dirigea, pieds nus, vers le minibar. Ouvrit le petit frigo, dont l'intérieur éclairé se refléta dans ses iris noirs. Prit une mignonnette de vodka, la décapsula et porta le goulot à ses lèvres. Il la but entièrement, en trois longues gorgées fraîches et délicieuses. Posa la minuscule bouteille sur le bureau au-dessus. *Ne pas oublier de l'emporter...* Il essuya le goulot – au cas où.

1 h 45.

L'homme attrapa le sac à main de Christine, en vida

le contenu sur le bureau et l'examina méthodiquement dans la lueur de la torche : carte bancaire, cartes de fidélité, porte-monnaie, paquet de chewing-gum, clés, stylos, téléphone portable... Son regard plat et sans vie s'attarda sur une photo cornée. Christine, souriante. Assise sur un rempart. Un petit port en contrebas. Qui l'avait prise ? Où ? Il remit le tout en place, attrapa la trousse transparente fermée par un zip à côté. Sortit, un par un, seringue, cutter, les deux ampoules de 50 ml de kétamine et le masque hideux en caoutchouc...

Brisant l'ampoule, il plongea l'aiguille à l'intérieur et remplit le piston du liquide incolore, légèrement visqueux – à l'odeur faiblement chlorée.

Puis il tapota sur la seringue, fit jaillir un peu de liquide de l'aiguille par une pression sur le piston.

Satisfait, il reposa la seringue, leva les bras et s'étira, les jambes écartées, les orteils bien à plat sur la moquette. Il rouvrit le frigo. Attrapa une deuxième mignonnette. But une autre gorgée de vodka. Rota. Il alla uriner dans la salle de bains. Un sourire sur les lèvres. Il se sentait fort, lucide, affûté... Il tirerait la chasse en partant. Toujours souriant, il s'arrêta devant le corps du petit chien, près des toilettes.

Iggy avait toujours sa collerette autour du cou mais, juste en dessous, la gorge avait été tranchée profondément par la lame du cutter et une plaie béante laissait apparaître le cartilage de la trachée sous le pelage poissé de sang. À cause de la position de la tête, le sang avait coulé à l'intérieur de l'entonnoir, tachant le plastique transparent de filaments rougeâtres qui imitaient le dessin du corail. L'animal avait les yeux clos et la langue sortie. Un sang épais comme de la peinture époxy se répandait sous lui.

445

L'homme regarda sa montre ; il était temps de passer à l'action. Saisissant le masque (une hideuse face de démon grimaçant, rouge, avec un long nez, des dents pointues et des cornes), il le passa sur son visage jusqu'à ce que ses yeux se trouvent en face des trous. Il les écarquilla à l'intérieur du masque, qui était froid sur sa peau, qui sentait le caoutchouc, qui comprimait son menton et gênait sa respiration – mais il l'ajusta tant bien que mal et, à travers les fentes étroites, son regard implacable se tourna vers Christine.

7 décembre – La datcha. Elle est magnifique, avec ses bois sculptés peints en rouge, ses entourages de fenêtres blancs et sa toiture mansardée à la façon des granges américaines. Elle se dresse dans une clairière toute blanche, isolée, dans la forêt. Comme une maison de conte de fées.

J'ai regardé Léo, surprise et troublée. Je suppose que j'aurais dû être enchantée par ce spectacle, mais j'ai surtout pensé qu'il cherchait à nous couper des autres, aussi loin que possible de la Cité, même si nous ne sommes qu'à quelques centaines de mètres dans la forêt.

Qu'il ait obtenu une datcha au lieu d'un quatre-pièces m'étonne à peine : Léo est l'une des figures les plus célèbres de l'aventure spatiale française, et il a de nombreuses relations ici. En outre, la France a payé pour notre séjour. Et cela fait quelques années déjà que les Russes ont commencé à bâtir des datchas autour de la Cité des étoiles, les premières l'ont été pour les astronautes américains.

Léo ne m'a pas demandé si cela me plaisait. Nous

avons dépassé ce stade. Nos échanges sont désormais presque réduits à néant. Peut-être que je ne lui ai pas assez montré que je l'aimais, peut-être que je ne le lui ai pas dit assez souvent... Ou qu'il croit que je veux me servir de lui pour ma carrière... Je ne sais plus quoi penser.

Je me sens de plus en plus isolée, vidée, usée mentalement par la répétition de ces situations. À qui pourrais-je bien me confier ici ? Je ne connais personne, et Léo fait son possible pour que ça reste ainsi. La datcha en est la preuve... Je préférerais mille fois avoir mon appartement à moi, moi qui me réjouissais tant, en France, que nous partagions cette aventure. Oserai-je le dire ? Léo me fait peur.

« Tu sais ce dont j'ai envie, là, tout de suite ? » me dit-il une fois à l'intérieur.

Je croise son regard plein de concupiscence. Son regard nouveau, celui qui me fixe comme il fixerait un objet. Un jouet. Il m'attrape par le bras, me le tord dans le dos. Je dis : « Léo, non, arrête, s'il te plaît », mais il ne m'écoute pas, tout entier concentré sur sa putain d'envie à lui. Il me fait mal, me pousse contre le rebord de la fenêtre, défait la fermeture de mon jean et le fait glisser avec mon slip sur mes jambes. Je ne bouge pas, je me laisse faire. Je sais que ça ne sert à rien – et surtout que j'aurai la paix après.

Il me pénètre tout de suite, sans la moindre caresse, me lèche la joue et l'oreille en allant et venant, me pince douloureusement un téton à travers le soutien-gorge.

Il jouit vite et, tandis qu'il s'éloigne, mes larmes coulent sur mes joues et je regarde les stalactites qui *pleurent leurs larmes gelées de l'autre côté de la vitre, embuée par mon souffle.*

9 décembre – La deuxième phase débute enfin.

L'entraînement à bord du simulateur. Il concerne toutes les manœuvres possibles : vérification des systèmes du vaisseau dès la sortie de l'atmosphère, contrôle radio, contrôle thermique, mesures de l'oxygène et du gaz carbonique, établissement de l'altitude dans le référentiel orbital. Quatre heures durant lesquelles nous répétons sans fin les procédures standard mais aussi tous les problèmes techniques qui pourraient survenir. Désormais, en tant que cosmonaute titulaire, je travaille avec ma doublure, un jeune pilote russe nommé Sergueï. J'ai remarqué que, depuis le début de cette phase, Léo m'interroge systématiquement sur mes journées : il veut savoir exactement ce que j'ai fait, ce que nous nous sommes dit. Encore et encore. C'est épuisant. J'ai de plus en plus de mal à retenir tout ce qu'il y a à mémoriser – c'est d'autant plus important que les cours ici se font sans documentation écrite, et qu'on entend un tas de nouveaux mots russes en permanence.

Mais Léo n'en a cure. L'autre nuit, je l'ai trouvé debout au pied du lit. Dans le noir. Depuis combien de temps était-il là, je l'ignore. Quand je lui ai demandé ce qu'il faisait, il ne m'a pas répondu.

Une autre fois, il est rentré vers 2 heures du matin avec sur lui un nuage compact d'odeurs variées : vodka, bière, tabac, femmes... Au lieu d'aller dormir – ou de me sauter dessus –, il m'a fait asseoir sur une chaise, au milieu de la pièce, et il a commencé à m'interroger. Cela a duré toute la nuit. Sur mes

journées, mes entraînements avec Serguéï, mes pro-
fesseurs, les hommes que je côtoyais – en vérité, il
voulait savoir si je m'envoyais en l'air avec d'autres,
si j'étais bien la nympho cinglée qu'il imagine, cette
pouflasse toujours prête à ouvrir les cuisses au premier
mâle venu... – mais, cette fois, il n'a pas prononcé le
mot. À plusieurs reprises, cette nuit-là, il a voulu faire
l'amour : je suis sûre qu'il avait pris quelque chose, il
n'était pas dans son état normal... Puis il m'a obligée
à l'écouter se justifier interminablement : pourquoi il
était comme ça avec moi, que cela ne « l'amusait »
pas non plus, que si je ne comprenais pas ce qu'il
me reprochait, il fallait que je fasse mon examen de
conscience, qu'il n'était pas comme ça d'habitude,
que c'était moi (un comble !) qui le rendait mauvais
par mon comportement – mais qu'il allait changer,
que lui aussi devait faire des efforts : ce genre de
conneries, encore et encore... J'ai même cru qu'il
allait se mettre à chialer ; il avait l'air d'un enfant
hystérique qui vide son sac devant sa mère. Comme
ça la nuit entière, alors que le lendemain j'avais un
test vital pour la suite.

Je dors mal : le moindre bruit me fait sursauter.
Je fais des cauchemars que je ne parviens pas à me
rappeler mais qui, au matin, me laissent dans un état
de peur et de faiblesse extrême. J'en viens à détester
cet endroit. Et à détester Léo...

13 décembre – Quelle expérience extraordinaire. Mon
premier entraînement aux sorties extra-véhiculaires...
L'endroit où ça se passe, l'Hydrolab, est une piscine
circulaire contenant cinq mille tonnes d'eau. Elles sont

illuminées par un éclairage si puissant que l'eau en devient presque invisible. Par douze mètres de fond gît une maquette grandeur nature d'une section de la Station internationale. Engoncée dans ma combinaison, j'ai été descendue dans le grand bassin par un treuil, suspendue à des câbles comme une marionnette, entourée de plongeurs, puis enfermée dans le noir. Et là, tout à coup, quand j'ai ouvert l'écoutille, j'ai vécu ce moment unique que connaissent les cosmonautes qui effectuent une sortie dans l'espace : éblouie par toute cette lumière solaire blanche et aveuglante, flottant maladroitement dans mon scaphandre lesté, secouée par les plongeurs chargés de reproduire les mouvements dus à l'inertie dans l'espace, il m'a fallu visser des boulons sur la superstructure avec mes gros gants, là, tout au fond de la piscine illuminée... Malgré mon épuisement, malgré tous mes doutes, j'ai réussi l'exercice haut la main. Cela m'a quelque peu rassérénée : je vais y arriver. Je vais tenir. Je vais accomplir mon rêve, quoi qu'il en coûte...

18 décembre – Je n'arrive toujours pas à le croire : Léo m'a frappée. *Je me répète ces mots, encore et encore :* Léo m'a frappée...
Ce n'est pas possible
c'est un cauchemar

Quand je suis rentrée hier soir, Sergueï m'a appelée au sujet du programme du lendemain. J'ai vu Léo changer de visage. Dès que j'ai eu raccroché, il a voulu me prendre le téléphone portable des mains pour lire mes messages. J'ai résisté. Il m'a alors dit : « Il te les faut tous, hein ? Tous ces jeunes mâles russes en

450

*rut... Tu t'ennuies, ici, avec moi ? Tu préférerais être
là-bas : pour les avoir tous à portée de main... à portée
de ta chatte ! » Je n'en croyais pas mes oreilles. Cette
fois, je l'ai giflé. Il m'a regardée, les yeux écarquillés,
a touché sa joue – sidéré. Puis, l'instant d'après, j'ai
reçu un coup de poing dans le ventre si violent qu'il
m'a coupé le souffle.*

*Je me suis penchée en avant et j'ai reçu un deuxième
coup sur la nuque. Je suis tombée par terre et il m'a
encore filé un coup de pied au sol.*

*« Espèce de salope ! Sale PUTE ! Tout juste bonne
à sucer des bites ! Si tu recommences, je te tue ! »*

*Il a envoyé valser mon téléphone portable à travers
la pièce. Il s'est brisé en mille morceaux sur le sol.
Puis il est parti en claquant la porte.*

*Je suis restée un long moment allongée par terre,
à pleurer. Je ne sais pas où il a passé la nuit. Ce
matin, je regarde sa moitié de lit vide. J'ai affreusement mal aux côtes, au ventre, aux cervicales. J'ai un
entraînement important aujourd'hui. J'ignore comment
je vais faire pour survivre à cette journée...*

Noir. Quelque chose l'a réveillée. Tout à coup,
Christine est sur son séant, à la tête du lit. Dans...
l'obscurité ! Le noir complet ! Un vertige glacé, une
sensation de chute... Elle tend la main vers la veilleuse. Tâtonne, fébrile. Actionne le bouton. Rien ne
se passe. Une panne électrique...

Noir. Quelqu'un a tiré les rideaux de la chambre et
éteint la lumière de la salle de bains. Elle a du mal à
respirer. Sa bouche, ses narines, ses globes oculaires
s'emplissent de ténèbres, comme d'eau ceux d'un

noyé. Elle suffoque, elle respire les ténèbres, elle les mange. Pourtant, malgré la frayeur, tous ses sens sont en alerte – comme si son subconscient avait détecté quelque chose d'autre, qui lui échappe encore…

Noir. Le cœur battant la chamade. Elle crie : « Il y a quelqu'un ? » Question idiote, comme si on allait répondre ! C'est alors que, pour sa plus grande surprise, une lumière s'allume à l'autre bout de la pièce, un faisceau éblouissant braqué sur elle, qui l'oblige à cligner furieusement des yeux. Elle ne voit rien d'autre que cet œil aveuglant. Cette étoile de lumière diffractée qui darde ses rayons dans le noir et blesse ses nerfs optiques. Elle met la main en écran devant elle.

— *C'est… c'est vous ?* dit Christine, d'une voix si faible qu'elle se demande s'il l'a entendue.

Elle sait bien que c'est Lui. Qui d'autre ? Tout à coup, la lumière là-bas se met à bouger. Elle contourne très lentement le lit dans sa direction, tremblante, sans cesser de l'éblouir. Elle cligne des yeux comme un hibou, elle a envie de hurler, mais sa luette se contracte d'effroi et son cri s'étrangle dans sa gorge. Elle ferme les yeux, serre les paupières, refuse cette réalité : *il y a un homme dans sa chambre*. L'homme qui la persécute depuis des jours, Il est là, *avec elle*… Non, non, non – elle ne veut pas l'admettre.

Tout ça n'est qu'un mauvais rêve…

Elle garde les yeux fermés, sourcils froncés et paupières pressées.

— Ouvre les yeux, dit la voix.

— Non !

— OUVRE LES YEUX ou je tue ton chien.

Iggy ! Où est-il ? *Elle ne l'entend pas*… Elle les ouvre et manque défaillir. L'horreur déferle dans sa poitrine et elle a un hoquet de terreur : un masque hideux, grotesque, se penche à quelques centimètres de son visage. Un masque de caoutchouc rouge. Son long nez crochu, bulbeux, la touche presque. Et ce sourire ! Ces lèvres épaisses, ces dents jaunes et pointues ! Elle pédale frénétiquement dans les draps pour s'éloigner de cette chose, recule autant qu'elle peut, colle ses omoplates, sa nuque et ses reins au mur comme si elle voulait s'y enfoncer.

Elle tourne la tête à l'opposé du masque, appuie sa tempe de toutes ses forces contre le mur, la bouche tordue, le visage défiguré par la peur.

— Je vous en prie... je vous en supplie... ne me faites pas de mal... s'il vous plaît...

Elle se rend compte qu'elle est couverte de sueur, elle a l'impression qu'elle va faire une crise cardiaque, elle tremble de la tête aux pieds. Comme il ne dit rien, ne fait rien, elle reprend un peu courage.

— Pourquoi vous faites ça ? demande-t-elle, sans pour autant oser regarder dans sa direction. Qu'est-ce que vous voulez ? Qu'est-ce que vous attendez de moi ? Pourquoi essayez-vous de me rendre folle ?

Les questions, à présent, se bousculent hors de sa bouche. Un flot de questions.

— Parce qu'on m'a demandé de le faire, répond-Il.

Ça lui cloue le bec. Elle respire de plus en plus péniblement. Comme si on avait retiré tout l'oxygène de la pièce.

— Parce qu'on me paie pour ça... Et que je dois finir le travail...

La voix est calme, neutre. *Finir le travail...* L'expression lui arrache un hoquet horrifié. Elle voudrait se débattre, le frapper avec ses pieds, avec ses poings, ruer comme un cheval furieux, lui griffer les yeux, bondir vers la porte – mais ses membres se sont liqué-fiés, toutes ses forces ont coulé hors d'elle. Elle a l'impression d'être collée au lit et au mur par de la Superglue et que son cerveau lui-même n'en finit plus de boguer, comme si un logiciel malveillant s'était emparé de son esprit. Les mots *finir le travail… finir le travail… finir le travail…* tournent en boucle dans la chambre d'écho de son crâne.

— *Oh, non, non, non, non*, est tout ce qu'elle trouve à dire.

— Mais si.

— *S'il vous plaît… non…*

Soudain, elle Le regarde. Car Il vient de poser une main gainée de latex sur sa cuisse. Elle évite cependant de regarder le masque, trop effrayant ; elle regarde plus bas. Elle voit un corps mince, pâle. Des tatouages partout. Elle pense à Cordélia. Elle voit qu'Il bande dans son boxer. Son sexe dur dépasse de l'élastique, le bout presque aussi rouge que le masque. Elle a un violent haut-le-cœur. La main gantée remonte le long de sa cuisse. Elle aperçoit de nouveaux tatouages à travers le latex translucide et sur son poignet – elle ne voit pas bien : sa main et ses doigts sont recouverts de motifs, comme du lierre. Son cerveau continue de boguer : *non non non non*. Mais aucun son ne sort de sa bouche grande ouverte. Elle respire juste à petits coups rapides.

Il a attrapé le bas de sa chemise de nuit à deux mains.

La remonte par-dessus ses épaules, par-dessus sa tête. La laisse coincée là, derrière son crâne – de sorte qu'elle tire comme un gros élastique tendu sur sa nuque et sur ses aisselles. Il passe sa main gantée sur ses seins, l'un après l'autre. Longuement. En éprouvant la fermeté, l'élasticité. Il dit des choses comme : « J'aime tes seins, tes mamelons ; tu as un putain de corps, je vais me régaler… » Il tâte son ventre, enfonce un doigt dans sa vulve aride. Elle retrouve aussitôt un dernier sursaut d'énergie, serre les genoux aussi fort qu'elle peut, gémit, supplie :

— Non, non, non… Ne faites pas ça… S'il vous plaît, ne faites pas ça…

Elle voit ses yeux plats derrière le masque. Des yeux vides. Puis Il retire son doigt, se penche en arrière, pose sa lampe-torche sur la table de nuit. Il attrape quelque chose à la place.

Une… *seringue !*

Cette fois, elle va hurler quand Il lui plaque une main qui sent le caoutchouc sur la bouche et élève l'aiguille étincelante dans la lumière, avant de la planter dans son bras.

— Tu vas voir, bébé. Ça va te monter direct au cerveau. C'est de la Super K, de la vraie *ké* des familles. Avec ça, tu vas planer comme jamais… Tu vas décoller d'un coup, chérie : c'est parti pour le big trip.

Il pousse très doucement sur le piston, et elle sent avec horreur – elle qui a la phobie des seringues, des aiguilles – la tige ultrafine s'enfoncer dans son muscle, dans sa chair. Elle va s'évanouir, pour sûr.

— Cinquante milligrammes de Kit-Kat en intramusculaire pour commencer. On va voir ce que ça donne. Et puis, cinquante de plus tout à l'heure. Je parie que c'est ta première défonce…

30

Opera seria

Noël – *La neige tombe sans discontinuer. D'énormes flocons mouillés qui s'accumulent sur la forêt, couche après couche, silence après silence ; contrairement à la Cité des étoiles, où règne une atmosphère de fête, il n'y a aucun sapin, aucune guirlande dans notre noire et froide datcha – et je me sens vide, lasse, à bout de forces...*

Ces derniers jours ont vu une escalade dans la fréquence et l'intensité des attaques de Léo. Car je n'hésite plus à parler d'attaques. Cet homme est mauvais, il veut me détruire. Tout en lui est venin, malveillance, malignité. Comment peut-il donner le change, être double à ce point ?

Je devrais le dénoncer... Ça ne peut pas continuer comme ça. Il faut que ça s'arrête. Mais si je le fais, c'est toute la mission Andromède qui sera fichue. Et je sais qu'on ne me donnera pas une autre chance après ça. Aller dans l'espace, c'est toute ma vie, merde. Je ne dois pas renoncer à ça à cause de lui. Je dois tenir, d'une manière ou d'une autre...

27 janvier – La troisième phase a commencé. Celle où chaque équipe travaille ensemble. Nous passons nos journées dans les différents simulateurs. Le commandant de bord, qui se place au centre et dirige l'équipe, est Pavel Koroviev, un cosmonaute expérimenté, ancien pilote d'essai. L'ingénieur de vol, qui s'assoit à sa gauche, et qui est chargé de contrôler tous les systèmes, est d'ordinaire un autre Russe mais, pour la première fois, deux Français vont voler en même temps à bord du Soyouz et ce rôle est dévolu à Léo. Enfin, je suis l'expérimentateur, placée à droite, chargée de gérer la qualité de l'air, de m'occuper de la radio, etc. Koroviev est un vieux de la vieille – solide, sérieux, rigoureux –, et je me sens mieux avec lui entre nous deux. D'autant que nous sommes serrés comme des sardines là-dedans : les genoux remontés vers la poitrine, avec très peu d'espace et de liberté de mouvement. Comme nous ne sommes plus seuls, Léo est nerveux. Mais sous la surface (j'ai appris à le connaître si bien) : en surface, il donne le change, il est joyeux, jovial, et le courant passe bien entre Pavel et lui. Quand il parle de moi cependant, il ne peut s'empêcher de me dénigrer, de m'abaisser d'une manière ou d'une autre, mais toujours sous couvert d'humour : « Mila est meilleure au lit que dans une capsule », a-t-il dit aujourd'hui. J'ai rougi de honte. Je me suis sentie salie, humiliée. Mais je sais que Léo cherche à me mettre en colère, à me faire passer pour quelqu'un qui manque de sang-froid, pour une hystérique. Je ne lui donnerai pas ce plaisir. Cette fois, enhardie par la présence de Pavel entre nous, j'ai quand même osé répondre : « Tout le contraire

457

de toi, mon chéri. » Silence de Léo, Pavel a émis un rire gêné.

28 janvier – Je n'aurais pas dû le provoquer, je n'aurais pas dû répondre, j'ignorais encore de quoi il est capable.

Cet homme est fou...

Le soir, après l'exercice, il a dit à Pavel qu'il avait quelque chose à faire et a disparu. J'ai bu un verre avec Sergueï, qui m'aime bien, je le sais, et suis rentrée à pied à la datcha. Il faisait nuit noire et j'ai suivi le sentier enneigé à la lueur de ma lampe, à travers la forêt. Dans la clairière, la datcha paraissait sombre et lugubre. Aucune lueur ne brillait derrière ses fenêtres éteintes. Sa masse jetait une ombre inquiétante sur la neige autour d'elle. L'espace d'un instant, j'ai failli rebrousser chemin. J'ai grimpé les marches de bois qui ont grincé sous mon poids et j'ai déverrouillé la porte. Au moment où j'allais allumer la lumière, j'ai senti l'acier froid de la lame sur ma gorge.

« N'allume pas. »

La voix de Léo, dans le noir. Suave, menaçante. Cette voix sinistre qu'il a quand il devient fou. Cette voix qui signifie : « Je suis capable de tout... toi et moi savons qu'il n'y a pas de limites à ma folie... » Une peur glacée m'a inondée, seule avec son côté noir dans cette vieille bâtisse obscure au milieu de la forêt. Loin, très loin des autres... Il m'a traînée dans un coin du plancher poussiéreux, a allumé une petite lampe. J'ai sursauté. Il était nu. Il y avait du sang ou de la peinture sur son torse, j'ignore d'où cela provenait – mais son torse en était couvert, des pectoraux au pubis. Il m'a empoignée par les cheveux

458

et m'a obligée à m'agenouiller devant lui, a promené la lame froide sur mes joues.

« Tu es nulle, tu es moche, et en plus tu m'humilies devant Pavel, tu me fais passer pour un imbécile et pour un impuissant. Tu me veux du mal, tu me détestes, je le sais. Tu es un boulet. Tu vas me le payer, sale pute. Tu sais ce que je crève d'envie de faire, là, tout de suite ? De te tuer... Je vais te tuer ; je vais te tuer, sale putain, je jure que je vais le faire !

— Non, Léo, je t'en prie ! Je t'en supplie. Tu as raison : je n'aurais pas dû faire ça. Ça n'arrivera plus jamais. Je te le jure. Plus jamais. Plus jamais. Plus jamais... »

Il m'a tirée par les cheveux à m'arracher le cuir chevelu, m'a secouée violemment, giflée à la volée, si fort que mes dents se sont entrechoquées et que mes tympans ont bourdonné. « Tu es folle, m'a-t-il dit. Tu es une folle dangereuse, est-ce que tu t'en rends compte, au moins ? » Et soudain, avant que j'aie pu comprendre ce qui se passait, il m'a mis le cutter dans la main, a serré mon poing autour du manche et s'est frappé avec la lame dans sa hanche. Il a vacillé. Il a gueulé : « Tu m'as planté, putain ! Espèce de salope cinglée, tu m'as planté ! »

J'étais sonnée, hébétée. Il a sorti son téléphone et m'a prise en photo, le cutter sanglant à la main, puis il a pris en photo sa propre hanche couverte de sang.

« Et ne t'avise plus de m'humilier devant qui que ce soit », a-t-il dit. Après quoi, il est allé se soigner dans la salle de bains.

Cette nuit-là, il m'a dit de dormir sur le divan. Qu'il ne voulait plus partager le lit d'une prostituée. Il faisait froid dans le séjour et j'ai frissonné une bonne

459

partie de la nuit sous la mince couverture qu'il m'a
laissée. Ce matin, au réveil, je me sens fiévreuse. La
panique s'empare de moi : tous les cosmonautes ont
peur des microbes, de s'enrhumer, de tomber malades.
Une grippe, un virus et on peut être écarté du pro-
gramme. Avant que les équipes ne soient définitivement
constituées. Les médecins russes ne prendront pas le
risque qu'un seul élément puisse contaminer tout le
monde. Oh, non : tout mais pas ça...

[Christine lève les yeux. Elle fixe l'homme. Elle est
étendue sous lui, immobile. Elle entend sa respiration.
Depuis combien de temps est-il là ? Elle a eu un black-
out, une perte passagère de conscience. L'homme ne
fait aucun bruit, il la besogne en silence. Elle sent
ses reins s'enfoncer dans les draps trempés de sueur
chaque fois qu'il la pénètre. Puis elle s'aperçoit que
la chambre autour d'elle change de couleur : rouge
orangé, vert fluo, bleu électrique, rose fuchsia, violet,
jaune citron... Les couleurs bavent les unes dans les
autres, comme de la peinture à l'eau diluée par des
gouttes de pluie.]

15 février – Je me demande si Léo n'a pas bavé
auprès de ses collègues russes. Leur attitude avec
moi a changé. Fini la chevalerie, fini la gentillesse,
j'ai le droit à de plus en plus d'allusions ouverte-
ment sexuelles et à des comportements de plus en
plus machistes. L'autre jour, Pavel m'a même mis
une main sur la cuisse dans le simulateur. Je me suis
raidie tout entière comme si j'avais reçu une décharge
électrique et il n'a pas insisté... Mais je sens que je

suis de moins en moins respectée, je croise des regards pleins de concupiscence, je surprends des sourires et des hochements de tête entendus, ou des coups d'œil méprisants.

Hier, Léo est rentré vers minuit. Je dormais. Il était manifestement ivre. Il a allumé la lumière, a ôté son pantalon et s'est jeté sur moi. J'ai senti sur lui le parfum et l'odeur d'une autre femme, une odeur presque aussi forte que son haleine qui empestait la vodka et la bière. Il m'a murmuré à l'oreille : « Joyeuse Saint-Valentin... je viens de baiser une prostituée... une vraie femme... tout le contraire de toi... »

[Christine est prise d'un vertige chaud et bizarre. Sa vision devient floue, tout à coup. Elle fixe le masque en caoutchouc tout proche, mais ne le trouve pas si effrayant que ça, cette fois. Juste… *amusant.* Elle glousse sans savoir pourquoi. Le nez crochu émerge de sa vision trouble, étrangement net alors que tout le reste de l'horrible face ricanante se perd dans le brouillard, comme si elle regardait une vidéo mal encodée étirant les pixels par endroits. L'effet est saisissant. Elle perd toute notion du temps. Songe qu'elle ne sent rien du tout, tout son corps est comme engourdi, insensibilisé. Elle baisse les yeux et elle voit la pointe de ses seins nets alors que son sexe au-delà est tellement flou qu'elle ne distingue qu'une vague ombre triangulaire.]

17 mai – Les semaines passent. Comment ai-je pu tenir si longtemps ? Hier soir, en surfant sur Internet, j'ai découvert la véritable signification d'Andromède – le nom officiel de notre mission.

Sans le savoir, ceux qui l'ont choisi ont visé juste...

Dans l'Antiquité grecque et même babylonienne, la constellation d'Andromède représentait une déesse de la fertilité, mais en latin elle était Mulier Catenata : *la « femme enchaînée ». Selon un spécialiste, c'était une jeune femme attachée à un roc au milieu de la mer pour y être dévorée par un monstre local, à qui elle devait être offerte en sacrifice. Elle fut délivrée par Persée. Mais moi, qui me délivrera ?*

30 mai – Le temps est venu des examens médicaux sans fin, des toubibs tatillons. Léo n'ose plus me toucher. Il sait que si je suis écartée pour raison médicale, il le sera aussi. Les Russes ont une approche différente des Américains. Aux États-Unis, si un membre d'un équipage se blesse ou tombe malade, il est remplacé par un autre au sein de la même équipe ; les Russes, eux, composent patiemment des équipes soudées en fonction des affinités, de la complémentarité des uns et des autres. Une fois établis, ces équipages sont indissociables : si un membre est écarté, c'est tout l'équipage qui est remplacé.

[Tout à coup, elle a l'impression que son corps se met à fondre comme de la cire chaude. Il se gondole et coule sur le lit, épousant les mouvements ondulatoires qui agitent la chambre. Elle a conscience de son propre rire – bizarre, caverneux. Sent son cerveau brûlant alors que les extrémités de son corps sont glacées. Elle a la sensation de « sortir de son corps », de flotter au-dessus du lit. Puis elle le réintègre, tourne la tête et voit Madeleine assise à côté d'elle qui lui dit : « Eh bien, comme ça, tu sais ce que ça fait, maintenant, sœurette… rendez-vous dans neuf mois… » La vue de sa sœur lui donne envie de pleurer. Elle renifle et fixe le plafond, le voit s'éloigner à toute vitesse, les murs s'étirent, s'allongent, leurs extrémités s'enfuient à des kilomètres dans l'espace, tandis qu'elle-même recule, devient toute petite, minuscule, comme quand, enfant, elle avait la fièvre au fond de son lit.]

10 juin – Sergueï est fou de rage. Il a parlé d'aller casser la figure à Léo. Car j'ai enfin trouvé le courage de me confier à lui. Il m'a avoué qu'il y a longtemps qu'il avait des soupçons et il m'a sondée habilement jusqu'au moment où je lui ai tout raconté. Je crois qu'il est amoureux de moi. Il a aussi dit que ça ne pouvait pas continuer ainsi, que tout le monde à la Cité des étoiles voyait que j'étais à bout de nerfs, qu'il fallait trouver une solution. Il m'a expliqué qu'il connaissait quelqu'un : un vory*, a-t-il dit. Je lui ai demandé ce que c'était qu'un* vory*. Un* vory v zakone *est une sorte de parrain de la mafia russe, m'a-t-il expliqué. Un de ses cousins travaille pour elle. Sergueï m'a dit qu'il allait parler à son cousin. Je suis inquiète : s'il arrive quelque chose de grave à Léo, toute notre équipe risque d'être écartée de la mission. Sergueï a deviné mon inquiétude :* « Ne t'en fais pas, je leur dirai de ne pas trop l'abîmer, cette ordure de Moki… » Moki : c'est le surnom qu'ils donnent à Léo. Je crois que ça veut dire « moqueur », car Léo aime faire des blagues et les charrier…*

Servaz se redressa d'un coup. Il relut les deux dernières phrases. Posa le journal ouvert sur la couverture grise et jeta ses jambes hors du lit. Il se leva et marcha jusqu'au petit bureau où se trouvait l'agenda que lui avait remis Desgranges. L'ouvrit et tourna les pages à toute vitesse. S'arrêta. C'était là... sous ses yeux : « Moki, 16 : 30 », « Moki, 15 : 00 », « Moki, 17 : 00 », « Moki, 18 : 00 »...

— Moki, dit-il, je te tiens.

25 juin – Léo est à l'hôpital. Il a été roué de coups par des skinheads. D'habitude, ils s'en prennent plutôt aux Tziganes, aux étudiants africains et aux homo-sexuels. C'est arrivé alors qu'il sortait de l'un des nombreux clubs de strip-tease moscovites où on peut coucher avec les filles. Léo a de multiples fractures. Il a perdu trois dents, mais rien qui ne soit réparable. Je suis sûre que Sergueï a briefé son cousin pour que ses nervis n'aient pas la main trop lourde. Car, bien que Sergueï ne m'ait rien dit, je sais qu'il est derrière tout ça.

Je suis allée voir Léo à l'hôpital. Il n'a pas prononcé un mot, n'a pas desserré les dents. Il s'est contenté de me fixer en silence. Et ce regard m'a glacée : la haine brûlait dedans – une haine si ardente qu'elle m'a fait l'effet d'une gifle.

[Elle ne remarque pas tout de suite le vent qui s'est mis à souffler, les feuilles sèches qui volent et les animaux qui fuient un danger invisible. Soudain, la chambre devient une clairière balayée par un vent gla-cial et elle voit des ombres menaçantes assombrir le ciel et la terre. Elle est envahie par un sentiment de malaise, glacée jusqu'aux os par la certitude qu'une chose dangereuse approche. Elle voudrait fuir. Comme les animaux. Mais elle en est incapable. Tout son corps paralysé, cloué à ce foutu lit, au milieu de la clairière. Elle tente de se débarrasser de celui qui pèse sur elle, de le repousser à bout de bras. Mais il la gifle et, en clignant des yeux, elle découvre, horrifiée, qu'elle est chevauchée par un homoncule, un petit être hideux, efféminé et méchant, qui ne semble prendre aucun plaisir à ce qu'il fait mais la pénètre pour une tout autre raison, l'ignorant totalement, le regard braqué droit devant lui, sur le mur.]

1er juillet – Il fait très chaud à Moscou. Hier, Serguëi et moi, nous nous sommes rendus au parc Gorki. Il était noir de monde : des jeunes gens jouant au beach-volley sur le sable, des familles avec des enfants, des étudiants à vélo ou étendus au soleil sur les pelouses, des vendeurs de hot-dogs, des rollers et la queue aux attractions... Il paraît que le parc va être redessiné et réaménagé bientôt. Que cela ressemblera à Central Park, en mieux. Serguëi voulait que nous fassions un tour en barque sur la rivière mais j'ai décliné : j'avais peur que quelqu'un de la Cité des étoiles ne nous voie. Avec Léo à l'hôpital, que penseraient-ils de moi ?... À un moment donné, assis sur un banc, Serguëi m'a regardée et a pris ma main. Cette fois, je ne l'ai pas repoussé.

3 juillet – Léo est sorti de l'hôpital hier, avec des béquilles. Les Russes lui ont assuré qu'il pourrait reprendre l'entraînement très bientôt. Notre mission a été retardée de quinze jours pour que Léo puisse en faire partie. La médecine russe a fait des miracles.
Quelle surprise : il a eu un comportement presque normal avec moi. Cette agression lui aurait-elle servi

de leçon ? A-t-il reçu des menaces de la part de ceux qui l'ont agressé ? Lui ont-ils ordonné de me laisser tranquille ? Il m'a demandé comment ça se passait à l'entraînement, je lui ai expliqué qu'en l'attendant on l'avait remplacé dans le simulateur pour ne pas perdre de temps. Il a approuvé : « Oui, la mission, c'est ce qui compte... » Il n'a même pas cherché à me toucher. N'a rien dit non plus de blessant. J'ai fait comme si de rien n'était, comme si rien d'anormal ne s'était jamais passé entre nous. Il est allé dormir dans le divan, sans un mot, me laissant le lit que j'occupe depuis qu'il est à l'hôpital. Le lendemain matin, il m'a même souhaité une bonne journée. Je le hais, je le méprise. S'il croit pouvoir rentrer dans mes bonnes grâces, il se fourre le doigt dans l'œil. Mais si nous pouvons rester comme ça jusqu'à la fin de notre séjour ici – et nous concentrer sur la mission –, moi, ça me va...

[Elle comprend enfin quand il éjacule sa semence en elle et se penche tout contre son oreille pour dire d'une voix grinçante : « Je suis un héros positif. » Elle coasse : « Quoi ? » et il répète : « Je suis séropositif », au moment même où elle se sent chuter dans un tunnel sans fin, où son cœur se met à battre de plus en plus lentement, ralentissant tou-jours plus... comme s'il... allait s'ar-rêter de... battre... d'un ins-tant à... l'au-treeeeeeee...]

4 juillet – Il est arrivé quelque chose d'affreux... Je n'arrive toujours pas à réaliser. J'ai l'impression que tout s'écroule autour de moi, que la folie me guette. Sergueï a été renversé par une voiture. Il est mort quand son crâne a heurté la chaussée. Le chauffard n'a pas été retrouvé... Je suis sûre que Léo est derrière tout ça. Comment a-t-il fait pour savoir que c'est Sergueï qui a commandité son agression ? L'a-t-il heurté lui-même ou a-t-il chargé quelqu'un de le faire ? Et où est-il en ce moment ? Je ne l'ai pas vu de la journée. Il est minuit passé. Je n'arrive pas à dormir. J'entends les arbres remuer dans le vent nocturne tout autour de la datcha et je colle mon nez à la vitre noire, cherchant à percer les ombres, scrutant l'obscurité.

Et soudain, une étoile dans la forêt... Je sursaute. Colle mon front à la vitre froide, tente de percer les ténèbres.

J'ai dû rêver car il n'y a rien... rien d'autre que le noir, le vent et la neige... Puis j'aperçois de nouveau la petite lueur. Au loin. Tremblante, mouvante : pas de doute, c'est une lampe-torche qui vient. Là-bas, sur le sentier. Je sens tous mes organes descendre au fond de mon ventre, mes nerfs à vif, mes tempes bourdonnantes. Je me précipite dans la pièce principale, verrouille la porte. Retourne à la fenêtre de la chambre. La lueur s'est encore rapprochée, je distingue une silhouette à présent. C'est lui... Il avance à grands pas vers la clairière. Soudain, sa voix puissante retentit dans la nuit : « Milaaaaaaaaaaaaaa !!! » Je suis terrorisée. Le cœur dans la gorge, je cherche une issue, mais il n'y en a pas.

J'entends les marches de bois qui gémissent sous son poids, la poignée de la porte qu'on tourne furieusement. Il pousse le battant, réalise que je l'ai verrouillé, le secoue violemment, abat ses poings dessus.

« *Mila, ouvre cette porte... OUVRE CETTE PORTE, PAUVRE DÉBILE ! MISÉRABLE CONASSE ! OUVRE !* »

Il donne un puissant coup d'épaule dedans, mais la porte résiste. Puis plus rien. Le silence... J'ai l'impression que mon cœur va jaillir par ma bouche tellement il cogne. Le vent siffle autour de la datcha, des branches frôlent la toiture. Que fait-il ? Où est-il ? À cet instant, la fenêtre de derrière explose. Je me rue vers la porte d'entrée, tente de glisser la clé dans la serrure mais ma main tremble si fort que je la fais tomber par terre – merde ! –, je me baisse pour la ramasser, me relève, l'introduis. Je tourne la clé dans la serrure, tire sur le battant, qui résiste... Je tire plus fort. La porte s'ouvre enfin... Je vais franchir le seuil quand, soudain, il m'entoure de ses bras, sa joue contre la mienne.

« *Où tu vas comme ça ? Tu es à moi, Mila. Que tu le veuilles ou non, nous sommes liés l'un à l'autre désormais. Pour l'éternité.* »

Je tremble de peur. Il prend mon visage dans sa main, serre si fort que je crois un instant qu'il va déchausser mes dents de mes gencives. « *Rien ne pourra nous séparer, tu ne l'as pas encore compris ?* » *Un vrombissement fait soudain trembler l'air nocturne, un bruit énorme de moteur. Une masse d'acier surgit de la nuit au-dessus de nous : un des Iliouchine de la base militaire voisine. Il élève la voix pour couvrir le bruit en me serrant contre lui, sa joue tout contre la mienne.*

« *TU NE POURRAS JAMAIS M'ÉCHAPPER, MILA. MÊME SI TU PRENAIS UN AVION POUR L'AUTRE BOUT DE LA TERRE. JE TE SUIVRAI JUSQU'EN ENFER. S'IL LE FAUT, JE TE TUERAI ET JE ME TUERAI AUSSI.* »

Vers 4 heures du matin, Servaz fit une pause.

Il se sentait pris dans la nasse des mots, entraîné toujours plus loin dans le cauchemar de Mila. Toute cette violence physique et psychologique finissait par le contaminer. Il sentait aussi grandir en lui une colère contre cet homme qui usait de l'intimidation, de la menace, des coups et de l'humiliation comme d'armes de destruction massive. Servaz pressentait que cette histoire ne pouvait finir que tragiquement. Il mit en route la bouilloire, versa du café soluble dans une tasse ; de l'autre côté de la vitre noire, il s'était remis à neiger. Dans les pages – et les semaines – suivantes, Mila paraissait avoir accepté la situation depuis la mort de Sergueï. Servaz se dit que, même si ce n'était pas exprimé dans le journal, elle devait compter les jours qui la séparaient de son premier vol spatial. Comme un prisonnier compte ceux qui le séparent de sa libération. Elle avait aussi compris que Fontaine ne pouvait plus se permettre de la battre à cause des visites médicales de plus en plus fréquentes, à mesure que le jour J approchait. À la place, il multipliait les menaces, aboyait comme un chien enragé – mais ça s'arrêtait là ; ils connaissaient tous deux la ligne blanche à ne pas franchir.

Un événement imprévu, toutefois, allait changer radicalement la donne à la fin du mois de juillet – alors qu'il restait quatre semaines avant le vol spatial.

31

Grand opéra

*22 juillet – Quatrième jour, et toujours pas de
règles... J'ai déjà été en retard mais jamais plus de
quarante-huit heures... Mon Dieu, faites que ce ne
soit pas ça !*

Servaz interrompit sa lecture. Le journal ouvert
devant lui, il regarda le plafond, revit le petit Thomas
assis sur les genoux de sa mère. Sa blondeur, son
visage poupin alourdi par le sommeil. Une question
flamba en lui : *pour quelle raison Mila avait-elle gardé
l'enfant ???*

*C'est ma faute, je suis tellement déphasée, épuisée,
perturbée et à cran que j'ai oublié de prendre ma
pilule deux jours de suite. Mon Dieu, faites que ce soit
juste un dérèglement ! Si c'est autre chose, je me ferai
avorter : pas question de garder l'enfant de ce chien...*

*25 juillet – Je suis enceinte ! J'ai encore dans ma
poche le test acheté dans une pharmacie de Moscou.
Je n'arrive toujours pas à le croire... Si les Russes*

l'apprennent, ma place à bord de l'ISS est fichue. Et
toute la mission avec. Je ne sais pas quoi faire. Je
commence à manifester des symptômes qui, au cas où le
test ne suffirait pas, ne laissent planer aucun doute sur
mon état. Et je ne me suis jamais sentie aussi fatiguée.

26 juillet – Léo a trouvé le test. Quelle imbécile !
J'aurais dû le jeter. J'ignorais qu'il fouillait systémati-
quement dans mes affaires. Certainement pour y trou-
ver des preuves de mes inconduites. Espèce de putain
de taré... Il s'est pointé, le test à la main, et a dit :
« Qu'est-ce que c'est que ça ? »
À ton avis, ducon ? Un test de pH pour piscine...
Sauf qu'il a accompagné sa question d'une gifle qui
a failli me décoller la tête du tronc, ses yeux avaient
l'air sur le point de jaillir de son crâne.
« Je suis enceinte, j'ai annoncé.
— Quoi ?!
— Tu as bien entendu. Il faut que je me fasse av... »
Une deuxième gifle. Incroyable : elle était encore
plus forte que la précédente.
« Comment as-tu pu ? » a-t-il dit.
La douleur me cuisait la joue, j'ai frotté, mais elle
a refusé de s'en aller.
« Qui est le père ?
— C'est toi, Léo.
— Tu mens ! »
Il m'a attrapée par les cheveux, m'a soulevée de
mon siège.
« Tu mens, espèce de sale pute dégénérée ! »
J'aurais voulu ne pas chialer, mais la douleur était
trop forte et les larmes me sont montées aux yeux
comme le lait aux mamelles.

471

« Je te le jure, Léo ! C'est ton enfant ! Je... je suis désolée ! »

Il m'a empoignée par les cheveux.

« Tu ne comprends donc pas, espèce d'idiote ? À cause de toi, la mission est fichue ! Tu crois vraiment qu'ils vont ne s'apercevoir de rien ? Tu l'as fait exprès, hein ? Tu vas me le payer, bordel. Je vais tuer cet enfant, je le jure devant Dieu : je vais le tuer dans ton ventre.

— Je vais monter là-haut, Léo. Et toi aussi. Nous allons y monter tous les deux... »

Pour une fois, ma voix était ferme.

« Ah, oui ?

— Tu n'as pas le choix : si tu en parles à qui que ce soit, tu as raison, notre équipe sera écartée et remplacée par sa doublure. Et il est exclu que je me fasse avorter avant – pas avec l'emploi du temps que nous avons et les toubibs sur notre dos en permanence. »

J'ai vu ses paupières se plisser.

« Et qu'est-ce que tu proposes ?

— De faire comme si de rien n'était. Je tiendrai le coup.

— On doit passer un mois là-haut, je te le rappelle, pauvre conne !

— On a vu des femmes réussir à dissimuler leur grossesse jusqu'à la dernière minute. Et même s'ils découvrent le pot aux roses, il sera trop tard. Ça pourrait même être une première pour la recherche spatiale : une femme enceinte dans l'espace..., ai-je ajouté, mais il n'a pas paru remarquer la note de sarcasme dans ma voix.

— Il n'est pas question que tu gardes cet enfant, a-t-il assené. À notre retour sur Terre, je trouverai

472

quelqu'un pour t'avorter – même au bout de trois mois... »

J – 10, 15 août – Nous sommes arrivés à Baïkonour. Hôtel Cosmonaut. J'ai réussi à éviter les dernières séances de table basculante et de tabouret tournant : j'ai prétendu que j'avais la migraine depuis quelques jours. Il est trop tard pour faire marche arrière à présent, aussi m'ont-ils dispensée des derniers exercices. Pas pu éviter en revanche le lit incliné à 10°, dans lequel il faut dormir les jambes en l'air, pour commencer à habituer l'organisme. L'arrivée des équipages spatiaux deux fois l'an est un événement dans cette ville qui connaît, depuis la fin de l'Union soviétique, de graves problèmes d'insécurité et de fuite de ses cadres, aussi tout le personnel est-il aux petits soins avec nous. Pas une seconde, je ne me retrouve seule avec Léo.

J – 1 – Dernier soir. Comme le veut la tradition, nous assistons à la projection du vieux film Bielo Tsoncé v'poustinié*, « Le Soleil blanc de la steppe », sorte de western à la John Wayne à la gloire du grand Héros russe. La journée a filé à la vitesse de la lumière. J'ai préparé mes dernières affaires : mes petites fiches pour ne rien oublier, de la crème hydratante pour l'atmosphère artificielle de la station, mes écouteurs, de l'opéra en mp3... Tout le monde autour de nous – techniciens, médecins, personnel de la base – est totalement euphorique.*

Je jette un coup d'œil à Léo : visage fermé, il m'ignore. Je le sens inquiet. Il a peur que je craque. Mais je me sens plus forte, plus en vie que jamais

473

avec MON *enfant dans le ventre – qui va monter là-haut avec moi...*

Puis je rentre dans ma chambre. Sur ma porte, les signatures de tous ceux qui sont passés là avant moi. L'émotion me submerge.

JOUR J – 26 août. Ça y est : le grand jour est arrivé. Lever à 7 h 30. Visite médicale, désinfection, lavements : j'ai soudain peur pour mon bébé et je me couvre de sueurs froides. Le toubib me demande si ça va ; je fais signe que oui, lui souris – dents serrées. Puis c'est le départ pour Baïkonour et sa légende, à 30 km de là.

Trois heures avant le départ, dans une pièce aux murs marron, c'est le rite de l'enfilage des scaphandres. Chacun pèse 35 kilos. On est entourés, filmés, examinés. Puis le trajet en bus, les derniers conseils, les techniciens qui s'affairent encore et encore sur le scaphandre, la boule d'angoisse à l'estomac. Quand nous descendons du bus, au pied du pas de tir, en plein soleil, une petite foule nous attend. Nouvelles embrassades, nouvelles effusions. Je me sens étrangement seule : aucun parent, aucune famille pour me serrer dans leurs bras, contrairement à Pavel et à Léo, qui sont très entourés. Rien que des officiels russes... C'est bizarre comme, en cet instant, tout remonte à la surface : l'enfant taciturne, l'adolescence inquiète, les familles d'accueil, les camarades avec qui je ne me liais jamais vraiment et qui me regardaient comme si j'avais une sorte de maladie honteuse – à part cette pauvre fille boulotte et laide dont j'ai oublié le nom et qui voulait à tout prix être mon amie alors que je ne cessais de la rembarrer... Ensuite, les amours sans

lendemain, les rêves artificiels – jusqu'à Léo... Cette
fois, après avoir embrassé sa famille, il me regarde :
un regard dur, haineux. Mais je m'en fous. Il ne peut
plus rien contre moi : je suis déjà ailleurs. Là-haut.
J'ai gagné...

Les derniers mètres : nous nous approchons
lentement du lanceur, en nous dandinant tels des
manchots et en trimbalant nos ventilos à la main
comme de petites valises ; nous serrons encore
quelques paluches, grimpons les marches jusqu'au
vieil ascenseur, nous arrêtons à mi-hauteur. Il fait
très chaud, j'ai l'impression que je vais tourner de
l'œil, je transpire. Nous nous retournons, saluons la
petite foule qui crie, gesticule, avec les grands jets
de vapeur fusant à quelques mètres de nous seulement
et la bête qui rugit, souffle, ahane, prête à bondir
vers les cieux.
Et je la sens enfin, cette impression : celle que j'ai
toujours voulue, espérée, désirée – celle d'être enfin
à ma place...

Servaz s'interrompit, attrapa son calepin. Nota
quelque chose. Un sentiment, une impression...
vague... inconsistante... Mais qui refusait de s'en
aller... Il la souligna de trois points d'interrogation.

6
5
4
3
2
1...

Je suis un oiseau. Je suis un ange.

Mais, d'abord, je suis un insecte.

Coincé, recroquevillé dans sa pupe. Genoux pliés sur mon siège, j'essaie de me détendre. Blottie dans ce minuscule cercueil d'acier.

6-5-4-3-2-1...

La fusée s'arrache et repousse ses lanceurs dans un jaillissement de feu, un tonnerre rugissant. Chocs, vibrations, étincelles, grincements. Une poussée énorme dans les fesses. 118 secondes et elle se sépare de ses boosters latéraux. Vitesse : 1 670 mètres/ seconde. 286 secondes plus tard, un nouveau choc violent : le largage du deuxième étage. Vitesse : 3 680 mètres/seconde. Ça vibre toujours. De plus en plus... la vache... 300 secondes : largage du troisième étage. Vitesse : 3 809 mètres/seconde.

Et soudain, la mise en orbite du Soyouz.

Vitesse : 7 700 mètres/seconde.

Le dernier coup de pied aux fesses nous expulse dans un vacarme de chocs métalliques, puis c'est le calme des dieux... Le silence, l'impesanteur... Un jaillissement d'étoiles après le jaillissement d'étincelles. Rien d'autre que le bruit de la circulation de l'air dans mon scaphandre « Sokol ». Des objets flottent sans entraves dans la cabine. Je tourne la tête et je LA vois : celle d'où l'on vient. La Terre. Majestueuse dans son halo éblouissant, bleu et froid. Je vois des continents, des océans, des vortex de nuages... Et, tout autour, le cosmos : noir, beaucoup de noir, du noir partout.

Le règne du vide...

« C'est beau, hein ? » me dit Pavel à côté de moi, avec son accent de Kazan. Je l'entends à peine.

Lui et le bruit de l'air dans les tuyaux. Je la sens s'emparer de moi, cette sensation qui m'emporte. La courbure immense de l'horizon, le soleil aveuglant, la nuit comme un champ d'étoiles, la masse énorme des continents, des océans, les nuages, les chaînes de montagnes, les fleuves, les villes...

Soudain, plus rien n'a d'importance et, à ma grande surprise, je ne ressens plus ni haine, ni colère, ni peur – rien qu'une étrange forme d'amour.

28 août – L'arrimage à la Station internationale s'est bien passé. Nous avons partagé le sel et le pain, conformément à la tradition russe, avec l'équipage déjà présent – un Russe et deux Américains. La Station est un vaste 900 m^2 – dont 400 habitables – avec vue imprenable sur Terre et des milliers de mètres carrés de panneaux solaires. Rigoureusement séparé en deux zones bien distinctes : la première est formée par les modules pressurisés américains, construits selon les principes architecturaux de la NASA, et par le module européen Colombus. La seconde, reliée à la première par le « nœud » Unity, est constituée par les modules russes – inspirés de l'architecture de la station Mir. En outre, alors que le module américain Harmony et Colombus sont placés à l'avant de la station – et donc plus exposés aux collisions avec des débris spatiaux –, les modules russes Zarya et Zvezda se trouvent à la poupe. C'est dans la partie russe que nous séjournerons, Pavel, Léo et moi...

4 septembre – Cela fait maintenant une semaine que nous sommes dans la Station. Je passe le plus clair de mon temps dans Zvezda, et plus précisément dans le

*compartiment de travail de celui-ci – un espace grand
comme un studio d'étudiant rempli d'un fatras indescriptible. Je n'ai été dans l'autre partie de la station qu'une
fois (en passant à travers Zarya, qui fait 13 mètres
de long et sert d'entrepôt de stockage, puis à travers
le PMA 1 – le Pressurized Mating Adapter –, et le
« module-nœud » Unity où sont pris la plupart des repas)
alors que Léo et Pavel s'y sont déjà rendus à quatre
reprises. J'ai comme l'impression qu'ils veulent m'isoler,
me tenir à l'écart du reste de l'équipage. L'impression
aussi que Pavel et Léo complotent dans mon dos – que
Léo encourage secrètement Pavel à avoir des gestes et
des paroles de plus en plus déplacés à mon égard...*

*11 septembre – J'aime l'étrangeté de la vision cos-
mique à travers le hublot... L'immense clarté qui se
déploie autour de nous, l'espace démesuré et sans fond,
le noir abyssal de la nuit céleste... J'aime contempler
la cambrure terrestre qui bouche l'horizon, mouton-
nante de nuages, bleue là où les océans sont visibles
et légèrement bistre quand le continent africain se
dévoile. Dans la partie qui est plongée dans la nuit,
j'aperçois les milliards de lumières des grandes villes,
et même celles – petites, merveilleusement fragiles –
des villages des îles de la Sonde.*

*Vus d'ici, les outrages de l'humanité à sa planète
sont évidents : avancée des zones désertiques, défo-
restation massive, pollutions atmosphériques au-dessus
de la Chine, traces de dégazages de pétroliers visibles
depuis l'espace...*

*12 septembre – Comme chaque matin, je garde le
visage collé au hublot, fascinée, les larmes aux yeux,*

*quand, soudain, je sens quelqu'un qui se colle mala-
droitement contre moi malgré l'impesanteur. Je crois
d'abord que c'est Léo et je lui dis d'arrêter, mais
c'est la voix de Pavel qui retentit dans mon oreille :
« Léo est parti chez les Américains... On est seuls
tous les deux... » Ses mains sur mes seins à travers
le tee-shirt. « On pourrait essayer un nouveau truc :
tu n'as pas envie de savoir ce que ça fait de faire
l'amour en impesanteur ? Moi si... » Je me débats mais
il s'accroche. Nous sommes entraînés cul par-dessus
tête à travers le module, nous cognant partout, et je
vois la Terre qui tournoie sens dessus dessous derrière
le hublot, pendant que Pavel essaie de me tripoter et
de m'embrasser. Je le gifle violemment. Il me lance
un regard surpris et s'écarte. Puis il s'éloigne vers
Zarya, l'air furieux.*

*13 septembre – Je continue de tenir mon journal en
douce. Quand Pavel et Léo dorment, coincée dans mon
sac de couchage, arrimée à la paroi. Je n'ai plus le
mal de l'espace comme au début, toutes ces nausées
et ces vertiges dont j'ignorais si ils étaient dus à ma
grossesse ou non et qui provenaient sans doute de
la désorientation des otolithes – ces petits cristaux
de l'oreille interne. J'ai fini aussi par m'habituer au
bruit permanent, à l'absence de douche, à faire ma
toilette avec des lingettes, à la pâte dentifrice qu'on
avale, à la cuvette des WC à laquelle il faut s'atta-
cher. Et même au désordre qui règne partout. Non,
le pire, c'est ce qui se passe quand nous sommes
seuls côté russe, Pavel, Léo et moi. J'ai cru que tout
ça s'arrêterait ici, que la promiscuité les neutralise-
rait. Mais, depuis que j'ai giflé Pavel, il est devenu*

presque aussi sombre et inquiétant que Léo. Je sens son mépris et sa méfiance dans chacune de ses paroles, dans chacun de ses regards. Aujourd'hui, ils m'ont demandé de démonter le distillateur d'urine en panne. Puis ils ont fait un tas de plaisanteries en russe à mes dépens. Chaque fois que je veux m'entraîner sur le tapis roulant installé dans Zvezda ou me reposer dans ma cabine, ils me trouvent une nouvelle tâche à accomplir. J'ai remarqué aussi qu'ils se tiennent de plus en plus à l'écart du reste de l'équipage. D'ailleurs, on voit de moins en moins les autres venir par ici... Je ne sais pas ce qui s'est passé là-bas – mais j'ai l'impression que l'ambiance n'est pas au beau fixe entre les anciens et les nouveaux...

14 septembre – Je crois qu'ils sont en train de devenir fous. Léo a réussi à convaincre Pavel qu'il fallait se méfier des autres occupants de la Station. Officiellement, c'est Pavel qui dirige cette mission mais, en réalité, il est totalement sous la coupe de Léo. J'ai surpris des bribes de conversation entre eux : Léo croit – ou fait semblant de croire – que les Américains sont chargés de se livrer à des expériences psychologiques sur eux. Je sais aussi qu'il y a eu un début de bagarre de l'autre côté, mais je n'étais pas présente. Je ne sais pas ce qui se passe ici...

15 septembre – Ce soir, j'ai voulu rejoindre le reste de l'équipage de l'autre côté de la Station, mais Léo m'a saisie par le poignet. « Où tu vas comme ça ? » Je lui ai répondu que j'allais voir les autres. Il a regardé Pavel sans me lâcher et lui a traduit. Pavel m'a jeté un regard vide, sans expression, qui m'a

glacé le sang et il a secoué la tête. Léo a alors dit :
« Il n'en est pas question : tu restes ici. »

19 septembre – Les choses dégénèrent de plus en plus. Désormais, c'est plusieurs fois par jour que j'ai droit à des tripotages furtifs, à des blagues salaces, à des invites... Je me suis énervée contre Pavel et il m'a hurlé dessus comme Léo lui-même l'aurait fait. Je n'en croyais pas mes oreilles. Je me suis mise à trembler. Il a fini par me cracher à la figure avec une violence inouïe : « Tu crois que je ne vois pas à quoi tu joues ? Si jamais tu parles aux autres de ce qui se passe ici, il t'arrivera un accident... »

21 septembre – Je regarde le soleil se lever sur l'horizon incurvé, de l'autre côté du hublot. Il est comme un trait de feu qui devient une boule en son centre : on dirait une explosion nucléaire. Le ciel va du violet sombre au rose pâle ; la terre est orange près du foyer de lumière et de plus en plus brune à mesure qu'on s'en éloigne. Les rayons du soleil inondent le hublot et l'intérieur du module. Ma vision est brouillée par les larmes.

23 septembre – C'est fini. Terminé. Après ce qui vient de se passer, il n'y a plus de retour en arrière possible. Game over. *Ce soir, Léo et Pavel étaient complètement ivres. C'était l'anniversaire de Pavel. Ils ont sorti plusieurs mignonnettes de vodka dissimulées en différents endroits du module. Ce n'est pas la première fois que des cosmonautes en emportent dans leurs bagages, même si ceux-ci sont contrôlés au* gramme près. Ils les ont bues avec des pailles. Tout, ici, se boit avec des pailles...

Au bout d'un moment, ils ont commencé à me regarder d'un drôle d'air ; j'ai repensé à leurs airs de conspirateurs tout au long de la journée et j'ai frissonné. Leurs yeux brillaient d'un éclat vitreux. Ils m'ont obligée à boire. J'ai refusé mais, comme ils insistaient, j'ai fini par avaler un peu de vodka pour trinquer aux 43 ans de Pavel. Puis, au bout d'un moment, leurs blagues ont commencé à déraper, leurs regards sont devenus de plus en plus insistants. Quand j'ai voulu aller me coucher, Léo a dit : « Tu as raison : c'est une pute, la moitié de Star City est passée dessus... Toi aussi, Pavel ? » Pavel a fait signe que non en me fixant bizarrement. « Tu as vu comme elle n'arrête pas de t'allumer depuis qu'on est ici ? a insisté Léo. Elle fait ça avec tout le monde... Comme ces bonnes femmes qui mettent des minijupes et des strings, qui se soûlent, qui flirtent, se laissent embrasser et puis, une fois dans la chambre, disent : "Arrête, ce n'est pas ce que je voulais, je suis désolée, c'est un malentendu, je n'avais pas l'intention de coucher avec toi, non, non, non, on est allés trop loin..." Toutes ces garces hypocrites et manipulatrices qui aiment chauffer les mecs et les planter là, tu vois ?... Ça les amuse ; elles ont le droit de faire ça mais nous n'avons pas le droit de réagir comme des hommes... TU VEUX LA BAISER, PAVEL ? » J'ai tressailli. Pavel me regardait toujours. J'ai voulu m'en aller, mais Léo me tenait de nouveau par les poignets. Je lui ai dit d'arrêter, que j'allais hurler si fort qu'on m'entendrait à l'autre bout de la Station. Alors, avant que j'aie pu faire quoi que ce soit, ils m'ont plaqué une main devant la bouche et

tenue tous les deux. J'ai rugi, rué, voulu me libérer,
affolée, mais Léo me tenait solidement tandis que nous
flottions librement dans l'atmosphère de Zvezda et j'ai
senti Pavel me bâillonner la bouche avec sa grande
main moite qui sentait le métal.

Je suppose que, d'une certaine manière, ce qui s'est
passé ensuite devrait faire avancer leur foutue science
spatiale : deux salopards de cosmonautes totalement
ivres n'ont-ils pas prouvé qu'un viol en impesanteur
était possible à condition de s'y mettre au moins à deux ?

C'est fini.

Terminé.

Mon rêve d'espace...

Il s'arrête là...

Ce que j'ai fait ? Rien sur le moment : qu'est-ce
que j'aurais pu faire – ou dire ? À ce stade, rien
n'aurait pu les arrêter.

J'ai attendu qu'ils soient profondément endormis et
puis je me suis faufilée vers Zarya, que j'ai traversé
en m'agrippant à tout ce que je trouvais, en flottant
et en barattant dans cette putain d'impesanteur, la
peur au ventre, terrifiée à l'idée que l'un des deux
ne se réveille et me rattrape. J'ai franchi les sas, le
PMA-1 et Unity, j'ai atteint les quartiers des Amé-
ricains et des Européens, là où le deuxième Russe,
Arkady, a choisi d'installer son sac de couchage : il
n'apprécie ni Pavel ni Léo. Ils dormaient tous. Je les
ai réveillés. J'ai vu la stupeur dans leurs yeux, ils les
ont écarquillés quand ils ont découvert mon état, mon
visage tuméfié, mon tee-shirt et ma culotte déchirés,
ma lèvre fendue... Je leur ai demandé d'appeler le
centre de contrôle de toute urgence.

C'est fini. Au cours de la conférence de contrôle qui a suivi cette nuit-là, et pendant laquelle des paroles très vives et même des menaces ont été échangées entre la Terre et la Station, les Américains et le deuxième Russe ont demandé mon rapatriement en urgence.

Les deux Américains et l'autre Russe ont été formidables quand Léo et Pavel sont venus me chercher, le lendemain. Ça a bien failli dégénérer, mais Pavel et Léo ont vite compris qu'ils n'auraient pas le dessus ; il a finalement été décidé que je resterais dans la partie avant et le Russe et un Américain sont même allés chercher mes affaires à l'arrière – sans que ni Pavel ni Léo s'y opposent.

En bas, sur Terre, ils flippent à mort.

Les opérations à bord de la Station reposent sur une répartition rigoureuse et délicate des tâches et tout est devenu si chaotique ici. Et puis, ils doivent être morts de trouille que la chose vienne à s'ébruiter... Mais je me sens enfin en sécurité – pour la première fois depuis longtemps.

32

Huées

— Réveille-toi ! Réveille-toi, putain !

Il lui administra une nouvelle gifle, encore plus forte que la précédente. Christine ouvrit les yeux. Ses globes oculaires allaient et venaient dans tous les sens, incapables de se fixer. Il gifla de nouveau le visage couvert de sueur.

— Reviens ! Reviens avec moi ! lança-t-il. Où t'étais passée ? Putain, bébé, tu m'as flanqué une de ces trouilles !

Il la soutint en position assise, mais elle eut soudain un hoquet. Se pencha sur le côté et vomit au pied du lit.

— Oh, merde, bébé, t'es dégueulasse !

Il se recula, descendit du lit et se rendit dans la salle de bains. Quand il revint, il avait un verre d'eau dans une main et un cachet dans l'autre.

— Un putain de bad trip, hein ? dit-il. Tiens, avale ça. Ça va te calmer, après tu vas dormir comme un ange. La vache ! Tu m'as fait flipper, bébé !

Il lui soutint la nuque, à laquelle adhéraient ses cheveux trempés.

— Ouvre la bouche.

Elle obéit. La drogue la rendait coopérative ; pas pour rien qu'on classait la kétamine parmi les drogues du viol. Elle tira docilement la langue comme il le lui demandait. Il y déposa le cachet et elle but avec avidité.

— C'est bien, dit-il. Bois. Avec ça, tu vas dormir.

Sa tête dodelinait. Il empila les oreillers derrière elle, la maintenant presque en position assise – car il ne voulait pas qu'elle s'étouffe dans son vomi : elle n'était pas censée crever de cette façon. Il attendit que le sédatif fasse effet. Puis il se leva, retourna dans la salle de bains et revint avec le corps inerte d'Iggy. Fit plusieurs allers et retours entre le minibar et le lit. Il contempla le carnage depuis l'entrée de la chambre et referma la porte derrière lui.

7 décembre – Paris.

Il pleut sur Roissy. Personne pour m'accueillir. Évidemment. Ce que je craignais est arrivé. Il y a eu des interrogatoires, puis une commission d'enquête. Cela a duré des semaines, pendant lesquelles on m'a mise quasiment à l'isolement dans un appartement de la Cité des étoiles. Ils sont venus me poser toutes sortes de questions ; ils avaient des visages hostiles, sévères, des voix cinglantes – ils affichaient ouvertement leur scepticisme. Finalement, ils ont dit que j'avais tout inventé, tout mis en scène. Psychose paranoïde : tel a été leur diagnostic. Selon eux, la mort de Sergueï n'est qu'un tragique accident, et mes accusations au sujet de ce qui s'est passé là-haut de ridicules affabulations, ou une tentative pour les discréditer.

La police russe a classé sans suite. Leur Institut des problèmes médicaux et biologiques m'a fait passer des tests psychiatriques. Ces abrutis de psychiatres me regardaient tous comme s'ils s'étaient déjà fait une opinion. L'Agence spatiale européenne m'a appelée à Moscou. Ils m'ont fait comprendre que je n'avais plus aucun avenir dans l'aventure spatiale. Quelque chose s'est brisé en moi en apprenant ça. Léo, lui, va conserver sa place, même si j'ai cru comprendre que les Russes ne souhaitent pas le revoir de sitôt. Je suis effondrée...

Effondrée, sans travail, sans avenir et enceinte...

Servaz referma le journal. Alors, c'était ça. Ce qui s'était passé là-haut. Un *viol*... Dans l'espace. Cela allait bien au-delà de tout ce qu'il avait imaginé. Encore une fois, il se demanda pourquoi Mila avait gardé l'enfant. Il croyait le deviner : quand Léo l'avait menacée de les tuer, l'enfant et elle, si elle ne se faisait pas avorter, quelque chose avait dû se révolter en elle. La preuve, en tout cas, qu'elle n'était pas paranoïaque, c'est que Fontaine avait récidivé : il avait poussé Célia Jablonka au suicide. Personne n'avait fait le rapprochement entre ces deux affaires parce que aucune enquête criminelle n'avait été ouverte. Et, même dans ce cas, aucun enquêteur n'aurait pu lier les deux histoires sans un bon coup de pouce du destin.

Ou de quelqu'un qui savait...

Était-ce Mila qui lui avait envoyé la clé magnétique et la photo ? Elle avait vraiment eu l'air surprise quand il lui en avait parlé. Par ailleurs, elle vivait retirée du monde avec son fils depuis cette histoire. Même si elle avait entendu parler du suicide spectaculaire de

Célia, il y avait très peu de chances pour qu'elle fût au courant de sa liaison avec Léonard Fontaine.

Alors qui ? Il avait en tout cas un coupable. Et c'était tout ce qui comptait pour l'instant. Le journal de Mila refermé, il était parfaitement conscient qu'il serait difficile, voire impossible, de traîner Fontaine en justice : le spationaute avait été blanchi par la justice russe. En outre, un type comme Fontaine n'était pas né de la dernière pluie. Ni, sans doute, quelqu'un de facilement impressionnable.

Il allait devoir se montrer plus rusé que lui. Rusé comme un diable. Car son adversaire l'était – au plus haut point. Il reposa le journal sur la couverture et sa nuque contre l'oreiller. Ses pensées le maintenaient éveillé. Il se sentait de retour, il se sentait *vivant*. Il avait enfin un combat à mener. Il lui tardait d'être le matin, et d'engager ce combat. Il regarda la lune souriante et la nuit inquiète par la fenêtre – et il sut qu'il ne trouverait pas le sommeil.

Acte 2

Oh, vous me faites tant de mal,
Tant de mal, tant de mal !
Rien, rien.
J'ai cru mourir... Mais cela passe vite.

Madame Butterfly

33

Reine de la nuit

Elle ouvrit les yeux. Il faisait noir.

— Qui est là ?

— Chut !

— Madeleine, c'est toi ?

— Oui.

— Tu m'as fait peur !

— Ne parle pas si fort, Chris. Qui voulais-tu que ce soit ?

— Qu'est-ce que tu fais dans mon lit ?

— Chut… Ça ne te dérange pas si je dors ici, cette nuit ?

— Non.

— Merci, sœurette. Je t'aime, tu sais… Fais-moi un bisou… Tu peux te rendormir, maintenant.

— Pourquoi tu veux dormir ici ?

— Disons que ça faisait longtemps qu'on n'avait pas dormi dans le même lit, toutes les deux, tu ne trouves pas ?... Et que ça me manquait… Pas toi ?

— C'est à cause de papa ?

— Hein ?

— C'est à cause de lui si tu dors ici ?

— Qu'est-ce que tu racontes ?

— Tu ne veux pas qu'il te trouve, c'est ça ?

— Chris...

— Je l'ai vu.

— Quand ?

— L'autre nuit.

— Tu as vu quoi ?

— Je l'ai vu entrer dans ta chambre.

— Chris, à qui d'autre tu en as parlé ?

— À personne !

— Chris, écoute-moi bien : tu ne dois pas en parler à maman, tu m'entends ? Jamais.

— Pourquoi ?

— Arrête de poser des questions, merde ! Et promets-moi, s'il te plaît.

— Je te le promets, Maddie.

— Papa dormait avec moi parce que j'avais fait un cauchemar, c'est tout.

— Qu'est-ce que tu as ?

— Hein ?

— Tu pleures.

— Mais non !

— Alors, si je fais un cauchemar, je peux demander à papa de dormir avec moi aussi ?

— Chris, pour l'amour du ciel... *Jamais*, tu m'entends ? JAMAIS IL NE DOIT DORMIR AVEC TOI. Promets-le-moi.

— Mais pourquoi ?!

— Promets-le !

— D'accord... d'accord, je promets, Maddie...

— Si tu fais un cauchemar, tu viens me voir, d'accord ?

— D'accord.

— Bonne nuit.
— Bonne nuit, Maddie.

Elle ouvrit les yeux... Pour de bon, cette fois... Elle n'avait pas treize ans, mais trente-deux... La lumière du jour filtrait entre les rideaux et toutes les lampes de la chambre d'hôtel étaient allumées. Le bruit de la circulation à travers les vitres. Elle bâilla. Elle avait affreusement mal au crâne et au ventre. En fait, elle avait mal partout. Comme si un troupeau d'éléphants l'avait piétinée. Elle regarda le plafond un instant – puis elle baissa les yeux.

34

Drame lyrique

???

Ce... Ce n'est pas possible... ils n'ont pas... pu faire ça...
Qu'est-ce que... ?

Attends, Chris, attends. Ne regarde pas... ne regarde pas ça, ma vieille... Ou bien ça va te brûler la rétine et tu ne pourras jamais oublier cette image. Ne regarde pas. S'il te plaît.
Mais elle le fit. Elle regarda. Et son esprit se mit à hurler comme un téléphone déglingué. Une ligne directe avec le standard de la folie. Car c'était le seul mot pour qualifier ce qu'elle voyait. Démence. Déraison. Aberration.

Un pas de plus vers la sienne, de folie. Car c'était ce qu'ils voulaient, non ? Il était clair qu'ils ne manquaient pas d'imagination pour parvenir à leurs fins, ils avaient bâti autour d'elle un enfer qu'elle était seule à voir, un cauchemar subtil. En émergeant de son sommeil médicamenteux, elle s'était d'abord sentie vaseuse et elle s'était souvenue d'avoir fait un rêve affreux. Mais, à présent – en voyant les auréoles sur les draps, jaunes et durcies –, elle sut que le cauchemar était on ne peut plus réel. Son regard s'aventura au-delà et elle eut la sensation que son crâne se fendait en deux. Littéralement. Elle ne cria pas, ne pleura pas. Elle fut incapable de proférer un son. Mais son esprit, lui, hurla. Le cadavre d'Iggy… *Il gisait entre ses jambes*. Les yeux clos, débarrassé de sa collerette, il avait l'air endormi, mais la plaie à son cou ne laissait aucun espoir.

Autour d'Iggy, les draps étaient jonchés d'une montagne de minuscules bouteilles d'alcool décapsulées et vidées dans les draps, de cacahuètes, de canettes de bière vides, de chips et de tout ce que contenait un minibar, ainsi que la poubelle de la salle de bains : tampons démaquillants, cotons-tiges, mouchoirs en papier, cheveux… la vague d'immondices débordait sur ses orteils à elle. Elle les écarta brusquement, les agita comme si des scorpions grimpaient le long de ses jambes.

Elle se mit à trembler et à grincer des dents comme s'il faisait un froid de canard dans la chambre. Au bout de plusieurs minutes, elle sauta hors du lit et se précipita dans les toilettes pour vomir. Mais elle avait déjà restitué tout ce qu'elle avait dans le ventre au cours de la nuit et les spasmes de son ventre vide ne ramenèrent à la surface qu'un peu de bile mêlée de salive.

Elle avait tiré la chasse d'eau et revenait vers la chambre quand, tout à coup, elle fut frappée par la puanteur qui y régnait. Un brouet indéfinissable d'odeurs amalgamées : alcools, sang séché, sperme, vomi, sueur – avec un arrière-plan vaguement chloré. Elle tituba devant cette agression olfactive, fit brusquement marche arrière.

D'abord, se nettoyer de celui qui l'avait souillée…

Dans la salle de bains, elle se précipita sous la douche, sans se soucier de la température de l'eau – qui passa du glacial au brûlant –, se savonna et se récura longtemps et partout, passa et repassa dans les endroits les plus intimes, lava ses cheveux avec force shampoing, se rinça puis sortit de la douche pour se brosser les dents avec rage, jusqu'à ce que ses gencives saignent – après quoi elle se gargarisa pendant de longues minutes avec une solution pour bain de bouche antiseptique.

Elle voulait effacer la moindre trace de l'Autre, de ce qu'Il lui avait fait, de ce qu'Il avait laissé sur elle – mais elle savait qu'elle n'effacerait pas ce qu'Il avait laissé *en elle…*

« JE SUIS SÉROPOSITIF. »

La phrase la frappa comme une gifle. Elle se figea. Ses jambes flanchèrent et elle dut se retenir à la vasque. L'avait-il vraiment prononcée ou faisait-elle partie des fantasmes induits par la drogue ?

C'est rien qu'un fantasme, ma vieille, au même titre que le plafond qui montait, la chambre qui changeait de couleur et la clairière…

Non… C'était *réel*. Elle pouvait encore entendre la voix dans son oreille – la même qu'au téléphone.

Conneries !… Tu étais méchamment dans les vapes, rappelle-toi…

Elle devait faire le test… Elle devait voir son médecin… Elle devait…

Et Iggy ? Qu'est-ce que tu vas en faire ?

Cette pensée-là lui tordit les boyaux. *Iggy…* Elle ne pouvait pas se balader dans les couloirs avec un chien mort dans les bras ! Et si elle le laissait là, la femme de ménage allait finir par le trouver. Le mettre dans une valise ? Pour aller où ? Il était hors de question de l'abandonner dans une poubelle quelconque, comme un vulgaire déchet. Une pensée l'effleura… *Pas besoin de test, pas besoin de médecin, pas besoin de valise non plus…* Elle laissa la pensée faire son chemin. Penser à ça, c'était comme de marcher sur un étang à la glace trop mince – mais elle n'avait plus peur. *N'ayez pas peur* : la phrase ne revenait-elle pas sans cesse dans les Écritures ? Tout à coup, l'évidence fut là. Oui, pourquoi pas ? Après tout, depuis le début de cette histoire, c'était vers cette issue qu'elle s'acheminait, non ? Elle s'assit devant le bureau, détacha une feuille à en-tête de l'hôtel et rédigea un mot. Sa main tremblait si fort que le premier résultat fut illisible. Elle la froissa, le jeta dans la corbeille et recommença. Puis, en refrénant un sanglot, elle se rendit dans la salle de bains, attrapa deux serviettes pliées qui sentaient la lavande et les disposa à côté de la vasque.

Après quoi, elle alla *le* chercher. Elle eut un haut-le-cœur quand elle passa les mains sous le petit corps sans vie, à la fourrure collée, en prenant soin de soutenir sa tête – elle craignait qu'elle ne se détache du reste.

Iggy dans ses bras, Christine revint vers la salle de bains. Elle le déposa tout doucement dans le bac de la douche, attrapa la poire et ouvrit grand le jet. Elle le rinça longuement, nettoya le sang et les excréments, le shampouina et rinça de nouveau, en essayant d'éviter de regarder la vilaine plaie dans le cou. Le petit chien avait l'air de dormir après avoir pris un bain de mer. Son poil emmêlé et trempé. Elle ferma le jet, l'attrapa comme elle l'avait fait précédemment et le déposa sur la litière de serviettes propres et blanches. Sans qu'elle puisse se l'expliquer, il lui semblait que le blanc était la couleur la plus appropriée à ce moment. Branchant le sèche-cheveux et attrapant un peigne, elle sécha méticuleusement les poils du petit bâtard et le peigna jusqu'à ce qu'il ait retrouvé son aspect normal, son poil fauve bouclé et son museau blanc à la truffe noire. Enfin, elle ramena sa tête vers sa poitrine pour que la blessure disparaisse sous les poils et elle le regarda.

Alors seulement, elle hurla.

Hurla comme une démente. Hurla à la mort.

En se laissant glisser au sol, le dos contre le carrelage, en frappant l'air avec les pieds comme si elle frappait un ennemi invisible.

Elle jeta un regard en bas. Trois hauts étages… Ses jambes tremblaient à cause du vertige. Et pas seulement ses jambes : ses bras, ses mains, son abdomen – qui vibrait comme une peau de tambour. Elle jeta un nouveau coup d'œil et le regretta. Vues d'ici, les rares voitures qui passaient avaient l'air de jouets. Des piétons, elle ne voyait que le crâne, les épaules et les pieds qui avançaient. Les siens posés sur la corniche dominant la place du Capitole, elle se tenait le dos et les fesses collés à la façade, une main à plat sur le mur, l'autre agrippant encore le montant de la porte-fenêtre.

Incroyablement, personne, sur la vaste esplanade, ne l'avait encore repérée, mais cela n'allait pas tarder.

Elle inspira longuement. *Qu'est-ce que tu attends ? Saute…*

Le vent hurlait à ses oreilles ; autour d'elle, la ville vibrait-bourdonnait-trémulait d'énergies et d'appétits de vivre. Combien de personnes pensaient à elle en ce moment – à l'exception de celles qui voulaient la voir sauter ? Quels souvenirs laisserait-elle ? Et à qui ? Le seul compagnon qui lui était indéfectiblement fidèle reposait, mort, dans la salle de bains, où le personnel de l'hôtel et la police le trouveraient après sa chute. Elle avait laissé un mot bref sur le bureau : *Iggy sera inhumé à Beaumont-sur-Lèze, au cimetière pour animaux : contacter Claire Dorian.*

Elle gémit. Elle se sentit écrasée par un sentiment de solitude si total, si effroyable – au milieu de cette ville de sept cent mille habitants – qu'elle comprit qu'elle allait sauter. Qu'elle allait le faire. Que ce n'était plus qu'une question de secondes à présent, le temps de trouver la dernière once de courage qui lui faisait encore défaut.

Puis la petite voix se fit entendre de nouveau :

Saute… Mais si tu sautes, tu ne sauras jamais. Ni qui ni pourquoi… Est-ce que tu n'as pas envie de savoir ? C'est vraiment ça que tu veux : mourir sans avoir eu le fin mot de l'histoire ?

Et, pour la première fois de sa vie, avec une lucidité implacable, une clairvoyance nouvelle, elle comprit soudain que cette voix qui parlait en elle depuis des années était celle de sa sœur. Celle de Madeleine… Une Madeleine qui aurait grandi en secret au fond d'elle. Une Madeleine adulte : parfois sentencieuse, souvent exaspérante, exigeant toujours son attention, exactement comme la Madeleine de son enfance. Mais une Madeleine qui lui voulait du bien : la seule personne, peut-être, qui l'aimât vraiment. Et cette personne avait d'autres plans pour sa sœur.

Elle resta un long moment prostrée, les yeux dans le vague, assise les reins contre la balustrade, les pieds dans la chambre.

Quand elle était revenue à elle, qu'elle avait émergé de sa transe, elle avait *changé*. Elle n'était plus la Christine des jours précédents, celle qui tentait maladroitement de parer les coups et de comprendre, qui avait cherché des soutiens et n'avait trouvé qu'un sans-abri porté sur la bouteille.

Tu n'as pas besoin de soutien. Tu peux y arriver seule, petite sœur. Tu as juste besoin d'une chose : la rage qui brûle en toi.

Oui. Elle s'était rapprochée de la fenêtre en un mouvement de reptation extrêmement précautionneux, ses ongles griffant la surface granuleuse du mur, enjambant la rambarde de pierre, s'était glissée dans la chambre au moment précis où quelqu'un, en bas, sur la place, venait enfin de l'apercevoir et la montrait du doigt.

À présent, elle commençait à ressentir le choc rétrospectif, l'impact intérieur du geste qu'elle avait failli commettre. Elle était transie jusqu'aux os à la fois par le vent glacé traversant sa chemise de nuit et par l'idée qu'elle aurait pu, en cet instant, être étendue sur le trottoir, tous les os brisés et les viscères réduits à une bouillie informe. Mais elle n'en sentait pas moins un courant nouveau de volonté déborder dans ses artères. Ils voulaient sa mort ? Très bien. Parfait. Elle mourrait peut-être – mais il ne fallait plus compter sur son suicide. Ils devraient payer le prix… Quelqu'un qui n'a pas peur de mourir et qui a suffisamment de haine au cœur est un adversaire autrement redoutable. Regardez tous ces connards de kamikazes. Elle avait l'impression que, tout d'un coup, elle voyait tout beaucoup plus clairement. Une transmutation profonde… Elle savait qu'elle était en danger de mort, mais elle s'en moquait, désormais. Ils venaient de commettre une erreur : ils avaient réveillé en elle quelque chose qui dormait depuis longtemps. Sans s'en rendre compte, ses tortionnaires l'avaient endurcie, préparée à ce moment où la force et la rage qui attendaient en elle prendraient le dessus. Ils seraient sans doute parvenus à leurs fins avec quelqu'un de plus faible, de plus manipulable, de plus désespéré – mais elle n'était pas faite de ce bois-là. Elle venait enfin de le comprendre.

Tu es forte, bien plus forte qu'ils ne croient, bien plus forte que tu ne le croyais toi-même, petite sœur. C'était une sensation d'une grande pureté : grâce à eux, qui lui avaient ôté tout ce qu'elle possédait, elle n'avait désormais plus rien à perdre.

Comme par sympathie pour son nouvel état d'esprit, un rayon de soleil jaillit entre les nuages plombés et vint illuminer le plancher de la chambre devant elle. Il caressa la moquette rouge d'une poussière d'or et elle s'aperçut qu'il éclairait aussi le panier vide d'Iggy dans un coin. Cette fois, les larmes affluèrent : impossible de les contenir.

Elle les laissa couler – sachant que ce n'étaient pas des larmes de faiblesse.

Elle boucla ses valises et sortit de la chambre. Deux personnes attendaient devant elle à la réception. Quand vint son tour, la réceptionniste fronça les sourcils.

— Vous nous quittez ? Je pensais que vous deviez rester plusieurs nuits… Quelque chose ne va pas ?

— Tout va très bien, répondit-elle. Je rentre chez moi. Les ouvriers ont fait des miracles : tout est réparé. Plus de fuites.

La réceptionniste lui lança un regard circonspect : elle se souvenait que la cliente avait parlé d'un cambriolage et de serrures à changer, la dernière fois.

— Très bien.

— Vous mettrez ça sur le compte de Mme Dorian.

— Oui. Vous avez pris quelque chose dans le minibar ? voulut savoir l'employée.

— Oui. Mettez ça sur sa note aussi.

Elle se mit en marche à travers les rues de Toulouse, en faisant rouler ses valises derrière elle. Elle n'habitait pas si loin et elle n'avait pas envie de prendre le métro. Et le corps d'Iggy ne pesait pas tant que ça. Elle avait tout son temps, désormais.

Très bien tout ça, dit la voix de Madeleine, *mais par où on commence ?*

Elle le savait, bien sûr. C'était l'évidence même. Il n'y avait qu'une façon de commencer…

À l'aube, il était déjà dans la place. Assis dans sa voiture. L'adrénaline coulait dans ses veines. Après avoir refermé le journal de Mila, il s'était douché, habillé, puis il était descendu se préparer une Thermos de café noir dans la cuisine du rez-de-chaussée. Ensuite, il avait silencieusement quitté le parking de la maison de repos.

Il était tôt dans le monde. Dans toute la région, des milliers de cafetières haut de gamme devaient glouglouter dans des cuisines spacieuses et cossues pour des ingénieurs, des dirigeants et des techniciens qui travaillaient dans l'aéronautique et le spatial, pendant que les petits employés ensommeillés des péages d'autoroute se préparaient à accueillir leurs berlines, leurs coupés sport et leurs 4 × 4 dernier cri. Garé sur la colline, en bordure d'un champ, Servaz sirotait un café fort peu haut de gamme. Il avait vu une lumière s'allumer en bas, dans la maison d'architecte cernée par les brouillards matinaux. Une grande maison moderne qui semblait avoir été dessinée par Mies van der Rohe lui-même : un assemblage de cubes en béton aux lignes horizontales et au toit plat avec de grandes fenêtres rectangulaires et des baies vitrées côté piscine, et même une petite écurie. Des barrières blanches et de la prairie tout autour. La pleine lune veillait sur ce paysage, ronde et joufflue, éternelle, le ciel s'éclaircissait à l'est, les bosquets étaient noirs et les collines d'un bleu encore sombre.

Une silhouette passa derrière la fenêtre éclairée. Servaz braqua ses jumelles dessus. *C'était lui…* Son pouls s'accéléra. Il était matinal. 6 h 30. Servaz le regarda boire tranquillement son café, en peignoir, assis près de la fenêtre. À l'évidence, il ne s'inquiétait pas d'être observé. Puis il le vit sortir de la pièce et une deuxième fenêtre rectangulaire s'illumina. Pendant une heure et demie, Léonard Fontaine resta assis devant son ordinateur. Le ciel s'éclaircit encore ; le paysage émergea lentement de l'obscurité – comme un décor de théâtre qui s'éclaire progressivement – et Servaz fit marche arrière, sans allumer ses phares, pour dissimuler la voiture derrière un bouquet d'arbres. Il sortit dans le froid très vif et remonta son col. Puis il enjamba une clôture électrifiée et marcha dans la neige qui fondait et l'herbe haute et mouillée jusqu'à l'extrême bord de la colline. Il avait sa Thermos de café avec lui pour se réchauffer, mais il brûlait d'envie de s'en griller une, de sentir la fumée descendre dans ses poumons infectés et avides. Quand il parvint au bord de la colline, le bas de son pantalon était trempé.

À 7 h 28, le soleil apparut enfin et ses pâles rayons rasants caressèrent le paysage gelé, impuissants à réchauffer l'atmosphère. À 8 heures, ils basculèrent par-dessus la colline pour éclairer le fond du vallon et la baie vitrée sur l'avant de la maison s'ouvrit. Servaz vit Fontaine faire quelques pas sur la terrasse en bois, toujours en peignoir, pieds nus malgré le froid. Une nouvelle tasse à la main, il sirotait son café en regardant droit devant lui. Dans la binoculaire de ses jumelles, Servaz voyait la tasse fumer dans sa main. Et de petites lampes briller sur le plancher.

Son café terminé, Fontaine contourna le bassin de la piscine en direction du pool-house. La neige avait été balayée, mais les lattes devaient néanmoins être glissantes et le spationaute marchait prudemment. Il entra dans le petit bâtiment, alluma la lumière et disparut à l'intérieur. Aussitôt, un ronronnement électrique monta dans le vallon et le volet roulant en PVC qui recouvrait l'eau commença de se retirer. Servaz suivait ce spectacle avec la même fascination bizarre qu'un voyeur matant secrètement une jolie femme.

Il ne va quand même pas se baigner…

Quand le spationaute ressortit du pool-house, Servaz eut un choc : malgré le froid, Fontaine était nu. Il s'accroupit pour débrancher l'alarme de sécurité avec une clé et, l'instant d'après, il avait plongé et crevé la surface.

Sacré nom d'une pipe…

Crawl, dos, papillon. Servaz regarda le spationaute faire des longueurs pendant une bonne heure. L'eau fumait : la piscine devait être chauffée. Le soleil illuminait le vallon, à présent ; une belle matinée d'hiver, claire et froide. Servaz était gelé. Le spationaute émergea finalement de l'eau ; il courut se sécher à l'intérieur du pool-house, puis revint vers la maison en peignoir. Pendant un bon moment, Servaz ne le vit plus. Il en profita pour scruter les alentours à la lumière du jour. Le premier voisin était une ferme à cinq cents mètres de là.

Quand Fontaine réapparut, il portait un gros pull, ainsi qu'une culotte et des bottes d'équitation ; il longea la barrière blanche jusqu'à l'écurie et disparut à l'intérieur. Un quart d'heure plus tard, il ressortait avec une bête magnifique. Servaz l'observa pendant qu'il la sellait puis grimpait dessus avec agilité avant de s'élancer à l'assaut de la colline d'en face. Le flic se fit la réflexion que si le spationaute avait choisi celle où il se trouvait, il aurait foncé droit sur lui bien avant que Servaz ait pu rejoindre la voiture. Un frisson l'électrisa, toutes les fibres de son corps lui disaient que la maison était vide, isolée, et que la cavalcade de Fontaine durerait au moins une trentaine de minutes. Il savait que Fontaine était marié avec des enfants en bas âge, mais tout lui disait aussi qu'il était seul ce matin-là, il n'y avait pas le moindre mouvement, ni la moindre trace d'une présence autre que la sienne. La tentation était grande de descendre faire un tour, mais, d'une part, il ignorait combien de temps Fontaine serait absent, d'autre part, il laisserait des traces dans la neige.

Sauf s'il garait sa voiture devant la porte... Fontaine verrait que quelqu'un était venu et reparti en son absence, mais il n'aurait aucun moyen de savoir qui. Un homme public comme lui devait recevoir des visites.

Hésitant, il passa en revue la maison plongée dans le silence et l'immobilité ; il ne vit rien qui ressemblât à un système d'alarme – pas même un projecteur sur la façade, au niveau du toit, déclenché par un capteur de mouvement. Personne en vue non plus. Il était parfaitement conscient que, s'il entrait dans cette maison sans réquisition (les flics appelaient ça une « mexicaine ») et qu'il se faisait surprendre, c'en était fini de sa carrière. Autant se trouver tout de suite un boulot de vigile... *Il pouvait se contenter, dans un premier temps, de frapper à la porte.* Ça n'engageait à rien. Il retraversa le champ saturé de neige jusqu'à la voiture, se mit au volant et démarra en douceur. Il descendit lentement la route en pente jusqu'à l'endroit où l'allée, à l'arrière de la maison, la rejoignait à la hauteur de deux chênes, remonta celle-ci et coupa le moteur devant le perron.

Et maintenant, quoi ?

Et si sa femme et ses gosses étaient en train de dormir à l'intérieur ? Que dirait-il ? Qu'il soupçonnait l'homme avec qui elle était mariée d'être un monstre ? Un dangereux malade ? Il descendit de voiture. Leva les yeux vers les collines. Considéra encore une fois le paysage gelé. Son haleine s'élevait, blanche, dans l'air froid. Son pouls battait un tout petit peu plus vite. Il grimpa les deux marches en béton. Sonna. Pas de réponse. Son pouce pressa de nouveau le bouton de Bakélite. Rien ne bougea. La porte le narguait. Tout comme le silence à l'intérieur de la maison. Un corbeau croassa derrière lui dans un arbre, le faisant sursauter.

Vas-y. Fais-le. Prouve-toi que tu es vivant, que tu en as encore dans le ventre...

Il y a longtemps, il avait appris d'un voleur comment ouvrir une serrure en trente secondes. Celle-ci avait l'air d'un modèle des plus courants. Il pouvait cependant y avoir des détecteurs de mouvement à l'intérieur de la baraque. Si Fontaine avait quelque chose à cacher, il ne l'aurait certainement pas laissé dans un endroit aussi accessible. Et puis, que s'attendait-il à trouver ? Il n'aurait pas le temps de fouiller dans son ordinateur, de toute façon. Ni dans ses dossiers. Servaz regarda de nouveau la serrure : elle paraissait neuve. Tant mieux. L'oxydation et la saleté auraient pu gripper le jeu des goupilles.

Qu'est-ce que tu cherches à prouver ? Il revint vers la voiture, ouvrit la portière côté passager et se pencha sur la boîte à gants. En ressortit un trousseau d'une dizaine de clés enroulées dans un chiffon. Il ne s'agissait pas de banales clés, mais de clés dites « de frappe », utilisées par les cambrioleurs pour crocheter les serrures à goupilles. Logiquement, il aurait fallu un passe différent pour chaque marque existante, mais une dizaine de modèles suffisaient pour ouvrir plus de la moitié des serrures sur le marché. Servaz se mit au travail. À la huitième clé, il n'avait toujours pas trouvé l'ouverture et il avait les mains moites, le visage couvert de sueur. La neuvième glissa entre ses doigts humides mais elle répondit favorablement. Quand il l'eut introduite en position de repos, il donna un coup sec dessus avec le plat de la main et la fit tourner aussitôt. Bingo. Le battant s'ouvrit sur un couloir silencieux.

Il regarda sa montre : une quinzaine de minutes s'étaient écoulées depuis que Fontaine s'était élancé sur sa monture.

Les murs du long couloir, en béton ciré gris du plus bel effet, étaient parfaitement nus. Le sol, anthracite, était magnifique. Il n'y avait pas de meubles. Ni de détecteur de mouvement apparent… En passant, Servaz aperçut une salle de bains minimale sur sa droite, avec une douche italienne entre deux minces parois de verre, un sol de galets et une vasque qui semblaient sortir tout droit d'un catalogue de décoration. Tout, ici, était brut, épuré, élémentaire, réduit à sa plus simple expression.

Il continua d'avancer le long du couloir. S'immobilisa. Cessa pendant un instant de respirer. Une gamelle… Vide. Grande… *Grande gamelle = grand chien*, se dit-il. Il sentit une sueur glacée lui descendre le long du dos : il avait horreur des chiens. Et des chevaux. Il pouvait encore faire demi-tour… Il s'avança dans le grand séjour haut de plafond. Le salon confirma la première impression : du blanc et du noir, de grandes toiles abstraites aux murs, un bureau moderne devant une petite bibliothèque, un grand écran plasma au-dessus d'une tout aussi grande cheminée murale au bioéthanol – dont les flammes dansaient sur un lit de galets… La piscine était visible au-delà de la baie vitrée. Une porte sur la droite. Servaz aperçut un grand lit. Pas d'alarme… Mais un chien… *Où était-il ?* Il demeura un instant immobile au milieu de la pièce. Des marches ajourées en bois blond, comme suspendues dans l'espace, grimpaient vers une mezzanine ;

a mezzanine surplombait une cuisine américaine. Il
uivit les marches des yeux…

Et le vit.

Un *molosse*. Quelle race, il l'ignorait – mais le
aciès massif, le museau court, les babines épaisses
lu chien endormi ne laissaient pas le moindre doute :
l appartenait à la catégorie des molossoïdes, dont le
nom – Servaz le savait – venait de la tribu grecque
les Molosses, qui offrit à Alexandre le Grand un chien
apable de mettre un lion en pièces. Pitbulls, rottwei-
ers, bouledogues et autres saletés aux mâchoires
l'acier et aux petits yeux mesquins et féroces. Il se
entit devenir très froid à l'intérieur. L'animal dor-
nait au bord de la mezzanine ; sa gueule écrasée sur
e sol, surplombant le séjour. Eût-il ouvert les yeux
qu'il aurait embrassé la pièce du regard et découvert
lu même coup l'intrus qui s'y trouvait. Servaz sentit
a gorge s'assécher. Il n'avait plus une seule goutte
le salive dans la bouche.

*Va-t'en d'ici, reprends ce couloir en sens inverse…
maintenant…*

Le moindre bruit suspect et l'animal se réveille-
ait. Et Fontaine pouvait apparaître d'un instant à
'autre. *Dégage !* Le bureau. Il se dirigea vers lui à
as de loup : un tas de paperasse sans intérêt posé
rès de l'ordinateur – éteint. Il jeta un coup d'œil
u monstre endormi là-haut. Ouvrit les tiroirs aussi
ilencieusement que possible. Un par un. Souleva les
apiers. Factures, quittances, courrier… Rien ! Il se
ourna vers les livres, en tira quelques-uns, les remit
n place. Incroyable, le clébard ne bronchait pas : tu
arles d'un chien de garde ! Servaz l'entendait même
onfler légèrement ! Sa tête à lui bourdonnait – comme

509

les baffles d'un ordinateur quand un autre appareil électrique est à proximité. Il avait la sensation que tout son sang descendait vers ses jambes. *Sors d'ici tout de suite ; ça ne sert à rien...* Il fit rapidement l tour de la cuisine : un grand réfrigérateur métallisé des plaques à induction, des placards transparents, u calendrier des Postes. Entra ensuite dans la chambre Une lithographie érotique sur le mur. Une commode Une épaisse descente de lit bouclée. Des placards. Il le ouvrit. Une penderie. Il écarta des vestes, des chemises Essuya ses mains sur son pantalon : elles étaient d plus en plus humides – il ne devait surtout pas laisse de traces. Ses mains rencontrèrent plusieurs uniforme avec des épaulettes ; il y avait une casquette de pilot sur une étagère juste au-dessus : comme la plupar des spationautes, Fontaine avait été pilote de chass et chef d'escadrille avant d'intégrer l'Agence spatiale

Il se tourna vers le lit, la table de nuit. Un livre.

Servaz s'approcha.

Son sang s'épaissit dans ses veines comme un sauce en train de figer : le livre s'intitulait *La Perver sité à l'œuvre, le harcèlement moral dans l'entrepris et le couple.* Servaz fixa longuement la couverture, qu représentait des nœuds de fil de fer barbelé.

Là, sur la table de nuit. Nullement caché. Un livr qui pouvait être utile à ceux qui cherchaient à se pro téger des pervers – mais aussi aux pervers eux-même

Il éprouva l'étrange sentiment de puissance qu ressent un enquêteur quand il touche au but. Et, e même temps, la panique commença à le gagner. S montre. Vingt-cinq minutes : cela faisait vingt-cin minutes que Fontaine était parti sur son cheval *Dégage, déguerpis : tout de suite !* Brusquement, u

510

on strident déchira le silence et il sauta en l'air comme
si on avait fait exploser un pétard à ses pieds. Le
téléphone ! La sonnerie insista, puis le répondeur se
déclencha dans le salon. Une voix synthétique invita
à laisser un message après le bip, suivie d'une voix
de femme tendue : « Léo, c'est Christine. Il faut que
je te parle. Rappelle-moi. »

Qui était Christine ? Sa prochaine victime ?

Le chien : la sonnerie du téléphone avait dû le réveiller... *Va-t'en d'ici.* Il revenait d'un pas hésitant vers
le séjour quand une vibration sous ses pieds lui donna
l'impression qu'un séisme approchait. Encore lointaine
mais nette. Elle se propageait dans le sol. Il la sentait
à travers ses semelles... Qu'est-ce que c'était ? Une
chaudière ou une quelconque machinerie qui venait de
se mettre en route dans les entrailles de la maison ?
Non, ce n'était pas ça... Et soudain, en un instant, il
comprit. *Des sabots.* Martelant le sol. Un canasson
qui approchait au galop...

Dégage !

Cette fois, il prit ses jambes à son cou – à travers
le salon d'abord, puis le long de l'interminable couloir. Entrevit au passage un œil qui s'ouvrait là-haut,
encore ensommeillé, mais pas pour longtemps. La
vibration s'amplifia. Résonnant dans le sol, les murs.
Les pulsations désordonnées la couvraient presque. Il
allait atteindre la porte lorsqu'il entrevit une voiture
qui approchait sur l'allée. Merde ! Il s'immobilisa au
milieu du corridor. Le martèlement avait cessé, mais
pas celui dans ses veines. Jetant un coup d'œil vers le
salon et la baie vitrée, il aperçut la silhouette de Fontaine, au bout de la prairie, qui descendait de cheval,
de l'autre côté de la piscine. Entendit la voiture se

511

garer près de la sienne dans la direction opposée : il était fait comme un rat !

Il jeta un nouveau coup d'œil par la porte entre bâillée. Une femme descendait de voiture. Dans moin d'une minute, elle aurait pénétré dans la maison ! Si seulement elle avait pu être les pompiers ou le facteur venus pour les étrennes. *Le facteur...* Bien sûr : sa dernière chance ! Il revint vers le séjour, se précipit dans la chambre, ouvrit la penderie et attrapa la cas quette de pilote sur l'étagère. Puis il se rua vers la cuisine, arracha le calendrier du mur. C'est alors qu'il l'entendit : *le cliquetis des griffes descendant l'escalie de la mezzanine*. Il contourna la cuisine américaine. Se figea. L'énorme bête descendait lentement les marche en le regardant. Elle prit pied sur le sol du séjour et s'avança, impavide, dans sa direction. Ses petit yeux posés sur lui avaient l'éclat vif de pièces d monnaie bien lustrées. Sa gueule noire, massive, étai la chose la plus terrifiante que Servaz ait jamais eu contempler de si près – mis à part, peut-être, le cano d'une arme à feu. Il eut l'impression que sa colonn vertébrale se changeait en circuit de réfrigération. I sentit aussi – nettement – qu'il commençait de joue des castagnettes avec ses genoux, et il songea qu l'animal allait renifler sa peur – ce qui, à en croir la sagesse populaire, n'était jamais bon.

Puis l'animal se mit à gronder et à montrer le crocs : un grondement sur une fréquence basse, qu frappa Servaz au plexus, une rangée de dents dign d'un squale. La bête le fixait. Cinquante kilos d muscles prêts à bondir et à lui arracher la gorge et l figure avec. Il tremblait, il suait comme un porc – était trempé de sueur...

— *Dharkan* !

La voix de la femme fit réagir l'animal. « Dharkan ! » appela-t-elle de nouveau, de l'extérieur, et – oh, miséricorde ! – le monstre se désintéressa soudain de lui pour se mettre à courir joyeusement vers l'entrée. Malgré l'envie de déguerpir en sens inverse, Servaz se força à lui emboîter le pas, encore tremblant. Il récupéra au passage le tas de paperasse sur le bureau et posa le calendrier par-dessus, marcha vers la porte et l'atteignit à l'instant où la femme entrait, suivie par le clebs. La quarantaine, en manteau d'hiver et gants, sûre d'elle et autoritaire. Elle se figea en le voyant. Un éclair soupçonneux dans sa direction. Il pria pour qu'elle n'ait pas le temps de reconnaître la casquette posée sur sa tête – ni de noter la sueur sur ses tempes.

Servaz lui décocha un sourire, leva un peu le calendrier dans sa direction. « Bonjour, madame. » Sa voix calme, professionnelle, étonnamment ferme après ce qu'il venait de vivre. Il la dépassa rapidement, sous l'œil méfiant du molosse – qui ne grogna pas, cette fois –, devina qu'elle se retournait, descendit les marches jusqu'à la voiture en s'attendant à tout moment à être rappelé. Pas question de s'enfuir comme un voleur – parce que ça signifierait une chance sur deux qu'elle note son immatriculation… Son cœur cavalcadait comme le cheval tout à l'heure. Il lança la casquette et le calendrier sur le siège passager, puis contourna tranquillement le véhicule et s'assit au volant. Il effectua un demi-tour et s'éloigna le long de l'allée. Jeta un coup d'œil dans le rétroviseur : ni elle ni le monstre ne l'avaient suivi. Elle devait être en train de jouer avec ou de dire à Fontaine qu'elle avait croisé un facteur un peu louche. Dans quelques minutes ou quelques heures, celui-ci constaterait qu'on avait arraché le calendrier du mur de sa cuisine, pris des papiers sur son bureau. Il découvrirait aussi – peut-être plus tard – qu'on lui avait volé sa casquette de pilote. Ils en concluraient qu'il avait été la victime d'une tentative de cambriolage qu'elle avait mise en échec. Elle n'avait certainement pas eu la présence d'esprit de noter son immatriculation. Pourquoi l'aurait-elle fait ? Il pouvait s'estimer heureux : il resterait dans la police, il avait la confirmation que le harcèlement était un sujet qui intéressait beaucoup Léonard Fontaine, et il ne mourrait pas déchiqueté sous les crocs d'une pure machine à tuer...

Elle appela Ilan en émergeant de l'ascenseur.

— Tu as ce que je t'ai demandé ?

— Oui.

— Très bien. Tu peux me l'envoyer sur ma messagerie ?

— Pas de problème. Christine... ?

— Oui ?

— Comment vas-tu ?

Elle faillit lui parler d'Iggy, mais se retint.

— Très bien, dit-elle. Merci pour l'enregistrement.

— Tiens-moi au courant, dit-il.

— De quoi ?

Il hésita.

— Je ne sais pas... De ce qui se passe...

— Mmm.

Elle raccrocha, déverrouilla sa porte. L'appréhension fut vite balayée par le sentiment étrange de rentrer chez elle. Puisqu'elle n'était plus à l'abri nulle part, elle ne voyait aucune raison de s'absenter plus longtemps. Et, de toute façon, la peur l'avait quittée là-haut, au-dessus du vide.

Elle fit rapidement le tour de l'appartement. Rien à signaler. Pas de CD d'opéra, pas de traces d'une intrusion quelconque. Elle ouvrit l'une des valises, en sortit Iggy emmailloté dans ses linges blancs, telle une momie, et le déposa dans la salle de bains. Puis elle composa un autre numéro.

— Allô ?

— Gérald ?

Un silence au bout du fil.

— Je sais que tu n'as pas envie de me parler, commença-t-elle fermement. Et je comprends ça. Tout ce qu'on t'a dit, tout ce que tu crois savoir...

— Ce que je *crois* savoir ? s'énerva-t-il aussitôt.

Très bien, ça : *Mets-toi en colère, tu es si parfait, si irréprochable, pas vrai ? Et puis, bien sûr, toi, tu ne te trompes jamais... Ou si peu... Tu te comportes comme on doit se comporter – raisonnablement... C'est ça : tu es quelqu'un de* raisonnable, *de fichtrement, foutrement* raisonnable...

— Ce que je crois savoir ? répéta-t-il comme si elle venait de dire une absurdité.

— Oui. Ce que tu crois savoir n'est pas la vérité. Et j'en ai la preuve.

Un soupir dans le téléphone.

— Christine, bon Dieu, de quoi est-ce que tu parles ?

— Réfléchis. Réfléchis à ce que tu sais *exactement* – et à ce que tu *supposes*. Tu as entendu parler de la tendance qu'ont les individus à privilégier les informations qui vont dans le sens de leurs hypothèses de

515

départ ? On appelle ça des *biais de confirmation*...
Maintenant, que dirais-tu si je te faisais écouter une
information qui remet radicalement en question tout
ça ?

— Christine, je...

— Gérald, s'il te plaît : accorde-moi cinq minutes
de ton temps. Le temps d'écouter quelque chose...
Après, tu décideras par toi-même ce que tu dois croire
ou pas. Et je te ficherai la paix. Définitivement : tu
as ma parole. Tout ce que je te demande, c'est cinq
minutes. Tu me dois au moins ça.

Il soupira derechef.

— Quand ?

Elle respira, le lui dit. Et aussi où. Puis elle raccrocha. Elle se rendit compte que le ton suppliant qu'elle
avait employé n'était qu'une comédie, cette fois. Une
comédie à l'usage de Gérald. Il adorait être supplié...
Elle ne supplierait plus jamais personne à partir de
maintenant.

Il avait l'air à la fois furieux et apeuré quand elle
entra dans le café de la rue Saint-Antoine-du-T. Il
ressemblait, songea-t-elle, à un petit garçon.

— Salut.

Il leva la tête, ne dit rien. Elle tira une chaise à elle
de l'autre côté de la table et s'assit. Elle ne s'était pas
maquillée, n'avait fait aucun effort pour être séduisante, et elle devait avoir une tête épouvantable avec
ses cernes, ses cheveux secs et ses yeux injectés, mais
il ne fit aucune remarque. Il semblait juste pressé de
se tirer.

— Denise a reçu la visite de la police, dit-il tout de même.

Elle se redressa.

— *Au sujet de cette stagiaire que tu as frappée*, ils lui ont montré les photos…

— Je ne l'ai pas touchée, répondit-elle fermement.

— Tu devrais te faire soigner, tu es malade, Christine.

— Pas du tout.

Il lui jeta un regard peu amène à travers les verres de ses lunettes. Elle alluma son smartphone et ouvrit sa messagerie, brancha l'écouteur.

— Tu te souviens de cette lettre que j'ai reçue dans ma boîte aux lettres ? C'est là que tout a commencé… Tu t'en souviens ?

— Ils pensent que tu l'as écrite toi-même…

— Pour quelle raison j'aurais fait ça ?

— Je ne sais pas… parce que tu es… *malade*…

Elle se pencha.

— Arrête de répéter ça, bordel ! gronda-t-elle à mi-voix.

Oh, Seigneur. Il s'était reculé sur sa chaise et il avait vraiment l'air d'avoir la trouille à présent. *Gérald avait peur d'elle !*

— Tiens, colle-toi ça dans l'oreille, lui intima-t-elle sèchement.

Il la fixa, secoua la tête d'un air écœuré, prit l'écouteur et se l'enfonça dans le conduit auditif. Elle lança l'enregistrement de l'émission radio que venait de lui fournir Ilan : la partie au cours de laquelle l'homme l'avait appelée au sujet de la lettre. Elle attendit sa réaction, le vit froncer les sourcils, puis se concentrer, les yeux baissés. Il reposa l'écouteur.

517

— Alors, cet appel, dit-elle, je l'ai inventé aussi ?
Il ne répondit rien.

— C'est l'émission du 25 décembre, c'est-à-dire *le lendemain du jour où j'ai trouvé la lettre dans ma boîte*, tu peux vérifier : elle est encore podcastable, mentit-elle. Explique-moi, si je l'ai écrite moi-même, comment cet homme était au courant de son existence…

Il ne dit rien. Il semblait moins sûr de lui.

— Et si ce n'est pas moi qui l'ai écrite, comment se fait-il, là encore, qu'il en connaisse l'existence et la teneur, alors que cette lettre était en *ta* possession au moment où il appelait ?

Il rougit.

— C'est peut-être une coïncidence, hasarda-t-il. Il ne parle pas de la lettre… juste de quelqu'un qui s'est suicidé.

Elle leva les yeux au ciel.

— Oh, Gérald, bon sang ! Il dit exactement ceci : *Ça ne te gêne pas d'avoir laissé quelqu'un mourir… Tu as laissé quelqu'un se suicider le soir de Noël, quelqu'un qui t'a pourtant appelée à l'aide…* Évidemment qu'il parle de la lettre ! De quoi d'autre ? Il en dit juste assez pour que je sois la seule à comprendre, c'est tout !

Il cligna des yeux ; elle vit passer une brume d'incertitude dans son regard. Il secoua finalement la tête d'un air incrédule.

— D'accord, admit-il. Tu as raison, il parle de la lettre… Mais ce que tu as dit à Denise…

— Denise, elle, m'a dit que je n'étais pas la personne qu'il te fallait ! Et oui, ça m'a mise en pétard ! Tu aurais réagi comment à ma place ?

— Tu as oublié le mail que tu lui as envoyé.

— *Je n'ai pas plus écrit ce mail que je n'ai écrit cette lettre*, articula-t-elle d'un ton sec. Merde, tu ne comprends donc pas ? Ce type ne s'est pas contenté de m'appeler à la radio : il s'est introduit dans ma messagerie… et il est aussi entré chez moi. C'est un… un genre de… de putain de *stalker*.

Cette fois, il ouvrit la bouche et la referma sans avoir rien dit. Elle le vit réfléchir.

— Quand ? demanda-t-il finalement.

— Quand, quoi ?

— Quand est-il entré chez toi ?

— La nuit où je t'ai appelé à cause d'Iggy, répondit-elle. Je l'ai trouvé avec la patte cassée dans le local à poubelles. Ce sont ses aboiements qui m'ont permis de le localiser. J'ai même cru un moment qu'il était chez la voisine – laquelle voisine s'est empressée de dire à la police que j'étais dingue…

— Comment va-t-il ?

— Il est mort.

— Quoi ?!

— Iggy a été tué, Gérald. D'ailleurs, je ne sais pas quoi faire de son corps. Il est encore dans… dans l'appartement… Si tu ne me crois pas, tu n'as qu'à venir voir.

Elle le vit digérer l'information. Puis elle lut dans ses yeux qu'il commençait de céder à l'affolement.

— Christine, sacré bon Dieu, il faut prévenir la police !

Elle partit d'un bref ricanement.

— La police ? Tu viens de dire toi-même que la police me croit coupable ! Et folle !… Même toi, tu as cru que j'avais frappé cette pauvre fille, putain !

Il la dévisageait à présent, le regard agrandi par l'inquiétude.

— Qu'est-ce que tu comptes faire ?

— Deux choses : trouver qui – et pourquoi. Et pour cela, il n'y a qu'une personne qui puisse me renseigner...

Il plissa les yeux.

— La stagiaire, dit-il. Bien sûr... Que veux-tu que je fasse ?

— Je crois qu'ils me surveillent. J'ai pris toutes mes précautions pour venir ici. Par conséquent, ils ne savent pas encore que nous avons repris contact.

— Tu dis « ils », tu crois donc ?... Mais oui, bien sûr : cette stagiaire et ce type...

— Je crois qu'il y a encore quelqu'un d'autre, ajouta-t-elle. Eux, ce ne sont que des petits voyous sans envergure. Ils ont sans doute été payés. Ils n'avaient aucune raison de s'en prendre à moi. Et, surtout, ils n'ont pas pu trouver toutes ces informations sans l'aide de quelqu'un d'autre...

Il lui lança un regard en forme de question à travers ses lunettes.

— Tu as une idée de qui il s'agit ?

Elle le fixa, songeuse.

— Peut-être... Je veux que tu surveilles cette fille à ma place, dit-elle.

— Merde, Christine ! Je ne suis pas flic, je ne sais pas si je saurai faire ça !

Elle le regarda, détailla ce visage lisse, ses lunettes bien sages, sobres, élégantes, à la mode, son manteau d'hiver bien coupé, sa jolie écharpe en soie grise. Huma l'odeur de propre qu'il dégageait. Avec ce parfum riche par-dessus... *Quand cesseras-tu d'être un petit garçon bien élevé, Gérald ?* Elle serra les dents. Articula d'une voix ferme :

— Tout ce que tu auras à faire, c'est de la suivre une journée ou deux. Me dire si elle a rencontré quelqu'un, et m'appeler si elle est seule chez elle…

— Elle habite où ?

— La Reynerie.

— Super. (Il prit soudain la main de Christine dans la sienne, la serra.) Excuse-moi, dit-il. Je suis désolé. J'aurais dû chercher à en savoir plus. Je n'aurais pas dû me limiter aux apparences. Je suis très triste pour Iggy : je veux me racheter. (Il esquissa un sourire bravache, un sourire d'autodérision.) D'accord, je vais suivre cette fille. Et les types de la Reynerie n'ont qu'à bien se tenir : ils n'ont pas encore vu de quoi est capable un gars qui a grandi à Pech-David.

Elle ne put s'empêcher de sourire devant cette rodomontade typiquement géraldienne. Elle devina qu'il avait peur mais qu'il voulait malgré tout être à ses côtés. Il la regardait en souriant. Tu peux compter sur moi, disait ce sourire, je ne suis pas courageux, pas plus que la moyenne des gens, mais je vais faire ça pour toi.

Elle répondit à l'étreinte de sa main. Elle aurait voulu se pencher par-dessus la table, l'embrasser – mais elle n'était pas encore tout à fait prête à lui pardonner.

— Un conseil, dit-elle. Change-toi avant.

Servaz regardait les avions décoller à cinq minutes d'intervalle, avec des pointes à un décollage par minute ou toutes les deux minutes, depuis la zone industrielle de Blagnac. Il avait horreur de l'avion.

Quelque chose le tarabustait. Le journal de Mila était posé à côté de lui sur le siège passager et son regard ne cessait de revenir dessus. *Pourquoi avait-elle gardé l'enfant ?* Il revit le petit garçon en pyjama assis sur les genoux de sa mère, sentit à nouveau cet amour plus fort que tout, ce lien indestructible qui les unissait. Il était présent entre eux et Servaz l'avait perçu, aussi nettement qu'il aurait perçu un sifflet à ultrasons s'il avait été un chien : *pourquoi diable avait-elle changé d'avis ? pourquoi n'avait-elle pas avorté ?*

Il reporta son attention sur le bâtiment tout de verre et de béton, cette architecture interchangeable qu'on retrouvait de Tokyo à Sydney en passant par Doha, avec les lettres GOSPACE sur le toit. Léonard Fontaine était toujours à l'intérieur. Il attrapa son téléphone.

— Vincent ? dit-il quand Espérandieu eut répondu. J'ai besoin d'autre chose : cherche parmi les dépôts de plaintes récents s'il y en a une déposée par une certaine Christine, une plainte concernant des violences ou du harcèlement.

— Christine ? Tu n'as pas son nom par hasard ? (Un temps.) Oublie ma question…

35

Bis

L'interne des urgences était plus jeune qu'elle. Il
était brun, avec des traits et une couleur de peau qui
faisaient penser à une origine indienne ou pakistanaise
et il paraissait épuisé et stressé. Elle se dit que c'est
lui qui aurait eu besoin de soins. Combien d'heures
qu'il n'avait pas dormi ?

— Je vous écoute, dit-il après un bref coup d'œil
dans sa direction. Vous avez dit à l'infirmière que vous
pensiez avoir fait un malaise cardiaque cette nuit. (Il
regarda sa fiche.) D'après les symptômes que je vois
là, ça pourrait être une simple crise de tachycardie.

— J'ai menti.

Une ombre d'étonnement passa dans son regard.
Une ombre seulement : il en avait vu d'autres.

— Comment ça ?

— C'est… délicat…

Elle le vit se rejeter contre le dossier de sa chaise
et tripoter le stylo dans la poche de poitrine de sa
blouse en feignant d'avoir tout son temps, ce qui était
loin d'être le cas : le couloir derrière elle était plein
à craquer.

— Je vous écoute.

— J'ai eu… un rapport non protégé, cette nuit. Je…
j'avais bu et aussi… j'ai…

— De la drogue ?

— Oui. (Elle feignit la honte et la culpabilité.)

— Laquelle ?

— Peu importe. Ce n'est pas pour ça que je suis ici.
Mais à cause de… de la… *contamination éventuelle.*

Il hocha la tête.

— Je vois. Vous voudriez faire le test, c'est ça ?

Elle acquiesça. Il réfléchit.

— Je peux vous prescrire un test Elisa pour dans
trois semaines : avant, ça ne servirait à rien, de toute
façon. Et un deuxième test de confirmation au bout de
six semaines. Mais, en attendant, je dois vous… hum…
poser un certain nombre de questions… Pour décider
quel genre de traitement *post-exposition* je dois vous
prescrire : est-ce qu'un simple traitement prophylactique suffit, ou bien est-ce qu'on doit, d'ores et déjà,
envisager une multithérapie pour essayer d'enrayer
l'infection, vous saisissez ?

— Je crois que oui.

— Bien. Y a-t-il eu rapport oral, vaginal ou anal ?

— Euh… vaginal.

— Pas de rapport anal ? insista-t-il.

— Non.

— Que savez-vous de votre partenaire ? Est-ce que
vous le connaissez bien ?

— Pas du tout. C'était un… un inconnu, vous
voyez, répondit-elle en rougissant.

— Vous l'avez rencontré comment ?

— Eh bien, dans un bar… deux heures avant.

Pendant une fraction de seconde, elle eut la désagréable impression qu'il la jugeait.

— Excusez-moi. Vous dites l'avoir rencontré dans un bar. À votre avis, vous pensez qu'il pourrait être séropositif ? Qu'il a une conduite à risque ?

— Il m'a baisée sans capote, répliqua-t-elle sèchement. Et il ne me connaissait pas. Alors, oui : je pense que la probabilité n'est pas nulle…

Violée, hurla la voix dans son esprit, pas *baisée*… Elle entendit celle de l'homme dans son oreille disant : « JE SUIS SÉROPOSITIF. » Vit le jeune interne rougir violemment et froncer les sourcils, puis il attrapa une feuille d'ordonnance.

— Je vais vous prescrire dès maintenant une association de plusieurs antirétroviraux : à prendre pendant quatre semaines. Ensuite, vous arrêtez le traitement pendant trois semaines avant de faire le test. Vous avez un médecin traitant ?

— Oui, mais…

— Écoutez. Peu importe qui fait quoi : faites-le, d'accord ?

Elle hocha la tête.

— À prendre pendant les repas, précisa-t-il en rédigeant l'ordonnance. Respectez bien les horaires de prise et les doses. Vous aurez peut-être des diarrhées, des nausées, des vertiges, mais surtout, surtout, vous n'arrêtez pas le traitement, c'est compris ? Ces désagréments disparaîtront au bout de quelques jours.

— D'accord.

— Si vous oubliez une prise…

— Je n'oublierai pas.

— … si vous oubliez une prise, persista-t-il (il devait penser qu'une femme de son âge capable de

525

baiser sans capote avec un inconnu rencontré dans un bar était totalement irresponsable), attendez l'heure de la prochaine et ne doublez surtout pas la dose. Si vous vomissez moins de trente minutes après la prise, reprenez une dose. Dans le cas contraire, non. Je vais aussi vous prescrire des prises de sang pour détecter d'éventuelles complications.

Il lui lança un regard qui trouva le moyen d'être à la fois embarrassé et sévère.

— Attention : ce traitement ne vous protège pas d'une nouvelle contamination. Il ne protège pas non plus vos... votre partenaire... euh... éventuel... vous comprenez ?

OK. Il la prenait pour une nympho. Puis, d'un coup, son regard se radoucit.

— Écoutez, il y a de grandes chances pour que vous n'ayez rien. Ce sont de simples mesures de précaution. Mais au cas où, malheureusement, vous seriez contaminée, il vaut mieux suivre un traitement pendant quatre semaines que d'être obligée de se soigner toute sa vie.

Il savait – et elle savait aussi – que ce traitement ne garantissait pas pour autant qu'elle éviterait toute contamination. Mais elle lui fit néanmoins signe de la tête qu'elle avait compris.

REPLICANT. C'était écrit au-dessus de la porte. Le « R » avait la forme d'un pistolet-mitrailleur. Sympa... Elle poussa la porte vitrée et le tintement de la clochette fut remplacé par une sirène de police hululante telle qu'on pouvait en entendre dans les rues de Chicago ou de Rio.

Autour d'elle : vitrines, présentoirs, étagères sous

clé, néons, reflets, verre Sécurit. Et tous les artefacts nés de l'acharnement de l'espèce humaine à s'étriper depuis la nuit des temps. Armes à feu : fusils de chasse, fusils à pompe, armes de poing, pistolets et revolvers de catégorie B : leur acier brun, poli, viril. Carabines à plomb, *airsoft guns*, pistolets à billes… Munitions tous calibres… Optiques : lunettes de tir, jumelles, viseurs point rouge, vision nocturne… Coutellerie : poignards, couteaux à lancer, machettes, katanas, tomahawks, haches, étoiles de ninjas – tous étincelants, beaux, délicats, fuselés, presque des œuvres d'art… Idées cadeaux : des peluches, des trousses de premiers secours et des *stylos de défense*… Et aussi arbalètes, lance-pierres, nunchakus, sarbacanes, matraques… Même les canettes de boissons énergisantes portaient des noms guerriers : Monster, Grizzly, Dark Dog, Shark, Kalashnikov… La plupart de ces trucs en vente libre. Fascinant…

Le grand type obèse et barbu arborait la même casquette de base-ball que la dernière fois. Elle aurait pu se croire dans une petite ville du Midwest ou sur un stand de la NRA. Ce type était un cliché ambulant.

— Je peux vous aider ? demanda-t-il d'une voix aussi frêle que celle d'un petit garçon.

L'odeur de sueur était toujours là, comme un gaz, autour de lui – et Christine fronça le nez.

— Sûrement, répondit-elle.

Il la sonda, se demandant visiblement si ça voulait dire oui ou si ça voulait dire non. Après un instant de réflexion, il opta pour le oui.

— On ne se sent pas en sécurité, hein ? Nous voulons tous plus de sécurité, assena-t-il d'un ton définitif. Nous voulons tous un monde où les voyous et les criminels sont vraiment punis et les honnêtes gens défendus par ceux qui sont censés le faire. Nous voulons tous l'ordre et la paix. Mais ça ne marche pas comme ça... Personne ne nous défend vraiment. Personne ne nous vient en aide, en fait. Personne ne se soucie de nous. (Elle se demanda soudain si, à travers ce « nous », elle ne devait pas comprendre « lui »). Alors, nous devons le faire nous-mêmes. Nous devons prendre notre destin en main. Surtout quand on est une femme dans un monde d'hommes...

— C'est exactement ça, persifla-t-elle, tout en se demandant si, involontairement, ce bouffon ne venait pas d'émettre une vérité.

Il lui décocha un clin d'œil, l'air de dire : « Je le savais dès que je vous ai vue entrer, ma petite dame. Vous et moi, on se comprend. »

— Eh bien, vous êtes au bon endroit, dit-il fièrement.

— C'est ce que je vois, renchérit-elle. Toutes ces armes : elles sont autorisées par la loi ?

— On l'emmerde, la loi. (Il lui adressa un sourire d'excuse pour ce gros mot ; il avait une bouche minuscule mais lippue comme celle d'une carpe au milieu de sa barbe bouclée.) Elle est où, la loi, quand on a besoin d'elle, hein ? Mais ne vous inquiétez pas : ce que je vais vous montrer est en vente libre pour toute personne ayant plus de dix-huit ans. C'est votre cas ?

Finalement, il avait un sens de l'humour bien à lui. Il désigna une vitrine. D'énormes pistolets automatiques, comme ceux que brandissent les tueurs dans les films de John Woo et de Tarantino.

— Des modèles d'alarme et des modèles à gaz, précisa-t-il. Ces armes ne peuvent pas tuer – mais avouez qu'elles font peur, non ?

Elles devaient surtout faire peur aux bijoutiers et aux petits commerçants sous le nez desquels les voyous qui en étaient les premiers utilisateurs les braquaient.

— Non, dit-elle en sortant un papier. Je cherche plutôt ça.

Il eut l'air déçu en consultant la liste.

— Vous auriez dû le dire tout de suite. Venez par là.

Dix minutes plus tard, elle ressortait avec un porte-clés lacrymogène Mace, un poing électrique recharge-able de 500 000 volts avec lampe LED intégrée et une matraque télescopique Piranha en inox de 53 cen-timètres, avec poignée en Néoprène, le tout fourré dans un sac de sport noir. Elle eut une drôle d'impression quand elle fit une pause-café dans un bar, son sac à ses pieds, puis quand elle emprunta le métro avec. Sa destination suivante était une droguerie non loin de son appartement, dans laquelle elle fit l'acquisition d'un rouleau de gros ruban adhésif et d'un cutter.

Quand elle émergea du magasin, son mobile bour-donna. Gérald.

— Elle est seule chez elle.

Elle faillit éclater de rire en le découvrant à la sortie du métro Reynerie : les vêtements qu'il avait passés – une sorte d'informe sweat à capuche, un immense pantalon baggy noir et des sneakers Puma à imprimé léopard – avaient au moins quatre tailles de trop – à part les chaussures. Il arborait aussi une casquette Snapback à visière plate rouge sous sa capuche et des lunettes noires. Le pantalon en particulier, dans lequel on aurait pu en glisser trois comme lui, crou-lait et tirebouchonnait par vagues sur les sneakers et traînait dans la neige. Il ressemblait à une caricature de rappeur dans un épisode de South Park.

— Où as-tu trouvé ces fringues ? demanda-t-elle, horrifiée.

— Yo, répondit-il.

— Ils vont te dépouiller rien que pour les avoir, plaisanta-t-elle.

— Yo. Niqu' leurs mères. T'es pas mal non plus, ajouta-t-il.

Christine cessa de sourire quand elle songea qu'il avait de grandes chances de se faire repérer ainsi accoutré. Elle jeta un coup d'œil inquiet vers les grandes barres d'immeubles au-delà de l'esplanade et du petit lac. Il ne neigeait plus, mais une fine brume humide montait du sol.

— Je crois que les types là-bas m'ont repéré, dit-il quand ils se mirent en marche. Ils doivent me prendre pour un flic en civil. Ça craint.

Elle lui jeta un regard prudent et sourit.

— Aucun flic en civil ne serait assez cinglé pour se déguiser ainsi. Elle est toujours seule ?

Il montra le bâtiment, tandis qu'ils grimpaient lentement la butte dans le brouillard. Christine aperçut les mêmes inquiétantes silhouettes que la dernière fois dans la brume.

— Avec son gosse, oui, répondit-il.

— Rentre chez toi.

— Qu'est-ce que tu vas faire ?

— Rentre chez toi... Si tu oses prendre le métro dans cette tenue... Et si tu restes ici habillé comme ça, tu vas finir en caleçon.

Il prit un air de petit garçon buté sous sa visière et sa capuche, une version binoclarde d'Eminem.

— Non, je t'accompagne.

Christine stoppa net et se tourna vers lui.

— Gérald, écoute-moi bien : tu sais de quoi on a l'air, là, tous les deux ? De deux abrutis... Il va leur falloir trente secondes pour nous percer à jour, et encore moins pour nous tomber dessus. Non, mais t'as vu ta tenue ? On se ferait moins remarquer si on était en costard-cravate !

— Qu'est-ce que tu vas faire ? voulut-il savoir.

— Ne t'en fais pas, j'ai mon plan.

— Ton plan ? De quel plan tu parles ? À part se déguiser...

— Je te remercie pour ce que tu as fait. Mais, maintenant, tu rentres chez toi.

— Nan, je reste ici. (Il s'immobilisa au pied d'un arbre, releva la manche du sweat trois tailles au-dessus pour consulter sa montre.) Quinze minutes. Ensuite, je viens te chercher.

Christine sentait chacun de ses nerfs tendu comme une corde à piano. La situation ne prêtait pas à sourire, elle était bien trop dangereuse. Néanmoins, l'obstination de Gérald et sa tentative de faire preuve de courage lui arrachèrent une grimace.

— D'accord. Mais donne-m'en vingt.

Il jeta un coup d'œil inquiet autour de lui.

— Suis pas sûr de pouvoir tenir si longtemps, dit-il en fronçant les sourcils.

Elle promena un regard autour d'elle, à l'affût du moindre mouvement suspect, tandis que les nappes de brume s'épaississaient.

— Suis pas sûre non plus, approuva-t-elle. Ils risquent de te prendre pour un membre d'un gang rival... (Son regard le balaya de haut en bas et elle sourit.) Quoique. le temps qu'ils trouvent lequel… je serai revenue, estima-t-elle d'un ton badin en s'éloignant.

Elle était cependant bien loin d'éprouver la légèreté qu'elle venait d'affecter. Elle-même avait revêtu le même sweat sombre que la dernière fois – mais elle était quasiment sûre que leur manège était déjà observé à la loupe. Ses mains étreignirent le porte-clés lacrymo et le poing électrique dans ses poches. Mais elle savait que, si elle se retrouvait cernée, ça serait loin de suffire. Elle avait aussi le ruban adhésif, le cutter et la matraque télescopique dans son sac en bandoulière – et elle n'osait imaginer comment ils réagiraient s'ils lui demandaient de l'ouvrir.

Elle parvint néanmoins sans encombre jusqu'au hall de l'immeuble. Les gamins de la dernière fois avaient disparu. Le vent chassait la neige et la brume en serpentins blanchâtres, la neige fondait. Personne dans le hall. Elle laissa des traces boueuses en filant vers les ascenseurs. Un martèlement lointain dans ses oreilles – dont elle se demanda s'il provenait d'une chaîne hi-fi dans les étages ou de son propre sang –, un bruit qui commençait à lui être familier : *le bruit de l'adrénaline.*

Une fois les portes de la cabine refermées, elle sortit le porte-clés et le poing électrique, dont l'extrémité évoquait une mâchoire. Elle avait glissé deux piles dedans, elle passa la dragonne autour de son poignet et ôta le cran de sécurité. Le vendeur lui avait conseillé de choisir un gel plutôt qu'un spray pour la bombe lacrymo (il lui avait expliqué qu'un gaz pouvait vous revenir dans la figure en cas de vent contraire), mais elle avait opté pour le spray, qui demandait moins de précision d'une part et, d'autre part, elle comptait en faire usage en intérieur. Elle avait toutefois noué préventivement un foulard autour de son cou. Tout, à présent, était une question de timing et de fluidité : elle avait répété les gestes une bonne dizaine de fois devant sa glace avant de rejoindre Gérald. Mais elle n'était pas sûre que cela suffise. Ce genre de trucs ne se passait bien que dans les films. Elle avala sa salive, serra les poings autour des deux objets au fond de ses poches. Elle avait mal dans le ventre et dans les reins. Elle prit une longue inspiration quand les portes de l'ascenseur s'ouvrirent.

Couloir. Bruits de télévision. Tags.

Porte 19B. Christine essaya de respirer calmement. Comme la fois d'avant, de la musique traversait le battant. Le cœur à 160. Elle sonna. *Bang-bang*, faisait son cœur. Des pas derrière la porte. Elle devina qu'on l'observait par le judas optique. *Respire…*

La porte s'ouvrit à la volée.

— Qu'est-ce que tu fous ici, bordel ?

Cordélia la toisait du haut de son mètre quatre-vingts. La grande perche portait un tee-shirt et une culotte, cette fois. Son visage exhibait encore les stigmates des coups qu'elle avait reçus : ecchymoses allant du jaune moutarde au noir, yeux injectés, nez en patate de boxeur… Christine se demanda qui les lui avait donnés. Et si elle les avait reçus contre son gré ou non.

— T'es sourde ou quoi ? Je t'ai demandé ce que tu faisais…

Christine retira sa capuche. Elle lut la surprise dans les yeux de la stagiaire. Elle avait entouré ses yeux de crayon noir et de fard à paupières, passé un fond de teint blanc sur son visage, peint ses lèvres en noir. Elle avait l'air *gothique* – ou cinglée. Ou déguisée pour Halloween.

— Putain, je sais pas à quoi tu joues mais…

Elle lut la colère et l'incrédulité dans les yeux agrandis de la jeune femme.

— … s'il sait que tu es venue, il va te…

Le bras qui s'élève, le jet qui gicle dans les yeux. « Putaaaainnnn ! » La stagiaire hurla. Recula, vacilla. Se plia en deux. Elle porta les mains à son visage. Toussa. Christine releva le foulard sur sa bouche et sur son nez, la poussa du plat de la main à l'intérieur de l'appartement et referma la porte derrière elle. Penchée en avant, Cordélia se frottait convulsivement les paupières, les yeux pleins de larmes. Incapable de regarder dans sa direction. Elle était secouée de quintes de toux. Les petites électrodes du poing électrique se posèrent entre ses omoplates, à la base du cou, à travers le mince tissu de coton (si fin que Christine pouvait sentir le dessin des vertèbres en dessous) – 500 000 volts : un grésillement et la lumière bleue de l'arc électrique… Le corps de la jeune femme fut parcouru de tremblements, ses jambes se dérobèrent. Elle tomba comme une marionnette dont on a coupé les fils. Christine accompagna le mouvement, le poing électrique toujours collé entre les omoplates de Cordélia. Elle prolongea la décharge au-delà des cinq secondes. Fin de partie. *Game over*. La stagiaire gisait sur le sol, elle n'était pas évanouie mais désorientée et incapable de se relever ou de réagir : la décharge électrique avait momentanément coupé les messages que son cerveau envoyait à ses muscles.

Christine fit glisser la bandoulière de son sac, le

posa à ses pieds, ouvrit la fermeture Éclair. *Alors,*
ça fait quoi d'être la victime au lieu du bourreau ?
Hein ? C'est bizarre, non ? Je parie que t'as pas trop
apprécié ce moment. Eh bien, laisse-moi te le dire tout
net : c'est rien à côté de ce qui va suivre.

Une momie. Le gros ruban adhésif métallisé était
enroulé autour de ses chevilles, de ses mollets, de
son torse et de ses bras. Couchée sur le côté, au sol,
genoux repliés. En position fœtale. Bras ligotés en L,
poignets et mains jointes. Seules quelques parties du
corps visibles sous le ruban : genoux, coudes, clavi-
cules – et la partie supérieure de la tête. Car le cou,
le menton et la bouche de Cordélia étaient également
emprisonnés dans d'épaisses couches de ruban adhésif. Il s'arrêtait juste sous son nez – et elle respirait
bruyamment.
Christine croisa une paire d'yeux étincelants de
fureur et d'incrédulité. Cordélia poussa un grognement furibond à travers le large scotch, en gigotant
comme un ver sur son hameçon. Assise au bord de la
table basse, à un mètre d'elle, Christine l'observait ;
la matraque télescopique avait remplacé le poing électrique dans sa main.
— Pas trop mal ? demanda-t-elle. Ils disent que ce
truc ne laisse pas de séquelles ni de blessures physiques. Les menteurs.
— Gggrrrrmmmmhh…
— La ferme.
Le bout en inox de la matraque s'approcha d'un
endroit dénudé dans le dos de Cordélia, là où apparaissaient les brûlures superficielles laissées par la

décharge électrique ; la stagiaire tressaillit quand Christine les effleura.

— Ça, c'était pas prévu, dit-elle d'un ton neutre.

— Gggrrrrmmmmhh...

— Ferme-la, j'ai dit.

— *V't'... fèrrr... foutttt.... spèsss... ddde... pu... tt...*

Soupirant, Christine considéra l'une des rotules laissées nues par le ruban. L'os lisse, bombé, vaguement triangulaire sous la peau fine et pâle. Elle hésita, une griffe dans la poitrine. Un court moment, elle se demanda si elle ne ferait pas mieux de s'arrêter là. Elle avait beau avoir visualisé la situation en venant, c'était autre chose de passer à l'action. Elle sentit tout à coup que sa main et ses genoux se mettaient à trembler et elle se raidit pour ne rien laisser paraître. Elle visa, balança la matraque. Son mouvement fendit l'air avec un doux chuintement. Un bruit étrange, comme celui d'un mug qui se brise par terre, lui succéda. Les yeux de la stagiaire jaillirent de sa tête. Elle hurla à travers l'adhésif, mais le son se réduisit à un hennissement étouffé. Les larmes coulèrent sur ses joues et elle regarda Christine avec une souffrance et une rage effrayantes. Celle-ci se demanda avec angoisse si elle ne lui avait pas pulvérisé la rotule.

Cordélia lui lança un regard perplexe, inquiet, des larmes plein les yeux. Christine lui laissa le temps de reprendre ses esprits. Ses yeux entourés de crayon noir étaient deux morceaux de glace.

— Je vais t'enlever le sparadrap. Si tu appelles au secours, si tu essaies de crier, d'élever la voix, je te défonce toutes les dents avec ça...

Son ton si froid, si rêche, si métallique qu'elle ne le reconnut pas. Une autre Christine était en train de prendre la place de celle qu'elle connaissait. *Mais elle te plaît, cette Christine-là, pas vrai ? Pourquoi ne pas l'admettre ? Même si un zeste de cette Christine civilisée, bien-pensante et pleine de bons sentiments hypocrites continue de désavouer ce que tu es en train de faire, tu ne peux pas t'empêcher de penser que c'est quand même cool de faire justice soi-même. De rendre coup pour coup. Comme dans l'Ancien Testament. Tu l'aimes, cette Christine nouvelle : avoue.*

Visiblement, Cordélia aussi avait compris que la donne avait changé, car elle secoua vigoureusement la tête en signe d'assentiment. Christine se pencha et arracha l'adhésif de sa bouche. La stagiaire grimaça de douleur mais n'émit aucun son.

— Je parie que tu ne t'attendais pas à ça, hein ? À ce que Christine-!a-victime-idéale, Christine-la-cible-parfaite, cette pauvre pauvre Christine se transforme en Christine-la-dangereusement-cinglée. Tu te rends compte : même mon langage a changé. Je dois dire que ce que vous êtes arrivés à faire de moi en quelques jours, c'est remarquable. Remarquable…

Cordélia ne fit aucun commentaire. Depuis le sol, elle l'observait avec un regard calculateur et prudent. Un regard qui allait et venait entre Christine et la matraque.

— La grande question, ajouta Christine doucement, c'est qui se cache derrière ce « vous ».

Cordélia la fixa.

— C'était une question, Cordélia… Tu n'as pas entendu le point d'interrogation à la fin ?

Pas de réponse.

— Cordélia…

— Ne me demande pas ça. S'il te plaît.

— Cordélia, tu n'es pas en position de refuser.

— Tu peux me frapper, je ne dirai rien...

— Cordélia, je vais te faire mal...

— Tu perds ton temps.

— Je ne crois pas... Le temps, c'est justement ce que j'ai en abondance...

Sa voix de plus en plus calme et glaciale. La panique dans les yeux de la jeune femme. Sa certitude grandissante que Christine était devenue folle.

— Je t'en supplie, arrête... Il est capable de tout... Je sais qu'il me surveille... Tu ferais mieux de filer d'ici... Tu n'as pas la moindre idée de ce que tu fais. Tu ignores à qui tu as affaire, à quel point il est dangereux.

Elle émit un soupir.

— Cordélia, ce n'est pas ce que je t'ai demandé. *Qui ?* C'est la seule question qui m'intéresse.

— Va-t'en, dit la jeune femme. Va-t'en avant qu'il ne soit trop tard... Je ne dirai rien de ce qui vient de se passer, je le jure. (Comme Christine ne bougeait pas, elle ajouta :) Tu n'imagines pas de quoi il est capable, tu n'en as aucune idée...

Christine soupira, remit le ruban en place, appuya dessus à plusieurs reprises pour s'assurer qu'il adhérait bien. La stagiaire secoua vigoureusement la tête, les yeux agrandis par l'inquiétude.

Christine fixa l'épaule osseuse, qui pointait sous le tee-shirt.

Son cerveau soupesa. Évalua. Elle éleva la matraque s'efforçant de maîtriser le tremblement de son poignet. Elle lut la douleur, énorme, quand la clavicule céda sous l'impact, puis la résignation dans le regard de la jeune femme, qui ferma les paupières (mais de grosses larmes roulèrent sous ses cils).

L'espace d'un instant, Christine se demanda si elle s'était évanouie. Elle écarta l'adhésif.

— Tu es sûre que tu ne veux rien me dire ?

Les yeux se rouvrirent d'un coup.

— Va te faire foutre.

Elle réfléchit. Elle avait beau avoir changé, elle n'était pas une tortionnaire : est-ce que ce qu'elle venait de faire pouvait être qualifié de « séquestration et actes de torture » devant un tribunal ? Sans aucun doute. N'empêche que, se dit-elle, chacun agit, en fin de compte, selon ses principes et sa morale. Il n'y a que des règles propres à chaque individu et, selon ses critères à elle, une véritable séance de torture, ce n'était pas ça : c'était ce qui risquait de venir ensuite…

— Va-t'en, la supplia Cordélia. Je t'en prie. Tu ne le connais pas : il te fera du mal. Et à moi aussi.

— Il m'en a déjà fait, il me semble, rétorqua-t-elle.

Elle remit le ruban en place sur les lèvres de la stagiaire. Mais le doute s'insinuait. Et la peur – à nouveau. Les yeux écarquillés, tout en remuant ses membres ankylosés pour réactiver la circulation sanguine, Cordélia paraissait véritablement effrayée. Qui était cet homme qui la terrorisait à ce point ?

Il y avait peut-être une solution… Une solution qui lui répugnait. Qui lui soulevait l'estomac.

Elle plongea la main dans le sac, en sortit le cutter. Vit le regard agrandi, terrifié, de la stagiaire sur la lame.

— Anton est en train de dormir ?

Le regard se durcit, devint féroce.

— Tu veux que je m'occupe de ton bébé ? dit soudain Christine.

Elle retira l'adhésif.

— Si tu touches à un seul de ses cheveux, je te tue, cracha la stagiaire d'une voix vibrante de haine. Tu ne feras pas ça… C'est du bluff, ta mise en scène. Je te connais : tu n'es pas ce genre de personne. Tu es incapable de faire une chose pareille.

— *J'étais.* Ça, c'était *avant*, Cordélia…

— Tu ne le feras pas, insista la stagiaire – mais sa voix tremblait quelque peu.

— Vraiment ? Regarde : *vois ce que vous avez fait de moi.*

Elle se leva. Se dirigea vers la pièce voisine. Repoussa la porte entrebâillée. Elle eut l'impression que ses semelles se remplissaient de plomb. Le bébé était là : en train de dormir paisiblement dans son landau. Un mobile fait d'un croissant de lune et de planètes pendait au-dessus de lui, ainsi qu'un hochet suspendu à portée de sa petite menotte. La lame se mit à trembler dans sa main quand elle s'approcha, le sang bourdonnant dans les tempes. Cordélia avait raison, bien sûr : c'était du bluff. Le cutter, tout au moins… Elle avança sa main libre. *Et merde…* Ses doigts pincèrent la peau fine et douce, le petit bras dodu et rose. Aussitôt, Anton ouvrit les yeux et se mit à hurler. Elle le pinça une nouvelle fois, plus fort : les hurlements explosèrent.

— Reviens ! hurla Cordélia dans le salon. Je t'en supplie ! Reviens ici !

Christine se sentait au bord de la nausée. À quoi était-elle en train de jouer ?

— Reviens ! Je t'en supplie ! hurla Cordélia dans la pièce voisine. Je vais parler !

Elle entendit la mère pleurer sans retenue.

Ne te laisse pas fléchir. Concentre-toi sur ta colère.

Elle revint dans le salon. Le bébé hurlait toujours. Cordélia leva vers elle des yeux hagards, parla très vite :

— Je ne connais pas son nom... Il nous a contactés, Marcus et moi, et nous a proposé de l'argent. Au début, il s'agissait juste de passer un coup de fil à la radio, de déposer une lettre – il nous a dit exactement quoi faire... Et puis, il a voulu qu'on te fasse peur, qu'on...

Les larmes inondaient les cils de la stagiaire.

— Qu'on... casse une patte à ton chien... Je n'étais pas d'accord... mais il était trop tard pour reculer... et il y avait beaucoup d'argent à la clé... *Beaucoup*. Je suis désolée : je ne savais pas que ça irait si loin, je le jure !

— Qui est Marcus ?

— Mon copain.

— C'est lui qui m'a violée ? Qui a tué mon chien ?

La stupeur dans les yeux de la jeune femme. Christine y lut un doute effroyable.

— Quoi ?! Il devait... il devait seulement... te *droguer* !

Elle secouait la tête, à présent, pleine de désarroi.

— Cet homme qui vous a contactés ? Qui est-ce ?

— J'en sais rien ! J'en sais rien ! Je ne connais pas son nom, je le jure !

— À quoi il ressemble ?

Le regard de la stagiaire se porta derrière Christine.

— L'ordinateur... Il y a une photo dedans... On le voit monter dans sa voiture. Marcus l'a prise à son insu : au cas où il nous arriverait quelque chose, après notre premier rendez-vous... Le fichier s'appelle...

Christine se retourna. L'ordinateur était posé sur

541

la table basse. Ouvert et allumé. Une étrange sensation, accompagnée d'un vertige, lorsqu'elle se leva. Allait-elle le reconnaître ? Était-ce quelqu'un qu'elle connaissait ? Tout d'un coup, elle n'était plus aussi pressée de découvrir la vérité.

— Il y a une icône sur le bureau, lança Cordélia dans son dos. C'est écrit « X »...

Christine contourna l'appareil. Se pencha vers l'écran. Elle repéra l'icône. La sensation était toujours là. Son index s'approcha du pavé tactile, déplaça le pointeur. Un tremblement. Elle double-cliqua. Le dossier s'ouvrit. Une demi-douzaine de clichés.

Avant même d'avoir affiché le premier, elle sut : *elle l'avait reconnu.*

Elle ne sentait plus rien, sinon le vide qui aspirait toute pensée.

Léo...

36

Balcons

La porte d'entrée s'ouvrit au même moment.
— Cordie ? Tu es là ?
Christine se retourna, croisa le regard de la stagiaire.
Merde ! Elle se précipita sur le porte-clés lacrymogène
et le poing électrique.
— MARCUUUS ! AU SECOURS ! hurla Cordélia.
Ignorant la jeune femme qui se tortillait par terre,
elle se rua vers la silhouette qui venait d'apparaître,
l'aspergea de lacrymo. Mais le petit homme avait déjà
mis sa main en écran et seule une partie du nuage
atteignit son visage efféminé. Il n'en toussa pas moins
violemment et cligna des yeux tout en les écarquillant,
la sclérotique si rouge qu'on devinait à peine les iris.
Suffisant pour donner à Christine le temps de lui balancer 300 000 volts dans l'épaule. Elle le vit se raidir
et se mettre à trembler. Puis il s'effondra. Une fois
de plus, elle prolongea l'arc électrique au-delà des
cinq secondes, mais les piles étaient en train de se
décharger. Elle attrapa la matraque et lui frappa les
deux rotules à plusieurs reprises avant de lui balancer
un ultime coup entre les jambes – ce dernier n'atteignit

pas vraiment sa cible, car il s'était recroquevillé sur lui-même.

C'est tout toi, ça, sœurette : tu ne fais jamais les choses à moitié. Bien joué ! Il n'est pas près de se remettre à courir après ça... File, à présent.

Elle attrapa le sac noir, fourra la bombe, la matraque et le poing électrique à l'intérieur et tira sur la fermeture Éclair.

— Espèce de salope ! gémit Cordélia derrière elle. Tu vas nous le payer ! Mon Marcus te fera la peau, conasse !

Elle claqua la porte et remonta le couloir à grandes enjambées vers l'ascenseur. Son palpitant galopait comme si elle venait de courir un cent mètres. Dans la cabine, elle se rendit compte qu'elle était en nage, le cœur dans la gorge, le corps parcouru de spasmes. La descente lui parut interminable mais, quand elle émergea dans le hall, elle s'efforça de respirer calmement et de ralentir son pas. Elle sortit dans la brume froide et humide et sursauta en voyant les deux silhouettes encapuchonnées qui entouraient Akhenaton-Gérald un peu plus loin. Elle avait toujours la dragonne de son poing électrique passé autour du poignet, dans sa poche, et elle vérifia du bout des doigts que le cran de sûreté était toujours ôté. Mais il ne devait plus y avoir beaucoup de charge.

— La voilà, dit Gérald en la voyant approcher.

Elle se raidit, sans cesser d'avancer vers eux ; leur haleine formait de petits nuages de vapeur devant eux tandis qu'ils parlaient. Mais Gérald ne paraissait ni inquiet ni nerveux.

— Vous hésitez pas à m'envoyer vos CV, les gars, dit-il, je vais voir ce que je peux faire, d'accord ?

— C'est cool. Merci, m'sieur.

— Pas de quoi. Bonne journée.

— Vous aussi. Bonjour, mademoiselle.

Elle leur rendit leur bonjour ; ils se mirent en marche rapidement vers la station de métro.

— Tu fais passer des entretiens d'embauche dans la rue, maintenant ?

— Ces garçons ont été mes étudiants, dit-il.

Elle le regarda, étonnée.

— Et ils t'ont reconnu malgré ton déguisement ?

Il partit d'un rire bref.

— Ils m'ont demandé ce que je faisais là, j'ai répondu que j'attendais une amie... Ils m'ont aussi demandé si j'allais à une fête costumée...

Il se tourna vers elle.

— Alors ? Ton plan ? Il a fonctionné ?

Elle lui décocha un clin d'œil.

— Au poil.

Une lueur de curiosité dans son œil.

— Et qu'est-ce que tu as découvert ?

— Le nom du salopard qui est derrière tout ça...

Elle avait prononcé cette phrase d'une voix glacée. Elle croisa son regard. Il était interrogateur. Le portable de Christine choisit ce moment pour émettre une courte vibration dans la poche de son jean. Elle l'extirpa et regarda l'écran. Rien. Puis elle comprit : ça ne venait pas de son téléphone *officiel*. Mais de celui à carte prépayée qu'elle avait utilisé pour joindre Léo. Elle le chercha dans une autre poche. Vit qu'elle venait de recevoir un texto. Elle l'ouvrit et lut :

« *Rejoins-moi au McDonald's de Compans, Léo.* »

Elle fixa l'écran. Son cerveau tentait d'analyser. De comprendre. Où était le piège ? Marcus et Cordélia avaient-ils déjà prévenu Léo ? Mais si la stagiaire avait aussi peur de sa réaction qu'elle le disait, pourquoi l'aurait-elle fait ? Ça ne pouvait pas être une coïncidence, pourtant : sa visite, les révélations de Cordélia et aussitôt ce texto… Quelque chose clochait. Si c'était un piège, pourquoi Léo aurait-il choisi un McDo – un endroit public, fréquenté par des jeunes, des étudiants et même des familles avec des enfants, et qui devait commencer à se remplir à cette heure ?

Quelque chose lui échappait dans la logique des événements et elle n'aima pas ça. Pas plus que le capitaine du navire qui se rend compte au milieu de la tempête qu'il a perdu le cap – et qu'il ne se trouve pas du tout là où il croyait…

— Hé, oh ! Qu'est-ce qui se passe ? lui demanda Gérald.

Ils avaient atteint la grande esplanade. Elle se retourna.

— Il faut que j'y aille… Je t'expliquerai…

Il la regarda, perplexe. Elle se mit à trottiner en direction de la bouche de métro.

— Chris ! Bon Dieu, attends-moi !

Il s'était mis à courir derrière elle. Elle fit volte-face.

— Non ! Je dois y aller seule ! Je t'expliquerai !

Il se figea au centre de l'esplanade, l'air contrarié. Ou vexé. Le brouillard le cernait et l'enveloppait. Silhouette immobile et grotesque, il disparut de sa vue quand elle s'enfonça dans les entrailles du métro.

Il la regarda approcher sans sourire, son regard posé sur elle pendant tout le temps qu'elle mit à traverser la salle au décor vaguement moderniste qui ressemblait à une leçon de géométrie dans l'espace. Il portait un manteau gris en drap de laine sur un col roulé à grosse maille. Elle s'assit en face de lui, sur l'un des sièges aux dossiers en forme de rame verticale – sans cesser de soutenir son regard.

— Salut, Léo.

Il avait l'air préoccupé. *Parce qu'il savait qu'elle savait ?* Il baissa un instant les yeux sur son Royal Bacon dégoulinant de fromage fondu, de moutarde et de ketchup, puis les releva. Les fines pattes-d'oie au coin de ses yeux se plissèrent davantage.

— Je te dois des excuses, dit-il.

Elle haussa les sourcils.

— Pour ce que je t'ai dit au téléphone, l'autre jour. C'était injuste. Et c'était cruel…

Elle garda le silence.

— Mais il y avait une bonne raison à cela…

Il regarda autour de lui, comme pour s'assurer que personne n'était assez près pour les entendre, baissa la voix de quelques décibels, et elle comprit qu'il avait choisi cet endroit qui ne lui ressemblait pas parce que le niveau sonore et l'affluence leur garantissaient une certaine confidentialité.

— … j'avais besoin de gagner du temps et… je craignais que… *quelqu'un ne m'ait mis sur écoute.*

À côté d'eux, un garçonnet et une fillette d'une dizaine d'années se battaient très bruyamment pour les derniers Chicken McNuggets au fond de la boîte, tandis que leur mère tentait de jouer les arbitres, sans cesser d'aspirer goulûment la paille plantée dans son frappé mangue-passion.

— Mis sur écoute ?

— Oui.

Elle le contempla un instant, pensive.

— Gagner du temps pour quoi ? demanda-t-elle ensuite, en élevant la voix pour se faire entendre au milieu du brouhaha qui allait croissant.

— Pour vérifier certaines choses…

Il se pencha en avant, pénétrant dans sa sphère personnelle. Son regard planté dans celui de Christine. Les nombreuses lumières au plafond et les écrans sur les murs se reflétaient dans ses iris, et elle aperçut son propre visage, minuscule, dans le noir de ses pupilles.

— Marcus et Corinne Délia, ça te dit quelque chose ? demanda-t-il.

Elle hocha la tête affirmativement. Son regard se durcit, devint tout froid.

— Je viens de les voir, répondit-elle.

Il parut authentiquement surpris.

— Quand ça ?

— Il y a quelques minutes.

— Comment ?

— Ils m'ont donné un nom, Léo…

Il la fixa intensément, les muscles de ses mâchoires jouèrent nerveusement sous la peau de ses joues.

— Vraiment ?

— *Le tien*…

— Hein ?

— C'est parce que je t'ai plaqué pour Gérald ? C'est parce que ta fierté, ton amour-propre ne l'ont pas supporté, c'est ça ? Ou bien y a-t-il autre chose ?

Une sorte de jeu pervers auquel tu aimes jouer avec les femmes en général, sauf la tienne ?...

Les yeux de Léo papillotèrent un instant. Elle sentit qu'il cherchait une réponse.

— Marcus était à l'hôtel le jour où on s'est rencontrés, poursuivit-elle, je me suis souvenu de son tatouage. Pas très discret, cela dit... Tout comme sa petite taille... Je lui suis rentrée dedans en sortant de l'ascenseur. Comment pouvait-il être là ? J'avais pris toutes mes précautions pour m'assurer que je n'étais pas suivie. (Elle le défia du regard.) Qui – à part toi – savait pour notre rendez-vous ?

Il secoua la tête.

— Oh, mon Dieu, Christine : il ne t'est pas venu à l'idée qu'il a pu te suivre quand même, que tu n'es pas une pro – ou que ton téléphone pouvait être sur écoute...

— J'en ai utilisé un neuf : carte prépayée.

Il marqua un temps d'arrêt.

— Ils ont pu mettre un mouchard dans tes affaires... te retrouver après t'avoir perdue de vue... La place Wilson, bon sang ! Ce n'est pas comme si on s'était donné rendez-vous dans les bois !

Elle le toisa, lèvres serrées, consciente que toute couleur avait déserté son visage.

— Cordélia m'a tout avoué... quand j'ai menacé son enfant, elle a craqué.

— Tu as fait quoi ?...

Il avait l'air stupéfait. Encore une fois, il secoua la tête.

— Tu n'y es pas, dit-il. Tu n'y es pas du tout. Tu ne comprends rien...

— Qu'est-ce que je ne comprends pas, Léo ?

Pourquoi tu agis ainsi ? C'est vrai. Alors, explique-moi.

Un voile de tristesse descendit sur son visage, soudain vieux et flétri ; une expression qu'elle ne lui avait encore jamais vue. Il avait l'air d'avoir pris dix ans, tout d'un coup. Il planta son regard dans le sien.

— C'est une longue histoire, dit-il.

Elle ne savait plus quoi penser. Elle avait écouté Léo jusqu'au bout et là, tandis qu'elle s'en retournait chez elle, elle passa en revue ses explications, s'efforçant de trouver la faille. Elle se sentait perdue. Elle avait du mal à croire que quelqu'un pût se livrer à des manœuvres aussi complexes simplement par haine, jalousie ou malveillance. C'était comme si elle découvrait un monde inconnu, plein d'ombres et de chausse-trapes, un monde qui avait toujours été là mais qu'elle voyait pour la première fois, qui était demeuré invisible alors même que s'y déchaînaient des forces dont elle ne soupçonnait pas l'existence.

Léo lui avait parlé d'une personne qui le harcelait – celle qui tirait les ficelles. Cette histoire *bizarre*… Quelqu'un harcèle Léo, pensa-t-elle. Depuis des années. Quelqu'un qui harcèle aussi ses proches, ou plutôt les femmes qui l'approchent. Qui fait de leur vie un enfer. Christine pensa au visage inquiet de Léo. Devait-elle le croire ? Il avait refusé de donner son nom dans l'immédiat : « Il faut encore que je vérifie quelques petites choses… Pas d'accusation sans preuves… Mais tu sais, ce détective dont je t'ai parlé, ou plutôt "cette", elle a suivi cette personne, c'est comme ça qu'elle est remontée jusqu'à Cordélia et à ce Marcus… » Sa voix était devenue soudain lourde, préoccupée. Et, l'espace d'un instant, il avait paru perdu dans ses pensées.

— J'ai trente mille euros sur un compte, avait-il annoncé de but en blanc. Tu as de l'argent placé quelque part ?

— Vingt mille euros sur une assurance vie, avait-elle répondu, surprise. Pourquoi ?

— Débloque-les. Dès demain. À la première heure. On risque d'en avoir besoin…

— Pour quoi faire ?

— *Pour racheter ta liberté*, Christine. Pour te libérer de ses griffes. Pour en finir avec cette histoire – si c'est bien ce que je pense…

L'impression que l'obscurité qui l'enveloppait était semée d'embûches. Il pleuvait et la ville n'était plus qu'ombres, reflets, phares, lueurs… Tout y était tranchant, coupant et *trompeur*. Elle marchait dans une sorte de transe – en digérant les paroles de Léo. Il lui avait aussi parlé de cette femme qu'il avait connue et qui s'était suicidée. À l'époque, il n'avait rien soupçonné. D'autant plus, avait-il dit, que Célia, c'était son nom, avait subitement pris ses distances. Il croyait à présent que c'était lié, il en était même sûr. Enfin, il lui avait annoncé une nouvelle qui, en d'autres temps, l'aurait remplie de joie : il allait divorcer. Sa femme était partie en emmenant les enfants. Il y avait un moment déjà que cela ne fonctionnait plus entre eux, mais ils avaient retardé le moment de se rendre à l'évidence à cause des enfants. Ils s'étaient mis d'accord pour la garde, il avait vu son avocat le jour même.

Elle fut interrompue dans ses pensées par le passage d'un autobus. Devait-elle le croire ? Cordélia avait accusé Léo et Léo avait accusé *quelqu'un d'autre...* Elle descendit la rue du Languedoc vers les Carmes, la capuche de son sweat enfoncée sur la tête, longeant les cafés où les étudiants venaient se réchauffer et les grands hôtels particuliers qui s'enfonçaient dans la nuit, évitant la neige fondue qui jaillissait du macadam mouillé, sous les roues des voitures. Elle tournait dans sa rue lorsqu'elle ralentit brusquement en découvrant la lueur virevoltante qui fouettait les façades, les balcons en fer forgé, les corniches, les moulures, les cimaises et les médaillons : toute cette profusion d'ornements qui lui faisait penser à des pièces montées alignées dans la vitrine d'un pâtissier. La plupart des fenêtres et des balcons étaient éclairés. Et des gens se pressaient contre les balustrades pour regarder en bas, tels des spectateurs dans des loges de théâtre.

Deux voitures de police interdisaient le passage aux véhicules. C'étaient leurs feux colorés qui balayaient les façades. Christine se sentit brusquement en alerte. Un ruban anti-franchissement condamnait une portion de la rue : *celle où se dressait son immeuble.* Elle retira sa capuche et s'approcha d'un policier en tenue. Un attroupement s'était formé devant le ruban.

— J'habite là, dit-elle en montrant l'entrée de l'immeuble à quelques mètres.

— Un instant, dit le policier.

Il se tourna vers un homme qu'elle reconnut aussitôt : Beaulieu, le lieutenant qui l'avait mise en garde à vue. Beaulieu qui s'approcha en la regardant fixement.

— Mademoiselle Steinmeyer, dit-il.

Son ton plus glacial que jamais. La pluie constellait

de gouttelettes sa crinière de caniche et coulait au bout de son nez. Sa cravate du jour était non seulement toujours aussi moche, mais très visiblement fabriquée dans un tissu prompt à se gorger d'eau avec la même facilité qu'une serpillière. Ses yeux globuleux reflétaient le brasillement orange et bleu des gyrophares.

— Vous le connaissez ?

Crachotements des messages dans les radios, palpitations des flashes, gerbes d'étincelles de la pluie dans les projecteurs, effervescence, agitation... Christine s'efforça de maîtriser son malaise, de respirer calmement. Max... Il était étendu au milieu de ses cartons. De là où elle était, elle ne voyait que son visage – et ses yeux, grands ouverts, qui fixaient le ciel sans ciller malgré la pluie, ou les nuages, ou n'importe quel endroit plus accueillant que ce petit bout de planète. Des hommes en combinaison blanche, gants et chaussons bleus se penchaient sur lui. Ils prenaient des photos avec un gros appareil carré, allaient et venaient entre son cadavre et un fourgon au toit surélevé.

— Oui. Il s'appelait Max.

— Max... ?

— Je ne connais pas son nom de famille. Il m'arrivait de bavarder avec lui... Il avait été professeur dans le temps... Et puis, il avait connu la déchéance et la rue... Qu'est-ce qui s'est passé ?

— Oh, dit Beaulieu en hochant la tête d'un air pénétré.

Il la dévisagea ensuite avec sévérité.

— Il ne s'appelait pas Max, rectifia-t-il.

— Quoi ?

— Il s'appelait Jorge Do Nascimento, et il n'a jamais été professeur. Cela fait presque trente ans que

553

Jorge vivait dans la rue. Je crois que je l'ai toujours connu ainsi... Jorge, c'était une célébrité dans cette ville, croyez-moi, oh oui... Il devait déjà être dans la rue que j'usais encore mes fonds de culotte sur les bancs de l'école... Accessoirement, Jorge était un toxico. À l'époque où j'étais gardien de la paix, on l'embarquait déjà pour ivresse publique et manifeste... Je l'ai vu se déchausser, une fois... Si vous aviez pu voir ses pieds, mademoiselle Steinmeyer – à quel point ils étaient abîmés... Vous savez pourquoi ? La *polytoxicomanie*, répondit-il. Vu leur manque de revenus, les SDF s'envoient tout ce qui se présente. D'abord de l'alcool et des médocs, car ils sont en partie remboursés par la Sécu : des benzos, des dépresseurs que leur prescrivent des toubibs peu regardants. Et puis du shit, bien sûr. Et de l'héro, aussi : moins chère que la coke... Inutile de vous dire que les sachets qu'on trouve dans la rue sont rarement de bonne qualité. On la coupe avec toutes sortes de saletés : paracétamol, caféine et même de la craie... Comme la came est faiblement dosée, ils la mélangent avec l'alcool et les médocs pour potentialiser les effets – cela rend les descentes encore plus difficiles. C'est pourquoi les SDF toxicos arpentent le bitume, la nuit : ça les aide à supporter le malaise de la descente. D'où les pieds abîmés. Mais je vous rassure, Jorge n'avait pas le SIDA : il était juste VHB et VHC positif. Il avait sans doute chopé ça en partageant une paille avec d'autres junkies... Oh... et il sortait d'une tuberculose... Vous l'avez peut-être trouvé un peu fatigué et amaigri. Il n'avait que quarante-sept ans, je sais : il en paraissait quinze de plus.

Il semblait usé, tout à coup. Cette lueur lasse qu'elle

554

avait surprise la première fois dans ses yeux, celle de quelqu'un qui reconnaît sa défaite, l'absurdité de son combat.

— Mais c'est vrai... c'est vrai qu'il adorait les bouquins. (Il éleva sa main droite, et elle s'aperçut qu'il tenait un sachet pour pièce à conviction avec un livre à l'intérieur : le roman de Tolstoï qu'elle avait aperçu dans la poche de Max quand il était monté chez elle. Elle frissonna : il y avait du sang dessus.) Et la musique classique. Je me rappelle qu'il pouvait disserter sans fin sur les romanciers russes – sur la musique baroque, l'opéra... Certains, à l'hôtel de police, lui disaient de la fermer ; moi, je notais des titres, des auteurs... Je crois que je lui dois une bonne partie de ma culture générale, conclut-il avec un demi-sourire triste.

— Est-ce qu'il... qu'il a été marié ?

Beaulieu fit non de la tête. Il essuya son nez qui coulait.

— Pas à ma connaissance, non.

— Pourquoi est-ce qu'il m'a menti ?

Il haussa ses épaules trempées.

— Vous voyez : Jorge adorait inventer des histoires, des anecdotes, s'attribuer des existences fictives. Un peu comme vous... Peut-être cherchait-il à combler un vide, à enjoliver une réalité trop prosaïque. Ou alors cela lui venait de son goût pour le romanesque, qui sait ?... Il devenait un personnage de roman en quelque sorte à travers ses mensonges : une sorte de rejeton de Dickens et de Dumas. (Il lui adressa un clin d'œil.) C'est grâce à lui que j'ai découvert tous ces auteurs... Alors, Jorge, je l'aimais bien. (Il lui lança un regard qu'elle ne pouvait qualifier autrement que de « soupçonneux ».) Et maintenant, il est mort. Au pied de votre immeuble. Et, si j'en crois vos voisins, vous discutiez souvent, tous les deux... Vous l'avez même fait monter chez vous.

Sa voisine... Elle aurait volontiers étranglé cette salope moralisatrice et hypocrite. Elle sentait les multiples doigts de la pluie tambouriner sur son crâne.

— Que s'est-il passé ? répéta-t-elle.

— Il a été poignardé. Ça a eu lieu la nuit dernière. Sauf que personne ne s'est aperçu de rien jusqu'à ce que quelqu'un constate qu'il y avait du sang sur le trottoir...

La nuit dernière... La nuit où son chien avait été tué. Où elle avait été droguée et violée... Elle eut l'impression que tout son corps se figeait en un bloc de glace.

— Vous étiez chez vous, cette nuit, mademoiselle Steinmeyer ?

— Non.

— Où étiez-vous ?

— Au Grand Hôtel de l'Opéra, j'y ai passé la nuit.

— Pourquoi ?

— Ça me regarde...

De nouveau, la lueur suspicieuse dans son regard.

— Pourquoi avez-vous fait monter cet homme chez vous ? demanda-t-il. Un SDF, un type qui picolait, qui puait et dont vous ignoriez tout...

Elle chercha une réponse.

— Par... compassion ? l'aida-t-il. Vous avez eu pitié de lui parce qu'il faisait froid, qu'il neigeait, que vous le voyiez tous les matins sous votre fenêtre, c'est ça ? Et vous avez décidé de lui offrir un repas chaud et un peu de chaleur humaine ?

— Oui, c'est ça.

Il se pencha vers elle, et elle sentit son souffle sur le pavillon de son oreille.

— Ne vous foutez pas de ma gueule. Vous n'êtes pas armée pour ce jeu-là... Vous mentez et ça se voit. Cela fait deux fois que je vous trouve sur mon chemin – et, chaque fois, il se passe des trucs plutôt violents, non ? Je ne sais pas ce que vous mijotez, ni qui vous êtes exactement, ni ce que vous faites, mais je vais le découvrir. Et je vais vous pourrir la vie jusqu'à ce que j'aie trouvé votre vilain petit secret.

Il renifla. Il était en train de s'enrhumer. Ou alors, c'était l'expression de son mépris. Elle secoua ses cheveux mouillés, remit la capuche en place.

— Vous avez fini ?

— Pour le moment.

La pluie avait rincé la façade dont la pierre claire était devenue sombre et luisante. Elle tremblait si fort de colère et d'inquiétude qu'il lui fallut s'y reprendre à deux reprises pour pianoter le code.

Servaz sortit un mouchoir et se moucha. Il était parcouru de frissons avec la pluie glacée qui lui dégringolait dans la nuque, sous le col trempé de sa chemise. Qui était cette femme ? Il avait observé comment le visage de Beaulieu était devenu écarlate quand il lui avait parlé, comment la rage avait étincelé dans les yeux du lieutenant qui, d'ordinaire, n'exprimaient qu'indifférence et apathie. Auparavant, il avait vu cette même femme rejoindre Léonard Fontaine au McDonald's alors qu'il filait celui-ci – et il avait suivi leur échange tendu, assis à une table suffisamment éloignée. De temps en temps, il les perdait de vue, mais il n'en avait pas moins noté l'air préoccupé de Fontaine et aussi celui, perplexe et inquiet, de la femme lorsqu'elle était ressortie. Était-ce elle sa prochaine victime ? Il avait soudain pris la décision de la suivre – il savait où habitait Fontaine, où il travaillait ; il connaissait désormais ses habitudes, et il n'aurait aucun mal à le retrouver alors qu'il ne savait rien d'elle...

Et, à présent, il la retrouvait sur ce qui ressemblait fort à une scène de crime. En train de mettre en pétard un lieutenant de la criminelle. L'Identité judiciaire était déjà en action. Beaulieu... Il aurait préféré tomber sur Vincent ou Samira. Il s'assura qu'il n'y avait aucun substitut dans les parages et il se plia en deux en soulevant le ruban plastifié. Exhiba l'écusson accroché à sa ceinture sous le nez du gardien de la paix.

— Martin ? dit Beaulieu en le regardant approcher. Qu'est-ce que tu fous là ? Je te croyais en arrêt maladie.

— Des amis qui habitent dans cet immeuble m'ont appelé. Ils veulent savoir ce qui s'est passé. Comme j'étais dans le quartier...

Beaulieu le toisa, pas dupe.

— Dis-leur de regarder les infos régionales la prochaine fois, répliqua-t-il en montrant une caméra sous un grand parapluie.

Servaz vit aussi des badauds qui filmaient la scène avec leurs téléphones portables. Putain de voyeurs. Le lieutenant sortit un paquet de cigarettes, lui en proposa une.

— Non, merci, j'ai arrêté.

— Un SDF, dit Beaulieu. Il s'est fait poignarder la nuit dernière. Mais comme personne ne faisait attention à lui, il a fallu quelques heures pour que quelqu'un se rende compte que du sang coulait des cartons… Jorge, ça te dit quelque chose ? À une époque, il traînait pas loin de l'hôtel de police, du côté du Canal et de Compans…

Il fit signe que oui.

— Il dormait dans cette rue ?

— Les derniers temps, oui.

Servaz éternua et sortit une nouvelle fois son mouchoir.

— Je t'ai vu parler à une femme en arrivant… Tu avais l'air… très *énervé*. Qui c'était ?

Le lieutenant lui adressa un regard circonspect.

— En quoi ça t'intéresse ?

Il eut un haussement d'épaules faussement débonnaire.

— Tu sais comment c'est… Le boulot, c'est comme la came : le sevrage, c'est l'enfer.

Beaulieu le regarda, comme s'il allait dire « non, je ne sais pas, et je ne tiens pas à savoir ».

— Une cinglée, répondit-il finalement. (Servaz le vit devenir songeur.) C'est bizarre… Elle a été mêlée à une autre affaire récemment – je l'ai même mise en garde à vue… J'ai du mal à croire qu'il s'agit d'une coïncidence…

— Ah bon ?

— Une fille qui a porté plainte pour coups et blessures. Elle était salement amochée… Elle a déclaré que c'était celle-ci qui lui avait fait ça. Elles travaillaient ensemble à Radio 5. Apparemment, elles s'étaient livrées à des petits jeux sexuels qui ont mal tourné. La victime s'était fait… *payer*… pour y jouer et l'autre a voulu récupérer son fric. Un truc dans ce

genre – deux gouines qui en viennent aux mains, auss
timbrées l'une que l'autre, à mon avis.

Beaulieu secoua la tête d'un air écœuré, comme
si ce qu'était devenu le monde était au-delà de sa
compréhension.

— Mais c'est pas tout… Auparavant, cette salope-là
s'était pointée à deux reprises à l'hôtel de police. La
première fois, elle a affirmé qu'elle avait trouvé dans
sa boîte une lettre d'une personne qui annonçait qu'elle
allait se suicider : elle voulait qu'on enquête. De toute
évidence, c'est elle-même qui l'avait écrite. La seconde
c'était carrément devenu une conspiration : un homme
avait pissé sur son paillasson, s'était introduit chez
elle, l'avait appelée à la radio où elle travaillait, à son
domicile… Même qu'elle avait été soi-disant droguée
et déshabillée par cette jeune stagiaire qui l'accuse de
coups et blessures avant d'être ramenée inconsciente
chez elle où elle s'était réveillée – à poil ! Une his
toire totalement insensée… Et à présent, on trouve un
macchab au pied de son immeuble, le cadavre de ce
pauvre Jorge avec qui elle discutait souvent et qu'elle a
même fait monter chez elle au moins une fois, d'après
sa voisine… Putain, tu peux me dire quel genre de
femme fait monter un SDF chez elle et s'envoie une
gamine de vingt ans contre de l'argent ?

Beaulieu regardait la haute façade où presque toutes
les fenêtres étaient allumées et les balcons presque aussi
peuplés que ceux de la Fenice un soir de première.

— C'est quoi, son nom ? demanda Servaz au bout
d'un moment.

— Steinmeyer. Christine Steinmeyer.

Christine…

— Est-ce qu'elle a parlé d'opéra ?

560

Le lieutenant fit volte-face et l'observa intensément.

— Quoi ?

— *Opéra...* Est-ce qu'elle a prononcé ce mot-là ?

Les yeux de Beaulieu se réduisirent à deux fentes. Il s'absorba un moment dans la contemplation de sa cravate dégoulinante, puis fusilla Servaz du regard.

— Bordel, comment tu sais ça ?... Elle a dit que le type qui la harcelait avait laissé un CD d'opéra chez elle... Tu n'es pas là par hasard, je me trompe ?

— Non.

— Putain, tu fais chier, Servaz : tu aurais pu le dire plus tôt ! Tu sais quoi, au juste, sur cette histoire ? Parce que je ne sais pas si tu es au courant, mais *c'est moi* qui suis chargé de cette enquête !

Servaz resta un moment à contempler les façades, les petites gouttières aux angles des corniches et les larmiers qui dégorgeaient des cataractes scintillantes, les lustres aux plafonds, derrière les silhouettes qui les observaient.

— Laisse-moi lui poser quelques questions, dit-il. Après, je te mettrai au parfum... Et si elle disait la vérité ?

Il vit Beaulieu changer de couleur. Bouche bée.

— Si tu crois ça, c'est que t'es aussi malade ou défoncé qu'elle ! Tu ne peux pas l'interroger comme ça : c'est à moi de le faire !

— Tu as le code d'entrée ?

— Servaz, bon Dieu de merde ! À quoi tu joues, là ?

— Je t'assure que tu ne vois pas l'ensemble du tableau. Tu n'y es pas du tout. Dis-moi une chose : est-ce que je me suis souvent gouré ? Est-ce que j'ai pour habitude de me planter ? (Il vit le jeune lieutenant hésiter.) Je ne suis pas en service, je suis en arrêt maladie… Alors, c'est toi qui tireras les marrons du feu… Je veux juste lui poser deux ou trois questions, c'est tout.

Il vit l'autre agiter la tête.

— 1945…

— Sans déconner ?

— Sans déconner.

Elle alluma le plafonnier et écouta le silence. *Il était venu*… Elle en eut tout à coup la certitude. Pendant qu'elle n'était pas là. Il lui fallait une sacrée audace pour revenir sur le lieu de son crime avec le cadavre de Max… de *Jorge* en bas. Elle retint son souffle, chercha des yeux une trace de son passage et la vit : un CD. Sur la table basse. Elle s'approcha.

The Rape of Lucrecia. Benjamin Britten.

Elle aurait parié qu'il s'achevait par un suicide…

Elle constata qu'il y avait autre chose à côté. Une feuille de papier. Une lettre manuscrite… Un léger tremblement parcourut sa main quand elle la prit et il s'accentua quand elle la lut :

Tu vois ce qui t'attend. Tu ferais mieux de faire le boulot toi-même. Finissons-en. Et si tu essaies encore une fois de te rebeller, c'est à ta mère qu'on s'en prendra…

La tête lui tourna. Pendant un instant, elle fut tentée d'aller à la fenêtre de la chambre et d'appeler ce flic en bas. Puis un détail lui sauta aux yeux. Et ses jambes faiblirent. C'était *son* écriture. Parfaitement imitée – en tout cas pour un œil non expert. Elle se demanda si

un graphologue serait capable de faire la différence.
Elle était piégée. Encore une fois… Car elle savait
ce que ce connard de flic penserait : qu'elle l'avait
écrite elle-même, comme l'autre. Qu'elle était folle.
Et dangereuse. Oh, oui, foutrement dangereuse.

Encore une fois, son ennemi avait plus d'un coup
d'avance…

Elle aurait sans doute été tentée de s'apitoyer auparavant en pensant à ce qui venait de se passer. Mais,
à présent, ses yeux étaient secs. Sa pensée se déplaça
vers le cadavre d'Iggy dans la salle de bains. Il fallait
qu'elle lui trouve une sépulture, elle ne pouvait pas le
laisser là indéfiniment. Que se passerait-il si la police
le trouvait ? Elle songea que son ennemi avait tué son
chien, l'avait violée et avait tué un homme, tout ça dans
la même nuit : il était passé à la vitesse supérieure. Il
n'y aurait plus aucune limite, aucun frein à sa fureur
désormais : *c'était une lutte à mort*. Elle chancela à
cette idée. Pensa à cette femme qui s'était suicidée.
Célia. Sentit la rage revenir : elle serait plus forte,
elle allait se battre, elle n'avait plus rien à perdre. Elle
devait prévenir Léo de ce qui s'était passé ce soir, lui
dire qu'Il avait encore franchi un cap supplémentaire…
Il devait être averti du danger. Tout comme Gérald…

Puis la sonnette grésilla dans le silence de l'appartement et elle se figea sur place.

Son regard pivota vers l'entrée. Était-il assez fou,
assez audacieux, assez inconscient pour lui rendre
visite avec des flics plein la rue ? Pourquoi pas ? Ce
serait une sacrée apothéose… Elle l'imagina un instant
la poussant dans le vide, par la fenêtre, et disparaissant.
Tout le monde penserait qu'elle s'était sentie coincée
et qu'elle avait choisi de mettre fin à ses jours. Une

fin digne d'un opéra... Peut-être même mettrait-il de la musique avant de passer à l'acte...

Non, dit la voix de Madeleine. *Arrête de te faire des films, il est bien trop prudent pour se pointer ici maintenant. Il essaie de t'avoir à l'usure, Chris. Il ne prendra aucun risque inutile.*

La sonnerie retentit une deuxième fois. On insistait...

Les flics, se dit-elle. *Ils viennent m'arrêter...*

Elle s'avança jusqu'à la porte, à pas de loup, regarda par le judas. Elle était sûre de n'avoir jamais vu l'homme qui se tenait de l'autre côté. La quarantaine. Des cheveux bruns épais et une barbe de six jours. Yeux cernés, joues creuses, mais un physique agréable. Pas l'air d'un assassin. Ni d'un malade.

Puis une plaque de flic jaillit devant l'œilleton, bouchant la vue, et elle se recula.

Merde...

Elle mit la chaîne de sécurité, entrouvrit le battant. Il cligna des yeux comme s'il venait de se réveiller, et ils échangèrent un regard prudent par l'ouverture.

— Oui ?

Les paupières de l'homme battirent de nouveau. Il garda un moment le silence, l'observant, la jaugeant tout en prenant le temps de ranger sa plaque. Mais son regard n'avait rien d'hostile. Un sourire se dessinait même sur ses lèvres.

— Je m'appelle Martin Servaz, dit-il. Je suis commandant de police. Et, contrairement à mes collègues, je crois à votre histoire.

37

Accessoires

À un moment donné, elle s'était assoupie, peloton-
née dans le canapé. C'était la retombée de l'adrénaline,
songea-t-il. Depuis combien de temps ne s'était-elle
pas sentie en sécurité ? Elle avait remonté la couverture
de laine sous son menton et il continua de l'observer
sans mot dire, avachi dans le fauteuil.

Comparé à elle, il avait presque l'air en forme. Des
cernes noirs creusaient ses joues, ses cheveux étaient
secs et fourchus et les os de ses pommettes affleuraient
sous sa peau comme des fossiles dans un chantier de
paléontologues. Elle en avait bavé et ça se voyait. Et
pourtant, elle devait être forte pour avoir résisté au
séisme qui avait soudain dévasté sa vie, entraînant
l'effondrement de pans entiers de son existence en
quelques jours seulement. Un vrai *Blitzkrieg*... Ce
salopard s'y connaissait en guerre éclair – oh, ça, oui.

Elle lui avait aussi raconté sa rencontre avec Fontaine. Ses doutes, les aveux de Cordélia. Il y avait un
élément cependant dont elle ne disposait pas : le journal de Mila. Pourquoi ne lui en avait-il pas parlé ? Il
se resservit un verre de cet excellent côte-rôtie qu'elle

avait débouché deux heures plus tôt. Pourquoi ? Eh
bien, parce qu'il ne pouvait pas lui avouer qu'il voulai
prendre le spationaute la main dans le sac et qu'en
somme elle était sa... sa... *chèvre*.

Le téléphone bourdonna. Encore Beaulieu. Il lu
avait déjà envoyé quatre textos. Servaz se leva. Il passa
dans la chambre. Les lueurs des gyrophares traversaien
les vitres et repeignaient le plafond et le couvre-lit de
couleurs vives.

— Servaz, dit-il.

— Bon Dieu, qu'est-ce que tu fous ? Tu avais di
trois questions ! Et pourquoi tu parles à voix basse ?

— Chhhuttt, elle s'est endormie.

— Quoi ?!

— C'est pas elle. Elle l'a pas tué.

— Ah ouais ? Et comment tu le sais ?

— Parce que j'ai ma petite idée sur celui qui l'a fait

Il entendit distinctement Beaulieu soupirer.

— Martin, tu délires ou quoi ? Qu'est-ce que c'es
que ces conneries ? Tu déboules de nulle part et tu
en sais plus que tout le monde ? Et l'enquête de voisinage ? Et les conclusions du légiste ? Tu n'as même
pas jeté un coup d'œil au corps, bon sang !... Et c'es
qui, d'après toi ?

— Si je te le dis, tu ne vas pas me croire.

— Hein, quoi ? J'en ai ma claque de tes devinettes,
Servaz ! Accouche !

— Léonard Fontaine.

Il y eut un bref silence incrédule avant que la voix
de Beaulieu ne revienne en ligne :

— Le spationaute ?

— Mmm.

566

— C'est une blague, pas vrai ? Dis-moi que c'est une blague...

— Pas du tout.

— Servaz, je ne sais pas ce qui se passe, mais si tu te fous de ma gueule...

— Je n'ai jamais été aussi sérieux. Fontaine est impliqué dans un truc dont tu n'as pas idée... Il est malin, il est tordu et il est derrière tout ça. Aussi sûr que deux et deux font quatre. Tu te souviens de cette artiste qui a mis fin à ses jours l'an dernier au Grand Hôtel Thomas Wilson ? C'était sa maîtresse... Tout comme Mila Bolsanski, l'ex-spationaute, qui m'a confié son journal dans lequel elle décrit tout ce que Fontaine lui a fait subir... Elle y accuse Fontaine de l'avoir frappée et violée à de multiples reprises alors qu'ils séjournaient tous les deux à la Cité des étoiles, mais l'affaire a été étouffée par les Russes et par l'Agence spatiale européenne – pour la plus grande gloire de la conquête spatiale, je suppose. Quant à Christine Steinmeyer, elle l'a rencontré, à sa demande, cet après-midi même, dans un bar, avant de tomber sur toi en rentrant chez elle...

— Comment tu le sais ?

— J'y étais.

Cette fois, le silence dura plus longtemps.

— Jusqu'à présent, je n'avais aucun moyen de coincer cette ordure, poursuivit-il. Mais si on arrive à prouver que c'est Fontaine qui a fait le coup pour Jorge, là, ça change tout...

Beaulieu émit un sifflement.

— Bordel. Tu es sûr que tu ne me mènes pas en bateau ?

Servaz entendit derrière la voix du lieutenant la

petite sonnette lointaine qui lui annonçait l'arrivée d'un nouveau texto sur son téléphone.

— Alors, ces histoires de coups de fil, de chien agressé et de harcèlement, c'était pas du pipeau ?

— Tout est vrai. Cette femme est victime d'un taré très intelligent et très malade qui lui pourrit la vie depuis un certain temps déjà…

— Ça fait flipper, commenta doucement le flic au bout du fil.

— Comme tu dis.

— Qu'est-ce qu'on fait ?

À la bonne heure, pas trop tôt, pensa-t-il. Beaulieu n'était pas une flèche, mais c'était un flic consciencieux et réglo – et surtout quelqu'un qui ne se préoccupait pas uniquement de sa carrière, des nouvelles circulaires et des nouvelles directives et qui, par conséquent, faisait un bon flic sur le terrain.

— Corinne Délia, dit-il. À partir de demain, tu ne la lâches plus d'une semelle. Elle et son mec, un certain Marcus. Surtout son mec. C'est peut-être lui qui a tué Jorge. Je vois mal Léonard Fontaine se salir directement les mains… Mais, s'ils sont en contact, et si on arrive à les coincer, ils nous aideront à le faire tomber.

— Et toi ?

— Moi, je vais voir ce que je peux tirer de cette femme.

— Qu'est-ce qu'on dit à la hiérarchie ?

— On dit rien. Je suis censé être en arrêt maladie, tu as oublié ? Et si le nom de Fontaine commence à sortir du chapeau, ils vont tous chercher à se couvrir. Et on sera baisés.

— J'ai été un peu dur avec cette femme, dit Beaulieu d'un ton plus ou moins contrit.

— Eh bien, tu lui présenteras tes excuses la prochaine fois.

Il raccrocha. Vit le petit « 1 » en rouge sur l'enveloppe symbolisant la messagerie de son mobile. Appuya dessus avec la pulpe de son doigt. *Plop.* Margot. Il ouvrit le message. *Plop.*

Je passe demain. 8 h. Bisous.

Il sourit. Elle ne lui demandait pas si cela lui convenait. S'il comptait faire la grasse matinée. S'il allait être présentable à cette heure-là. Ni même s'il serait là. Non. Elle ne lui demandait rien de tout ça. Il n'avait pas vraiment le choix. Mais quand est-ce que sa fille lui avait laissé le choix pour quoi que ce soit ? Il sourit et tapa « OK », parce que c'était plus bref que « d'accord », qu'il préférait, bien sûr, et il envoya.
Plop.
Il n'avait pas cessé de sourire.
Saletés de smartphones.

Elle était réveillée. Pendant un instant, elle eut l'air de ne pas le reconnaître et il vit passer un très fugace éclat de terreur dans ses yeux. Qui disparut aussitôt.
— J'ai dormi, constata-t-elle. Longtemps ?
— Moins d'une heure.
Elle fit une vague moue et, en cet instant, il devina l'espèce de beauté discrète qui pouvait être la sienne quand elle ne ressemblait pas à Mme Bovary sur son lit de mort.
— Il fait froid ici. Je vais monter le chauffage.

Elle repoussa la couverture, s'arrêta devant la bouteille de côte-rôtie.

— C'est une impression ou le niveau a baissé ?

— Deux verres, s'excusa-t-il. Pendant que vous dormiez.

Il montra les boîtes de médocs qui s'empilaient sur le canapé.

— Vous... prenez tout ça ?

Il vit son visage s'empourprer.

— C'est temporaire, répondit-elle. J'en avais besoin... pour tenir le coup.

— Mmm.

Il s'approcha de la fenêtre, appuya son front contre la vitre froide, regarda la nuit zébrée de lueurs. Il devina son propre visage en surimpression, tout proche. Un visage préoccupé. Quelque chose était là, dehors. Quelque chose de malveillant. De retors. Il ne devait pas le sous-estimer... Ses victimes n'étaient pas des proies faciles : c'étaient toutes des femmes fortes, intelligentes. Mais leur bourreau l'était plus encore : un adversaire redoutable – même pour lui. Cette chose qui manœuvrait dans l'ombre attendait le prochain mouvement, de nouveaux signaux. Comme un squale. Ils devraient faire en sorte d'en émettre le moins possible, à partir de maintenant.

— Je connais un endroit, dit-il. Un endroit merveilleux. Dans la montagne Noire. Au-dessus du lac de Saint-Ferréol. C'est magnifique à l'automne et au printemps. Et aussi l'hiver, sous une fine couche de neige... En vérité, c'est beau en toutes saisons. On pourrait l'enterrer là-haut, qu'en dites-vous ? Il y en a pour un peu plus d'une heure de route.

— Vous viendrez ? demanda-t-elle.

— Bien sûr.

Il déposa le cadavre d'Iggy dans le bac de congélation – qu'il avait préalablement vidé de ses cartons de Domino's Pizzas, de ses sacs de riz cantonais, des plats cuisinés et des pots de crème glacée Philippe Faur à la ciboulette, à l'huile d'olive et à la truffe. Bien que le petit chien fût recroquevillé sur lui-même, il dut le placer en diagonale pour le faire entrer.

Une morgue improvisée…

— Le tiroir du bas, dit-il. Vous ne l'ouvrez plus, d'accord ? Jusqu'à ce que je revienne…

— D'accord.

— Promettez-le-moi.

— C'est promis.

Il consulta sa montre.

— Il ne viendra pas cette nuit, dit-il. Il ne viendra sans doute plus avec la police dans les parages.

Elle le dévisagea.

— Vous en êtes sûr ? Une fois que tous vos collègues seront rentrés chez eux ? Que tout le monde dans l'immeuble se sera rendormi ? Que la rue sera déserte ? Qu'est-ce qui me le garantit ? (Il la vit hésiter.) Est-ce que vous ne pourriez pas rester ? Juste cette nuit… Le temps que je m'organise…

Il songea qu'il ne pouvait pas demander une équipe de surveillance : il n'était pas censé être en service.

— J'ai quelqu'un à voir demain matin, répondit-il en cherchant le numéro de Beaulieu dans son répertoire. À la première heure.

— Vous n'aurez qu'à utiliser mon réveil... S'il vous plaît...

Il hésita, s'interrompit.

— Bon, d'accord. Mais je prends le lit : je déteste dormir dans un canapé.

Elle sourit.

La femme alluma une cigarette. La flamme du briquet illumina fugitivement ses traits. Garée le long du trottoir, à une centaine de mètres, elle avait assisté à toute la scène dans l'ombre de sa voiture sans que personne lui prêtât attention. Dès qu'elle avait entendu les sirènes dans le quartier, elle avait arrêté de flâner et avait rejoint son véhicule qui l'attendait au troisième étage du parking des Carmes.

Puis elle était venue se garer dans la rue, suffisamment loin pour passer inaperçue, suffisamment près pour apercevoir l'entrée de l'immeuble. Quand les deux flics chargés de l'enquête de voisinage étaient arrivés à sa hauteur, au bout d'une paire d'heures, elle était simplement sortie de son véhicule et elle l'avait verrouillé devant eux en les regardant approcher d'un air détaché. Ils lui avaient demandé si cela faisait longtemps qu'elle était là ; elle leur avait répondu qu'elle venait d'arriver : « Pourquoi ? avait-elle demandé à son tour. Qu'est-ce qui se passe ? » Ils s'étaient aussitôt désintéressés de son cas.

La femme mit tranquillement le contact, déboîta et quitta la rangée de véhicules pour aller se garer un peu plus près, maintenant que la police scientifique et les badauds étaient partis et que la rue avait retrouvé son calme. Trois heures du matin. Le flic n'était pas ressorti… Elle resta immobile à tirer une taffe après l'autre, expulsant la fumée vers le plafond, dans l'obscurité, en songeant que Christine s'était avérée plus coriace que prévu. Elle n'aurait jamais cru que cette garce résisterait à un tel cataclysme. Encore moins qu'elle riposterait. Cordélia l'avait appelée aujourd'hui : la gamine lui avait paru passablement énervée – et stressée. Elle allait devoir prendre des mesures de ce côté-là aussi. Les choses partaient quelque peu en vrille. Mais tout n'était qu'une question de corrections et d'ajustements. Le plus ennuyeux était la rencontre entre Christine et ce flic. Elle avait à présent un allié de poids ; elle n'était plus isolée, livrée à elle-même ; il ne fallait plus compter sur son suicide. Et merde. Mettre ce flic sur la piste de Célia Jablonka et de Léonard avait peut-être été une erreur. *Mais elle savait très bien pourquoi elle l'avait fait.* Sauf qu'à présent cela ne lui semblait plus une si bonne idée… Même si ce flic devait forcément soupçonner Léonard. Cette fois, Léo ne s'en tirerait pas à si bon compte, elle avait laissé suffisamment de petits cailloux menant jusqu'à lui.

Christine ne se suiciderait pas. La femme sentit une bouffée de haine remonter le long de son œsophage vers sa gorge.

Du calme…

Il était temps d'en finir avec elle. D'une manière plus… *radicale.* Son instinct le lui soufflait : le jeu avait assez duré. Tant pis pour le suicide, pour son plan bien huilé – une disparition ferait l'affaire.

Elle inspira une ultime bouffée, envoyant le poison délicieux dans ses poumons ; la haine, la jalousie et la colère étaient trois autres poisons tout aussi délicieux.

38

Sorties de scène

Il était 7 heures lorsque le réveil sonna mais Servaz était déjà sous la douche : il ne voulait pas être en retard à son rendez-vous avec sa fille. Car si Margot se pointait à la maison de repos et qu'il n'était pas là, elle voudrait sûrement savoir où il avait passé la nuit.

La solution : être en avance.

Et faire comme s'il avait dormi dans son nouveau *chez-lui*. Il se regarda dans la glace en sortant de la douche. Il aurait voulu se raser, mais n'avait rien sous la main. Il n'avait même pas de quoi se changer. Il le ferait rapidement en arrivant au centre : ses vêtements avaient pris l'eau et, même secs, ils ressemblaient à du carton mouillé qui a séché. Il peigna ses cheveux humides avec les doigts et ressortit. En regagnant le séjour, il jeta un œil à une photo encadrée posée sur l'un des rares meubles. On y voyait Christine en compagnie d'un homme dans la trentaine portant des lunettes. Ils plissaient tous les deux les yeux à cause du soleil déclinant qui brillait dans les verres de l'homme. Ils souriaient.

Elle était perchée sur un tabouret et portait un bol

de café à ses lèvres, les deux coudes sur le bar, quand il demanda :

— Qui est-ce ?

Elle jeta un regard par-dessus son épaule.

— Gérald. Mon... compagnon.

— Tout va bien avec lui ?

De nouveau, le regard par-dessus l'épaule. Hésitant. Puis elle hocha la tête.

— Eh bien, c'est comme dans tous les couples, j'imagine... il y a des hauts et il y a des bas. Mais Gérald est un type bien.

— Qu'est-ce qu'il fait dans la vie ?

— Il est dans la recherche... la recherche spatiale.

Un tiroir qui s'ouvre, un autre qui se referme. Gérald... Un nom sur une étiquette mentale. Et une petite lumière qui clignote : *spatiale*... Il se sentit agité.

— Je dois y aller, dit-il. Vous n'ouvrez à personne d'autre qu'à moi ou au lieutenant Beaulieu. Vous avez mon numéro. Vous pouvez m'appeler n'importe quand. Voici celui de Beaulieu... Au cas où je ne serais pas joignable. Et si quelqu'un se présente à votre porte avec une carte de police, dites-lui d'aller se faire voir : il y a un tas de fausses cartes en circulation.

Elle acquiesça, soucieuse.

— Et si on lui tendait un piège ? dit-elle.

Il haussa un sourcil.

— Si je m'éloignais de l'appart et que quelqu'un l'attende à l'intérieur ?

Il secoua la tête.

— Il ne tombera pas dans le panneau. Il saura qu'on est là. Il est bien trop malin.

Cette dernière phrase eut l'air de la rendre nerveuse. Elle fit signe qu'elle avait compris d'un coup de menton, sans le regarder, mâchoires serrées. Puis elle porta de nouveau le bol à ses lèvres, les yeux baissés, en lui tournant le dos.

— Je repasse dès que j'en ai fini. On mettra au point une stratégie.

Un dernier mot un peu trop ronflant, songea-t-il. Et pas forcément rassurant : il signifiait qu'il n'en avait pas encore trouvé une.

Il y avait du brouillard, ce jeudi matin. Un brouillard humide et dense. Il noyait les champs et les bois et les cris des corbeaux le traversaient comme des flèches.

Il grimpa en vitesse jusqu'à sa chambre et redescendit au moment où une DS3 rouge à toit blanc se présentait sur le parking du centre. Il émergea du hall et regarda Margot lui adresser un sourire lumineux en verrouillant sa voiture.

Sentit un poing lui serrer le cœur en la voyant. Mais il aimait cette pression-là. Oh oui.

Ses longues et fines jambes arpentèrent le parking, sa svelte silhouette serrée dans un jean et un pull à grosse maille. Dire qu'elle avait changé ces dernières années relevait de l'euphémisme le plus extrême. Trois ans plus tôt – alors que Margot s'était retrouvée à l'épicentre d'une histoire qui s'était soldée par le suicide d'un jeune de sa classe et par l'emprisonnement d'un autre –, elle était piercée, tatouée et ses cheveux teints de couleurs pour le moins inhabituelles pointaient en épis rebelles. Elle avait été admise dans la prépa la plus prestigieuse de la région (il se souvenait encore du magnifique jour d'été où il l'avait emmenée à Marsac pour la première fois) : un endroit pétri de traditions ancestrales et de rigueur presque monastique – mais elle n'en tapissait pas moins sa chambre de posters de films d'horreur, en ce temps-là, et elle écoutait des musiques comme Marilyn Manson.

Aujourd'hui, il ne savait plus trop ce qu'elle écoutait – mais ce qu'il savait, en revanche, c'est qu'en à peine plus de temps qu'il n'en faut à un têtard pour devenir une grenouille, sa fille s'était métamorphosée en femme.

— Papa, dit-elle simplement en l'embrassant (même sa voix avait changé : la première fois qu'il s'en était aperçu, c'était quand il l'avait prise pour sa mère au téléphone).

Le visage était pourtant le même. Elle garderait toujours ce petit air d'animal sauvage qui devait faire son charme auprès des jeunes gens que son aplomb et son côté rebelle impressionnaient. Elle tenait un sac à la main. En sortit un petit paquet-cadeau avec un nœud et un ruban dorés. Il sourit comme un enfant.

— Qu'est-ce que c'est ?

— Ouvre-le…

L'humidité du brouillard le transperça.

— Viens, allons à l'intérieur, dit-il. Il ne fait pas chaud ici.

Il l'entraîna vers le petit salon au nord ; comme il s'y attendait, il n'y avait personne. Des voix commençaient cependant à s'élever dans le reste du centre.

Il déchira le papier. Un coffret. Mahler, *The Complete Works*. Un profil du maître sur un fond coloré d'inspiration très klimtienne et donc très kitch. 16 CD… Emi Classics. Il avait entendu parler de ce coffret sorti en 2010 – il croyait se souvenir qu'il n'y avait aucune des interprétations qu'il affectionnait :

ni Bernstein, ni Haitink, ni Kubelik – mais un rapide examen enregistra avec soulagement les noms de Kathleen Ferrier, Barbirolli, Christa Ludwig, Bruno Walter, Klemperer et Fischer-Dieskau.

— Puisque tu es une des dernières personnes à utiliser encore des CD, le china-t-elle en s'asseyant.

— 16 CD. Tu as peur que je m'ennuie ?

— Que tu t'encroûtes, rectifia-t-elle. Alors ?

— Alors quoi ?

— Ça te plaît ?

— Absolument merveilleux. Je ne pouvais rêver plus beau cadeau. Merci.

Ça sonnait d'une façon très outrancière, mais elle feignit de ne pas s'en apercevoir. Ils s'embrassèrent de nouveau.

— Tu as l'air plus en forme que la dernière fois…

— Je le suis.

— Je vais partir, papa.

Il leva les yeux.

— Ah bon ? Partir où ?

— Au Québec. J'ai décroché un emploi provisoire là-bas.

Au… *Québec* ? Il eut la sensation d'un trou d'air dans son estomac. Il avait une sainte horreur de l'avion !

— Pourquoi pas… *ici* ?

Il se rendit compte de la naïveté de sa question à peine l'eut-il posée.

— En un an à Pôle Emploi, j'ai postulé pour cent quarante postes. Résultat, dix réponses – toutes négatives –, c'est tout ce que j'ai reçu. Le mois dernier, j'ai écrit quatre mails à des entreprises québécoises… J'ai reçu quatre réponses, dont deux positives. C'est mort, ici, papa. Il n'y a plus d'avenir dans ce pays. Je pars dans quatre mois… Avec un permis vacances-travail.

Il savait que sa fille voulait travailler dans la communication. Mais il n'avait pas la moindre idée de ce que cela signifiait. Boulanger, flic, pompier, ingénieur, mécano – et même dealer ou tueur à gages : ça, c'était des emplois précis. Mais la communication ? Qu'est-ce qu'on y faisait ?

— Combien de temps ? demanda-t-il.

— Un an. Pour commencer…

Un an ! Il s'imagina traversant l'Atlantique pendant des heures à bord d'un avion de ligne en classe éco, coincé contre le hublot, avec l'océan à perte de vue, les nuages, les turbulences, les hôtesses de l'air le regardant d'un air apitoyé ou condescendant.

Son regard tomba sur la photo de Mahler… Il repensa à celle du petit ami de Christine dans le séjour. *Gérald*… Il avait eu une drôle de sensation en la voyant.

— … mais si j'obtiens un permis jeune pro, je resterai là-bas et ensuite je…

Là-bas… Ces deux mots sonnaient comme le glas de leur relation père-fille.

Le visage… Il fut soudainement frappé par une pensée : il lui était *familier*. Il était sûr de l'avoir déjà vu quelque part. Il ne l'avait pas reconnu sur le moment parce que… parce que quoi ? Et soudain, il sut : parce que, sur l'autre photo, il était de profil et non de face… *La soirée de gala au Capitole* : l'homme aux lunettes dans le miroir – celui qui avait refilé sa carte de visite à Célia Jablonka.

— … papa, tu m'écoutes ?

— Oui, ma chérie.

Est-ce que cela avait une signification ? Et comment ! Ce Gérald avait connu aussi bien Célia que Christine – il était un autre trait d'union entre elles, avec Fontaine... Oui, mais rien ne prouvait qu'il ait croisé la route de Mila. Et c'était de Fontaine qu'il était question dans le journal de celle-ci. Néanmoins, ce détail le turlupinait. Il était flic : il ne croyait pas aux coïncidences.

— Tu sais, là-bas, poursuivait sa fille, on obtient vite des responsabilités si on se bouge. On peut progresser vite... On...

Son téléphone sonna dans sa poche.

— Excuse-moi...

Elle lui lança un regard noir. C'était Beaulieu. Il sentit un picotement passer sur sa nuque.

— Oui ?

— On a un sérieux problème. (La voix de Beaulieu était tendue.) Marcus : je l'ai perdu. Ce matin, il est parti vers le métro direct. Je l'ai suivi. On a fait toute la ligne. Sauf que sa voiture ou une autre l'attendait sur le parking de Balma. Il a filé. J'ai juste eu le temps de noter l'immat'.

— Merde !

— Qu'est-ce qui se passe ? dit sa fille. Quelque chose qui ne va pas ? Tu as repris le travail ? Je croyais que tu étais en arrêt maladie...

Mais ce qu'il entendait dans sa voix, c'était moins des questions que la réprobation. La déception qu'une fois de plus il n'eût pas de temps à lui consacrer alors qu'elle lui annonçait qu'elle venait de prendre une des décisions les plus importantes de sa vie. Une décision qui aurait des conséquences pour tous les deux. Et pour les années à venir.

— Ce n'est rien, dit-il. Continue.

Mais ce n'était pas rien. Un nœud dans son estomac.

Dans la salle de bains, elle laissa les jets brûlants de la douche drainer hors de son corps les tensions et aussi les courbatures de la nuit passée dans le canapé. Elle avait tiré le verrou. Verrouillé la porte de la salle de bains. Posé près des vasques matraque, porte-clés lacrymogène et poing électrique.

Elle se détendit un peu jusqu'au moment où elle crut entendre quelque chose à travers le fracas de l'eau. Elle ferma le robinet, en alerte, mais ce devait être un bruit provenant de l'immeuble ou de la tuyauterie car elle n'entendait plus rien. Elle ressortit, se sécha avec la grande serviette suspendue au porte-serviettes et elle allait se brosser les dents quand le téléphone sonna. Pas son téléphone *officiel*. Celui à carte prépayée.

Léo…

— Christine, tu es où là ? Chez toi ? Il faut qu'on se voie…

— Qu'est-ce qui se passe ?

— Je t'expliquerai… Quelque chose va arriver aujourd'hui. Écoute-moi bien, voilà ce qu'on va faire…

Elle nota le lieu et l'heure. Où voulait-il en venir ? Elle se demanda si elle devait informer ce flic – mais Léo lui avait demandé de n'en parler à personne pour le moment. L'autre téléphone sonna à son tour et elle allait répondre quand elle vit que c'était sa mère. Elle laissa sonner. Un signal lui indiqua qu'elle avait un message enregistré. Elle l'écouta à tout hasard : « Christine, c'est maman. J'ai vu ce reportage à la télé, ce crime horrible en bas de chez toi. Tout va bien ? Rappelle-moi... » Elle appuya sur [3] pour le supprimer. Sortit de la salle de bains et se dirigea vers le séjour. Son ordinateur portable : il était ouvert sur le bar. Elle eut un instant de doute : est-ce qu'elle l'avait ouvert ce matin ? Elle retourna chercher le poing électrique et la matraque et revint vers la cuisine américaine. Un nouveau mail était arrivé. Son pouls s'accéléra.

En grimpant sur le haut tabouret, elle vit qu'il émanait de Denise. Une boule dans sa gorge lorsqu'elle l'ouvrit :

Je suis désolée : je ne t'ai pas crue, je t'ai prise pour une folle. J'avais tort. Il faut qu'on se voie. C'est au sujet de Gérald. N'en parle à personne. Voici mon adresse. Je t'attendrai toute la journée.

Denise

— Tu viendras me voir ?

L'avion – les turbulences, les nuages se déchirant contre l'appareil, les vibrations dans le siège et dans son coccyx pour lui rappeler qu'il y avait 11 000 mètres de vide sous lui et qu'il était enfermé dans un gros tube à cigare absurdement équipé de réacteurs surpuissants et lesté de plusieurs centaines de milliers de litres de kérosène hautement inflammable. Il sentit son larynx se bloquer.

— Bien sûr, ma puce.

Une tempête de neige sur l'aéroport de Montréal : – 5 °C au sol, – 50 °C là-haut, interdiction d'atterrir... le kérosène qui s'épuise... les hôtesses de plus en plus

*nerveuses, la tension en cabine... le vent qui hurle
contre les hublots, les secoue de plus en plus fort...
seuls au monde à décrire des cercles dans la nuit...*

— Tu as vraiment pris ta décision ?

— Oui, papa.

Il connaissait sa fille. Inutile de vouloir la faire changer d'avis. D'ailleurs, quels arguments lui opposerait-il ? Le froid ? La neige ? Les hivers interminables ? Sa peur de l'avion ? Des expressions comme *mon chum*, *se taponner* ou *lâcher un wack* ? La qualité de la vie ici ? Quelle qualité de vie ? Il était flic : il ne voyait que l'envers du décor – ce que les autres choisissaient d'ignorer.

Il pensa à Christine. Que faisait-elle en ce moment ?

Pendant un instant, ils s'observèrent en silence ; puis Margot reprit la parole :

— Prends soin de toi, papa.

Elle appuya sur la télécommande et la voiture rouge et blanc émit un « bip ».

— On se reverra avant que tu partes ?

— Bien sûr.

Il la regarda manœuvrer sur le parking, lui adresser un petit signe de la main – auquel il répondit –, puis s'engager sur la petite route droite et disparaître. Il avait conscience que ce qui venait de se passer était important, mais son esprit était entièrement absorbé par autre chose. Il sortit son téléphone portable. Composa le numéro de Christine. La sonnerie – puis le répondeur.

Il se gara sur un emplacement interdit, bondit sur le trottoir et courut vers la porte de l'immeuble à travers le brouillard. *1945...* Lorsque la cabine de l'ascenseur parvint au troisième étage, il repoussa violemment la grille. Écrasa le bouton de la sonnette. Une fois, deux fois. Pas de réponse. Il tambourina. Appela. Fut tenté de défoncer la porte.

Il colla son oreille au battant. Silence. À part les percussions dans sa poitrine. Il était en nage. Une porte s'ouvrit sur le palier.

— Vous cherchez Mlle Steinmeyer ?

Une voix sévère, haut perchée. Il pivota et considéra le petit bout de femme aux cheveux gris qui le fusillait du regard.

— Oui, répondit-il en dégainant sa plaque.

— Elle est sortie.

— Elle ne vous a pas dit où elle est allée ?

Un reniflement méprisant.

— Les faits et gestes de Mlle Steinmeyer ne m'intéressent pas le moins du monde.

— Je vous remercie, répondit-il d'un ton qui voulait dire exactement l'inverse.

Merde ! Il ne savait pas ce qui le mettait le plus en rage. Que Beaulieu eût laissé filer Marcus. Ou qu'elle fût sortie sans le prévenir. Il réfléchit furieusement. Pourquoi diable ne répondait-elle pas au téléphone ? C'était comme si on lui injectait des doses régulières d'adrénaline dans les veines ; il n'éprouvait plus ni fatigue ni lassitude. Rien qu'une inquiétude grandissante. Un sentiment de catastrophe imminente. Il redescendit, surgit sur le trottoir. Une pervenche était en train de glisser une contravention sous son essuie-glace. Il montra sa plaque sans un mot. Elle lui adressa à peu près le même regard que la vieille chouette là-haut.

Sa fille qui partait au bout du monde, Marcus envolé, Christine évaporée, le brouillard... Fichue matinée.

À midi, ils ne l'avaient toujours pas retrouvée. Ni Marcus. Et elle ne répondait pas au téléphone. Quelque chose n'allait pas. Au fond de son esprit, les signaux d'alerte s'allumaient les uns après les autres.

— Qu'est-ce qu'on fait ? dit Beaulieu au téléphone. (Décidément, sa question préférée.)

— J'ai son numéro. Lance une réquisition d'urgence... pour « sauvegarde de la vie humaine ». On avisera le parquet ensuite... Une pour l'opérateur et une pour Deveryware. Passe par Lévêque à la Documentation opérationnelle : il les connaît, ça ira plus vite. Précise-lui que la demande vient de moi.

— Très bien, dit Beaulieu.

— Tiens-moi au courant.

Beaulieu raccrocha. Servaz était nerveux. Très nerveux. Il espérait que Lévêque comprendrait l'urgence – et leur ferait gagner un temps précieux : en tant qu'analyste criminel, il entretenait des rapports privilégiés avec les trois opérateurs téléphoniques. De son côté, Deveryware était une société spécialisée dans la géolocalisation des smartphones : elle avait vendu sa solution aux forces de police. Une fois que l'opérateur lui aurait envoyé les coordonnées, elle fournirait à Lévêque, *via* Internet, un accès à un portail cartographique d'où l'analyste pourrait suivre en continu les localisations du téléphone de Christine. Trois ou quatre heures en temps normal, trente à quarante-cinq minutes en se bougeant un peu. Mais Servaz ne se faisait pas d'illusions pour autant : si Christine se trouvait en ville, cela signifierait des centaines, voire des milliers d'adresses et de cachettes possibles. Impossible de les vérifier toutes. Impossible même s'ils affinaient la position en triangulant plusieurs relais, à supposer qu'ils mettent suffisamment la pression sur l'opérateur pour que celui-ci se fende d'un technicien dédié. Il n'y avait plus qu'à prier pour que la zone soit en rase campagne. Ou qu'elle corresponde à l'adresse de quelqu'un qu'il connaissait déjà : Fontaine, Gérald ou Cordélia...

Il regarda la porte. Il était revenu devant l'appartement. *Et merde.* Il glissa le pied-de-biche dans l'espace entre le battant et le chambranle, tira dessus de toutes ses forces. Un craquement. Il entendit la serrure sauter et tomber en tintant sur le sol, de l'autre côté, tandis que le battant s'ouvrait devant lui. Il se précipita.

— Christine ?

Pas de réponse. Il pénétra dans le salon. Le vit tout de suite : son téléphone...

Le sien sonna dans sa poche. Il répondit.

— Elle est chez elle, dit Beaulieu. Ou pas loin. Ils l'ont localisée.

Il regarda l'appareil.

— Non, elle n'est pas chez elle. Seul son téléphone y est.

Il raccrocha. Et, tout à coup, il sut. Pour avoir déjà vécu la situation. Le moment où elle vous échappe. Où les choses ne se passent pas comme prévu. Où le sol se dérobe sous vos pieds. *Il l'avait perdue.* Et c'était sa faute, une fois de plus : il n'aurait pas dû la laisser seule.

L'adresse e-mail et le numéro de carte bancaire sur le site de l'hôtel avaient conduit à une impasse ; tout comme la liste des clients ayant perdu leur clé. La boîte dans laquelle il recevait les indices était fabriquée en très grande série : celui qui était derrière tout ça savait effacer ses traces.

Il ferma les yeux, serra les paupières, respira profondément.

Se maudit.

Il savait qu'il ne la reverrait pas vivante.

39

Fosse

Les arbres défilaient, fantomatiques, dans la brume, de part et d'autre de la route. Des lignes de platanes. Ils surgissaient du brouillard pour y retourner aussitôt, telles des images issues d'un rêve qui s'évanouissent au réveil.

Tout était immobile. Comme si tout était déjà mort. Le ciel, la terre, le brouillard : même couleur indistincte. Et le silence. Elle n'entendait que le léger chuintement des roues sur le macadam mouillé. Ainsi que le bruit de sa respiration. Une autre route, un autre carrefour : une grande croix rouillée se dressait sur son socle de pierre, à l'intersection des deux routes. Elle ralentit. Eut le temps d'entrevoir une corneille qui picorait à grands coups de bec le ventre d'une charogne au pied de la croix. Elle appuya un peu trop fort sur la pédale d'accélérateur dans le virage… Verglas… Eut l'impression que ses roues arrière avaient été remplacées par des patins à glace. Partit en travers. Coup de volant à droite, à gauche. *Ne pas freiner…* Pied levé de la pédale. Accompagner le mouvement. Pas de geste brusque : elle reprit le contrôle. Ouf.

Son cœur comme une balle de squash frappée par des joueurs puissants. *Respire, c'est passé...* Ses pneus mordaient de nouveau l'asphalte.

Son pouls n'en refusa pas moins de se calmer après ça. Le chauffage – pour une fois opérationnel – ronflait un peu trop fort et elle le baissa quand elle se rendit compte qu'un voile de sueur mouillait sa nuque et ses aisselles. Elle entendit croasser d'autres corbeaux, invisibles. Plus loin, elle passa devant une petite statue de la Vierge dans une niche, sous un grand orme dénudé par l'hiver. Quelqu'un lui avait dessiné des seins obscènes et entouré ses yeux de charbon noir. Comme ceux de Cordélia. Son regard capta le tout en un éclair. Cette apparition sinistre surgie de la brume la fit frissonner.

Elle pensa à ce policier qui avait dormi chez elle. *Servaz.* Il avait l'air de quelqu'un de bien, pensa-t-elle. Elle avait envie de lui faire confiance. Mais Léo lui avait expliqué qu'en l'état actuel des choses, son policier – quelle que fût par ailleurs sa bonne volonté – n'avait aucune preuve et ne pourrait retenir aucune charge contre son ennemi ; autrement dit, aucun juge ne prononcerait une mise en examen, encore moins une détention préventive, sur des éléments aussi théoriques et impalpables. Le flic le savait, bien sûr. Il n'était pas question pour lui de laisser des zozos faire justice eux-mêmes. Pour Christine, la question était tout autre : c'était l'ennemi ou elle, désormais... Pas d'alternative : une équation à deux inconnues.

Elle eut une pensée pour Max/Jorge – dont le cadavre devait dormir à la morgue de Toulouse – et son moteur interne reçut une injection directe de colère aussitôt convertie en combustion.

Une maison jaune dans la brume…

Elle la voyait à présent – posée sur le paysage noyé dans le brouillard. Son GPS était formel. C'était là.

Elle ralentit – jusqu'à rouler en seconde.

Une petite maison sans grâce ni cachet. Isolée. Un jardin entouré d'une clôture grillagée, une niche pour chien, un abri de jardin en bois façon chalet sous un grand sapin déplumé. Des labours tout autour, sur lesquels les bancs de brume se déplaçaient. Le portail était ouvert.

Elle roula sur le gravier, se gara ; récupéra le poing électrique et le spray, les glissa dans les poches de son sweat et descendit. Le froid humide la pénétra. La brume avait une légère odeur de brûlé, de terre remuée et de vaches. Le moteur tournait. La fumée qui sortait du pot d'échappement se dissolvait dans la purée de pois. Elle marcha vers le perron, le gravier craquant sous ses talons.

— Bonjour, Christine.

Elle avait reconnu la voix. Elle se retourna, le poing électrique brandi.

— Tsss-tsss… Tu n'as tout de même pas l'intention de t'en resservir, non ? Une fois suffit, merci.

Il était assis en tailleur dans la niche, le sommet de son crâne touchant presque le toit incliné, son visage à moitié dans l'ombre – et l'œil noir du canon de son arme était pointé sur elle.

— Jette-les, s'il te plaît, dit Marcus.

Il rampa hors de la niche, se déplia, fit quelques mouvements d'étirement et grimaça.

— Tu m'as bien arrangé, je dois dire…

Il arborait un sweat à l'effigie du rappeur afro-américain Lil Wayne. Il boita jusqu'à elle sur le gravier et, quand il fut suffisamment près, il leva la tête vers elle et la gifla. Elle chancela, recula d'un pas, porta une main à sa joue en feu. Elle songea à l'étrange couple dissymétrique qu'il formait avec cette grande tige de Cordélia.

— Ça, c'est pour mes genoux, dit-il en la regardant calmement du haut de son mètre soixante-cinq. (Il montra la maison.) Ne t'en fais pas. Les propriétaires sont partis en vacances, c'est moi qui ai ouvert les volets.

Il s'avança, commença à la palper.

— Ce n'est pas ce que tu avais prévu ? (Il feignit la surprise en promenant ses mains partout sur son corps.) Pas grave… On va faire les choses à ma façon, si tu veux bien… Je n'ai pas plus envie que toi de voir débarquer les flics. Où est ton téléphone ?

— Sur le siège passager.

Il fit le tour, ouvrit la portière, attrapa l'appareil à carte prépayée, le jeta au sol et donna de grands coups de talon dessus jusqu'à ce qu'il soit dans le même état que la charogne : les entrailles à l'air. Elle nota qu'il chaussait des bottines pointues en peau de serpent avec des talons de huit centimètres.

— Bien. Allons-y. Mets-toi au volant.

Ils reprirent la route. Marcus passa un coup de fil bref : « Je l'ai. » Pendant trente bonnes minutes, il lui indiqua le chemin : *à droite… à gauche… tout droit…* Jusqu'à ce qu'ils finissent par remonter la longue ligne droite sous le tunnel des platanes, dont les branches noueuses se rejoignaient au-dessus de la chaussée comme les arcs et les nervures d'une cathédrale. Une grande maison se dressait tout au bout. Réduite à une silhouette floue dans la grisaille. Elle ralentit sur les cent derniers mètres et la maison émergea de la brume, se rapprochant lentement – presque cubique avec ses deux étages de hautes fenêtres toutes semblables. Cubique mais imposante : murs épais, doubles cheminées à chaque angle et des lucarnes au ras du sol donnant sur des sous-sols qu'elle imagina vastes, profonds et très sombres. Cette maison, contrairement à la précédente, avait vu passer les siècles ; elle avait vu grandir et mourir des générations, des familles entières ; elle avait connu maints secrets, maintes morts et maintes naissances – ce fut, bizarrement, la réflexion qu'elle se fit en roulant sur l'espace dégagé, nu, cerné par une ligne gracile de peupliers, qui l'entourait au sortir du tunnel des arbres. Pas de véhicule en vue – mais un garage en tôle ondulée à une dizaine de mètres.

— On est arrivés.

La porte s'ouvrit tandis qu'ils descendaient de voiture. La femme qui s'encadra sur le seuil était grande, mince, dans les volutes blêmes du brouillard ; Christine était sûre de ne l'avoir jamais rencontrée auparavant et pourtant – mystérieusement – le visage lui était familier. Christine jeta un coup d'œil à Marcus, qui lui montra les trois marches du perron d'un mouvement de son arme, la main serrée autour de la crosse noire et mate. La femme souriait.

— Qui êtes-vous ? Où est Denise ?

Le sourire de la femme s'agrandit. Elle resserra autour d'elle les pans de son châle en tricot. Elle avait des épaules solides et une complexion athlétique.

— Bonjour, Christine. Enfin, on se rencontre.

Une bouffée de musique s'envola dans l'air froid,

provenant de l'intérieur de la maison. Christine tressaillit.

Une voix de soprano, des vocalises dans la brume.
Opéra...

Le couloir. Un boyau interminable qui menait à
la cuisine. Une cuisine aménagée, vaste, moderne
– contrairement au couloir qui paraissait vieux, plein
de meubles et de tableaux anciens.

Le brouillard léchait les vitres, mais aucune lampe
n'était allumée. *Opéra...* La musique montait d'une
autre pièce, se répandait dans toute la maison. Elle
enflait, retombait, enflait à nouveau – telles les voiles
d'un navire. Christine eut l'impression qu'elle lui coulait directement dans les veines.

Puis elle fut là, devant elle : la femme brune au
beau visage un peu flétri par les ans.

— Tu t'attendais à quelqu'un d'autre ? Tu pensais
sans doute que tu étais tout près...

— Où est Denise ?

— Il n'y a pas de Denise. (La femme appuya sur un
interrupteur et la cuisine s'illumina d'un coup. Christine vit de brillantes surfaces en inox, des rangées de
casseroles étincelantes.) C'est moi qui t'ai envoyé ce
texto. Elle est clean ? Tu l'as fouillée ? (Marcus eut un
hochement de tête presque imperceptible – manière de
faire savoir que ce genre de question était inutile : il
connaissait son boulot, merde.) Ou plutôt, dit la femme
en se tournant de nouveau vers elle, Denise n'a aucun
rapport avec cette histoire... Et, oh, pendant que j'y
pense : elle se le tape, ton Gérald. Elle se le tapait
bien avant qu'il ne prenne ses distances. Sacré numéro

qu'elle t'a joué, dans ce café, hein ? Oh, allons, ne lui jette pas la pierre : qui pourrait résister à Denise ? Quel homme normalement constitué, je veux dire ? Pas un Gérald, en tout cas. Beaucoup trop lâche, beaucoup trop paresseux, beaucoup trop *ennuyeux* : elle s'en lassera, tu verras.

La femme parlait d'un ton léger – mais Christine devinait quelque chose de sinistre, de menaçant en dessous.

— Qui êtes-vous ?

Sa voix encore ferme. Elle s'en étonna presque.

— Je m'appelle Mila Bolsanski.

La femme cria « Thomas ! » et Christine devina un mouvement sur sa droite – une porte qui s'entrebâille, des pas menus, légers comme un souffle. Un garçonnet apparut. Dans les quatre ou cinq ans. Il la contempla de ses grands yeux marron et tristes.

— Et voici mon fils Thomas, dit la femme. Thomas, dis bonjour. *Thomas qui est le fils de Léo…*

— Bonjour, dit Thomas.

— Retourne dans ta chambre, mon chéri.

Le garçon obéit et disparut. Il ne semblait pas curieux outre mesure. Pendant une fraction de seconde, il lui fit penser à Madeleine à la fin, quand tout glissait sur elle sans laisser de traces. *Le fils de Léo…* Christine eut l'impression que tout se mélangeait, qu'elle perdait le fil de ses idées, que l'aiguille de sa boussole intérieure s'affolait et cherchait en vain le nord.

Elle remarqua que Marcus pointait à nouveau son arme sur elle maintenant que l'enfant avait disparu. Elle regarda la femme. Où l'avait-elle déjà vue ? Elle sentit que la réponse à cette question était tout près…

— Viens, dit la femme.

Elle ouvrit une porte qui menait à une pièce derrière la cuisine et actionna un interrupteur. Christine découvrit un mur entier recouvert d'une immense photo représentant la Terre vue de l'espace. Une photo d'une netteté remarquable malgré sa taille. On avait presque l'impression de flotter dans la nuit céleste en la contemplant, loin au-dessus des côtes et des continents, des îles, des glaciers, des zones urbaines et désertiques, des cyclones et des typhons. Il y avait un canapé blanc devant et une table basse sur laquelle étaient posés des livres. Christine vit immédiatement à leurs couvertures qu'ils traitaient tous du même sujet. Elle pensa à Léo. Puis, soudain, la lumière se fit. Mila Bolsanski. Bien sûr : la spationaute… Elle avait vu son visage à la télé quelques années plus tôt. *La deuxième Française à être allée dans l'espace.* Si sa mémoire était bonne, la mission avait été interrompue, il s'était passé quelque chose là-haut… Un accident… Elle croyait même se souvenir, à présent, que Léo avait fait partie de la même mission. Elle se rendit compte que c'était un sujet qu'il n'avait jamais abordé devant elle et un frisson la parcourut.

Ils avaient parlé de tant de choses au cours de leurs rendez-vous bihebdomadaires : pourquoi n'avait-il jamais évoqué cette mission ? S'agissait-il vraiment de son fils ? C'était presque trop à la fois…

— Tu entends cette musique ? dit Mila. Encore un opéra. *Le Crépuscule des dieux.* À la fin, Brünnhilde, l'ancienne walkyrie, se précipite dans le bûcher funéraire de Siegfried avec son cheval. J'ai toujours aimé l'opéra… C'est incroyable le nombre d'opéras qui parlent de suicide. Mais toi, tu tenais trop à la vie, Christine, c'est ton défaut.

Christine promena son regard sur le reste de la pièce. Un piano verni noir. Des partitions et des photos encadrées dessus. Dans le fond, devant la baie vitrée, une très curieuse cheminée en marbre blanc dont le foyer évidé laissait voir les nappes de brouillard au-delà.

— L'opéra, c'est le domaine de l'émotion pure. Quand la passion, le chagrin, la souffrance, la folie atteignent un tel degré de saturation que les mots deviennent impuissants à les exprimer. Que seul le chant y parvient. Cela dépasse les limites de l'entendement, de la logique : c'est indescriptible...

La musique s'élevait, puissante. Christine pensa au petit garçon. Il devait l'entendre depuis sa chambre, malgré les murs épais. Ses jouets – figurines *transformers*, voiture rouge de pompiers, ballon de basket – jonchaient le tapis.

— Tu sais ce qui fait les qualités d'un bon livret ? C'est simple : il faut que l'action avance rapidement – et il faut enchaîner les moments forts jusqu'au dénouement. Tragique, bien sûr... Musicalement, la clé de voûte, c'est l'*aria da capo,* en trois parties – la troisième étant une reprise de la première. Il ne faut pas, cependant, qu'il nuise à la progression dramatique : tout est une question de dosage...

La voix de la soprano monta dans les aigus.

— Tiens, tu entends ?

— Quoi ? répliqua Christine sans se laisser démonter. Ces roucoulades ridicules ? Un peu excessif, non ?

Elle vit l'éclair du doute traverser un instant les pupilles de la spationaute comme une ligne de vie un moniteur ECG.

Eh oui, ma grande, tu croyais m'avoir brisée, m'avoir anéantie et savourer ta victoire. Pas cette fois. Cette fois, ça n'a pas marché comme tu l'espérais. Tu dois reconnaître que c'était sans doute plus rigolo avec cette Célia... Surtout son suicide, à la fin. Comme dans un de tes putains d'opéras...

Elle vit Mila se tourner vers Marcus.

— Tu as ce que je t'ai demandé ?

Il fit signe que oui, plongea sa main gantée dans la poche de sa parka et en ressortit une petite ampoule. Jeta un bref regard vide à Christine, entre ses longs cils blonds.

Le regard de celle-ci tomba sur la carafe d'eau. Et le verre posé sur la table basse. Elle vit Mila se pencher, saisir la carafe, remplir à moitié le verre. *Ne montre pas que tu as peur*, pensa Christine. Puis Mila brisa l'ampoule au-dessus et mélangea avec une cuillère. Elle retira la cuillère.

— Tiens. Bois ça, dit-elle.

— Encore ? Vous ne trouvez pas ça un peu... répétitif ?

— Bois, insista Mila.

— Écoutez, je..., commença Christine en prenant le verre dans sa main tremblante.

— BOIS, dit Marcus en agitant le canon de son arme dans sa direction. Dépêche-toi. Tu as trois secondes... un... deux...

Elle hésita, regarda le verre, le porta à ses lèvres. Le goût était celui des ampoules vitaminées de son enfance, celles que sa mère achetait chez le pharmacien. Elle but.

— Alors, Célia, c'était vous ?

Le regard de Mila la caressa d'une lueur glaciale.

— Elle prétendait avoir des droits sur Léo, elle s'accrochait. Et Léo semblait prêt à quitter sa femme pour elle. C'était de la légitime défense : Léo est à moi, il est le père de mon enfant.

— Mais il est marié...

Le regard se fit encore plus noir.

— Tu appelles ça un mariage ? Moi, j'appelle ça une blague. Ils sont en train de divorcer, tu le savais ? (Elle haussa les épaules.) Tôt ou tard, il me reviendra. Quand il aura enfin compris, quand il n'aura plus que moi. Mais cette imbécile de Célia se dressait sur notre route – comme toi... Alors, j'ai transformé sa vie en enfer. Et quand elle a commencé à passer pour folle auprès de tout le monde, qu'elle a perdu du poids, qu'elle est devenue de moins en moins jolie, de moins en moins amusante, de plus en plus terne et sinistre... eh bien, notre cher Léo a ouvert les yeux... Il n'est pas très doué pour jouer les mères Teresa, il faut bien l'avouer... (Un moment de silence.) Alors, il l'a quittée. Elle ne l'a pas supporté. Tu connais la suite...

Christine acquiesça.

— Hum. Et, à présent, c'est à mon tour, dit-elle. Dommage que tu aies fait tout ça pour rien. J'ai plaqué Léo le mois dernier. Il aurait pu te le dire si tu le lui avais demandé.

— Tu mens.

— Pourquoi je mentirais ? De toute façon, il est un peu trop tard pour faire marche arrière, non ?

De nouveau, Mila la regarda, surprise. Elle s'attendait sans doute à ce que Christine la supplie. L'implore de lui laisser la vie sauve. Se mette à chialer.

— Et Marcus, comment tu l'as trouvé ?

Leurs regards se déplacèrent en même temps vers le petit jeune homme au crâne lisse, à la peau pâle et au visage féminin.

— J'ai fait la connaissance de Marcus grâce à certains *amis* à Moscou. Des amis très précieux... Des amitiés nées pendant que nous étions à la Cité des étoiles. Marcus est en quelque sorte une de leurs... *succursales* en France... Il est arrivé en France il y a trois ans – mais Marcus a appris le français en Russie. Lui et ses amis sont très doués pour fouiller les poubelles, trouver des informations, se glisser nuitamment chez les gens, savoir tout ce qu'il y a à savoir sur eux, arracher des aveux, bidouiller des serrures ou des ordinateurs...

Elle caressa du bout de l'ongle le tatouage dans le cou du petit homme.

— Marcus n'est pas très curieux. Il ne pose pas de questions. C'est sa grande qualité. Sauf celles qui concernent sa rémunération. Tu sais qu'il existe des pays où on peut faire assassiner quelqu'un pour une poignée de dollars ou un simple shoot ?

Christine nota que la lumière avait baissé dehors. Et que le brouillard se dissipait. Elle apercevait des feuillages sombres derrière la baie vitrée – et une lueur rougeoyante.

— Marcus et Cordélia : quel couple étrange, non ? D'après ce qu'il m'en a dit, Marcus a connu Cordélia alors qu'elle essayait de lui faire les poches dans le métro. Elle pensait sans doute que ce petit bonhomme était inoffensif. Ce n'était pas prévu mais – puisque Cordélia semblait particulièrement douée pour la duplicité et l'arnaque –, quand j'ai appris que ta radio cherchait une stagiaire, je lui ai suggéré de postuler pour le poste – avec un CV bidon, bien entendu. Ton Guillaumot n'y a vu que du feu. Il faut dire que notre Cordélia est très douée pour trouver le point sensible chez les gens. Tu savais que ton patron aimait les strip-teases sur son lieu de travail après les heures de bureau ? Les hommes sont tous les mêmes...

— Je... je ne me sens pas très bien...

C'était vrai. Christine avait l'impression que toute la pièce se mettait lentement à tourner, semblable à un manège qui se met en route. Et c'était quoi, ces bouffées de chaleur ?

— Je... Qu'est-ce qu'il y avait dans cette ampoule ?... (Ses yeux papillotèrent.) Vous n'allez pas vous en tirer comme ça... Léo a des soupçons... Et ce flic, il va remonter jusqu'à vous...

Un sourire mince comme une lame de rasoir sur les lèvres de Mila.

— J'ai écrit un journal, commença-t-elle doucement. Un journal *bidon*. Sur ce qui est censé s'être passé à la Cité des étoiles. Sur ce que ce pauvre Léo m'a prétendument fait...

Elle sourit.

— Je l'ai donné à ce flic. Il est en train de le lire en ce moment même. Et quand il l'aura lu, il n'aura plus le moindre doute sur la culpabilité de Léo.

— Pourquoi... ?

— Parce que, quand il finira seul, lâché par tous, j'irai le voir en prison, j'irai le reconquérir, jour après jour. (Mila sourit de nouveau.) Et il comprendra qu'il n'a que moi ; il comprendra la force de mon amour. De mon dévouement. Tout ce que j'ai fait pour lui... Il ouvrira les yeux et il m'aimera comme avant – *comme au début*...

Christine se mordit la lèvre inférieure. *Seigneur, cette femme était dingue. Bonne à enfermer...* Elle jeta un coup d'œil à Marcus, mais il la tenait en joue avec la plus parfaite indifférence. Il avait été payé. Cela lui suffisait.

— Allons-y, dit Mila en regardant sa montre puis Marcus.

Elle ouvrit une porte basse en bois dans l'épais mur de pierre derrière elle. Dehors, le brouillard avait presque disparu ; seules quelques écharpes de brume s'enroulaient à la base des troncs. De ce côté-ci, une pergola en béton partait de la maison jusqu'à l'orée des bois, soutenant une vigne vierge rendue sèche et grise par l'hiver. Christine aperçut des camélias d'un pourpre profond, du lierre, de pâles roses de Noël. Un bassin à la margelle de pierre verdie par la mousse. Ses semelles foulèrent des dalles disjointes, qui se soulevaient et entre lesquelles poussaient de l'herbe et des orties.

— Avance, dit Marcus en la poussant dans le dos avec le canon de son arme.

Elle se raidit. Fit trois pas. S'arrêta.

— Qu'est-ce que vous allez faire ?

— Avance, j'ai dit !

Ils gagnèrent la forêt. Un passage à peine visible. Le soleil se couchait derrière des lignes d'arbres et des branches qui le griffaient comme un grillage, en haut de la colline. Dardant ses pâles rayons, rouges et froids, pareils à du sang gelé, entre les minces troncs noirs. Un petit ruisseau brillait telle une sculpture de cuivre. Il coulait au milieu d'un tapis épais et spongieux de feuilles mortes. Un parfum de terre et d'humus – de décomposition – s'en élevait.

Elle sentit son cœur s'emballer, ses battements devenir incontrôlables. Le ciel saignait.

— Avance.

601

Ils longèrent le ruisseau, remontant péniblement la pente. Marcus passa devant elle. Il savait qu'elle n'irai pas loin si elle tentait de s'échapper.

— Merde, ça tourne, dit-elle en ralentissant.

Elle dérapa dans les feuilles, se reçut sur les main et les genoux. De la boue noire et des feuilles s collèrent à ses paumes. Elle se releva, s'arrêta un ins tant pour recouvrer son équilibre et essuyer ses mains Marcus s'était arrêté, il attendait. Son visage fémini rigoureusement inexpressif. Mila parvint à sa hauteur

— Allons.

Il se mit à tomber une pluie fine. De petites goutte froides comme un brumisateur sur son visage.

— Alors, c'est là que ça va finir ? dit-elle. Au fon des bois.

Son cœur battait la chamade. Devant elle, le peti homme chauve et tatoué se baissa pour passer sou une branche basse

— Dépêche-toi ! dit-il avec son léger accent. O n'a pas que ça à faire.

Il revint en arrière et ils la saisirent chacun par u bras pour la faire avancer plus vite.

— Je crois que je vais... vomir.

Mais elle ne vomit pas. Ils descendirent vers le fon d'une petite dépression, un endroit où les bois étaien un peu moins touffus. Presque une clairière. Soudain elle se mit à résister, à enfoncer ses talons dans le so meuble de toutes ses forces quand elle découvrit l grand trou sombre au fond de la combe – avec un pelle gisant à côté. Ils la tirèrent en avant.

— Non ! Non !

Elle se débattit.

Ils la laissèrent se dégager ; Marcus pointa son arme vers elle.

— Allonge-toi dans le trou.

Un vieil arbre noueux se contorsionnait comme un gymnaste au bord de la fosse. Quelques-unes de ses racines avaient été tranchées net par le fer de la pelle.

Elle se retourna, leur fit face.

— *Non ! Attendez ! Attendez !*

Marcus la poussa. Elle tomba en arrière. *Elle plongeait. Elle coulait à pic. Elle se noyait.* Heureusement, la terre au fond du trou était meuble et elle se reçut sur un matelas très doux. Christine rouvrit les yeux. Elle était allongée sur le dos. L'odeur de terre fraîchement remuée emplissait ses narines ; la pluie se renforçait sur son visage, coulait dans ses yeux et ses cheveux pleins de terre.

— Les femmes sont de bien meilleures tueuses que les hommes, dit Mila au-dessus d'elle. Elles sont plus sophistiquées, plus imaginatives, plus réfléchies.

— À toi de le faire, dit Marcus avec un signe de tête en direction de Christine.

Du fond du trou, elle le vit tendre l'arme à Mila en la tenant par le canon. Elle surprit le regard féroce de celle-ci.

— Quoi ? Qu'est-ce que tu racontes ? Fais ton travail ! Je t'ai payé pour ça !

— *Niet.* Pas assez cher pour risquer la prison à perpétuité, dit-il. *Pojalusta* : s'il te plaît.

Mila ricana méchamment en attrapant l'arme par la crosse.

— Et moi qui croyais que tu avais des couilles… C'est donc ça, aujourd'hui, la mafia russe ?

Il sortit tranquillement un paquet de cigarettes sans

se formaliser de la remontrance. En alluma une. Sourit
Christine tourna légèrement la tête. Est-ce qu'elle rêvait
ou c'étaient bien des vers de terre qui se tortillaient
là où la pelle avait tranché net la chair tendre de la
forêt ? Elle les voyait s'agiter à quelques centimètres
de sa joue, sous un lacis de fines racines blanches.

La voix de Marcus :

— À toi de jouer, *Gaspaja* (madame). Il n'y a que
deux balles. Alors, ne les gaspille pas...

Christine ferma les yeux.

Tout d'un coup, elle se sentit trembler à la fois de
peur et d'accablement, le corps couvert de chair de
poule et de sueur, parcouru d'un frisson électrique.
Elle eut envie de bondir hors de la fosse et de s'enfuir
à toutes jambes.

Les yeux clos, elle ne vit pas Mila s'avancer d'un
pas vers le bord de la tombe, pointer l'arme dans sa
direction.

Elle ne la vit pas trembler un peu.

Viser.

Presser la détente.

La déflagration explosa dans les bois, fut répercutée
par l'écho. Elle fit s'envoler tous les oiseaux de la
forêt. Les deux balles la touchèrent en plein milieu
du thorax, et son corps tressauta à chaque impact.
L'instant d'après, deux fleurs rouges se déployaient
sur son pull, imbibant la laine mouillée. Un dernier
sursaut. Le corps qui s'arc-boute, se raidit. Un filet
de sang à la commissure des lèvres...

... et tout fut consommé.

Simple.

Propre.

Définitif.

Le canon de l'arme fumait encore. Mila fixait le corps de Christine. Les yeux écarquillés. L'arme dans sa main tremblait violemment. Elle n'avait encore jamais tué personne. En tout cas, pas de ses propres mains.

Marcus se saisit de la pelle.

— Bienvenue au club, dit-il en balançant la première pelletée de terre sur le visage de la morte.

Acte 3

Je sais qu'à sa douleur
Il n'y a pas de réconfort.
Mais il convient d'assurer
Le sort de l'enfant.

Madame Butterfly

40

Aria da capo

Par un matin clair et froid de janvier, Fontaine nageait nu dans la piscine et Servaz observait à la jumelle son dos musclé, ses fesses rondes et ses jambes fuselées fendant l'eau fumante. Puis il repartit vers sa voiture aussi froide qu'une glacière, rangea les jumelles dans la boîte à gants et démarra doucement.

Trop tôt. Il était encore trop tôt pour affronter Léonard Fontaine, mais il savait que, tôt ou tard, le face-à-face aurait lieu. C'était inévitable. Quand il aurait plus de cartes en main. Un jeu plus favorable.

Où était passée Christine Steinmeyer ?

Cela faisait à présent dix jours qu'elle n'avait plus donné signe de vie. Tandis qu'il conduisait, les yeux grands ouverts, dans les heures blêmes du petit matin et la pénombre de l'habitacle à peine trouée par les lueurs du tableau de bord, en fixant le ruban de l'autoroute devant lui et les feux pâles des voitures qui le précédaient, il avait l'impression qu'un mot clignotait, aveuglant, en lettres de néon dans son esprit. *Morte*. Christine Steinmeyer était morte. Enterrée quelque part... Ils avaient tout tenté pour reconstituer son trajet le matin où elle était partie de chez elle pour n'y plus revenir. En vain. Personne ne l'avait revue depuis. Ni son fiancé, ni ses parents, ni ses ex-collègues de Radio 5. Une enquête avait été ouverte pour disparition inquiétante. Corinne Délia et Marcus – de son vrai nom Egor Nemtsov – avaient été longuement entendus. Mais ils n'avaient rien lâché.

Servaz regrettait de ne pas avoir pu participer aux auditions. Il en avait cependant obtenu le détail par Vincent et Samira – et aussi par Beaulieu, qui avait décidé de collaborer et qui semblait se sentir un peu coupable.

Tout comme lui, Beaulieu était désormais persuadé qu'Egor « Marcus » Nemtsov était mêlé à la disparition de Christine. Servaz pensa au journal de Mila en sa possession. Aux photos montrant Fontaine en compagnie de Célia Jablonka. Aux confidences de Christine. Mila-Célia-Christine : le triangle des trois femmes qui avaient été les maîtresses du spationaute. Le témoignage de Mila était accablant. Depuis son incursion dans la maison et la vue du livre sur la table de nuit, Servaz avait acquis la certitude que Fontaine était bien l'homme qu'il cherchait... Et, à présent, Christine avait disparu... Mais aucun juge n'ouvrirait une instruction à partir d'aussi peu d'éléments. Il tournait en rond. Il savait qu'il lui faudrait pousser Fontaine à la faute. Mais comment ? L'homme était prudent et coriace.

Mila regarda Thomas lui adresser un dernier signe de connivence avant de courir vers ses compagnons de classe, son cartable sur le dos, sous les grands platanes de la cour de récréation. Puis elle retourna vers sa voiture. On était vendredi. Elle ne travaillait pas les vendredis. Elle démarra le SUV et prit la direction de l'hypermarché où elle avait l'habitude de faire ses courses, se gara sur le parking, marcha jusqu'aux rangées de Caddie et glissa une pièce dans l'un d'entre eux.

Mila poussa son Caddie pendant presque une heure dans les allées, sans se presser. On avait beau être vendredi matin, il y avait foule entre les rayons. Elle se faufila, bouscula ceux qui se mettaient en travers de son chemin, fut bousculée en retour, consulta sa liste à intervalles réguliers bien qu'elle achetât toujours les mêmes produits semaine après semaine, s'autorisa un écart avec une bouteille de clos-vougeot. Demain, ce serait jour de marché – elle s'occuperait des provisions de bouche les plus délicates.

Elle chercha la file d'attente la moins longue et s'inséra dedans : il y avait quinze personnes devant elle et, le temps qu'elle se rapproche de la caisse, à peu près autant derrière. Elle attrapa au passage des paquets de chewing-gums au menthol et un programme télé.

La caissière – une jeune femme avec un piercing dans le nez et une mèche bleue sur le front – lui adressa un salut poli et commença à faire défiler ses achats devant le lecteur de codes-barres. Mila s'avança dans le portique de contrôle pour les récupérer de l'autre côté. Un hurlement strident déchira ses tympans. La caissière leva brusquement la tête, et la regarda plus attentivement.

— Veuillez reculer, madame, s'il vous plaît, dit-elle. Et repasser dans le portique…

Mila soupira. Fit un pas en arrière. Un autre en avant. Le hurlement s'éleva de nouveau, assourdissant, faisant tourner les têtes dans tout le magasin. La caissière la dévisagea méchamment.

— Reculez, madame, reculez. (Sa voix de plus en plus agacée.) Vous êtes sûre que vous n'avez rien dans vos poches ?

Ce n'était pas exactement une accusation, mais un tout petit peu plus qu'une question. Mila se rendit compte que non seulement les clients de sa file la regardaient – en manifestant les premiers signes d'impatience –, mais aussi ceux des files voisines. Le rouge de la honte lui monta aux joues.

Elle plongea une main dans la poche de son manteau. *De fait, il y avait quelque chose, tout au fond...* Ses doigts se refermèrent sur un boîtier en plastique, qu'elle extirpa de sa poche. Elle le regarda : une carte-cadeau de parfumeur. Valeur : cent cinquante euros. C'était écrit dessus. Elle vit le regard de la caissière s'assombrir.

— Je ne comprends pas..., dit-elle.

— Vous la voulez ou pas ?

Ton cassant. Regard noir. De toute évidence, la caissière la prenait pour une voleuse, mais elle n'avait pas de temps à perdre : elle en avait vu d'autres. Elle sentit la colère la gagner.

— Je vous répète que je ne sais pas ce que cette carte fait dans ma poche, répondit-elle sèchement, en fusillant la caissière du regard.

— OK. Donnez-la-moi et repassez le portique, s'il vous plaît.

Le ton du *s'il vous plaît* indiquait bien que si cela ne lui plaisait pas, c'était pareil. Elle ravala sa fureur et déposa la carte-cadeau dans la main tendue. Fit un pas en arrière, un autre en avant. Une boule au ventre.

Le portique hurla.

Ébranlant ses nerfs. Elle entendit des exclamations dans la file derrière elle.

— Putain ! s'écria la caissière.

Elle lança à Mila un regard furibond, décrocha le téléphone et parla rapidement dedans, puis se tourna vers l'allée qui longeait les caisses en tambourinant impatiemment sur son comptoir. Derrière, ça commençait sérieusement à râler. Mila surprit des questions : « Qu'est-ce qui se passe ? », « Pourquoi on avance pas ? » et des réponses sans indulgence : « Une voleuse », « Eh oui, c'est ça, la France, aujourd'hui »… Elle vit un vigile remonter l'allée à vive allure. Grand. Sanglé dans un costume anthracite. Noir. Il lui jeta un regard rapide et professionnel puis se pencha pour écouter les explications de la caissière. Le tout avec un maximum de discrétion : pas de vagues, on gérait le problème avec efficacité, on était habitués.

Ses jambes flageolèrent, la tête lui tournait. Des dizaines de regards braqués sur elle.

— Veuillez me suivre, s'il vous plaît.

— Écoutez, je ne comprends pas ce qui…

— Veuillez me suivre, madame, s'il vous plaît. Sans faire d'histoire. On va régler ça calmement, d'accord ?

— Qu'est-ce qui se passe ? dit une voix derrière eux.

Un autre vigile. Celui-là était blanc. Plus âgé. Un peu boudiné dans son costard. Une armoire à glace mais qui se laissait aller. Avec un regard chafouin et des joues grêlées comme une vigne après l'orage. Il la dévisagea de ses petits yeux sournois pendant que l'autre lui répétait à voix basse les explications de la

caissière. Posa une grosse main sur son bras. Elle se
libéra d'une secousse.

— Bas les pattes !

— Bon, maintenant, tu arrêtes de faire ta chochotte
et tu nous suis, OK ? Et surtout, surtout, tu ne me
cherches pas – parce que je suis pas d'humeur : t'as
compris ?

Dans le parking, elle posa ses mains tremblantes sur
le volant. Elle suffoquait de fureur et de honte. Elle
avait été interrogée dans une petite pièce sans fenêtre
par le directeur du magasin. Qui avait accepté de ne
pas porter plainte puisqu'elle n'apparaissait pas dans
leur fichier et qu'elle avait restitué les deux cartes-
cadeaux « dérobées ». « Vous me traitez de voleuse ? »
avait-elle réagi. Les deux vigiles étaient présents et
elle avait senti les regards des trois hommes peser sur
elle. Le gros salaud à la peau grêlée ne s'était pas
gêné pour reluquer ses seins ; le directeur était méprisant et condescendant : elle l'aurait volontiers giflé ;
le premier vigile s'en foutait. Putain, elle avait bien
envie de revenir et de foutre le feu au magasin. Ou
de demander à Marcus de secouer un peu ce petit
chefaillon arrogant. Elle mit le contact et sortit lentement de l'allée où elle était garée. Un coup de klaxon
strident la fit sauter sur son siège : plongée dans ses
pensées, elle n'avait pas fait attention à la Prius qui
arrivait sur sa droite.

Un volet grinçait dans le noir. Un couinement rouillé
et agaçant. Elle jeta un coup d'œil au réveil. 0 h 45.

Elle sortit du lit à contrecœur. Descendit au rez-de-chaussée. La maison était silencieuse, il faisait un froid de canard. Elle était pourtant sûre d'avoir fermé tous les volets. Elle mit sept minutes pour trouver la fenêtre incriminée : la maison était vaste. L'une des fenêtres du salon. Quelques branches agitées par le vent créaient un jeu d'ombres sur ses vitres. Elle ouvrit la croisée. Un vent tiède et odorant passa sur son visage comme une main parfumée. On était fin janvier, mais l'hiver semblait d'ores et déjà terminé. Le vent et elle se livrèrent une brève lutte pour la possession du volet. Elle le ferma et remonta se coucher. L'incident du supermarché la préoccupait ; elle s'était sentie humiliée, rabaissée – elle était en colère et le sommeil la fuyait. Elle commençait à s'endormir quand le grincement reprit. Elle se redressa dans son lit. Silence total. Puis le volet grinça de nouveau. Un petit son aigu et obsédant. L'inquiétude la gagna. Elle redescendit pieds nus au rez-de-chaussée mais, cette fois-ci, elle prit avec elle le pistolet de défense qu'elle gardait dans le tiroir de la table de nuit. *Une autre fenêtre…* Le volet pivotait sur son axe au gré du vent qui soufflait fort et allait battre contre le mur en fin de course. Elle se pencha pour l'attraper, penchée vers l'extérieur dans la nuit venteuse, et le referma. De nouveau, la caresse tiède sur son visage. Il n'y eut pas d'autre bruit cette nuit-là – mais elle ne parvint pas à trouver le sommeil avant 3 heures du matin.

Le lundi, un nouvel incident eut lieu qui la laissa perplexe. Mila travaillait depuis plusieurs années pour Thales Alenia Space, l'un des leaders mondiaux dans le domaine des satellites, dont le siège social futuriste occupait un vaste espace dans le quartier du Mirail, au sud-ouest de Toulouse, non loin de l'A64. Elle était chargée de la communication et des relations avec les médias. Mila n'avait pas que des amis dans la boîte : certains avaient du mal à supporter son caractère entier, peu porté aux concessions et à la diplomatie. Mais de là à lui crever les quatre pneus sur l'immense parking réservé aux deux mille deux cents employés du site…

Elle n'avait toujours pas décoléré quand elle rentra chez elle avec deux heures de retard (elle avait dû appeler en urgence la nounou pour qu'elle aille récupérer Thomas à l'école). Ce soir-là, afin de recouvrer son calme – une fois qu'elle eut fait à Thomas sa lecture du soir –, elle glissa dans le lecteur de CD son opéra préféré : *Don Carlo* de Verdi. Encore une histoire d'amour contrarié, impossible. C'est ce qu'elle aimait dans l'opéra : il faisait toujours écho à sa propre vie. *À toutes les vies…* Tout le monde ne se battait-il pas pour la même chose ? Le fric, le pouvoir, le succès – tous dans un seul but, le même depuis l'enfance : être aimé. Elle se laissa aller dans le fauteuil confortable qu'elle avait placé à l'endroit exact de la pièce où elle avait la meilleure acoustique. À cette heure-ci toutefois, pas question de faire jaillir la musique à plein volume des enceintes sphériques Elipson Planet L : elle mit le casque Bose sur ses oreilles et appuya sur le bouton de la télécommande.

Elle ferma les yeux. S'efforçant de respirer calmement. Dans le silence délicieux qui précède les premières mesures… Les rouvrit dès les premières notes.

Ce n'était pas celles de *Don Carlo*.

Elle écouta quelques secondes de plus…

Lucia di Lammermoor !

Elle avait dû se tromper de boîtier en rangeant le CD... Elle se leva et s'approcha des rayonnages de sa discothèque. Chercha le boîtier de l'opéra tragique de Donizetti – dans lequel Lucia sombre irréversiblement dans la folie. L'ouvrit en pensant trouver *Don Carlo* à l'intérieur. Elle considéra, perplexe, le CD qui s'y trouvait : *Les Contes d'Hoffmann...* Quelque chose clochait. Avec un malaise grandissant, elle ouvrit un autre boîtier, au hasard : celui de *L'Italienne à Alger*. *La Traviata* à la place. Renouvela l'opération avec le boîtier du *Moïse et Aaron* de Schönberg : *Tannhäuser...* Puis avec celui des *Indes Galantes* : *Cavalleria rusticana...* Dix minutes plus tard, des dizaines de boîtiers gisaient sur le sol. Pas un ne contenait le bon CD ! Et *Don Carlo* restait introuvable.

Soit elle devenait folle, soit...

Quelqu'un s'amusait avec elle... *Quelqu'un était entré ici...*

Elle regarda autour d'elle, comme si la personne pouvait se trouver encore là. D'accord, se dit-elle. L'incident à l'hypermarché, les quatre pneus crevés sur le parking, les volets qui se décrochent tout seuls au beau milieu de la nuit et, à présent, ça... Quelqu'un essayait de lui rendre la monnaie de sa pièce. *De venger la mort de cette pute.* En lui infligeant ce qu'elle-même avait fait subir à Christine Steinmeyer – comme dans l'*aria da capo*, où la dernière partie est une reprise de la première. Thomas... Elle l'avait laissé seul avec la veilleuse allumée. Comme tous les soirs. Elle monta les marches quatre à quatre. Il dormait, son pouce dans la bouche, la tête enfoncée dans trois oreillers. Le halo de la petite lampe à son chevet trouait la pénombre de la chambre, laquelle sentait le shampoing pour enfant. Elle vérifia que les volets étaient bien fermés, s'approcha de son fils, caressa son épaule là où le pyjama la laissait nue et sentit la structure si fragile de son squelette sous sa peau.

Au moment d'éteindre la lampe, elle avisa le livre ouvert sur la courtepointe. Mila avait fait la lecture à Thomas, mais elle ne se souvenait pas d'avoir oublié de ranger l'album illustré sur les étagères. Elle s'approcha pour s'en saisir, le referma. Eut un mouvement de recul.

Ce n'était pas l'album de Thomas – mais un livre intitulé *L'Opéra ou la défaite des femmes*. Elle le reconnut : il faisait partie des nombreux ouvrages de sa bibliothèque consacrés à l'opéra, entre le Kobbé, les *Cinq grands opéras* d'Henry Barraud, le *Dictionnaire amoureux de l'opéra* d'Alain Duault et une douzaine d'autres. Mais elle était quasiment certaine de n'être jamais montée avec dans la chambre de Thomas. Ce n'était pas vraiment une lecture pour un enfant de cinq ans...

Elle allait le redescendre dans la bibliothèque, sans plus y penser, quand, en haut de l'escalier, elle s'immobilisa.

Elle avait lu ce livre plusieurs années auparavant, mais elle se souvenait très bien de son contenu : ce livre parlait du long cortège des femmes déchues, blessées, délaissées, trahies, bafouées, assassinées, acculées à la folie ou à la mort dont les malheurs faisaient depuis toujours les délices des amateurs d'opéra. À l'opéra, toutes les femmes mouraient. Sans exception. À l'opéra, les femmes étaient toujours malheureuses. À l'opéra, les femmes avaient toujours une fin tragique.

Princesses, roturières, mères, putains : l'opéra était le lieu de leur défaite inéluctable – elle se sentit de plus en plus mal à l'aise.

Cette nuit-là, elle fit deux fois le tour de la maison pour vérifier que toutes les issues étaient bien verrouillées, de même que les volets. Mais elle ne dormit pas plus d'une paire d'heures et elle écouta le bruit du vent d'hiver contre la fenêtre jusqu'au matin.

Elle appela son travail le lendemain, pour dire qu'elle avait trente-neuf de fièvre et qu'elle restait à la maison. Puis elle se mit en quête d'un installateur de système d'alarme sur Internet. Elle compara les produits, les sociétés, les performances, passa plusieurs coups de fil. Le système qu'elle finit par choisir comportait des détecteurs de mouvement dans les lieux stratégiques de la maison – qui prendraient tout visiteur *non désiré* en photo –, une puissante sirène de cent dix décibels, un signal envoyé à un centre de télésurveillance en cas d'intrusion, avec appel de contrôle et intervention d'un agent de sécurité si la personne qui répondait ne satisfaisait pas aux questions de reconnaissance et SMS d'alerte expédiés à intervalles réguliers sur son mobile. En cas de doute, elle pouvait même vérifier à distance qu'elle avait bien activé l'alarme. L'installateur vint dans l'après-midi. Il avait l'air d'être à la retraite, mais le petit bonhomme aux cheveux gris avait un discours bien rodé et un air rassurant. Il mit en place l'installation en un temps record. Vérifia que tout fonctionnait avec le centre de télésurveillance et le téléphone portable de Mila, déclara : « Voilà, vous pouvez dormir sur vos deux oreilles, maintenant » et s'en alla à bord de sa camionnette bleue.

Le petit bonhomme avait raison : cette nuit-là, elle dormit comme un bébé ; aucun volet ne grinça et, le lendemain, elle déposa Thomas à l'école avant de retourner travailler.

L'ampoule en haut de l'escalier avait dû griller car, quand elle activa l'interrupteur le lendemain soir, rien ne se passa. Elle dit à Thomas d'attendre en bas et alla en chercher une neuve et un escabeau dans la remise. Elle grimpa sur ce dernier, changea l'ampoule et la lumière revint effectivement. Puis elle lui fit la lecture (*Le Grincheux qui voulait gâcher Noël*), le borda et referma la porte sur son garçon endormi.

Redescendue dans le séjour, elle mit *Don Carlo* sur la chaîne (elle s'était rendue à la FNAC, qui ne possédait pas la version avec Renata Tebaldi, Carlo Bergonzi et Dietrich Fischer-Dieskau, si bien qu'elle avait dû se rabattre sur celle avec Placido Domingo, Montserrat Caballé et Ruggero Raimondi) et elle écouta l'opéra entier avant d'aller se coucher. Elle avait bien entendu déjà réservé sa place pour le mois de juin au Théâtre du Capitole, où *Don Carlo* serait donné avec Dimitri Pittas et Tamar Iveri.

Elle pensait à Léo et à ce flic. Quand allait-il passer à l'action ? Elle savait que la police avait besoin de plus d'éléments pour coincer Léo, mais elle n'était pas pressée. Chaque chose en son temps. Il faudrait aussi qu'elle s'occupe de Cordélia et de Marcus : deux témoins beaucoup trop gênants. Et qu'elle trouve un moyen de répondre à ces attaques. Était-ce Léo qui se trouvait derrière elles ? Oui, possible… Christine avait fait appel à lui, elle le savait : Marcus l'avait suivie jusqu'à cet hôtel malgré ses tentatives maladroites pour échapper à la filature. *Léo avait sans doute compris que Christine était morte…* Et qui était derrière sa mort… Il avait peut-être fini par additionner deux et deux. Elle examina, soupesa cette possibilité. Que pouvait-il contre elle ? Rien. Tout l'accusait *lui*, au contraire. Y compris ce journal dont il ignorait l'existence… Qu'il termine en prison ou non, Léo était à elle – il lui appartenait. Il était le père de son enfant. Il finirait par lui revenir… D'une manière ou d'une autre. Même s'il ne le savait pas encore. Elle y passerait toute sa vie s'il le fallait, mais Léo lui reviendrait. C'était tout ce qu'elle désirait. Et, en attendant, s'il s'approchait un peu trop près de sa maison, elle ferait en sorte que ce flic le surprenne. Ce serait une preuve de plus, une preuve accablante de son implication. Elle avait retrouvé son calme. L'inquiétude s'était envolée. Tout était à sa place. Elle contrôlait la situation.

L'opéra s'acheva avec l'acte V – quand le tombeau de Charles Quint s'ouvre et que son fantôme surgit des ténèbres, entraînant don Carlo avec lui. (« *Mon fils, les douleurs de la terre nous suivent encore dans ce lieu. La paix que votre cœur espère ne se trouve qu'auprès de Dieu.* »)

Elle éteignit et monta se coucher.

Vers 2 heures du matin, elle se réveilla brusquement. Elle eut à peine le temps de courir jusqu'aux toilettes avant de vomir tripes et boyaux. Elle tira la chasse d'eau. Elle reprenait tout juste sa respiration – un souffle rauque sifflant hors de ses poumons, ses cheveux collés à son front par la sueur – qu'une deuxième vague remontait des profondeurs. Le jet aigre frappa à nouveau l'émail. Elle vomit, se racla la gorge, cracha, respira. Vingt minutes plus tard, elle était toujours accroupie sur le carrelage, frissonnante, les yeux clos – le ventre secoué de convulsions –, et elle envisageait d'appeler SOS Médecins.

Assis dans sa Porsche 911, Léonard Fontaine regarda les lumières de la maison s'éteindre après s'être rallumées au beau milieu de la nuit, à cinq cents mètres de là. Seul le ver luisant de sa cigarette éclairait son visage quand il tirait dessus. Il remit le moulin de la Porsche en route et quitta doucement le sentier cahoteux qui débouchait entre les platanes, puis s'éloigna en seconde sous le tunnel des arbres – sans allumer les phares : les étoiles et la lune étaient visibles entre les bras noueux des branches et éclairaient la route. Le vent avait chassé les nuages, et la température augmentait de jour en jour. Quand il fut certain d'avoir suffisamment pris ses distances, il mit pleins phares et accéléra – en douceur : le son du légendaire 6-cylindres à plat pouvait porter loin, et son bruit était quelque peu reconnaissable. Si Mila croyait que son système d'alarme la mettait à l'abri, elle se fourrait le doigt dans l'œil. La plupart de ces nouveaux systèmes sans fil étaient extrêmement vulnérables : un simple brouilleur d'ondes pouvait en venir à bout.

Non, le danger venait d'ailleurs : de ce flic qui lui collait aux basques. Il croyait sans doute que Léo ne l'avait pas repéré. Mais le petit commandant ignorait que la femme qu'il avait croisée au domicile de Léo était ce détective dont il avait parlé à Christine. Une professionnelle compétente et réactive. Deux fois par semaine, elle venait lui faire son rapport à domicile. Elle n'avait pas manqué de noter la plaque d'immatriculation de ce drôle de facteur. Il allait devoir manœuvrer finement. Si le flic le surprenait à rôder autour de la maison de Mila, il risquait gros. Car, après tout, ce policier semblait persuadé qu'il était pour quelque chose dans la disparition de Christine.

41

« Sola, perduta, abbandonata »

La lampe de l'escalier s'éteignit de nouveau. Il devait y avoir un court-circuit quelque part qui faisait griller l'ampoule. Elle la changea. Le lendemain, c'était une autre : celle de son bureau-discothèque. Puis, de nouveau, celle de l'escalier, le surlendemain. Et l'un des spots de la cuisine l'un des jours suivants.

Elle cassa un objet de rage, appela un électricien qui, bien entendu, ne pouvait pas venir avant quarante-huit heures. Le jour venu, il examina longuement les interrupteurs, les prises, le tableau électrique et les lampes elles-mêmes. Diagnostic : tout était normal. Elle eut quelques paroles désagréables et il partit en claquant la porte et en refusant d'être payé.

Elle fut encore malade la nuit suivante. Elle s'apprêtait à jeter tous les aliments de son frigo quand elle se fit la réflexion que Thomas ne l'était pas – malade. Le soir, elle mangea la même chose que lui. Deux heures trente du matin : des douleurs terribles au ventre la firent se tordre dans les draps. Elle avait placé une bassine au pied du lit, au cas où, et elle vomit dedans. Une odeur aigre se mit à flotter dans toute la chambre

– mais elle n'eut pas le courage ni la force d'aller vider la bassine. Elle dormit très mal, cette nuit-là, son ventre criant famine après qu'elle se fut vidée quelques heures plus tôt. Elle partit au travail épuisée, le lendemain. Et elle se traîna toute la journée avec une tête de déterrée. Plusieurs collègues – sollicitude ou l'inverse – attirèrent son attention sur sa mauvaise mine. Elle les remit à leur place.

En revenant le soir, elle testa le système d'alarme qui lui hurla aussitôt dans les oreilles. Elle pianota le code. Le hurlement cessa. Elle recommença. Re-hurlement. Le téléphone sonna une minute plus tard.

— Bonjour, ici le centre de télésurveillance. Vous pouvez répondre à la question de sécurité ?

— *Qu'est-il arrivé à Baby Jane ?* (Le nom de son film préféré.) Ce n'est rien, dit-elle. Juste un moment d'inattention.

— Merci.

— Euh... à propos... vous n'avez pas eu d'autres traces d'intrusion dans le système ?

— Comment ça ?

— Non, c'est bon, laissez tomber...

Les lampes continuèrent de s'éteindre. Et elle continua d'être malade – malgré l'antiémétique qu'elle prenait tous les soirs et le fait qu'elle fît livrer les plats par différents restaurants en ligne. Elle finit par s'abstenir de dîner.

Chaque fois qu'elle actionnait un interrupteur et que la lampe restait éteinte, elle prenait un coup au moral. Elle savait ce qui se passait : quelqu'un avait résolu de semer le chaos dans son existence comme elle-même l'avait semé dans celle de Célia Jablonka et de Christine Steinmeyer. Mais le savoir ne l'aidait guère. Elle devait trouver le moyen de riposter. Apparemment, quelqu'un était capable de s'introduire chez elle en son absence malgré le système d'alarme.

Il lui fallait de l'aide. Mais ni Marcus ni Cordélia ne répondaient au téléphone. Elle leur avait laissé une bonne vingtaine de messages. Un samedi matin, elle se rendit à la Reynerie. Elle sonna au 19B. La porte s'ouvrit sur un jeune homme qu'elle ne connaissait pas.

— Oui ?

— Corinne Délia n'est pas ici ?

L'homme la scruta.

— Elle a déménagé, elle ne vous l'a pas dit ?

— Et vous êtes… ?

— Le nouveau locataire. Et vous ?

Elle s'en alla.

Le 14 février, Servaz se réveilla en sursaut à 4 heures du matin. Il avait fait un rêve dans lequel il flottait en apesanteur autour de la Terre. Il passait d'un module à l'autre, en battant maladroitement des bras et des jambes, mais une femme qui ne ressemblait pas à Mila Bolsanski et qui pourtant *était* Mila Bolsanski – il ne savait pas comment il le savait, mais il le savait – lui « courait » après et ne cessait de lui dire des choses comme : « Prends-moi, baise-moi ; là, tout de suite… » Il avait beau lui expliquer poliment que non, qu'il était marié, qu'il ne voulait pas, non merci, sans façon – et que les hommes aussi ont le droit de dire non, pas seulement les femmes, elle continuait de le poursuivre de ses assiduités dans toute la station. Il s'était réveillé au moment où la voix de sa mère morte trente-trois ans plus tôt disait : « Martin, qu'est-ce que tu fais avec cette dame ? » Il connaissait l'origine de ce rêve : il avait relu le journal de Mila Bolsanski dans la soirée. Et il y avait de la musique dans son rêve : *opéra*.

Il resta un long moment assis dans son lit, en proie à une grande tristesse à cause de la voix et du visage de sa mère. Si net, si *vivant*...

L'enfance, on n'en guérit jamais. Qui avait dit ça ? Il se leva, alla prendre une douche puis se prépara un café soluble avec la bouilloire sur son bureau. Le vent soufflait dehors, dans le noir. Il attendit que le jour vienne se coller à la vitre, tout en réfléchissant. Il avait fait un rêve. Un rêve avec de la musique dedans. Un processus inconscient s'était mis en route pendant son sommeil – il avait lentement mis en place des éléments qui, jusqu'ici, ne s'ajustaient pas. À 7 h 15, il n'y tint plus et il descendit prendre un vrai café dans la salle commune. Quelques pensionnaires le saluèrent, d'autres non. Il but son café en pensant à ce qu'il savait : ce qui était sous ses yeux depuis le début, mais qu'il ne voyait pas. À 7 h 30, il quitta le centre et roula sur les petites routes du département, dans la grisaille de plus en plus lumineuse.

Léonard Fontaine fendait l'eau du bassin presque sans bruit, avec souplesse et fluidité, à la manière d'un nageur de compétition.

Il sentait l'eau glisser le long de son visage et de son dos comme le long d'une coque de voilier quand il entendit la voix au bord du bassin.

— Salut.

Léonard Fontaine s'arrêta de nager. Il sortit la tête de l'eau et leva les yeux vers l'homme qui se tenait debout près du bord. Il avait dans la quarantaine et ne semblait pas en très bonne forme physique. Il y avait quelque chose de pâle et de chiffonné en lui, une sorte de lassitude qui voûtait un peu ses épaules. Il le reconnut – mais il demanda néanmoins :

— Qui êtes-vous ? Qui vous a autorisé à entrer ?

— J'ai sonné, mentit Servaz. Comme ça ne répondait pas, je me suis permis de… de faire le tour.

— Vous n'avez pas répondu à ma première question.

Servaz jeta un coup d'œil aux épaules et aux bras musclés du spationaute. Il sortit sa plaque.

— Commandant Servaz, police judiciaire.

— Vous avez un papier ? Quelque chose qui vous autorise à entrer chez les gens sans permission ? Ce n'est pas parce qu'il n'y a pas de clôture que…

Servaz leva une main.

— J'ai mieux que ça. Je crois savoir qui a tué Christine Steinmeyer. Parce qu'elle est morte, bien sûr. Comme vous le savez. Mais j'ai au moins une bonne nouvelle : je ne crois pas que ce soit vous.

Fontaine lui lança un regard qui – pendant un instant – trahit à quel point il se sentait désemparé et triste. Il hocha tristement la tête, nagea jusqu'aux marches et sortit lentement de l'eau.

— Venez.

Quand ils franchirent la baie vitrée, Servaz eut l'estomac un peu retourné en pensant à sa dernière visite ici et à Darkhan – le monstre de cinquante kilos qui l'avait regardé comme s'il était une pièce de bœuf sur l'étal d'un boucher. Le molosse descendit de la mezzanine mais il ne parut pas reconnaître Servaz. Il s'approcha de son maître, qui lui caressa affectueusement le front. « Va te coucher. » Satisfaite, la bête remonta sur son perchoir. La télé au-dessus de la grande cheminée murale au bioéthanol diffusait les images d'une chaîne d'infos en anglais : Euronews ou BBC World. Vêtu d'un peignoir ivoire qui avait l'air moelleux, épais et douillet – ses initiales brodées sur la poche de poitrine –, Fontaine lui montra le canapé et lui proposa un café, puis se dirigea vers la cuisine américaine. Ils n'échangèrent aucun mot avant que le café fût servi et les tasses devant eux. Fontaine acheva de se sécher les cheveux à l'aide d'une serviette-éponge, puis il s'assit sur un gros pouf, de l'autre côté de la table basse. Servaz nota l'énorme cicatrice à sa jambe gauche – les dentelures de chair racornie qui festonnaient le mollet et le tibia en demi-lune sur une trentaine de centimètres, de la cheville au genou. Le spationaute reposa la serviette. Il dévisagea Servaz. L'orgueil et la force semblaient l'avoir déserté, il ne restait plus en lui que du désarroi et de la tristesse.

— Alors vous pensez que Christine est morte ?

— Vous aussi, non ?

Fontaine inclina la tête. L'espace d'un instant, il parut sur le point de dire quelque chose, mais il se contenta d'acquiescer.

Servaz sortit le journal de sa poche et le poussa en direction du spationaute.

— Qu'est-ce que c'est ?

— Le journal de Mila Bolsanski...

Il vit Fontaine réagir imperceptiblement à l'évocation de ce nom. Il posa sa tasse et attrapa le journal.

— Elle prétend l'avoir tenu pendant votre séjour à la Cité des étoiles, expliqua Servaz. Jetez-y un coup d'œil.

Fontaine le regarda, surpris, puis ouvrit précautionneusement le journal. Il commença à lire. Servaz le vit froncer les sourcils dès les premières lignes. Cinq minutes plus tard, il avait totalement oublié la présence du policier et son café refroidissait dans sa tasse. Il se mit à tourner les pages de plus en plus vite, il lisait en diagonale, s'attardait sur certains passages, en sautait d'autres, revenait en arrière…

— C'est incroyable, dit-il finalement en le refermant.

— Qu'est-ce qui est incroyable ?

— Qu'elle ait pris la peine de rédiger ce… *truc*. C'est un vrai roman ! Mila a raté sa vocation !

— Ce n'est pas ce qui s'est passé ?

Il parut indigné.

— Bien sûr que non !

Servaz lut un mélange de colère et d'incrédulité sur les traits du spationaute.

— Et si vous me racontiez votre version…

— Ce n'est pas *ma* version, corrigea-t-il sèchement. Il n'y a qu'une version : ce qui s'est vraiment passé. On a beau vivre dans une société où le mensonge et la déformation des faits sont devenus quasiment la norme, la vérité reste la vérité, merde.

— Je vous écoute.

— C'est très simple, pour commencer : Mila Bolsanski est folle. Elle l'a toujours été.

— Je ne sais pas comment elle a fait pour passer au travers des tests psychologiques. Il paraît que certaines personnes mentalement dérangées y parviennent. Et, après tout, j'ai mis moi-même du temps à comprendre qu'elle l'était.

Il reposa sa tasse vide. Servaz nota qu'il était gaucher et qu'il y avait la marque plus claire d'une alliance, mais pas d'alliance à son annulaire. À la place, un minuscule cercle où la peau s'était légèrement resserrée, comme si c'était ça la signification du mariage : un rétrécissement. Servaz – qui avait été marié sept ans avant de divorcer – songea que ce n'était pas par hasard si l'annulaire était le doigt le moins utile.

— L'enquête menée après les incidents a révélé qu'à l'adolescence elle avait fait un séjour en hôpital psychiatrique après plusieurs tentatives de suicide. Le diagnostic était une forme de schizophrénie, je crois. Peu importe. Quand j'ai connu Mila, c'était une jeune femme belle, intelligente, ambitieuse et extrêmement attachante… Un rayon de soleil… Il était presque impossible de ne pas en tomber amoureux. Le problème, c'est que – comme ses semblables – Mila portait un masque : toute cette gaieté, toute cette énergie n'étaient qu'une comédie, une façade. Mila adapte son apparence à ce que la personne en face d'elle désire voir ; elle est très douée pour ça. J'ai fini par m'en rendre compte quand je l'ai vue interagir en société : elle changeait subtilement d'attitude en fonction de son interlocuteur. Elle semblait avoir une personnalité bien trempée, affirmée. Or c'est exactement le contraire : Mila Bolsanski est vide à l'intérieur. Elle est comme un moule qui s'adapte à la forme de l'autre. Un miroir de ses désirs qu'elle lui tend. Elle appréhende instantanément ce que recherche son interlocuteur – et elle le lui donne. J'ai étudié la question après ce qui s'est passé. J'ai lu toute une littérature là-dessus (Servaz pensa au livre aperçu sur la table de nuit). J'ai cherché à comprendre qui elle était – *ce* qu'elle était... Elle fait partie de ces individus qu'on appelle manipulateurs et qui sont comme des pièges vivants : au début, ils sont gais, avenants, extravertis, attentifs aux autres, souriants et généreux... Il n'est pas rare qu'ils vous fassent de petits cadeaux, ils ne tarissent pas d'éloges sur vous, ils sont aux petits soins : vous ne pouvez pas faire autrement que de les trouver sympathiques. De les aimer. Bien sûr, ça ne veut pas dire que tous les types souriants et sympathiques sont des manipulateurs : l'adage qui dit que la première impression est toujours la bonne est une belle connerie. Les bons manipulateurs font *toujours* bonne impression la première fois. Comment les démasquer alors ? Avec le temps, justement... Si vous faites partie de leur cercle rapproché, de leurs intimes, leurs failles et leurs mensonges finiront tôt ou tard par apparaître. Sauf si vous êtes déjà devenu trop dépendant pour ne pas voir les signes évidents quand ils commencent à se manifester...

Servaz croisa le regard de Fontaine.

— Attention, je ne suis pas en train de vous dire que Mila n'est pas une femme brillante : il faut l'être pour être arrivé là où elle est arrivée. Toute sa jeunesse, elle a bossé dur pour réussir. Mila déteste l'échec. Elle a toujours été première en classe. À la fac, quand ses copines découvraient les boums, les flirts, la politique, elle restait à bosser des nuits entières avec sa Thermos de café et ses notes. Elle a fini major sur cinq cents à la fin de la première année de médecine. Elle avait à peine dix-sept ans ! Et elle s'est fiancée la même année. C'est un autre aspect de sa personnalité : Mila Bolsanski est terrifiée par l'idée de la solitude, il lui faut quelqu'un à ses côtés en permanence, quelqu'un qui l'admire – qui lui renvoie une haute idée d'elle-même.

Fontaine s'interrompit. Servaz pensa à la grande maison isolée : est-ce que ça ne contredisait pas ce tableau ? Non. Car il y avait Thomas... Le petit Thomas, l'adorable enfant blond, pour qui sa mère était un soleil plus brillant que tous les autres. Enfin un homme qu'elle pouvait façonner à l'envi.

— Seulement voilà, poursuivit Fontaine, la championne des concours et des exams n'avait pas beaucoup de temps à consacrer à son fiancé et il a fini par se barrer. Son premier échec. Cuisant. Elle à qui tout réussissait. Elle a eu du mal à le digérer, on dirait : là aussi, j'ai mené ma petite enquête. Et vous savez quoi ? Ce malheureux a fini en prison pour une affaire de viol sur mineure. Les éléments du dossier semblaient accablants, mais il n'a cessé de crier son innocence. Jusqu'au jour où il s'est pendu. En prison. La vie n'est pas facile en taule pour les pointeurs, alors imaginez quand vous n'avez rien fait... Vous auriez dû voir les photos où ils sont ensemble : il avait l'air doux comme un agneau. À côté d'elle, il ne faisait pas le poids. Pas une seconde. Depuis le début, il était destiné à être dévoré tout cru...

— Qu'est-ce qui vous rend si sûr qu'il était innocent ?

— La fille qui avait porté plainte contre lui a depuis un casier long comme le tunnel sous la Manche : vol, extorsion, escroquerie, dénonciation calomnieuse, abus de faiblesse, organisation frauduleuse d'insolvabilité, fraude fiscale… Sa vie adulte n'est qu'une litanie de tentatives pour gruger, extorquer ou voler son prochain. À l'époque des faits, elle n'avait que seize ans et aucun casier, évidemment. Je ne sais pas comment Mila l'a trouvée, mais elle a dû lui offrir une belle somme… Ou peut-être pas : cette fille était sans doute capable de vendre sa mère pour quelques centaines de francs.

Servaz frémit. Il pensa à Célia Jablonka et à Christine Steinmeyer qui s'étaient retrouvées dans le viseur de Mila Bolsanski. Il nota au passage que Fontaine devait avoir des relations dans la police pour avoir obtenu ce genre d'informations.

— Bon, bref, une fois le fiancé châtié, Mila a poursuivi sa route. Vers le succès et – croyait-elle – le bonheur. Elle voulait toujours être la meilleure. Partout. Tout le temps. Même au lit, elle faisait des trucs que peu de femmes font – pas parce qu'elle aimait ça, non : parce qu'elle savait que les hommes aiment ça. *Du moins, elle est comme ça au début*… Quand elle a besoin de séduire, de convaincre, d'asseoir son emprise, Mila se dépense sans compter ; après, une fois qu'elle a le contrôle, elle met moins de cœur à l'ouvrage, elle laisse tomber le masque – progressivement. Petit à petit, je l'ai vue changer. Elle ne pouvait pas s'empêcher de me critiquer, des critiques directes, qui revenaient sans arrêt sur la table, et des allusions plus sournoises. Toutes ou presque étaient infondées – ou très exagérées. Elle était aussi de plus en plus jalouse de mon couple, de ma famille ; elle m'accusait d'avoir d'autres maîtresses… Je sais : je ne suis pas un saint. J'aime les femmes et elles me le rendent bien. Mais je n'ai jamais eu plus d'une maîtresse à la fois, et j'ai aimé toutes ces femmes, à ma façon : ça n'a jamais été rien qu'une question de sexe. J'ai épousé ma femme parce que je croyais qu'elle serait celle qui me ferait oublier toutes les autres. Il s'est avéré que non. (Il marqua une pause.) Bref : une personne plus fragile psychologiquement que je le suis aurait sans doute fini par se sentir coupable de toutes ces fautes, se serait demandé ce qui n'allait pas chez elle – au lieu de se demander, comme je l'ai fait assez vite, ce qui n'allait pas chez Mila… Je ne suis pas quelqu'un de facilement influençable, commandant. Quand elle s'est rendu compte que ses petits jeux habituels ne marchaient pas avec moi, elle est devenue quasiment hystérique. Elle a menacé d'appeler ma femme, de tout déballer… Quand on est partis pour la Cité des étoiles, notre relation s'était sérieusement détériorée et j'envisageais de plus en plus d'y mettre un terme, mais j'étais coincé : j'avais peur qu'elle ne se venge en racontant tout à Karla, qu'elle ne brise mon couple, ma famille. J'avais beau retourner le problème dans tous les sens, je ne voyais pas d'issue. Elle me tenait – et elle le savait.

Son regard s'était voilé et, pendant un instant, le héros de l'espace laissa place à un homme vaincu, désemparé, un homme coupable aussi, comme ils le sont tous – dès la naissance.

— Et puis, là-bas, elle a semblé redevenir Mila l'enthousiaste, Mila le feu follet, Mila le rayon de soleil. Elle a fait amende honorable, s'est excusée pour son attitude. Elle m'a dit que personne n'avait autant compté que moi dans sa vie et que c'était pour ça qu'elle avait perdu les pédales : ce genre de baratin… Mais que plus jamais elle ne se comporterait comme elle l'avait fait. Je n'avais rien à craindre, jamais elle ne se permettrait de briser ma famille, de me séparer de mes enfants. Elle me l'a juré. J'ai accepté ses excuses. Elle était de nouveau la Mila joyeuse, primesautière, drôle et irrésistible des débuts. Tous les nuages semblaient avoir disparu. Et, quand elle est comme ça, il est très difficile de résister à Mila. Je l'ai vue redevenir cette femme-enfant merveilleuse, terriblement attachante, capable d'illuminer chaque instant de vos journées et je crois que je n'attendais que ça, au fond. Je me suis dit que c'étaient le stress, l'attente et l'incertitude qui l'avaient rendue comme ça quand nous étions en France : c'est dur de s'entraîner pendant des mois, des années dans un seul but, aller dans l'espace, sans savoir si vous irez un jour. Et puis, ça devait être dur pour elle d'être condamnée au secret, de ne pas pouvoir s'afficher au bras de l'homme qu'elle aimait... *Quel imbécile j'étais...* Je voulais me faire pardonner, je me sentais coupable (il leva les yeux) et, d'une certaine manière, je sais bien ce que vous pensez : je l'étais, indubitablement. J'allais rompre, mais plus tard, en douceur : en attendant, j'allais tout faire pour que son séjour se passe le mieux possible et qu'elle soit heureuse à la Cité des étoiles. J'étais lâche, bien sûr – je me mentais à moi-même, je me contentais de gagner du temps, j'étais de nouveau sous son emprise. Et pourtant, je vous le répète, je ne suis pas quelqu'un de facilement influençable. J'aurais dû me méfier... Elle affirmait prendre la pilule. Alors, quand elle m'a annoncé qu'elle était enceinte et qu'elle avait l'intention de garder l'enfant, j'ai compris qu'elle m'avait baisé... Ça m'a rendu dingue, je l'ai insultée, je lui ai dit que jamais je ne reconnaîtrais cet enfant, que jamais je ne l'avais aimée et qu'elle pouvait aller au diable

– elle et son gosse. Que c'était terminé et que je ne voulais plus la revoir en dehors des entraînements. Je l'ai attrapée par le bras et je l'ai jetée dehors avec ses affaires. Elle est aussitôt allée voir sa prof de russe… (Il s'interrompit, secoua la tête – comme si toute cette histoire n'avait aucun sens.) Je ne sais pas exactement ce qu'elle a fait, mais, quand elle s'est présentée, elle avait des hématomes et des traces de coups partout sur le visage, et l'arcade ouverte. Elle a dit que je l'avais frappée. Que ce n'était pas la première fois. Que j'étais coutumier des violences, des intimidations, des insultes. Ça a fait un barouf d'enfer ; j'ai bien cru que la mission était foutue, cette fois. Et mon couple avec. Par chance, le responsable de la mission voulait étouffer l'affaire : la préparation était trop avancée. Et puis, la réputation de la Cité des étoiles risquait d'en pâtir. On nous a séparés et tout a continué comme avant… Ce jour-là, j'ai compris que, si je voulais aller dans l'espace, j'allais devoir faire profil bas jusqu'au jour du lancement – une fois là-haut, au milieu des autres, elle n'aurait plus aucune prise sur moi. C'est là où je me trompais, ajouta-t-il d'une voix sinistre.

Soudain, il y eut un grand bruit dans l'entrée et deux enfants firent irruption dans le séjour qu'ils traversèrent en courant avant de se jeter dans les bras de leur père, qui les étreignit en riant.

— Ouh, là, là ! Un ouragan ! Je savais pas que la météo en avait annoncé un aujourd'hui. Au secours !

Les deux enfants rirent et tous les trois se balancèrent, étroitement enlacés, au-dessus du pouf.

— Et maman ? demanda soudain Fontaine.

— Elle a dit qu'elle repassait demain à 17 heures.

Servaz vit le visage de l'ancien spationaute s'assombrir.

— Elle était pressée ?

— Nan. Elle ne voulait pas entrer, c'est tout, répondit l'aînée, une fille tôt poussée en graine qui devait avoir dans les douze ans.

— Pourquoi elle veut plus entrer dans la maison, papa ? demanda le garçon, qui n'avait pas plus de sept ans.

— Je sais pas, Arthur, je sais pas. Elle a sans doute ses raisons... Vous avez vos affaires ?

La fille montra les petits sacs à dos à l'entrée de la pièce.

— Montez-les dans vos chambres. Il faut que je parle avec le monsieur. Ensuite, on fera des gaufres, d'accord, bouchon ?

— Super ! s'exclama le garçon. Darkhan ! lança-t-il vers la mezzanine.

Aussitôt, le monstre noir se redressa et dévala les marches en remuant la queue. Le garçon l'enlaça comme s'il s'agissait d'une peluche.

— C'est quoi le programme ? voulut savoir la fille.

— D'abord, un bon petit déjeuner. Ensuite, équitation et ciné... Et puis, un peu de shopping. Ça te convient, ma puce ?

Un grand sourire illumina le visage de la pré-adolescente et les deux enfants disparurent aussi vite qu'ils étaient apparus.

— Ils ont l'air chouette, dit Servaz.

— Ils le sont.

— Vous disiez que là-haut, ça ne s'est pas passé comme prévu ?

Le spationaute prit le temps de rassembler ses idées.

— Ah oui… (Il donnait l'impression que tout ça n'avait plus guère d'importance, tout à coup, qu'il était pressé de terminer cette conversation et de rejoindre ses enfants.) De la même façon qu'elle avait embobiné ce Sergueï à la Cité des étoiles, Mila a commencé à manipuler les cosmonautes déjà présents dans la Station spatiale internationale et à nous monter les uns contre les autres. Nous étions trois nouveaux arrivants : le commandant Pavel Koroviev, Mila et moi. Et il y avait trois personnes déjà à bord : deux Américains et un Russe. L'ISS, c'est une suite de modules construits par les Russes, les Américains, les Européens et les Japonais – bien qu'à l'époque le laboratoire japonais Kibo n'était pas encore installé. C'est comme un long tuyau avec des compartiments, un peu à la manière d'un sous-marin, ou d'un Lego géant flottant dans l'espace. Les compartiments russes se trouvent à l'arrière : c'est là que nous dormions et passions le plus clair de notre temps, Pavel, Mila et moi – même si tout le monde circule plus ou moins dans l'ISS. On ignorait ce qu'elle racontait dans notre dos, mais on s'est bien rendu compte que quelque chose clochait à la façon dont les autres nous battaient froid. Au début, on prenait tous nos repas ensemble dans le nœud 3, Unity, qui relie les parties arrière et avant. Puis, petit à petit, sans qu'on sache trop pourquoi, la tension est montée entre les anciens et les nouveaux, les frictions se sont faites de plus en plus fréquentes. On ne savait pas que Mila était à l'origine de tout ça. Elle passait beaucoup de temps avec les autres, elle devait balancer sur notre compte, mais je connais Mila : elle a dû être suffisamment habile pour les mettre dans sa poche et le faire avec assez de subtilité pour que les autres ne se rendent compte de rien et nous prennent juste pour deux gros connards. J'ai pu lire les minutes de l'enquête qu'ont menée les Russes après les incidents, les témoignages des occupants de l'ISS : apparemment, ces trois imbéciles n'y ont vu que du feu ; ils ont cru lui tirer les vers du nez, elle a fait semblant de ne leur avouer qu'à contrecœur que Pavel et moi la soumettions à des humiliations et du harcèlement quotidiens, que nous cherchions à l'isoler et que nous passions notre temps à la rabaisser, à la ridiculiser, et même à avoir des gestes déplacés et des attouchements : ce genre de foutaises. (Il ricana.) Pavel Koroviev est l'homme le plus droit, le plus courageux et le plus intègre que je connaisse. Et je n'ai jamais connu d'homme plus respectueux des femmes. Il ne s'est jamais remis de ces accusations...

Il jeta un regard vers l'endroit où ses enfants avaient disparu. On entendait des cris et des appels joyeux à l'étage.

— On a eu une nouvelle conversation au sujet de l'enfant, là-haut, Mila et moi. Elle m'a dit qu'il était trop tard pour avorter, je lui ai répondu comme je l'avais déjà fait que jamais je ne le reconnaîtrais. Elle m'a supplié. Elle était complètement dingue. C'est cette nuit-là qu'elle a simulé un viol et qu'elle s'est pointée de l'autre côté les vêtements déchirés et le visage couvert d'hématomes. Les examens médicaux ont révélé qu'elle... qu'elle avait même... *des lésions internes au niveau du rectum*, putain ! J'ignore comment elle s'est fait ça... Mais, même quand j'ai commencé à soupçonner qu'elle avait un grain, j'étais loin d'imaginer qu'elle était assez détraquée pour s'infliger ça... Elle a dû le faire pendant qu'on dormait, Pavel et moi.

Après ça, les autres ont fait un tel scandale qu'ils ont envoyé une mission de secours pour nous récupérer tous les trois.

Il se leva d'un bond et alla se servir un verre d'eau dans la cuisine. Puis il revint s'asseoir et il posa sur Servaz un regard dur, où affleurait plus que de la colère : *de la haine*. Le verre tremblait dans sa main.

— On a été mis à l'isolement pendant des semaines, la commission d'enquête nous a finalement blanchis, Pavel et moi, mais on savait qu'après cette affaire, victimes ou pas, notre carrière spatiale était terminée, foutue… Surtout la mienne. Après tout, Mila était ma copine – tout le monde le savait – et on m'a tenu pour responsable de ce qui s'était passé… Depuis, je représente l'Agence spatiale dans les cocktails, je sers de vitrine, je fais l'acteur en somme. Et j'ai monté ma petite entreprise. Mais l'espace me manque. Oh, putain, oui… J'ai même fait une sorte de dépression au début. C'est assez fréquent chez les anciens astronautes : le *blues de l'espace*. Certains sombrent dans le mysticisme, d'autres se coupent du monde, d'autres encore noient leur spleen dans l'alcool. Difficile d'admettre qu'on ne remontera plus là-haut, commandant… Alors, quand, en plus, ça se finit comme ça…

Servaz hocha la tête, pensif.

— Quand vous êtes arrivé, dit Fontaine, vous m'avez dit que vous saviez qui avait tué Christine. C'est à Mila que vous pensiez ?

— Oui, répondit-il.

— Comment vous l'avez découvert ?

Servaz repensa à cette phrase dans le journal de Mila, où elle racontait qu'elle écoutait de l'opéra, là-haut, dans la station spatiale. Elle lui avait sans doute échappé – on ne peut pas tout prévoir.

— À cause de l'opéra, dit-il.

Fontaine lui jeta un regard chargé d'incompréhension.

— Cette nuit, j'ai rêvé d'opéra. Et, en me réveillant, je me suis souvenu d'avoir lu dans son journal que Mila en écoutait…

— Et… c'est tout ?… Qu'est-ce que vous comptez faire ?

— La coincer. Ça prendra le temps qu'il faudra. Il faudrait pouvoir faire une perquise dans et autour de la maison, mais, pour l'instant, je n'ai pas assez d'éléments pour convaincre un juge…

Fontaine lui jeta un regard sceptique.

— Je sais ce que vous pensez, dit Servaz. Mais, croyez-moi, je n'ai pas plus pour habitude de lâcher prise que votre clebs quand il mord quelqu'un. Et votre *copine* l'ignore encore – mais j'ai déjà les crocs plantés dans son mollet. Seulement, il va falloir m'aider un peu, monsieur Fontaine. Il va falloir me donner un petit quelque chose – n'importe quoi – qui me permette d'aller devant le juge…

Le regard de Fontaine se riva à celui de Servaz, un regard perçant et méfiant à la fois, un regard qui cherchait à lire à l'intérieur de son crâne.

— Qu'est-ce qui vous fait penser que j'ai ce que vous cherchez ?

Servaz se leva. Il haussa les épaules.

— Vous êtes un homme plein de ressources, monsieur Fontaine. Et s'il y a un rôle qui ne convient pas à un homme tel que vous, c'est bien celui de victime. Réfléchissez-y.

Le mois de février fut pluvieux, venteux et triste. De longues pluies interminables, obliques, du matin au soir. Les cieux étaient en permanence gris, bouchés, les routes noyées sous un rideau liquide, et Mila sentait la tristesse et le désespoir la pénétrer au plus profond de sa chair.

La semaine précédente, elle avait fait rajouter quatre caméras extérieures sous le toit, filmant les quatre côtés de la maison. Avec des détecteurs de mouvement pour les déclencher à la moindre activité suspecte. Mais les seules images qu'elles avaient enregistrées étaient celles de sa voiture partant et revenant. Elle n'en avait pas moins continué à être malade. Nuit après nuit. Et à changer des ampoules qui grillaient inexplicablement.

Ce matin, elle s'était pesée : elle avait perdu huit kilos en cinq semaines. Elle n'avait plus beaucoup d'appétit. Et le manque de sommeil s'accumulait. Même les jeux avec Thomas ne la mettaient plus en joie comme auparavant. La tristesse lui collait à la peau comme une gluante toile d'araignée perlée de pluie. Quand elle s'examinait dans la glace, elle voyait un fantôme : des cernes bistre sous les yeux, un regard fiévreux, un visage creusé et osseux, une peau translucide – on aurait dit Mimi au dernier acte de *La Bohème* ! Des plaques d'eczéma étaient apparues à la jointure de ses bras et de ses avant-bras et autour de ses poignets. Elle se rongeait les ongles jusqu'au sang. Au travail, elle avait foiré plusieurs dossiers et oublié de répondre à des mails importants. Elle s'était pris un savon de la part du patron. Elle avait surpris les ricanements vengeurs de certains collègues.

Ce soir-là, en rentrant, après avoir récupéré Thomas

chez la nounou, elle se contenta d'un thé chaud et bien sucré et le regarda manger de bon appétit.

— Qu'est-ce que tu as, maman ? demanda-t-il.

— Comment ça ?

— Tu as l'air triste.

Elle ébouriffa ses cheveux, se força à sourire, en retenant ses larmes.

— Mais non, pas du tout, mon chéri.

Elle lui fit la lecture, attendit qu'il dorme, éteignit la veilleuse et alla se coucher – épuisée –, non sans avoir vérifié au préalable le système d'alarme, même si elle était de plus en plus convaincue qu'il ne servait à rien. Elle avait pris un demi-somnifère. Elle s'endormit rapidement.

Elle sentit quelque chose heurter son front. Quelque chose de froid. C'est ce contact qui la réveilla. Elle ouvrit les yeux dans le noir et se demanda si elle avait rêvé. Mais la sensation de mouillé persistait. Puis, de nouveau, un léger choc juste au-dessus des sourcils. *Ploc.* Elle comprit : une goutte d'eau...

Elle tendit le bras et tâtonna pour trouver le fil de la lampe, le suivit des doigts jusqu'à l'interrupteur, alluma. Porta une main à son front. Il était mouillé. Un filet d'eau coulait même à la racine de son nez, hésitait puis choisissait un côté et roulait au creux de sa joue droite. Mila leva les yeux et vit la tache d'humidité au plafond. Elle s'essuya le visage avec le drap. La flaque sombre avait déjà cinquante bons centimètres de diamètre et, en son centre, se formait une nouvelle goutte en suspension – ayant la forme d'une grosse larme sur le point de se détacher.

La baignoire du haut...

Il y avait une salle de bains inutilisée à l'étage au-dessus. Avec une vieille baignoire sabot. Mila avait préféré en faire installer une neuve et fonctionnelle au rez-de-chaussée quand elle avait acquis la maison. La tuyauterie là-haut était ancienne. Tout comme le carrelage aux murs, le chauffage et la baignoire elle-même...

Le pistolet de défense...

Elle ouvrit le tiroir de la table de nuit. S'en saisit. S'assit au bord du lit. Respira un bon coup. Son cerveau mal réveillé (*putain de somnifère*) hésitait encore entre l'inquiétude et la fureur.

Elle attrapa le peignoir sur une chaise et l'enfila par-dessus sa chemise de nuit, remonta le couloir en passant devant la chambre de Thomas, gagna l'escalier.

Cette fichue pluie larmoyait sur les vitres sans discontinuer. L'interrupteur. Elle l'actionna. Rien. *Merde !* Son cerveau laissa la fureur l'emporter. Il y avait cependant assez de clarté traversant la lucarne pour qu'elle pût grimper les marches deux par deux, le pistolet de défense pointé vers le haut de l'escalier. Parvenue sur le palier, elle remonta le couloir en direction de la salle de bains, tout au fond. Elle avait commencé des travaux d'isolation et de grands lambeaux de laine de verre pendaient sur les murs comme une gigantesque fourrure animale. Elle poussa la porte entrebâillée dans la pénombre, qui s'ouvrit avec un grincement sec...

Tourna l'interrupteur. *Lumière...* Elle fit un pas en avant.

Sentit l'eau froide clapoter autour de ses orteils. Baissa les yeux. Le sol de la salle de bains était inondé par deux

bons centimètres d'eau. Elle jeta un regard en direction
de la baignoire sabot – qui était emprisonnée dans une
nasse de toiles d'araignées allant jusqu'aux angles de
la pièce et, dans ces guenilles poussiéreuses, il y avait
toutes sortes de cadavres d'insectes pris au piège. La
vieille baignoire était pleine, elle débordait de tous les
côtés… Elle s'avança, pataugeant sur le sol plein d'eau,
écarta l'une des toiles gluantes, se pencha pour fermer
le vieux robinet de cuivre qui tourna longuement dans
sa main en couinant : quelqu'un l'avait ouvert. *À fond*…

Elle se retourna. Son cœur loupa un battement. Elle
eut l'impression que sa raison vacillait. La même personne avait écrit sur le mur, en énormes lettres rouges :

TU VAS CREVER, SALE PUTE

La peinture rouge (si c'était bien de la peinture)
dégoulinait sur les carreaux blancs recouverts d'une
épaisse couche de poussière. Sur le reste des quatre
murs était inscrit au marqueur gras :

PUTE CINGLÉE DÉTRAQUÉE
TRUIE TARÉE SALOPE MALADE
FOLLE IDIOTE
CONNASSE GARCE POUFIASSE
MENTEUSE NÉVROSÉE SINOQUE
PÉTASSE
MONSTRE PROSTITUÉE

Ces mots répétés *des dizaines de fois…*

Elle eut l'impression d'avoir reçu une gifle. Ses tempes bourdonnaient. Elle avait chaud dans tout le corps, tout à coup. Bordel ! Elle dévala l'escalier et courut vers sa chambre. Ouvrit le placard, attrapa un sac de voyage et jeta dedans, en vrac, vêtements et sous-vêtements. Fonça dans la salle de bains. Remplit la trousse de toilette avec tout ce qui lui tombait sous la main. Elle se précipita pour réveiller Thomas : « Réveille-toi, mon chéri. On s'en va. » Les yeux du garçon papillotèrent : « Quoi ? » Il était 3 heures du matin au gros réveil jaune et rose qui souriait stupidement sur la table de nuit, sous un grand poster de *L'Âge de glace 4*.

Son garçon se mit sur son séant, frotta ses paupières.

— On doit partir. Tout de suite.

Thomas se retourna pour se rendormir ; elle le secoua par l'épaule et il se redressa d'un bloc.

— Quoi encore ?!

— Je suis désolée, mon amour, mais il faut qu'on s'en aille tout de suite… *Habille-toi… Vite…*

Elle vit dans ses yeux qu'il commençait à avoir peur. La voix de sa mère l'avait ébranlé. Elle regretta d'avoir perdu son sang-froid. Thomas jetait des coups d'œil inquiets en direction de la porte, à présent.

— Il y a quelqu'un dans la maison, maman : c'est ça ?

Mila fixa son fils en fronçant les sourcils.

— Mais non ! Pourquoi tu dis ça ?

— Parce que des fois j'entends des bruits bizarres, la nuit.

Il arriva par vagues, le sentiment d'horreur. La peur

fondit sur elle, son esprit s'emballant tel un train fou
sur le point de dérailler. Alors, c'était vrai : *saleté de
système d'alarme !*... Elle était seule avec son fils dans
cette grande maison à la merci d'un malade, d'un fou
furieux. Il n'y avait qu'à voir ce qu'il avait écrit dans
la salle de bains... Elle repoussa la couette.

— Allez ! Vite ! Lève-toi !

— Maman, qu'est-ce qu'il y a ? Qu'est-ce qu'il y
a, maman ?

Le gamin était terrorisé. Elle se força à se calmer,
à sourire.

— Rien. C'est juste qu'ils ont annoncé un risque
d'inondation à cause des pluies. On ne peut pas rester
ici, tu comprends ?

— Cette nuit, maman ? Cette nuit ?

— *Chuttt*... Il n'y a rien à craindre : on sera partis
bien avant, mon ange. Mais il ne faut pas perdre de
temps...

— *Maman, j'ai peur*...

Elle prit son enfant dans ses bras, le serra contre elle.

— Je suis là... Tu vois bien, il n'y a rien à
craindre... On va juste partir à l'hôtel en attendant
que ça se tasse, d'accord ? Et puis on reviendra.

Elle l'habilla en vitesse, lui enfila chaussettes et
chaussures et descendit avec lui dans le séjour où elle
alluma la télé. Sauf qu'à cette heure-ci les chaînes
pour enfants n'émettaient plus. Elle glissa un DVD.
Son préféré : effet garanti.

— Je vais chercher la voiture.

Mais il était déjà absorbé par l'écran – ou sur le
point de se rendormir –, couché en chien de fusil sur
le canapé. Dans le couloir, elle attrapa son imper-
méable, puis elle déverrouilla la porte d'entrée. Alluma

648

la lampe sur le seuil. *Tiens, celle-là fonctionnait, au moins...* Il pleuvait à seaux renversés ; la campagne noire tout autour ; le garage en tôle à une dizaine de mètres. Elle ne le fermait jamais. Courir jusqu'à lui dans les ténèbres n'avait rien de bien excitant. Mais elle n'avait pas le choix.

Elle prit une inspiration, s'élança.

La pluie la recouvrit aussitôt ; elle rinça son visage, traversa la semelle de ses chaussures, coula dans ses oreilles et dans son col. Quand elle parvint à la porte en métal, elle était trempée ; elle tira dessus et la porte coulissante émit un cri rouillé. Sa main chercha les clés du SUV dans la poche de l'imper, les trouva. Elle s'assit au volant, alluma les phares – qui transformèrent la pluie en une myriade d'étincelles. Elle introduisit la clé, démarra en douceur et roula sur quelques mètres. L'averse martela le toit en tôle de la voiture. Elle descendit sous la pluie, moteur tournant, et se dirigeait vers le perron lorsque le moteur hoqueta et s'arrêta derrière elle. L'affolement la gagna. Elle courut se remettre au volant, mit le contact. *Rien !* Elle recommença. Sans plus de résultat. *Et merde !* Elle eut beau insister, le moteur refusait de repartir. Ils étaient coincés ici... *Thomas !* Ce malade était peut-être encore dans la maison ! Elle repoussa la portière si fort qu'elle l'arracha presque, galopa vers la maison, remonta en courant le couloir, laissant derrière elle une traînée mouillée. Son fils s'était rendormi, son pouce dans la bouche. Les lueurs vives de la télévision se reflétaient sur ses paupières closes.

Le téléphone...

Il lui fallait du secours, cette fois. Jusqu'à présent, elle avait toujours cherché à tenir la police éloignée de la maison – et surtout du petit bois derrière. Elle se rua sur l'appareil, décrocha. Pas de tonalité ! *Il avait coupé la ligne...* Son portable ! D'ordinaire, elle le laissait sur le plan de travail de la cuisine. Ou sur la table où ils prenaient leurs repas. Mais il n'y était pas. Il n'était nulle part dans la cuisine.

La chambre... Elle avait dû le laisser sur la table de nuit...

Elle comprit que quelque chose clochait quand elle ne le trouva ni dans la chambre, ni dans la salle de bains, ni dans aucune des pièces qu'elle fouilla. Quand elle eut fait le tour de toutes les pièces où elle s'était rendue au cours de la journée, elle acquit la certitude qu'*il* l'avait pris...

Il était là... Il n'avait jamais cessé d'être là...

Elle frissonna. Pas un simple frisson. Un long tressaillement de tout le corps, comme une coulée de glace dans les os, la nuque, le cœur. Une terreur très pure. Peut-être était-il planqué dans le grenier et les entendait-il rentrer chaque jour de l'école et du boulot – peut-être les écoutait-il vivre, parler, s'activer – jusqu'au moment où ils s'endormaient et où il pouvait enfin descendre, les regarder, les toucher, empoisonner ses aliments, la droguer... Elle eut envie de hurler, mais elle ne voulait pas terroriser Thomas. Le pistolet de défense : où l'avait-elle mis ? Elle le retrouva dans sa chambre, sur le lit, s'en empara. Elle envisagea avec désespoir de monter au dernier étage, d'ouvrir la trappe du grenier, de tirer l'échelle et de grimper. Mais que se passerait-il s'il était là-haut ? Il lui serait facile de la neutraliser quand elle passerait la tête hors du trou et l'idée qu'elle pût le laisser seul avec Thomas la rendit folle de terreur. Elle redescendit au rez-de-chaussée.

La peur lui mordait les talons. Elle qui avait été dans l'espace, qui avait passé avec succès toutes les épreuves, qui avait toujours été forte.

Ressaisis-toi ! Bats-toi !

Mais elle était si fatiguée... Depuis si longtemps. Tellement de temps qu'elle ne mangeait plus rien... qu'elle se réveillait la nuit pour vomir... qu'elle dormait mal et peu... *Thomas ! Fais-le pour lui !* L'instinct de tigresse reprit le dessus. Pas question qu'il touche à un cheveu de son fils. Elle le protégerait comme une lionne protège ses petits. En bas, au rez-de-chaussée, tout était silencieux. À part la rumeur de la pluie cernant la maison. Un silence atroce. Thomas dormait sur le canapé. Elle alla chercher son anorak d'hiver, son écharpe, un parapluie...

Calcula que la ferme la plus proche, celle des Grouard, était à un kilomètre. Dix minutes de marche lorsqu'elle était seule. Sans doute vingt avec Thomas à moitié endormi... Dans la nuit... Sous la pluie...

Elle le réveilla doucement.

— Viens, mon chéri.

Pendant un instant, il parut désorienté. Il frotta de nouveau ses paupières alourdies par le sommeil.

— L'inondation, c'est ça ? dit-il.

— Oui. Allons-y.

Elle s'efforça de donner à sa voix une intonation rassurante. Il se laissa docilement passer l'anorak et l'écharpe. Elle renonça au parapluie. Elle allait le porter sur son dos. Elle rabattit la capuche sur sa tête. Ouvrit en grand la porte d'entrée.

— Grimpe sur mon dos.

651

Il obéit. Quand il fut bien calé contre elle, les bras passés autour de son cou, elle se déplia et descendit les marches du perron, traversa l'espace nu et sinistre qui cernait la maison, en direction de la route noire.

— Maman, pourquoi on prend pas la voiture ?

— Elle est en panne, mon chéri.

— Où on va, maman ?

— Chez les Grouard.

— Maman, rentrons. J'ai peur, maman. *S'il te plaît...*

— Chut... Ne t'en fais pas : dans dix minutes, on sera bien au chaud. À l'abri.

— *Maman...*

Elle le sentit qui commençait à sangloter sans retenue contre son dos. Elle entendit la pluie qui crépitait sur la capuche de son fils, tout contre son oreille, la reçut – froide et inamicale – sur son crâne.

— *... j'ai peur...*

Une partie d'elle-même – qu'elle ne voulait pas entendre – répondit qu'elle aussi avait peur. En vérité, ce n'était pas simplement de la peur : elle était terrifiée. La pluie cessa brusquement et elle leva la tête vers les nuages. La lune ne tarderait pas à réapparaître, elle devina sa silhouette floue qui se déplaçait derrière. Elle baissa les yeux et observa le tunnel des arbres droit devant. Tout était silencieux. La campagne complètement noire au bord de la route, au-delà des troncs. Elle se mit en marche au centre de la route droite. Chaque pas sur l'asphalte produisant une minuscule secousse dans son corps à cause du fardeau de son fils tremblant sur ses épaules. Elle tremblait aussi. De froid, de peur. Les grosses branches noueuses s'enlaçaient au-dessus de leurs têtes. La pleine lune voguait à

652

présent entre les nuages et les branches comme si elle voulait leur indiquer la direction à suivre. Elle sentit des larmes sur ses joues, leur sel sur ses lèvres. Elle ne voulait surtout pas se mettre à chialer devant lui. Il se taisait mais elle sentait les tremblements violents qui le secouaient.

— *J'ai peur, maman, rentrons...*

Sa petite voix suppliante, terrorisée, de nouveau, dans son oreille... Elle ne répondit rien. Elle serra les dents. Ses doigts gourds raffermirent leur prise sous les fesses de son fils. Ils avaient dû parcourir une centaine de mètres et elle était déjà si fatiguée. Elle n'osait pas se retourner pour voir s'il y avait quelqu'un derrière eux. *Quelqu'un qui les aurait suivis en silence dans la nuit.* Rien que l'idée lui coupa presque les jambes. Elle fixait obstinément le tunnel des arbres devant elle, qui se perdait dans l'obscurité, rien que le tunnel des arbres – sans penser à rien d'autre. La véritable horreur, c'était de ne pas savoir qui. De ne pas savoir quand. Ni comment. D'avoir juste l'horrible certitude que cela allait continuer. Jour après jour. Nuit après nuit. Jusqu'à épuisement. Jusqu'à...

Elle savait bien jusqu'où... Elle avait fait pareil...

Elle se rendit compte qu'elle avait presque fermé les yeux en marchant. Secoua la tête pour se réveiller. Visage baissé, elle regardait la pointe de ses baskets arpentant le bitume, pas après pas. Mécaniquement. *Sauf qu'il y avait quelque chose de changé à présent...*

Le revêtement de la route : il était éclairé. Chaque gravier, chaque bosse, chaque trou, chaque fissure accompagnés d'une ombre dure et noire et l'asphalte brillant d'une lueur jaune comme une feuille de métal sous une lampe...

— MAMAN !

Thomas avait presque hurlé. Elle leva la tête. Ses yeux clignotèrent. Éblouis par la paire de phares, là-bas, au bout de la ligne droite. Une voiture… face à eux… à moins de trois cents mètres… Immobile. Ses phares illuminaient le tunnel des arbres comme si on avait branché un projecteur à l'intérieur d'une cathédrale. Elle eut l'impression que son cerveau entrait en fusion. Puis les phares s'éteignirent. Nuit complète… À part la clarté de la lune. Elle n'entendait rien, hormis le bruit du vent. Ses pulsations excavaient un tunnel dans sa poitrine. Elle essaya de réfléchir. Que pouvait-elle faire ? La panique s'empara d'elle. Puis les phares se rallumèrent, les aveuglant, et elle perçut le bruit d'un moteur qui démarre.

— Maman, maman !

Thomas se mit à brailler sur ses épaules. Elle sentit son cerveau qui cédait, comme une digue en train de rompre sous la pression. Elle s'accroupit, déposa son fils sur le sol. Se retourna vers la maison. Le prit par la main.

— Cours ! hurla-t-elle. COURS !

Elle entendit la voiture passer en première puis en seconde derrière eux.

42

Finale

(« Telle est la fin de qui mal agit »)

Servaz rencontra Fontaine dans un bar, place des Carmes, le lendemain, 24 février. C'était le spationaute qui lui avait fixé ce rendez-vous. En le voyant arriver, Fontaine écarta sa bière et plongea la main dans son blouson.

— Salut, dit-il.

Il poussa les clichés sur la table humide devant Servaz.

— C'est ce que je vous ai demandé ? voulut savoir ce dernier.

— Le « petit quelque chose », confirma le spationaute en souriant.

Servaz se pencha. Il la reconnut tout de suite : Mila. Entrant dans l'immeuble où habitait Cordélia à la Reynerie... En ressortant. Visiblement contrariée. Des photos prises au téléobjectif.

— Comment est-ce que vous vous êtes procuré ça ? Le spationaute souriait toujours.

— C'est vous qui les avez prises ?

Nouveau sourire.

— À propos, vous savez où ils sont passés ? s'enquit Fontaine.

Servaz le scruta.

— Cordélia et Marcus ? Disparus sans laisser de trace. À mon avis, ils ont déjà quitté le territoire.

— Ils sont peut-être déjà en Russie, à l'heure qu'il est, suggéra Léo.

Il pensa aux vingt mille euros qu'il avait versés à Marcus – et au coup de fil qu'il avait passé à Moscou, à ses amis qui eux-mêmes connaissaient d'autres amis. Il n'aurait jamais cru qu'un jour il passerait un tel appel. Il avait versé l'argent sur un compte au Luxembourg, donné à son interlocuteur l'heure d'arrivée et le numéro du vol... On ne retrouverait jamais le cadavre de Marcus. Et Cordélia devait être dans un autre avion à l'heure qu'il était...

— Je répète : est-ce vous qui les avez prises ?

— C'est important ? dit Léo. Non, n'est-ce pas ? Ce qui l'est, c'est que vous avez ce que vous vouliez : une preuve reliant Mila à ce Marcus et à Corinne Délia – lesquels sont en fuite et fortement soupçonnés par la police d'être mêlés à la disparition, et peut-être au meurtre de Christine Steinmeyer. Avec ça, vous devriez l'obtenir, votre commission rogatoire...

— Il faudra qu'on parle, Léo, un de ces jours, dit Servaz en se levant, les clichés à la main.

— Je croyais qu'on l'avait déjà fait, répondit le spationaute. Mais ce sera avec plaisir, commandant. De ce que vous voudrez. De l'espace, par exemple. Un sujet intéressant.

Servaz sourit à son tour. Décidément, ce type lui plaisait de plus en plus. Quel est l'imbécile qui a dit que la première impression est toujours la bonne ?

Elle ouvrit la porte, jeta un coup d'œil dehors. Personne à l'horizon. Un jour morne se levait sur la plaine grise, entre les peupliers. Elle rentra à l'intérieur, en peignoir, les traits tirés, les cheveux en bataille. Mila se souvenait du temps – pas si lointain – où elle menait le jeu. Elle avait l'impression qu'un siècle s'était écoulé depuis. Que toutes les cartes avaient été rebattues. Comment avait-elle pu perdre la main en si peu de temps ? À quel moment le balancier avait-il commencé à pencher en sa défaveur ?

Cette nuit, une fois rentrés dans la maison, ils s'étaient barricadés et elle avait étalé sur la table de la cuisine tout ce qui pouvait servir d'armes : les couteaux du râtelier, un marteau, un tison de la cheminée, le pistolet de défense, une grande fourchette à deux dents pour la viande... Thomas avait été terrifié en les voyant. Il avait ouvert de grands yeux effrayés en regardant sa mère. Elle avait dû lui administrer un calmant léger, le bercer, le rassurer jusqu'à ce qu'il finisse par s'endormir sur le canapé du salon. De son côté, elle s'était donné du courage avec deux gin tonic et avait veillé jusqu'à ce que l'aube blanchisse les fenêtres.

Le matin venu, elle se sentait trop fatiguée pour se concentrer, incapable d'échafauder la moindre stratégie. Les dernières heures et les derniers jours avaient mis ses nerfs à rude épreuve. Thomas dormait encore. Elle avala son deuxième café. Quand il se réveillerait, ils fileraient chez les Grouard demander de l'aide. Mais alors elle entendit approcher le scooter du livreur de journaux et elle se précipita dehors.

— Vous avez un téléphone ? s'enquit-elle. Le mien est en panne et ma voiture aussi (elle montra le garage ouvert). On est coincés ici !

— C'est vraiment pas de chance, on dirait, dit le jeune homme en lui tendant son mobile.

— Vous avez cinq minutes ? Le temps que j'appelle une dépanneuse...

Quand elle ressortit, le jeune homme lui demanda :

— C'est vous qui avez oublié de fermer le bouchon du réservoir ?

— Non.

— Alors, il est probable que quelqu'un a mis une saloperie dedans. Sans doute du sucre ou du sable. Faut vraiment être débile pour s'amuser à ce genre de trucs...

Le dépanneur confirma le diagnostic : moteur mort. Elle se sentit brutalement découragée en le regardant repartir. Thomas dormait toujours. En peignoir, échevelée et hagarde, elle se traîna à travers toute la maison et ses pantoufles frottant sur le sol accompagnèrent ses errements d'un écho pitoyable. Elle était épuisée, à bout de nerfs. Thomas n'irait pas à l'école aujourd'hui : elle le laisserait dormir. Elle voulut appeler son boulot pour dire qu'elle ne viendrait pas non plus quand elle se rappela qu'elle n'avait plus de téléphone. Merde ! Elle jura. Enragea contre elle-même. Elle aurait dû commander un taxi en même temps que le dépanneur ! Elle alluma le PC pour se connecter à Google, mais le verdict tomba aussitôt : *connexion impossible*. Évidemment... Cette foutue connexion passait par la ligne téléphonique. Elle fixa le plafond.

Quelqu'un voulait lui pourrir la vie et y réussissait, apparemment.

Elle réfléchit un moment.

Le facteur ! Il n'allait pas tarder… Ce matin-là, elle guetta son arrivée pendant des heures, de plus en plus nerveuse à mesure que le temps passait, serrant les pans de son peignoir de flanelle autour d'elle à cause du froid dans ses os. Et s'il n'y avait pas de courrier ? S'il ne venait pas aujourd'hui ? Elle ne se sentait plus la force d'aller jusque chez les Grouard. Que penseraient-ils en la voyant dans cet état ? Demain peut-être… Quand elle aurait récupéré… *C'était tellement plus facile de se laisser aller, de baisser les bras, d'attendre le lendemain…*

— Je ne vais pas à l'école, maman, aujourd'hui ?

— Non, mon chéri. Aujourd'hui, c'est vacances. Monte dans ta chambre et amuse-toi.

Il ne se le fit pas dire deux fois. Elle surveillait la route par la fenêtre. Enfin, elle vit approcher le scooter jaune… Elle jaillit sur le perron, réitéra ses explications ; le premier coup de fil fut pour Isabelle, sa collègue de boulot.

— Mila, qu'est-ce qui se passe ? dit Isabelle, inquiète.

— Je t'expliquerai.

— Mila, ça fait quatre fois ce mois-ci ! Et il y a eu ces deux incidents…

Elle savait à quoi Isabelle faisait allusion : il y avait eu deux incidents graves quand elle s'était présentée à des réunions avec des partenaires étrangers importants dans un état physique lamentable et sans avoir préparé correctement les dossiers.

— Tu ferais mieux de venir, insista Isabelle. Ça ne

659

va pas passer, cette fois... crois-moi... merde, tu es déjà dans le rouge aux yeux de la direction...

Elle bafouilla des excuses et raccrocha. Elle était trop fatiguée pour discuter. Puis elle appela un taxi. La première chose à faire était de louer une voiture et de se procurer un nouveau téléphone. *Rompre cet isolement...*

— Tenez, dit le facteur en lui tendant son courrier et en récupérant son téléphone – non sans un regard désapprobateur pour son allure.

Elle le regarda s'éloigner dans la lumière qui s'assourdissait. Un front de nuages arrivait par l'ouest. Sombre et étiré sur toute la largeur de l'horizon. Le ciel virait au noir et tonnait. Des vols de corbeaux tourbillonnaient, rendus nerveux par l'approche de l'orage. Elle remarqua une enveloppe sans timbre ni adresse d'expéditeur au milieu du courrier. *Elle était semblable à celle qu'elle avait mise dans une boîte aux lettres la veille de Noël...* Mila l'ouvrit d'une main tremblante. Des photos... Elle eut un choc en les voyant : *quelqu'un avait photographié la terre remuée au pied du vieil arbre tordu...* Trois clichés, presque identiques : trois photos de la tombe.

Des perles de sueur sur son front.

Prise de panique, elle remonta la colline à travers les bois, alors que le vent se levait et que tombaient les premières gouttes de pluie, puis elle descendit en courant dans la combe. Le tapis de feuilles dissimulant la fosse était intact : rien n'avait été touché.

Un coup de klaxon vers la maison.

Le taxi : elle l'avait oublié !

Elle redescendit précipitamment la colline, alors que la pluie redoublait. Un nouveau coup de klaxon impatient. Elle contourna la maison, fit irruption sous l'averse, à bout de souffle. Le chauffeur regarda avec stupéfaction sa tenue et son allure : peignoir ruisselant, Crocs pleines de boue, cheveux trempés et hirsutes, yeux hagards. Elle le vit se rembrunir et regarder sa montre.

— Je suis désolée, je vous avais oublié ! Comme vous le voyez, je ne suis pas prête... Rentrez chez vous.

— Bon Dieu, qui va me payer ma course, à moi ? Ma petite dame, vous m'avez tout l'air d'avoir un gros problème, dit-il en la considérant d'un air critique et en pointant grossièrement un index vers sa tempe.

— Qu'est-ce que vous dites ? Foutez-moi le camp ! rugit-elle. Tout de suite !

— Putain de cinglée, grommela-t-il en remontant dans son taxi.

Il effectua un virage serré qui envoya une gerbe d'eau et de boue dans sa direction.

— Conasse ! lança-t-il par la portière pour être bien certain d'avoir le dernier mot, et ce mot lui rappela ceux toujours inscrits sur les murs de la salle de bains.

Elle jeta un regard las au reste du courrier. Des factures, de la publicité, des promotions. Son regard se fixa de nouveau : une enveloppe de l'ASE, l'Aide sociale à l'enfance de Haute-Garonne... Elle la déchira avec un pressentiment sinistre, en extirpa une feuille dactylographiée et pliée en deux.

Madame,
Vous avez fait l'objet d'un signalement de la part
de Valérie Dévignes, directrice de l'école de Névac,

et de Pierre Chabrillac, professeur des écoles, pour
soupçons de maltraitance psychique et physique à
l'encontre de votre fils, Thomas, cinq ans. À plusieurs
reprises, votre fils s'est présenté dans notre école
avec des hématomes aux coudes, aux genoux et au
visage (clichés joints au signalement). Mlle Dévignes
et M. Chabrillac ont aussi signalé aux autorités les
absences fréquentes de Thomas ces derniers temps, son
manque d'investissement en classe, son comportement
erratique et sa tristesse récurrente. Après avoir été
entendu par une psychologue, il a avoué avoir peur
de vous.

Une équipe pluridisciplinaire vient par conséquent
d'être constituée par l'ASE H-G pour établir la réalité
des faits. Elle vous entendra prochainement. D'ores
et déjà, compte tenu de leur gravité supposée, une
demande de placement a été transmise au procureur
de la République et le juge des enfants a été saisi par
nos services. Dans le cas où Thomas nous serait remis
sur décision judiciaire, vous pourrez cependant donner
votre avis quant au choix et au mode de placement.
Thomas lui-même sera consulté. Ces avis ne sauraient
toutefois lier nos services dans leur choix.

Veuillez agréer, madame...

Pendant un instant, Mila resta paralysée. Ses yeux
parcourent la missive une seconde fois, incrédules, la
lettre tremblait dans ses mains. Il y avait plusieurs
photos jointes – où on voyait, en effet, des bleus aux
bras, aux jambes et au visage de Thomas. Elle essaya
d'en rire – mais son rire se mua en sanglot. Ridicule ! Thomas était un garçon intrépide, casse-cou, qui
n'arrêtait pas de se cogner partout et de tomber. Plus

d'une fois, elle l'avait laissé à l'école avec des plaies et des bosses – mais de là à imaginer que...

En d'autres temps, elle aurait réagi instantanément, elle aurait appelé son avocat – et cette imbécile de directrice –, aurait sorti ses griffes et frappé pour faire mal, déversé sur eux toute la fureur de son indignation ; elle les aurait fait rentrer sous terre. Imaginer qu'elle ait pu toucher à un cheveu de son fils ! Mais elle était à présent si faible, si amaigrie... Si désemparée... *Demain... cela pouvait attendre une journée de plus... ou deux... Le temps qu'elle reprenne des forces. Elle était si lasse...* Elle posa le courrier sur la table de la cuisine, se servit un autre gin tonic, alla chercher la boîte de benzodiazépines dans l'armoire à pharmacie et en prit trois d'un coup.

Servaz regarda les notes qu'il avait prises en passant coup de fil sur coup de fil :

Mila Hélène Bolsanski, née le 21 avril 1977 à Paris. Fille unique de Konstantin Arkadiévitch Bolsanski et de Marie-Hélène Jauffrey-Bertin (décédés le 21 août 1982 dans un accident de voiture). Familles d'accueil puis pensionnat – où ses notes progressent très rapidement grâce à l'influence d'un professeur principal : M. Willm. Devient la meilleure élève de sa classe. Médecin, spécialiste en médecine aéronautique, docteur en sciences, deuxième femme dans l'espace en 2008 à bord d'un vol Soyouz puis de la Station spatiale internationale.

Fait deux séjours en hôpital psychiatrique en 1989, à l'âge de douze ans, après deux tentatives de sui-

cide (diagnostic : dépression, troubles sévères de la personnalité). Fait ensuite l'objet d'un suivi psychiatrique et thérapeutique interrompu par elle dès sa majorité contre l'avis de ses oncles et tantes. Poursuit des études brillantes, se fiance à Régis Escande le 21 avril 1995 pour son dix-huitième anniversaire, là encore contre l'avis de ses proches. Fiançailles rompues six mois plus tard. À noter qu'Escande se suicide en prison deux ans plus tard après avoir été condamné pour viol sur mineure.

Sélectionnée en tant que spationaute par le Centre national d'études spatiales en 2003 avant d'entrer en 2005 dans le groupe des astronautes de l'Agence spatiale européenne : de toute évidence, ni le CNES ni l'ESA n'ont eu connaissance de l'existence quelque part d'un dossier psychiatrique et elle a passé avec succès tous les tests psychologiques.

Part pour la Cité des étoiles en compagnie de Léonard Fontaine le 20 novembre 2007.

Maigre – mais cela corroborait les déclarations de Fontaine… Sans raison précise, le souvenir de la maison de Mila s'imposa à lui. Il revit le long couloir menant à la cuisine, obscur comme une galerie de mine, et la silhouette altière de la femme marchant devant lui. Avait-il eu un frisson anticipatif à ce moment-là ? Un pressentiment ? Non, pas le moindre.

Il regarda son téléphone posé sur le petit bureau. Qu'est-ce que fichait Beaulieu ? Il aurait dû joindre le parquet depuis longtemps. Pourquoi est-ce que c'était si long ? Son regard tomba sur le paquet de cigarettes. Il en sortit une, la ficha entre ses lèvres sans l'allumer. Son mobile vibra.

— Servaz.

— C'est Beaulieu…

— Alors ?

— Cette fichue juge est du genre à se couvrir de tous les côtés et à protéger sa carrière : une ancienne spationaute, la deuxième femme dans l'espace, une célébrité, tu comprends… Il a fallu que je la secoue un peu… Il y a eu quelques amabilités d'échangées, mais ça y est, on l'a… Je suppose que tu veux te joindre à nous, cette fois ?

— Puisqu'on me le propose.

Il écrasa la cigarette dans sa paume en mille petits brins de tabac.

Son enfant. *On allait lui enlever son enfant.* Le confier à des inconnus, une famille de substitution : il était si fragile… si dépendant d'elle… Qu'allait-il devenir ? Son Thomas, son trésor. Ils n'avaient pas le droit ! Personne ne toucherait à lui ! Son père l'avait renié, elle était sa seule famille. *Thomas, mon chéri, mon amour, je ne les laisserai pas faire…* Elle en était à son deuxième ou son troisième gin tonic – elle avait cessé de compter. Un mélange où la proportion de gin augmentait un peu plus chaque fois. Les pilules lui troublaient le cerveau. Il fallait qu'elle se reprenne. *Demain… demain, elle irait mieux… elle se battrait… pour son enfant, pour eux…* Elle était si lasse, si fatiguée…

Demain…

Elle dut courir de nouveau aux toilettes pour vomir. Un infect jet de bile, de gin et de café éclaboussa l'émail. Sa respiration rauque, la sueur sur les tempes, suintant par tous les pores, collant ses cheveux. Elle pleura longuement, en hoquetant, assise sur le sol, la joue brûlante de fièvre contre le mur froid.

Elle monta à l'étage à pas de loup, marcha pieds nus jusqu'à la chambre. Jeta un œil par la porte entrebâillée. Thomas était assis sur son lit, il jouait avec sa console. Il avait un air concentré mais souriant, détendu. Elle sentit les larmes inonder ses joues, lui rincer le visage – salées dans sa bouche quand elle redescendit vers la cuisine. Pendant une longue et effrayante minute, elle fixa l'un des couteaux posés sur la table ; et son poignet nu émergeant du peignoir. Un souvenir comme un flash dans sa mémoire : elle-même à douze ans, poignets bandés, emportée par une ambulance.

L'orage se déchaînait. Lueur livide des éclairs derrière les vitres fouettées par la pluie. La sonnette de l'entrée retentit. Elle frissonna. Était-ce lui qui venait revendiquer sa victoire ? Elle remonta le long couloir.
— Mademoiselle Bolsanski ? C'est la police, lança une voix à travers la porte. Ouvrez !
Police… Ce mot la traversa comme une épée. Elle ouvrit la porte lentement et le bruit de la pluie l'enveloppa, on lui mit une carte de police sous le nez. Ils étaient plusieurs. Sous des imperméables et des K-way ruisselants. Des brassards orange autour de leurs bras. Un petit frisé comme un caniche la fixait en haut du perron, son nez coulait. Il se redressa, cligna des yeux à travers l'averse, plongea une main dans sa parka.

— Nous avons une commission rogatoire du juge. Si vous le permettez, je vous la montrerai à l'intérieur, dit-il en levant les yeux vers la pluie qui les rinçait.

Elle balaya le reste de la troupe du regard – trois hommes et une femme – et soudain ses yeux s'arrêtèrent sur celui qui se tenait un peu à l'écart, les bras ballants. Elle le reconnut. C'était à lui qu'elle avait envoyé la clé de la chambre 117 et la photo de la Station spatiale internationale. Lui qui avait fait plusieurs fois la une des journaux. Lui à qui elle avait confié son journal intime. Il était planté là, immobile, sous la pluie. Tête nue. Et il la regardait en silence. Ils s'affrontèrent du regard, se défièrent pendant quelques interminables secondes.

En cet instant, elle comprit qu'elle avait perdu.

Ce qui se passa ensuite, elle ne le perçut que par bribes, flashes, fragments désordonnés. Des mots sur une feuille imprimée : *officier de police judicaire… agissons en vertu de la commission rogatoire désignée ci-après… nous nous présentons pour y procéder à une perquisition au domicile de* Mila Bolsanski (son nom écrit au stylo)… *sommes reçus par elle-même* (sic)… *lui déclinons notre identité…* Un tampon… Une signature… La tête lui tournait. Ils se répandirent dans toutes les pièces. Leurs mains gantées soulevèrent les coussins, ouvrirent les livres, les emballages de CD, les tiroirs, les placards, les poubelles, les portes…

— Maman, c'est qui ces gens ? lança Thomas en se précipitant vers elle.

— C'est rien, trésor. Ce sont des policiers, répondit-elle en le pressant contre son ventre.

— Qu'est-ce qu'ils cherchent ?

— C'est moi qui leur ai demandé de venir, ils sont là pour nous aider, mentit-elle.

Elle regarda l'homme qui lui avait rendu visite un soir de janvier, celui qui avait lu son journal, celui qu'elle avait cru manipuler : il ne participait pas à la fouille. Il se contentait de l'observer et, de temps en temps, il regardait Thomas d'un air triste.

— Pourquoi vous ne leur dites pas ? lui lança-t-elle. Ce que vous savez... ce que je vous ai montré.

— Parce que ce journal est un faux, répondit-il.

Elle vacilla. Le désespoir vint. Elle sentit que ses pensées se bousculaient, se chevauchaient. Elle étreignit Thomas, le pressa contre son ventre de mère, prit son visage entre ses mains et embrassa son front pâle. Elle plongea son regard de mère dans les yeux si beaux de son fils si blond.

— Je t'aime, ne l'oublie jamais, trésor.

— Maman, tout va bien, dit-il comme s'il était soudain devenu le chef de famille et qu'il avait pris conscience que c'était à lui de la protéger, maintenant.

— Oui... tout va bien..., renchérit-elle, les yeux humides.

Elle le repoussa doucement. De peur de tomber et de l'entraîner dans sa chute. Il regarda sa mère d'un air inquiet. Il était tellement en avance pour son âge ; il avait l'intelligence, la maturité d'un enfant de sept ou huit ans. Une jeune femme au visage étonnamment laid choisit ce moment pour faire irruption par la porte qui donnait sur la pergola et sur les bois.

— Venez voir ! lança-t-elle. Je crois que j'ai trouvé quelque chose !

Ils la suivirent – et un des flics invita Mila à mettre quelque chose et à se joindre à eux. Un autre resta avec Thomas. La pluie crépitait sur les capuches, la terre grasse et les feuilles collaient aux semelles. Ils remontèrent la colline en suivant la jeune fliquette, au milieu de toute cette pluie et de toute cette boue, de cet univers liquide, sans commencement ni fin. Mila avait l'impression de régresser, de retrouver l'humidité et la paix du liquide amniotique. La paix ; enfin… Elle savait où ils allaient. *Ils l'avaient trouvée…*

La jeune femme était agenouillée près du vieil arbre noueux, tordu comme un contorsionniste dément. Le rectangle de terre fraîchement remuée apparaissait, plus sombre entre les racines. Sous le tapis de feuilles qu'elle avait en partie écarté de ses mains gantées. Ses gants bleus étaient pleins de terre. Elle leva vers Mila son visage très laid sous sa capuche. Tous la regardaient. Et elle lisait la même chose dans tous ces regards convergents : *coupable – coupable – coupable*.

— Qu'est-ce que c'est ? lui demanda le caniche.

Elle ne répondit pas.

— Appelez l'Identité judiciaire, dit celui qui s'appelait Servaz en posant sur elle un regard neutre. Et prévenez le proc.

Le tonnerre résonnait comme une tôle secouée entre les mains d'un bruiteur. Avant même le premier coup de pelle, les techniciens en combinaison blanche avaient prélevé de la terre, des feuilles, qu'ils avaient scellées dans leurs tubes à essai. Ils avaient pris des photos au flash, avec des rubans gradués pour établir les dimensions de la fosse. On avait branché des projecteurs à cause de la luminosité qui baissait rapidement, et des câbles couraient comme des serpents dans la boue. À présent, tous fixaient la fosse dans la violente lumière blanche zébrée de pluie. *Vide*... Les gars de l'Identité judiciaire avaient l'air furax, ils faisaient claquer leurs gants de latex bleu.

— Merci, les gars. Je vous rappelle que le 1er avril, c'est dans un mois et demi, dit l'un d'eux.

Les flics s'entreregardaient, ils se tournèrent vers Servaz.

— Et merde, dit Beaulieu en repartant.

— Une fosse vide, commenta celui-ci, assis au volant de la voiture.

Tout le monde était reparti sauf eux.

— Elle n'a pas été creusée pour rien, dit Servaz en fixant la maison à travers le pare-brise bouillonnant.

— Non. Et ça ressemble quand même drôlement à une putain de tombe, ce trou planqué dans la forêt. Alors pourquoi est-ce qu'elle est vide ?

Servaz haussa les épaules.

— Aucune idée.

— Elle pourrait sans doute nous le dire, dit Beaulieu en désignant la maison.

— Elle ne parlera pas.

— Alors, qu'est-ce qu'on fait ?

— On attend.

— On attend quoi ?

— Le résultat des prélèvements. Il suffirait d'un peu d'ADN...

Elle essaie de dormir, mais elle n'y arrive pas. Il y a longtemps qu'ils sont repartis. L'orage n'a pas desserré son étreinte autour de la maison. Au contraire. *Elle essaie de dormir, mais sans y parvenir…* Comment le pourrait-elle avec cette tombe *vide*, là-bas, dans les bois ?… Qu'est-ce qu'elle signifie ? Elle tente d'en comprendre le sens, mais ses pensées sont si embrouillées, si confuses. *Elle a elle-même tué cette pute, elle a vu son corps tressauter sous l'impact des balles, puis se raidir. Le sang couler. Marcus verser les premières pelletées de terre sur son cadavre.* Ensuite, elle l'a laissé finir le travail et elle est redescendue vers la maison.

Est-ce lui qui a déplacé le corps ? Mais dans quel but ? Avait-il peur qu'un jour ou l'autre on ne remonte jusqu'à elle et – à travers elle – jusqu'à lui ? Il n'est plus là pour répondre. Où est-il passé ? Où sont-ils passés, Cordélia et lui ?

Elle écoute le silence. Elle a froid, elle frissonne, elle tremble. Elle demeure immobile, recroquevillée sous la couette. L'esprit engourdi. La lueur des éclairs au plafond, à travers les stores. Le silence dans toute la maison – et puis, soudain, elle l'entend.

Cela vient d'en bas : cela monte par l'escalier, se répand dans le couloir, entre dans la chambre par la porte entrebâillée – pas de doute, elle ne rêve pas : *de l'opéra…* Dès les premières mesures, elle le reconnaît : le troisième acte de *Madame Buttefly*. Celui où Cio Cio San se donne la mort. Un froid glacial l'envahit. Cela monte du rez-de-chaussée, le duo entre Pinkerton et Sharpless :

SHARPLESS
Parle à cette femme charitable
Et conduis-la ici.

Même si Butterfly la voit,
Cela n'a pas d'importance.
Ce serait même mieux
Si elle comprenait la vérité en la voyant.

PINKERTON
Mais il règne une ambiance mortelle.

Elle reconnaît la voix de Pinkerton : le ténor suédois Nicolai Gedda, dans la version de Herbert von Karajan, avec Maria Callas dans le rôle de Butterfly – l'enregistrement vient de sa discothèque.

Elle se redresse dans le grand lit, la voix vrille implacablement les ténèbres de la maison. *Thomas… Il va se réveiller…* Elle regarde les bâtons rouges du réveil : ils passent de 3 : 05 à 3 : 06. Un nouveau craquement de foudre fait trembler les vitres. Elle a les yeux grands ouverts dans la pénombre, à présent.

Oui, en un instant, je vois
toute l'étendue de ma faute,
Et je sens bien que ce tourment
Ne me laissera jamais aucun répit.

Cette musique… Elle en pleurerait presque.

Adieu, refuge fleuri, lieu cher adieu.

Elle repousse la couette, sort du lit, enfile son peignoir. Elle a l'esprit vide, le corps sans force. Telle une somnambule, elle marche jusqu'à la porte, sort dans le couloir. Elle appuie sur l'interrupteur mais rien ne se passe. Bien sûr…

La porte de la chambre de Thomas est fermée.

En trois pas, elle est en haut de l'escalier. Une vague clarté en bas, sourde et lointaine.

Une lampe doit être allumée quelque part. Elle fait jouer l'interrupteur de la cage d'escalier, mais, comme elle s'y attendait, rien ne se passe. Aussi descend-elle les marches à pas comptés, avec le peu de lumière dont elle dispose. Son cœur épouse presque le rythme de la musique – comme si elle se trouvait dans les coulisses d'un théâtre et qu'elle allait faire son entrée sur scène.

Des centaines de regards braqués sur elle, dans l'obscurité. Attentifs. Espérant son triomphe, redoutant son échec.

En bas des marches, plus forte, plus claire, la voix de la mezzo-soprano Lucia Danieli dans le rôle de Suzuki :

Dans cette épreuve,
elle pleurera beaucoup.

Ses prunelles scrutent la pénombre. Elle s'oriente : la clarté vient du petit couloir menant à la salle de bains, de l'autre côté de la cuisine. En passant, elle s'empare de l'un des couteaux dans le râtelier. *Oh, Seigneur, cette musique !* Quelle beauté ! Quelle tristesse ! La voix de Maria Callas/Butterfly s'élève enfin :

Suzuki, Suzuki ! Où es-tu ?

Un nouveau coup de tonnerre : l'accessoiriste en fait des tonnes en coulisse… Elle traverse la cuisine, s'avance dans le couloir. La clarté grandit. La porte entrouverte sur la gauche… Elle ne s'est pas trompée : la lueur vient de la salle de bains.

Il est ici, il est ici ! Où s'est-il caché ?

Elle repousse le battant du bout des doigts, le couteau dans l'autre main. L'odeur de cire monte – lourde, entêtante – et la lueur de dizaines de bougies danse au plafond et sur les murs comme un incendie. Elle danse pareillement sur le visage de la morte qui n'est pas morte, sur son crâne qu'elle a tondu et sur lequel un fin duvet a repoussé. Elle danse dans ses prunelles, son regard fixe, calme et résolu, noyé au milieu d'un océan de mascara noir et, pendant une fraction de seconde, Mila a l'impression de devenir folle. C'est Madame Butterfly qui est là ! *Cio Cio San.* Dans son kimono sombre, le visage poudré de blanc, les yeux réduits à deux fentes, la bouche mince comme un coup de cutter !

Mais l'hallucination se dissipe et c'est de nouveau pire : un fantôme. Une revenante. Un spectre flou à travers l'épaisse vapeur d'eau qui monte dans la pièce. Le spectre porte des vêtements d'homme. Il pointe le canon d'une arme dans sa direction.

— Bonsoir, dit Christine, tandis que la Callas continue de chanter :

Cette femme ! Que me veut-elle ?

Sa tête est vide. Elle pense à Thomas : comment peut-il dormir avec pareille musique ?

— Laisse tomber ce couteau, dit Christine. Déshabille-toi et entre dans le bain.

Elle pourrait refuser, résister, mais à quoi bon : tout – la musique, sa faiblesse, l'immense lassitude des

674

derniers jours, le dernier acte qui résonne dans toute la maison – l'incite à obéir. Elle n'a plus de volonté propre, plus envie de se battre. Elle est juste… *fatiguée*… Et l'arme brandie par le spectre ne lui laisse pas le choix, de toute façon. Elle laisse tomber la lame qui tinte sur le sol, puis ses vêtements – un par un – à ses pieds. La vapeur qui flotte à travers la pièce s'enroule autour d'elle, exhalée par toute l'eau chaude qui remplit la baignoire. Mila a tout de suite le corps luisant de sueur.

— Je t'en prie, insiste tranquillement Christine.

Un long moment, elle ne bouge pas ; puis elle enjambe le bord de la baignoire. Note qu'il y a un grand rasoir de barbier posé dessus, ouvert – longue lame étincelante dans la lueur dansante des bougies. Elle plonge une jambe dans l'eau chaude, puis son corps tout entier. S'assoit au fond. L'espace d'un instant, elle se sent bien, soulagée, libérée d'avoir abandonné le contrôle. Le liquide amniotique, encore une fois – s'il n'y avait Thomas.

— Mon fils ! s'exclame-t-elle soudain.

— Ne t'inquiète pas. Il dort. Et nous en prendrons soin…

— *Nous ?*

À l'extérieur de la pièce, Butterfly chante :

Ils veulent tout me prendre ! Mon fils !
Ah ! malheureuse mère ! Renoncer à son propre sang.

— Son père et moi, dit Christine. Léo s'occupera de son fils, il le reconnaîtra, il l'élèvera : il me l'a juré. Et Thomas portera vos deux noms… Il ira dans les meilleures écoles, bénéficiera de la meilleure éducation,

Mila… Léo ne révélera jamais à Thomas la vérité sur ce qui s'est passé. Sur ce que sa mère a fait. Il lui dira que sa mère a eu un accident. Il en a fait le serment. *Mais à une condition…*

Mila cligne des yeux à cause de la sueur qui coule sur son visage et de la vapeur. Elle écoute le spectre parler, s'efforce de comprendre ce qu'il dit. Et, petit à petit, les paroles pénètrent sa conscience. S'y fraient un chemin. En même temps que l'épouvante de leur signification.

— Quelle condition ?… murmure-t-elle enfin, d'une voix aussi faible que le souffle d'un oiseau.

Le regard du spectre se déplace vers le rasoir ouvert sur le bord de la baignoire. Mila frémit.

— Je t'ai vue mourir, dit-elle au spectre. Je t'ai tiré dessus.

— À blanc, répond Christine.

— Et le sang ?

— Simples accessoires de cinéma – dissimulés sous mon pull : de petites poches d'hémoglobine qui explosent au moment voulu. On trouve ça très facilement. Je n'ai eu qu'à imiter des convulsions au moment de l'impact… et à me mordre la langue jusqu'au sang…

— Mais… Marcus ?

— Dès que tu es redescendue, il m'a aidée à sortir de la fosse. (Elle sourit.) De la même façon que la prétendue drogue qu'il t'a donnée pour moi n'était rien d'autre qu'une ampoule vitaminée, comme on en trouve dans toutes les pharmacies.

— Pourquoi ?

— Parce que Marcus se vend au plus offrant, Mila : tu devrais le savoir… Et que Léo et moi nous avons cassé notre tirelire – tu l'as dit toi-même : « Marcus

n'est pas très curieux. Sauf en ce qui concerne sa rémunération. » Il n'a pas été très difficile de le convaincre,
je dois dire. Même si mon assurance vie y est passée…
Quand j'ai reçu ce SMS signé Denise, ce matin-là,
j'ai tout de suite compris que c'était un piège. Léo
m'avait déjà appelée pour me dire que quelque chose
allait se passer : il le tenait de Marcus, qui le tenait
de toi. C'est Marcus qui a tout organisé. C'était ça
ou la prison, pour lui.

— Où est-il ?

— Qui ? Léo ? Je lui ai dit de surveiller ce flic,
ce soir…

— Et… Marcus ?

— En train de nourrir sa chère terre russe, je le
crains. Nous lui avons payé un billet pour Moscou
– mais j'ai bien peur que quelqu'un ne l'ait attendu
là-bas. Vois-tu, il m'a quand même droguée… *violée*…
il a égorgé mon chien, putain… Mais, au fond, *il n'a
fait qu'exécuter tes ordres, pas vrai ?*

Un silence. Mila jette un regard sur le rasoir ouvert
au bord de la baignoire. Elle pourrait essayer de s'en
saisir et de frapper le spectre. Mais elle sait que le
spectre serait plus rapide. Elle pense à Léo, à son fils
– aux deux… *ensemble… enfin réunis…* La musique
décroît et enfle tour à tour… La salle entière est suspendue à ses lèvres. À son souffle. Tout le public en
transe, pétrifié d'émotion et d'extase.

Le voici donc qui retentit – le fameux air final tant
attendu : « Con onor muore » : *Meurt avec honneur…
celui qui ne peut survivre avec honneur…*

Oui. Pourquoi pas ?

— Alors, les ampoules, les nausées, les pneus
crevés, le supermarché – c'était toi ?

Elle est si lasse…

— Oui.

— Comment as-tu fait ? demande-t-elle.

Si fatiguée de tout ça…

— Fait quoi ?

— Toutes ces nuits où j'étais malade, où je n'arrivais pas à trouver le sommeil. J'ai jeté les aliments, j'ai été acheter de nouveaux médicaments à la pharmacie ; je mangeais la même chose que Thomas – et il n'était pas malade, lui.

Le spectre déplace le canon de son arme vers l'autre côté de la baignoire. Elle suit le mouvement des yeux. Au début, elle ne comprend pas. Puis, soudain, la lumière se fait. *Les sels de bain… Elle prenait un bain tous les soirs.* Après avoir couché Thomas. Mais pas Thomas : lui ne prend que des douches. Brusquement, le spectre s'empare d'une télécommande, appuie sur un bouton et la musique cesse d'un coup.

— Cela fait des semaines que je t'observe. C'est fou ce qu'on trouve dans le commerce de nos jours – une micro-caméra dans la cuisine, une autre dans ta chambre, une troisième dans la salle de bains, et le tour était joué… J'en sais probablement plus sur tes habitudes et tes petites manies que tu n'en sais toi-même, Mila. Et ce système d'alarme que tu as installé : laisse-moi rire. (Elle tire de son pantalon plein de poches un boîtier rectangulaire et noir, avec trois antennes courtes.) Un brouilleur, explique-t-elle. Cent euros sur Internet. Les cambrioleurs ont de beaux jours devant eux.

— À cause de toi, ils veulent m'enlever mon fils, crache Mila dans un dernier sursaut.

Christine la regarde ; elle s'abstient de lui dire que

la lettre de l'Aide sociale à l'enfance est un faux
– qu'elle l'a rédigée elle-même. Elle penche son visage
à quelques centimètres de celui de Mila.

— C'est pourquoi tu dois laisser Léo élever son
fils... Mais assez bavardé. (Elle montre le rasoir d'un
mouvement de son arme – et Mila ne remarque pas
le tremblement de plus en plus marqué du canon. Ni
les larmes sur ses joues.) Tu te donnes la mort...
cette nuit... et je veillerai à ce que Léo s'occupe de
Thomas... qu'il l'élève... qu'il le reconnaisse... *Tu
as ma parole.*

Elle essuie la sueur et les larmes sur son visage du
revers de sa main gantée. Ses yeux luisent au milieu
du mascara sombre.

— Ou alors tu refuses et tu vas en prison – et
Thomas sera confié à une famille d'accueil, puis à
une autre, et à une autre encore... Et sais-tu ce qu'il
deviendra ? Tu en as une idée ? *C'est ça que tu veux
pour lui ?* C'est ta décision... Mila, uniquement *ta*
décision... maintenant...

— Tu peux remettre la musique, s'il te plaît ? J'aimerais entendre la fin.

Christine attrape la télécommande. La musique
reprend là où elle s'était arrêtée : *dernier acte.* Les
voix s'entremêlent, se succèdent, s'enchaînent.

— Mila ?
— Fatiguée...
— Quoi ?
— Suis fatiguée...
— Tu peux te libérer de tout ça, Mila.

679

Toi, toi, chante la Callas,
Petit dieu, mon amour, fleur de lys et de rose,
Que tu ne le saches jamais, mais c'est pour toi,
Pour tes yeux purs,
Que meurt Butterfly.

Un long moment de silence, pendant lequel les deux femmes écoutent la musique. Puis, soudain, Mila se saisit du rasoir. Christine la regarde. Sans un mot. La sueur lui pique les yeux, tout comme elle la voit ruisseler sur le visage de Mila.

Regarde bien,
De tous tes yeux, le visage de ta mère,
Afin d'en conserver l'image.
Regarde bien !
Mon amour, adieu, adieu !
Mon petit amour !

— *Fatiguée... je suis si fatiguée...*
— Alors, repose-toi, Mila.
— Il m'a aimée.
— Je sais, il me l'a dit, ment Christine.
Mila sourit. Le regard perdu au loin, elle fend la peau de l'avant-bras, le muscle, l'artère radiale – du coude au poignet, en un seul mouvement précis et lent. Bras gauche. Le rasoir change de main. Bras droit. Plus maladroitement... Le sang jaillit : deux geysers... Il gicle sur l'émail et dans l'eau du bain, qui se teinte de rouge.

À chaque battement de son cœur palpitant, un nouveau flot de sang. Puis, brusquement, les pulsations ralentissent. Elle sent la glace monter d'un coup le long de son torse. Elle a l'impression d'être en train de geler à toute vitesse – comme un étang en hiver.

La musique enfle, atteint son apogée. Mila verse une dernière larme, au cri final de Pinkerton :

Butterfly ! Butterfly ! Butterfly !

Christine consacra les cinq minutes suivantes à effacer ses traces et à préparer sa sortie. Elle récupéra le téléphone de Mila dans l'une des poches de son pantalon et le plaça entre les doigts déjà froids avant de composer le 17. Quand enfin on lui répondit, elle murmura à voix basse : « *Je vous en supplie… venez vite… je vais mourir… et mon fils est seul…* »

— QUOI ? QUOI ? Vous pouvez répéter, madame ? Madame ?

Elle répéta et laissa l'appareil entre les doigts morts, sur le bord de la baignoire. Soudain, elle fit volte-face vers la porte et tressaillit : Thomas était là, les yeux grands ouverts. *Il la fixait…* Elle cligna des yeux et la vision disparut. *Rien qu'une ombre dans le couloir…* Elle sortit de la salle de bains, grimpa à l'étage, ses chaussons plastifiés autour de ses baskets humides. Elle entrouvrit la porte – il dormait, le pouce dans la bouche. Elle sentit soudain la nausée monter et se dépêcha de redescendre au rez-de-chaussée de la grande maison silencieuse, courut vers la sortie. Aspira l'air humide du dehors à grandes goulées. *Ne pas vomir… pas ici… pas maintenant…* Elle rejoignit sa voiture garée un peu plus loin en laissant la porte de la maison grande ouverte, n'ôta ses chaussons et ses gants qu'une fois à l'intérieur.

Elle démarra doucement, roula jusqu'au tunnel des arbres, remonta la ligne droite, tourna au carrefour… La pluie avait cessé. La lune apparaissait dans une déchirure des nuages. Elle se gara dans la nuit venteuse. Coupa le moteur, éteignit les phares et bondit à l'extérieur. Juste à temps pour laisser la bile remonter et pour rendre tout son dîner dans le fossé plein d'eau de pluie qui luisait dans l'obscurité, près de la roue avant.

Le souffle rauque, elle respira longuement, s'efforçant de ralentir les battements de son cœur. Elle s'installa au volant et resta immobile dans la voiture, à attendre. L'orage s'éloignait. Les éclairs n'étaient plus que de blêmes phosphorescences dans la nuit, le tonnerre un borborygme lointain. Treize minutes s'écoulèrent avant qu'elle entende approcher le pin-pon caractéristique, puis elle vit passer devant elle, à toute allure, un fourgon de gendarmerie. Ses phares remontèrent rapidement le tunnel des arbres, clignotant entre les troncs. Elle récupéra ses jumelles, retrouva le fourgon dans la binoculaire au moment où il se garait devant la maison. Les vit descendre du véhicule et s'engouffrer dans la maison. Ils étaient trois.

Elle rangea les jumelles dans la boîte à gants, s'examina dans le miroir de courtoisie. Dans la lueur du plafonnier, elle avait un regard vide : le noir des pupilles avait mangé tout l'iris. Elle ne se reconnut pas.

Elle referma doucement la portière et s'éloigna dans la nuit.

ÉPILOGUE

Le miracle de la vie, une fois de plus. Elle en était à la fin du cinquième mois et son ventre s'arrondissait joliment. Elle savait que son cerveau et sa moelle épinière étaient désormais complètement formés et que – jusqu'à la fin de sa vie d'adulte – il n'acquerrait pas le moindre neurone supplémentaire. « Désolé pour toi, Léo junior, va falloir que tu fasses avec, mon beau. J'espère au moins que tu sauras les utiliser au mieux. Je compte sur toi. » Elle avait pris l'habitude de lui parler et de l'appeler Léo alors qu'ils n'avaient pas encore réussi à se mettre d'accord sur un prénom. Son père en tenait pour Mathis, ou Louis. Il ne le savait pas encore, mais elle avait décidé que ce serait Léo – un point c'est tout.

Elle tourna la tête vers la porte-fenêtre ouverte.

L'aube était levée depuis moins d'une heure mais il faisait déjà chaud. Elle avait faim. Une faim de loup, en vérité : elle avait envie de dévorer – en permanence. Un petit déjeuner complet ; des céréales, du café, un jus de fruits, des œufs à la coque, des mouillettes, de la confiture, du beurre… Elle en salivait. Elle sourit. Elle se sentait magnifiquement bien : les nausées et la fatigue des premiers mois avaient disparu. Elle était en pleine forme.

Il bougea et ouvrit les yeux.

— Déjà réveillée ?

Il la regarda. Puis, presque aussitôt – comme chaque matin –, son regard descendit au niveau de son ventre.

— Salut Mathis, dit-il en posant la main sur leur enfant.

— Léo.

— Salut Louis.

— Léo…

— Il ne bouge pas.

— Il dort beaucoup, c'est normal.

Il la regarda. Différemment.

— Dans ce cas, il ne s'apercevra de rien si… (Et, comme elle ne réagissait pas :) Tu es magnifique, tu sais, la grossesse te…

— Chut.

Ils s'embrassèrent et se caressèrent un moment tandis que la lumière de l'été et leurs températures corporelles augmentaient dans la pièce – et elle constata qu'elle transpirait de plus en plus.

— Thomas n'est pas près de se réveiller et Karla n'amènera pas les enfants avant 9 heures, souffla-t-il dans son oreille, on a largement le temps de…

— *Chuttt…*

Elle rit. Il n'était que 6 heures du matin. Elle se pencha vers la table de nuit pour attraper la boîte de préservatifs dans le tiroir. S'efforça d'oublier ce qu'ils signifiaient. Marcus n'avait pas menti, cette nuit-là : il avait laissé un dernier souvenir avant de quitter cette Terre. Dans son sang à elle : *elle était séropositive…* Le traitement n'y avait rien fait. Ils étaient condamnés aux

684

rapports protégés à perpétuité. Quand Léo avait déclaré vouloir lui faire un enfant, elle avait longtemps hésité. Renseignements pris, elle avait découvert que le risque de transmission du VIH de la mère à l'enfant est extrêmement réduit (moins de 1 %) avec un suivi médical strict et si la mère suit un traitement antirétroviral à partir du deuxième trimestre de sa grossesse. De nombreuses femmes atteintes devenaient mères de cette façon.

Et, puisque Léo n'était pas contaminé, ils avaient eu recours à la bonne vieille méthode dite de l'« insémination artisanale ». Elle se souvenait en grimaçant de ce petit rituel qu'ils avaient répété jusqu'à ce que le dieu de la fertilité condescende à récompenser leurs efforts : la prise de la température le matin au réveil puis, le jour venu, le sperme de Léo qu'ils récupéraient dans un préservatif sans spermicide, aspiraient à l'aide d'une petite seringue sans aiguille avant que Léo lui-même n'injectât sa semence dans le vagin de Christine de la même façon. Heureusement, la troisième tentative avait été la bonne… Pour plus de précautions, elle accoucherait par césarienne. Elle savait aussi qu'elle aurait l'interdiction d'allaiter son enfant.

Ils firent l'amour devant la porte-fenêtre ouverte : n'importe qui passant sur le sentier près de la maison aurait pu les surprendre, mais ils s'en moquaient. Christine le laissa faire, les doigts enfoncés dans ses cheveux. Il plaça un oreiller sous elle et ce fut très doux, très lent – comme cet été qui s'étirait interminablement. Elle se demanda si Léo junior pouvait ressentir ce qui se passait, cette fusion de leurs désirs et de leurs peurs, de leurs espoirs et de leurs craintes – et de l'amour de ses parents. Oui – car, au vrai, ils s'aimaient comme jamais auparavant. La clandestinité dans laquelle elle avait dû vivre pendant des mois – mois durant lesquels il l'avait cachée de tous, y compris de ses propres enfants –, les risques qu'ils avaient pris ensemble, le secret qu'ils partageaient et la présence de Thomas avaient fortifié leur relation au-delà de tout ce qu'ils avaient imaginé. Et puis, elle avait changé. Elle devait bien reconnaître qu'elle était devenue *quelqu'un d'autre* à travers les épreuves. Et elle était consciente, même si parfois cela lui pesait, que c'était de cette Christine nouvelle que Léo était amoureux.

Il se redressa sur un coude et la regarda.

— Tu veux m'épouser ?

— Hein ?

— Tu m'as bien entendu.

— Tu viens à peine de divorcer et tu veux déjà te remarier ?

Il rit.

— Je sais ce que tu penses… (Il cessa de sourire, prit un air sérieux presque comique.) D'ordinaire, les hommes sont fidèles au début et infidèles ensuite. Moi, j'ai commencé par la fin.

— Ce qui veut dire ?

— Que tu peux raisonnablement tabler sur ma fidélité.

— *Raisonnablement ?*

— Disons, 98 % de chances, ça te va ?

— Et si c'est les 2 % restants qui l'emportent ?

— Je promets de ne jamais te mentir – et de ne jamais rien te cacher.

— C'est un bon début, mais je ne suis pas sûre que ça suffise. Tu as bien conscience que c'est un peu inhabituel comme demande en mariage ?

— Si tu voulais de l'habituel, il fallait rencontrer

un expert-comptable… Tu n'es pas obligée de dire oui, ajouta-t-il. Pas tout de suite…

— C'est aussi mon avis.

— Alors, c'est non ?

— C'est oui. Mais seulement parce que je ne suis pas obligée.

Il se réveilla en musique, ce matin-là. Comme chaque matin. Mahler, bien sûr. *Das Klagende lied.* Le premier lied s'intitulait *Waldmärchen* : « Conte de la forêt », et Servaz sourit en pensant qu'il en connaissait un bon, de conte… Celui-là aussi parlait de forêt… La musique monta. C'était le cadeau de sa fille – sa fille qui désormais vivait de l'autre côté de l'océan, au milieu des caribous, des écureuils gris et des poules Chantecler.

Il entendit une sirène de police, le vrombissement d'une mobylette et, en regardant autour de lui, il eut un instant de pure désorientation avant de reconnaître sa chambre. Pas celle sous les toits. *Sa* chambre. *Son* appartement. Il se redressa dans *son* lit, s'étira et se souvint qu'il avait aussi un travail et un bureau qui l'attendaient. Il se doucha, s'habilla, prit un café noir et, quinze minutes plus tard, il était en route pour l'hôtel de police.

Il émergea de l'escalator du métro, traversa l'esplanade devant la haute façade de brique avec son entrée semi-circulaire et la fresque rectangulaire tout autour – dont il se demandait chaque fois ce qu'elle pouvait bien signifier. Le soleil brillait sur les feuillages poussiéreux le long du canal du Midi, et des joggers passaient en tenues fluo, écouteurs dans les oreilles. Des voitures filaient sur le boulevard. Des fonctionnaires de police attachaient leur vélo aux grilles, grimpaient les marches et s'engouffraient par la porte à tambour. Un peu plus loin le long du canal, les putes étaient rentrées dormir et les employés municipaux ramassaient les préservatifs qui traînaient dans les buissons – et aussi les seringues. Les dealers comptaient leurs bénéfices et les petits guetteurs se réveillaient dans les cités. C'était la partition de la ville, son opéra quotidien : le chœur des voitures et des bus, l'arioso des heures de pointe, la cadence de l'argent trop facilement gagné, le leitmotiv des crimes. Il se sentait étonnamment bien. Il connaissait cette musique-là par cœur. C'était *sa* ville, *sa* musique. Il en connaissait chaque note…

Le dossier l'attendait sur son bureau.

Il en fit une lecture rapide, puis descendit au parking emprunter une voiture de fonction. Il quitta Toulouse par le nord-ouest, roula moins d'une heure sur les petites routes. La maison d'architecte était toujours là, au creux du vallon, avec sa piscine, ses barrières blanches et son écurie.

Il se gara sur l'herbe, près de la Porsche 911, et descendit. Elle sortit sur le seuil, un bol à la main, en jean, sweat à capuche et tennis à talons plats. Servaz la regarda. Elle avait coupé ses cheveux très court, à la garçonne, elle n'était pas maquillée, ce qui – joint à ses hanches étroites et à son mètre soixante-dix – lui donnait un air androgyne, un air de garçon manqué – malgré l'évidence de sa grossesse, de son ventre de plus en plus rond. Elle rayonnait. Aussi sûre d'elle, de ses charmes et de ses pouvoirs qu'une femme peut l'être.

— Un café ? lui lança Christine.

Il sourit, s'avança et ils pénétrèrent dans la maison

l'un derrière l'autre. Léo et Thomas jouaient dans la piscine. Il les aperçut à travers la baie vitrée. Les rires clairs du garçon parvenaient jusqu'à eux, en même temps que le bruit des éclaboussures que lui envoyait son père.

— J'ai ce que vous m'avez demandé, dit-il.

Elle lui tournait le dos, face au percolateur. Il vit ses épaules se raidir. Elle hésita une seconde avant de se retourner.

— Vous aviez raison…, ajouta-t-il en poussant la chemise sur le comptoir.

Brusquement, il se souvint de ce jour d'avril où elle était soudainement réapparue. C'était elle qui l'avait appelé. « Je suis de retour », avait-elle simplement dit. Ils s'étaient retrouvés dans un café du centre. Il lui avait demandé où elle était passée pendant tout ce temps. Elle lui avait répondu qu'elle avait fui, qu'elle avait éprouvé le besoin d'échapper à tout ça, d'être seule – et qu'elle avait beaucoup voyagé ; bien sûr, il n'avait pas été dupe. Mais ça n'avait plus d'importance. Suicide. Affaire classée…

— Je me demande, si on pouvait comparer la voix de la personne qui a appelé cette nuit-là à celle de Mila Bolsanski, si ce serait la même…, avait-il toutefois soulevé, en la fixant rêveusement.

Elle n'avait pas paru décontenancée le moins du monde.

— Vous pensez qu'il s'agit d'un homicide ?

Il avait secoué la tête.

— Le légiste est formel : c'est bien elle qui s'est ouvert les veines. Cela n'exclut pas que quelqu'un qui ne veut pas se faire connaître l'ait trouvée ainsi et ait appelé la police en se faisant passer pour elle… À cause de l'enfant, je veux dire… Sans cet appel,

Dieu sait ce qui lui serait arrivé... Une femme – forcément...

Il l'avait dévisagée un instant. Mais elle avait appris à dissimuler ses émotions.

Il poussa la chemise de quelques centimètres supplémentaires.

— Il y a bien eu une autopsie avant l'incinération de votre sœur, dit-il. Vous aviez raison : *elle était enceinte*. Personne n'a vraiment cherché à savoir qui était le père : même si cela avait un rapport avec son suicide, ce n'était pas une enquête criminelle. Et puis, les analyses ADN, en ce temps-là, étaient très rares. Le fœtus a été incinéré avec la mère...

— On sait qui a demandé la crémation ?

— Oui.

Il sortit une feuille de la chemise.

— C'était dans le dossier.

Une autorisation de crémation. Elle lut :

« *Compte tenu de la demande de la personne qui a qualité pour pourvoir aux funérailles,*
Vu la décision de M. le Procureur de la République près le tribunal de grande instance de Toulouse,
Autorise en conséquence que soit procédé à la crémation de la défunte. »

Elle relut les deux noms qui y figuraient : son père, et ce médecin qu'elle avait agressé à l'âge de douze ans – le médecin de famille.

— Merci.

Il poussa un autre papier dans sa direction.

— Ce n'est pas fini. Il y a autre chose, dit-il. Ça concerne ce qui s'est passé chez Mila Bolsanski.

Tenez... Lisez – et débarrassez-vous-en. Ce n'est pas une copie.

— Qu'est-ce que c'est ?

— *Lisez*.

Elle se pencha et il la vit se raidir davantage. Elle leva ensuite vers lui des yeux sidérés.

— Pourquoi ?

— Parce que j'ignore ce que ça veut dire – et que cette enquête est close, de toute façon.

Elle le fixa.

— Merci, dit-elle pour la seconde fois.

Il haussa les épaules et se retourna pour s'en aller ; le papier qu'elle avait en main était un extrait du rapport de police : il déclarait qu'on avait trouvé *deux* ADN dans la fosse creusée derrière chez Mila Bolsanski – le premier appartenait à Marcus, mais le second était celui de Christine Steinmeyer...

Il allait sortir quand il se retourna.

— Et votre chien, dit-il, qu'est-ce que vous en avez fait ?

Elle sourit.

— Léo et moi, nous l'avons enseveli là où vous avez dit. Vous aviez raison : c'est un très bel endroit.

Il roulait sur la rocade où on annonçait des bouchons, même si, à sa hauteur, c'était fluide, quand, tout à coup, il pila sur la bande d'arrêt d'urgence, le souffle coupé. Il n'entendit pas les klaxons rageurs derrière lui. Ne vit pas les visages courroucés. Il fixait la bande et le muret à travers le pare-brise, la bouche ouverte, le cœur en surrégime.

Deux ADN...

Était-ce possible ? Il fixait le vide et elle le regardait, lui souriait. Il fixait le vide – et il la voyait, *elle*.

C'était comme si, tout à coup, il rembobinait le
film. Était-ce possible ? Oh, bon Dieu, oui, ça l'était !

Il n'avait jamais prié de sa vie.

Mais il pria.

Il pria en écrasant la pédale d'accélérateur et en
se propulsant à toute vitesse sur la rocade. Il pria
au milieu du concert des avertisseurs et des insultes
qui accompagnèrent sa brusque accélération puis ses
zigzags entre les voitures vers un espoir totalement
insensé.

Il se gara dans la cour de l'hôtel de police et courut
comme un dératé vers le bâtiment – un peu à l'écart –
du LPS, le laboratoire de police scientifique. Il franchit
les portes comme si sa vie en dépendait, bouscula un
fonctionnaire ahuri, se dirigea vers l'unité bio.

Elle était là, l'ingénieur Catherine Larchet, qui dirigeait l'unité. C'était à elle qu'il avait demandé en
urgence, quelques mois plus tôt, l'analyse ADN du
cœur de Marianne. Elle l'avait réalisée en un temps
record : douze heures – parce qu'elle avait deviné à
quel point c'était important pour lui. Elle l'avait vu se
briser, renverser un bureau, hurler de douleur, quand
elle lui avait annoncé la terrible vérité.

— Martin ? dit-elle en le voyant foncer sur elle
comme un rugbyman lancé vers l'en-but.

— L'ADN..., commença-t-il, essoufflé.

Elle comprit immédiatement à quel ADN il faisait
allusion – et elle se ferma : elle connaissait son histoire,

son séjour au centre et sa dépression étaient arrivés jusqu'à ses oreilles.

— Martin...

Il secoua la tête.

— Ne t'inquiète pas, je vais bien... L'ADN, répéta-t-il. Tu l'as pris où ?

— Quoi ?

— De quel ADN tu t'es servie pour ton analyse ?

Elle se rembrunit.

— Tu mets en doute mes compétences ?

Il agita les mains, puis s'inclina bien bas comme s'il effectuait un salut nippon.

— Catherine, tu es la personne la plus compétente que je connaisse ! Je veux juste savoir : tu as fait une recherche en parentèle, c'est bien ça ? Ascendant/descendant ?

— Oui. Tu voulais que je le compare à l'ADN de son fils – à celui de Hugo. C'était bien le sang de Marianne, Martin : il n'y a pas le moindre doute. L'ADN mitochondrial est transmis, intact, de la mère à l'enfant, tous les êtres humains héritent leur mito-chondrial exclusivement de leur mère.

Servaz revit la boîte isotherme – le cœur humain de Marianne baignant dans son sang déjà figé –, le cadeau diabolique du Suisse à son flic préféré...

— Le sang, tu dis ?

— Oui, le sang... Évidemment, le sang. Le sang est l'élément le plus chargé en ADN avec le sperme : la plus infime goutte contient 80 000 globules blancs, dont chacun possède un jeu complet d'ADN dans le noyau. En outre – je te le rappelle –, tu étais extrê-mement pressé, tu voulais ces résultats le plus vite possible. On a donc prélevé du sang intracardiaque avec une seringue. C'était la meilleure façon de procéder pour aller vite, il n'y avait aucune raison d'agir autrement.

Il eut l'impression que le sien de cœur allait se décrocher.

— Et vous n'avez pas cherché plus loin ?

De nouveau, elle rougit. Elle lui lança un regard interrogateur.

— Pour quoi faire ? Le résultat était positif…

— Le cœur, vous l'avez toujours ?

— Bien entendu, c'est une pièce à conviction dans une affaire en cours. Il est conservé à l'IML. Martin, écoute, tu devrais…

L'Institut médico-légal se trouvait dans l'enceinte du CHU de Rangueil, au sud de Toulouse. Il la regarda.

— Tu pourrais faire une nouvelle analyse ? l'interrompit-il. Cette fois à partir des cellules du cœur lui-même ?

Elle le dévisagea.

— Tu es sérieux ? (Il vit qu'elle réfléchissait.) Tu ne crois quand même pas que… Oh, bon sang ! Si c'est vrai, ce serait une première. Si c'est vrai, ça va faire la une des revues médico-légales !

Elle se rua vers son bureau, décrocha son téléphone en le regardant.

— Je les appelle tout de suite.

Denise souriait dans la pénombre du balcon. Tout en bas, la soprano Natalie Dessay faisait ses adieux à la scène lyrique. Sur cette même scène où elle avait débuté vingt-cinq ans plus tôt : le Théâtre du Capitole,

694

à Toulouse. Ce soir-là – le dernier –, elle était la Manon de Massenet.

Denise porta la main à son ventre. Cinquième mois... Le mois des voyages. Demain, ils s'envoleraient pour la Thaïlande. Une lune de miel en quelque sorte, bien qu'ils ne fussent pas mariés. Denise regarda Gérald assis à côté d'elle. Elle avait réussi à l'avoir, en fin de compte. *Pour elle toute seule...* Dès la première fois où elle l'avait vu, elle l'avait voulu. Et quand elle voulait quelque chose...

Elle l'observa, sérieux, absorbé, les verres de ses lunettes reflétant les lumières de la scène. Finalement, elle se demandait si ça valait tellement le coup. Si elle ne l'avait pas un tout petit peu surestimé. Tant que Christine s'était battue pour le garder, elle avait tout fait pour le lui ravir, pour gagner cette guerre. Mais, à présent qu'elle avait eu ce qu'elle voulait, que la guerre était terminée, qu'il n'y avait plus personne pour le lui disputer, elle n'était plus tout à fait aussi sûre... Il ferait un bon père, et un bon mari – ça oui, pas de doute. Mais ils n'étaient pas exactement le couple dont elle avait rêvé. Pour commencer, au lit, il était plutôt... *plan-plan.* Pas comme le « petit » Yannis, le nouveau stagiaire. Brun comme un prince d'Orient, de longs cils, une silhouette à tomber, des dents blanchies et un sourire de pirate. Elle aurait parié qu'au pieu, c'était Spiderman et Jack Sparrow réunis. Les femmes sentent ce genre de choses.

Mais elle portait l'enfant de Gérald. Et elle l'aimait. Oui, bien sûr qu'elle l'aimait : elle n'avait pas fait tout ça pour rien. Sauf qu'elle avait bien vu comment le jeune Yannis la regardait... Et comment il s'arrangeait pour se retrouver seul avec elle le plus souvent possible, et lui balancer des compliments si outrés qu'ils la faisaient rougir. Et pourtant, elle ne rougissait pas facilement. Elle essaya de se concentrer sur l'opéra, mais elle n'y parvint pas. Elle pensait sans arrêt au jeune Yannis – à son corps, à ses jeans déchirés, à ses bras bronzés et tatoués. Oui, elle allait être mère, elle attendait l'enfant de Gérald : elle avait eu ce qu'elle voulait, non ?

Et, pour le reste, on verrait bien. *Le moment venu…* Les vacances en Thaïlande commençaient demain – un mois entier : elle avait déjà hâte d'être rentrée.

Cordélia tendit son passeport et son ticket à l'hôtesse qui la fit passer en embarquement prioritaire et lui sourit en découvrant Anton qui dormait sur son dos, dans son *mei-tai* rembourré. Elle remonta la passerelle fermée en traînant sa petite valise rouge à roulettes derrière elle, ignora le steward à l'entrée de l'avion qui les accueillit avec un large sourire et se dirigea vers son siège au centre de la cabine. 29 D. Allée centrale. Près des sorties de secours et des toilettes. Elle était claustrophobe. Elle ne voulait pas avoir à blottir son grand corps entre deux personnes ou contre un hublot avec son bébé sur les genoux et un dossier de fauteuil à quelques centimètres.

Elle se sentait nerveuse.

Comme chaque fois qu'elle prenait l'avion. Ce qui ne lui était arrivé que trois fois en dix-neuf années d'existence. Dans moins de quinze minutes, elle aurait laissé Moscou derrière elle. Ceux qui les avaient réceptionnés à leur descente d'avion – et qui avaient fait disparaître Marcus – l'avaient laissée choisir sa prochaine destination. Ils avaient payé le billet pour elle et son enfant. Et même ses bagages tout neufs. Lui avaient procuré tous les documents nécessaires. Avec une condition : elle devait partir loin, très loin. Elle savait que le père d'Anton était mort. Il avait beau l'avoir préparée à cette éventualité, lui avoir répété que les hommes comme lui ne faisaient pas de vieux os, la perspective d'être à vingt ans une mère célibataire dans un pays inconnu, sans emploi et avec seulement quinze mille euros d'avance, avait de quoi miner le moral.

Mais elle était coriace – elle n'avait pas dit son dernier mot. Pendant son séjour moscovite, elle s'était débarrassée de ses piercings et elle avait dépensé le quart des vingt mille euros planqués dans sa valise pour faire effacer certains tatouages trop visibles au laser – uniquement ceux en noir, ceux en couleur étaient presque ineffaçables – et s'acheter des vêtements simples mais classe (dont le tailleur gris qu'elle portait ce jour-là) au Tsvetnoy Central Market, près du cirque Nikouline. Elle avait adopté une coiffure et un maquillage qui correspondaient aux critères des passagers de classe affaires et des clients d'hôtels de luxe puisant leurs goûts dans des revues en papier glacé. Elle aurait certes préféré être assise en *business*, au cas où un pigeon bien dodu se serait présenté : ce n'était pas ici, en classe éco, qu'elle allait dénicher un cave plein aux as. Elle avait cependant récupéré des documents à l'ambassade de son pays de destination avant son départ et – avant même le décollage – elle commença de les étudier. Des listes d'entreprises qui fournissaient des nounous, des femmes de ménage, des baby-sitters à une clientèle très aisée. Elle avait dans son bagage un CV et des références parfaitement

697

bidons. Non qu'elle eût l'intention de faire le ménage ou de s'occuper d'autres morveux que le sien pendant très longtemps. Mais c'était une porte d'entrée vers des lendemains plus riants. Il suffirait d'un pigeon ou deux… Elle rejeta la nuque contre le dossier et ferma les yeux quand elle sentit la poussée des réacteurs dans ses reins. La vie ne l'avait pas épargnée – alors pourquoi aurait-elle dû épargner celle des autres ?

Guy Steinmeyer souriait en descendant de sa Fisker Karma sportive et écolo à plus de cent mille euros. Aujourd'hui, il s'était promené dans les rues de Toulouse et trois personnes l'avaient reconnu et lui avaient demandé un autographe. Elles l'avaient appelé « monsieur Dorian ». Bien sûr. L'eussent-elles appelé Steinmeyer qu'il ne savait pas s'il aurait reconnu son nom. Il y avait si longtemps qu'il était Guy Dorian. N'était-ce pas sous ce nom qu'il resterait à jamais comme l'un des pionniers de la radio et de la télévision françaises ? De l'âge d'or ? Sous ce nom qu'il apparaîtrait dans les encyclopédies, les histoires de la télé, les rétrospectives ?

Il salua de loin une voisine qui tondait sa pelouse sur un petit tracteur, déverrouilla la boîte aux lettres cylindrique, sur un piquet, à l'américaine – à dix mètres de leur très belle maison qui jouxtait le Golf-Club de Toulouse : la propriété faisait face au neuvième trou. Retira le courrier. Eut immédiatement l'œil attiré par une enveloppe marron à son nom, sans timbre ni adresse. Il déplia la feuille à l'intérieur. Des lettres découpées dans un journal… collées ensemble pour former des mots…

Tu vas te suicider... Tu ne le sais pas encore mais tu vas le faire.

La lettre n'était pas signée.

Elle vint en personne lui annoncer le résultat. Elle ne téléphona pas, elle se déplaça jusqu'à son bureau. Il ne s'y trouvait pas. Catherine Larchet, chef de l'unité bio du labo de police scientifique, le chercha partout et finit par le trouver dans celui d'Espérandieu, penché par-dessus l'épaule de son adjoint, fixant un écran. Elle cogna brièvement. Il se retourna et – avant même qu'elle eût prononcé un mot – il comprit.

Ce n'était pas le sien. Ce n'était pas elle.

La bouche de Servaz s'ouvrit : il avait eu raison.

— Tu avais raison, confirma-t-elle. C'était bien son sang – mais c'était le cœur d'une autre femme... Il y a même un trou minuscule – là où il a injecté le sang de Marianne...

Il resta un long moment immobile, stupide. Sans savoir quoi faire, quoi dire, ni comment réagir. Quelque chose gonflait dans sa poitrine – qui n'était pas de la joie, ni même du soulagement – mais peut-être bien de *l'espoir*... Un infime, mais réel espoir.

Hirtmann, espèce d'ignoble salopard...

Il passa en trombe devant elle et fila vers les ascenseurs, traversa le hall, jaillit dans la chaude et crémeuse lumière de l'été. Il avait besoin d'être seul. Il se mit en marche le long du canal, sous les arbres poussiéreux. Instinctivement, sa main retrouva le paquet de cigarettes au fond de sa poche. Le sortit. Il en extirpa une, la coinça entre ses lèvres et, cette fois, il l'alluma.

Le poison descendit lentement, délicieusement dans ses poumons. L'espoir – il en avait conscience – était un poison tout aussi mortel.

Il pensa à l'homme qui lui avait envoyé ce cadeau – l'ex-procureur de Genève, l'ancien pensionnaire de l'Institut Wargnier. *Il ne se montre pas mais il est là, quelque part, peut-être à des milliers de kilomètres, peut-être pas loin d'ici, mais une chose est sûre, Martin : ta pensée ne le quitte pas. Il porte un déguisement parfait, il ne connaît pas la pitié mais il connaît l'amour, à sa façon. Et il t'aime. Sans quoi il aurait mis son vrai cœur à la place. Ce cadeau, cette offrande – c'est une invitation.*

Il marchait sans rien voir de ce qui se passait autour de lui, le soleil et les ombres glissaient sur son visage, il avait le front en sueur, la bouche sèche, le cerveau en feu.

Il est comme un frère non désiré, un frère aîné, un Caïn. Il fait des choses horribles, et il a Marianne... Car elle est vivante. Tu sais qu'elle est vivante. Un jour, un matin, tu te lèveras et tu trouveras dans ta boîte aux lettres un autre signe : il ne te laissera pas en paix. Elle t'attend – car elle n'a que toi. Sept milliards d'êtres humains et un seul qui puisse la sauver...

Un timbre de bicyclette le tira de sa rêverie. Il s'éveilla, tourna sur lui-même en regardant, ému, la lumière éblouissante qui traversait les feuillages, faillit renverser le cycliste qui l'évita de justesse, sentit les ondes de chaleur, entendit le vrombissement du boulevard... Il avait le visage tordu par un rire muet. Ses yeux brillaient. Le miracle de la vie, une fois de plus.

Marianne...

Remerciements et sources principales

Tous mes remerciements vont à MM. Christoph Guillaumot, Yves Le Hir, José Mariet et Pascal Pasamonti, du Service régional de police judiciaire de Toulouse ; et à André Adobes, sparring-partner, jamais avares de leur temps. Aucun d'eux ne peut être tenu pour responsable de mes erreurs et de mes opinions.

Dans mes recherches pour donner à cette fiction une certaine réalité, j'ai trouvé une aide précieuse dans les livres suivants : *Femmes sous emprise* et *Le Harcèlement moral, la violence perverse au quotidien* de Marie-France Hirigoyen ; *Les manipulateurs sont parmi nous* d'Isabelle Nazare-Aga ; *La Perversité à l'œuvre. Le harcèlement moral dans l'entreprise et le couple* de Jean-Paul Guedj ; *Une Française dans l'espace* de Claudie André-Deshays et Yolaine de La Bigne ; *Carnet de bord d'un cosmonaute* de Jean-Pierre Haigneré et Simon Allix ; *L'Exploration spatiale* d'Arlène Ammar-Israël et Jean-Louis Fellous ; *Almost Heaven, the Story of Women in Space* de Bettyan Holtzmann Kevles ; *À leur corps défendant. Les femmes à l'épreuve du nouvel ordre moral* de Christine Détrez et Anne Simon ; *Toulouse hier, aujourd'hui demain* de Fernand Cousteaux et Michel Valdiguié *L'Opéra ou la Défaite des femmes* de Catherine Clément ; *Tout l'opéra, de Monteverdi à nos jours* de Gustave Kobbé ; *Cinq grands opéras* d'Henry Barraud *Dictionnaire amoureux de l'opéra* d'Alain Duault *Russian Criminal Tattoo Encyclopaedia.*

Caroline Sers m'a aidé à rendre ce texte meilleur, de même que Gwenaëlle Le Goff et Christelle Guillaumot

Je remercie chaleureusement pour leur travai remarquable les équipes des éditions XO et Pocket à commencer par Bernard, Caroline et Édith – premiers lecteurs.

Toutes les erreurs sont de mon fait. Mes personnages ne sont que pure invention. Ainsi, les présentateurs télé et radio que j'ai rencontrés ne ressemblent en rien à ceux dépeints ici. De même, ni l'Agence spatiale européenne ni le CNES n'ont cherché, à ma connaissance à étouffer quelque affaire que ce soit. Pour ce qui es des goûts musicaux de Servaz, je suis une fois de plus redevable à Jean-Pierre Schamber de m'avoir guidé su ces épineux sentiers qu'il parcourt plus souvent que moi ; il faut ajouter ici la contribution de l'éminent Georges Haessig en ce qui concerne ces merveilleux fragments d'enregistrement sur rouleaux interprétés par Mahler lui-même.

Enfin je voudrais préciser que les serrures du Grand hôtel de l'Opéra ne sont très certainement pas aussi faciles à ouvrir qu'il est dit dans le livre. Mais cela ne change rien au fait que des millions de serrures électroniques de grands hôtels de par le monde présenten un niveau de sécurité très limité pour un cambrioleur un tant soit peu averti et équipé.

Et puis il me faut étendre les remerciements à ma famille, à mes amis et à tous ceux – ils se reconnaîtront – qui ont permis un jour que j'aie des lecteurs. Et, *last but not least*, à ces lecteurs eux-mêmes.

Composition et mise en pages
Nord Compo à Villeneuve-d'Ascq

Imprimé en Espagne par
Liberdúplex
à Barcelone
en mars 2016

POCKET – 12, avenue d'Italie – 75627 Paris cedex 13

Dépôt légal : février 2015
S25510/05